Points de départ

Points de départ

DAVID NOTT

MANUEL DE L'ÉTUDIANT

Hodder & Stoughton
A MEMBER OF THE HODDER HEADLINE GROUP

British Library Cataloguing in Publication Data

Nott, D. O.
Points de Départ
I. Title
448

ISBN 0-340-58745-8

First published 1993

Impression number	10	9	8	7	6	5	4	3	2	1
Year	1998	1997	1996	1995	1994	1993				

Design by Amanda Hawkes
Typeset by Wearset, Tyne and Wear
Printed in Great Britain for Hodder & Stoughton Educational, a division of Hodder Headline PLC, Mill Road, Dunton Green, Sevenoaks, Kent TN13 2YA by St Edmundsbury Press, Bury St Edmunds, Suffolk.

Contents

Acknowledgements

All the material in this book is controlled by copyright. We are grateful to the following copyright holders, and their agents, for permission to reproduce the texts, cartoons, photographs and other material.

Texts
Le Point, 1B, 4C, 6C, 10A; Editions Gallimard, 1C; Editions Seghers, 2A; Editions Denoël, 2B, 6B; *Le Monde*, 2C, 3B, 3C, 4A, 4B, 7A, 7B, 7C, 8C (both texts), 9B, 10C; *Le Journal du Dimanche*, 3A; Editions du Seuil, 5B (©1987), 6A (©1991), 8B (©1979, coll. *Points Actuels*), 9C (©1974); Editions Robert Laffont, 8A; Editions P.O.L., 10B.

Cartoons
Serguei, pages 4 and 181; Wolinski, pages 8, 106, 117, 202; C. Charillon - Paris, for cartoons by Faizant, pages 23, 221, and Bosc, page 30; Chantal Meyer for cartoons by Plantu, pages 50, 77, 121, 122, 146, 152, 172, 198, 199; Pancho, page 55; Pessin, pages 57, 196, 226; *Québec français*, for cartoon by Lainé, page 174; *Le Nouvel Observateur*, for cartoon by Claire Bretécher, page 225.

Photographs
Rex Features Ltd, page 3; Hulton Deutsch Collection Ltd, page 10; Bibliothèque nationale, Paris, page 25; the Kobal Collection, pages 29, 125; J. Allan Cash Photolibrary, pages 33, 95, 169, 201; Marco Polo, pages 34 (photo: P. Hallé), 71, 128 (photo: P. Hallé), 175, 179, 223 (three photos: F. Bouillot); Associated Press/Topham, pages 47, 49; Explorer, pages 53 (photo: José Dupont), 104 (photo: Arthus Bertrand), 191 (photo: Elie Bernager); Cephas Picture Library, page 76 (photo: Mick Rock); DIAF, pages 79 (photo: Yvan Travert), 217 (photo: Thomas Jullien); J.L. Charmet, pages 97, 193, 219; Archive Photos, Paris, page 101; Collection Sirot-Angel, page 119; Claude Schwartz, Paris, page 143; Topham Picture Source, page 145; Zefa Picture Library, page 151; Jerrican, page 197 (photo: Nieto).

Other material
Le Français dans le Monde, quotation from Robert Escarpit on page x; Presses universitaires de Nancy, extract from *Learning Styles* (Duda and Riley, eds), on page xiv; P. Rickard, table of phonetic symbols from *A History of the French language*, Routledge, on page 12; *Le Monde*, ten pieces by Claude Sarraute, *Sur le vif*, on pages 22, 46, 70, 94, 116, 142, 168, 194, 216, 242; TF1, France 2, France 3, M6, Arte, Canal Plus, logos on page 58; Penny Ur, extract from *Grammar Practice Activities*, Cambridge University Press, used in exercise 5/6 on page 112.

Every effort has been made to trace and acknowledge ownership of copyright. The publishers will be glad to make suitable arrangements with any copyright holders whom it has not been possible to contact.

In addition, the author would like to thank the following people:

First-year students at Lancaster University from 1986 to 1992, for their candid, constructive and helpful comments in end-of-year questionnaires on the French language course and the materials which, through successive versions, have become *Points de départ*.

Colleagues in the French Studies section of the Department of Modern Languages at Lancaster University, for their willingness to use successive versions of the material, particularly the texts and activities, with their language groups; Terry Keefe, for his unfailing support and encouragement, especially in connection with the *points langue* and the *exercices*; Robert Crawshaw, for the original choice of texts 7C and 8C, and for the idea of *Pratique écrite 1* (*demande d'emploi*) in chapter 9.

AFLS and Mario Rinvolucci for ideas which appeared in *AFLS Newsletter 25*, Spring 1990, and which have been adapted for *activité 1, variante (b)* on page 5 and *activité 4* (*Récit interrompu*) on page 153.

Oliver Gadsby, of Hodder & Stoughton, and past and present members of the editorial and design team: Chris Barker, Anna Hankey, Amanda Hawkes, Liz Hornby and Don Martin.

"Tout apprentissage d'une langue comporte une dialectique entre la loi et la transgression. L'enseignement normatif fournit la loi, l'imprégnation dans le milieu social fournit l'occasion de la transgression. Mais la loi et la transgression sont présentes partout. Quand on apprend une langue par la pratique, la non-compréhension, le non-effet de la parole sont des sanctions qui formulent implicitement la loi. Quant à la transgression, toutes les grammaires s'efforcent de la codifier par les exceptions et les irrégularités."

Robert ESCARPIT
(*Le Français dans le Monde*
n° 142 – janvier 1979)

Introduction

To the tutor

Detailed suggestions for the exploitation of the material in *Points de départ* are given in the **Tutor's Guide**, available separately.

To the student

The topics and texts in *Points de départ* are centred on the French-speaking world, but the suggested approach invites you to call upon your own ideas, experience and cultural background as a base from which to discover, analyse and appreciate the ideas and experiences presented in the texts.

Despite past differences, the peoples of Europe (not least the British and the French) have always, in their experience of life, had more things in common than things that divide them. To be open to French culture, you do not have to deny your own culture, but you will come to realise that all cultures are relative, and that cultural identity is a subjective, personal matter. Only through knowing ourselves can we come to know and appreciate what is separate and different from us.

Similarly, when it comes to improving your skills in understanding and using the French language, you have to evolve your own strategies for tackling them. The map of the English language which you have developed for yourself influences, and is in its turn influenced by, the map you are trying to draw of the French language. The resultant language map is unique to each one of you, and is itself constantly changing, which is why you have to adapt the methods on offer to suit your own needs.

● LAYOUT OF THE MATERIAL

Points de repère

(These are situated immediately before each text.) These notes, divided into a number of short sections (**Contexte**, **Sujet**, **Perspective**, **Style**, **Conseils**) are intended as a brief guide, to be consulted before studying each text. They are not meant to replace your own expectations about the text: each time we read a text, we bring to it a number of preconceptions, based in part on knowledge, and in part on ignorance. It helps to be aware of these preconceptions, and to check, as we go along, whether they influence our attitude to the text and, once we have finished reading the text, whether they have been modified by what we have read.

Textes

(There are thirty main texts, covering ten topic areas.) A textbook cannot provide up-to-the-minute information, or coverage of current affairs; nothing is staler than yesterday's news, and for today's news we turn to the radio, television or the press. What appears between the covers of a book has to satisfy different criteria: in *Points de départ*, the aim is to provide texts on issues of perennial interest which, in one form or another, are often reflected in current events.

Unless we as individuals and as members of a society know where we and our society have come from, we are unlikely to know either where we stand now, or where we are going. The same is true when it comes to understanding a foreign society and culture, which is why, in most of the chapters in *Points de départ*, an attempt is made to place the topic in an historical perspective. In this way, you are invited to make comparisons not only between the present state of two major European cultures, but also between the present and the past state of French culture. For example, the three texts in Chapter 6 are centred on: French attitudes to colonial expansion at the end of the nineteenth century (6A), the everyday experience of North African immigrants in France during the Algerian war (6B), and the controversies surrounding the social and educational integration of immigrant communities in France at the end of the twentieth century (6C).

Points de départ is not a complete manual of French civilisation: the ten topics and thirty texts can but sample the full range, and many areas of general or specialist interest are covered sparsely, if at all; but you will find that awareness of, and ability to be articulate about, some of the issues presented in these pages are invaluable assets when it comes to making contact and earning credibility with your French-speaking counterparts. Within these covers, you will find texts in a variety of styles, chosen for their intrinsic interest, and for their suitability as a stimulus to reflection and personal involvement.

The focus of the **texts** is on aspects of French life and culture, but the focus of the **activities** around the texts is on you, the student.

Activités

(To be found immediately after each text.) These provide opportunities for you to assimilate the language and ideas of a text, and to practise using the language of the text to express your own ideas. The golden rule is never to leave a language class without knowing what you need to prepare for the next class, and never to come to a language class unprepared.

Each activity has four main stages:

1. **Travail individuel:** individual preparation for the class, generally involving reading, thinking and note-taking;
2. **Travail à deux:** an intermediate stage between individual preparation and participation in whole-class activities; an opportunity for you to compare notes with someone else, to assess the similarities and differences in your ideas, and perhaps to work out a joint approach;
3. **Tour de table:** an equal opportunity for each of you individually or as a team of two
   (a) to make a contribution to the activity, reporting on findings,

reactions, and questions which you wish to share with the rest of the group, and

(b) to see for yourself how your own ideas and responses relate to those of others in the group;

4 **Mise en commun:** this final stage of an activity can be the most rewarding if you make use of the information gained so far to challenge and be challenged, to reassess and reformulate your ideas, and to argue persuasively.

The activities suggested for each text generally begin with one centred on some aspect of the language used in the text. If French is used as the medium of communication for this first stage of the work in class, you will find that this helps prepare your ear and mind for the content-centred activities which follow. This stage of work in class on a text can also be used for you to raise questions of vocabulary, idiom or cultural references which you have found when preparing for the class.

The remaining activities suggested for each text are centred on you yourself and on the issues raised by the text, which now becomes a pretext for activities designed to help you develop your linguistic skills by involving your own personality and ideas.

Pratique orale

(Situated at the end of each chapter.) Many of these activities are suitable for presentation to a group of students, whether as a part of classwork or as a piece of coursework assessed by the tutor or *lecteur*. Others, however, can be prepared and recorded with a partner, either as practice or as a piece of assessed work.

Pratique écrite

(Also to be found at the end of each chapter.) These suggestions for written activities are intended to fit into a regular programme of assessed work; an average length of about 600 words is generally appropriate for a piece of continuous writing. Many of these suggestions can however be adapted either in note form as part of preparation for classwork, or perhaps as short pieces to be read out to the group. You will normally be given a choice of questions to write on, from the current or a previous topic.

Points langue

(Grammar explanations, examples and exercises.) Each of these is divided into five sections; in Chapters 1 to 5, the first section is devoted to aspects of French pronunciation and spelling. Examples illustrating each grammar point are taken, where possible, from the texts themselves: a reference at the left, e.g. 4B2, indicates that the example is taken from text 4B, paragraph 2. Additional (invented) examples are provided in some cases.

By studying these examples in the context where they appear, you can learn to see the French language as a system in its own right, rather than as simply a number of parallels with, or differences from, the system of English. Nevertheless, as a user of English, you will naturally make reference to, and comparisons with, the grammatical system of English when studying French, and as your understanding of the grammatical system of French increases, you should gain deeper insights into the English language.

Mastering a set of grammatical rules for French is not the same as achieving proficiency in the comprehension and production of the language, but a study of patterns, structures and so on helps you to make sense of what you hear and read, and to speak and write French with confidence and conviction. In other words, grammar is best seen as an aid to communication.

In *Points de départ*, explanations of grammar are given in French: you will learn more French by reading explanations in French, and by becoming gradually familiar with grammatical terminology (see below) than if you remain constantly on the English side of the linguistic divide.

Exercices; Exercices oraux

The exercises in *Points de départ* are of two kinds: those labelled **exercice** are generally suitable for independent study, individually or with a partner (suggested answers for these exercises are given at the end of the book: see pages 254–7), or for oral or written work in the language class; those labelled **exercice oral** are mainly suitable for classwork (in pairs or with the whole group), but several of them could be practised with a partner.

An exercise should normally be worked through as soon as possible after studying the **point langue** (explanations and examples) to which it refers; additionally, several exercises are suitable for end-of-term or end-of-course revision or test purposes: it is not sufficient to say to yourself, once you have read Chapter 3, for example, that you have 'done' the Passive now, and therefore do not need to think about it again. In the case of an exercise on an area of grammar where you feel insecure, it might be a good idea to keep a record of your score and to see if you can better this score when you return to the point, and the exercise, some months later.

Constructions verbales; Constructions adjectivales

(To be found at the end of the book: see pages 243–6.) These sections provide a convenient list of some of the most common verbs and adjectives, with an indication of their use with *à*, *de* or another preposition before a noun or an infinitive. If a particular construction is illustrated in the **Points langue** sections, the reference is given in the list. You are advised to make a careful study of these lists, together with the corresponding examples and illustrations in the **Points langue**.

Grammatical terminology

(List at the end of the book: see pages 247–51.) This is the only section of *Points de départ* which is in English. You are advised to read it through at an early stage in the course, and to refer to it frequently thereafter.

● METHODS OF STUDY

The sequence of material in each chapter of *Points de départ* illustrates how the study of grammar can take its place in a programme designed to develop communicative skills:

Stage 1: Repères, Texte, Activités
Stage 2: Points langue, Exercices
Stage 3: Pratique orale, Pratique écrite

It is not necessary to keep rigidly to this sequence in every case: for example, stage 2 could be begun before stage 1 is completed. The important principle is to alternate between communicative activities and language-centred study and practice, so that the study of grammar arises naturally from its communicative context, and in turn provides you with additional resources for the next communicative stage.

If you are using *Points de départ* as part of a general, specialised, main or subsidiary French course in higher education, this transition from one stage of the education system to another is an appropriate time for you to review your methods of study: a time to acquire new habits of pronunciation, spelling, vocabulary and grammar, new ideas about yourself and the world in general and new knowledge of your own country and culture, and of francophone countries and cultures.

Research into foreign language learning shows conclusively that your progress depends directly on the number of meaningful contacts you have with the language: it is your responsibility to be clear about what you want from a French language course at this level, and what you need to do to make frequent opportunities for 'contacts with the language' which are meaningful to **you**.

Pronunciation and spelling

In everyday life, we normally listen and speak without even thinking about the written forms of what is being said, and we read and write silently. To make progress when learning French, however, you need to make yourself consciously aware of the link between sounds and spelling, for example by following the printed version of a text while it is read aloud, and comparing your expectation of how a particular sound, syllable or word should be pronounced with what you actually hear. This is best done with regard to one particular sound, or group of letters, at a time. Selective analysis of this kind can help us to overcome our natural tendency to assume that we have pronounced something in one way, when we have in fact pronounced it quite differently: for example, you need to make a francophone listener realise that you are saying *développer*, *évidemment* or *symbole*, and to be able to recognise these words when they are said to you.

Vocabulary

There are no vocabulary lists in *Points de départ*, either with each text or at the end of the book. There are four main reasons for this:

1 It is not always necessary, when reading a passage of French, to understand the exact meaning of every word: it all depends on the purposes for which you are reading it. It is far more important, when you first read a passage, to identify those words and phrases whose meaning is clearly essential to your understanding of a paragraph or of the passage as a whole, and to concentrate on those.

2 When you are faced with a word or phrase which seems to be essential to your understanding of the passage, but which you cannot make sense of, try first of all to work out the meaning from the context: the rest of the sentence, the paragraph as a whole, etc.

3 Having formed a hypothesis as to possible meanings of a word or phrase, consistent with the overall sense of the passage, your next step is to check this hypothesis by consulting a dictionary (French–English or French–French: for suggestions on using dictionaries, see **Points langue** 1.2, page 15).

4 Studying words in their context, and checking their meaning with a particular purpose in mind, can help you acquire and retain new vocabulary through association of a word with the phrase or sentence containing it, or of a word or phrase with a particular text, idea or topic. Words learnt from a list, out of context, lack these associations, and so may be less easily retained in your memory.

Varieties of French

An attempt has been made, in *Points de départ*, to take account of the obvious fact that uses of language which are apparently 'correct' as regards grammar, meaning and pronunciation may in fact be inappropriate because of the particular circumstances in which communication is taking place: the degree of formality or informality of the situation, the nature of the relationship, attitudes and expectations between the participants, and so on.

It is important to see the French language as a single system with a number of variations: if you study only formal, written French, and then go to live and work in a French-speaking country, hearing and using mainly informal language, you may well find it difficult to switch readily from one variety of French to another. We all learn, to a greater or lesser extent, to make these adjustments when understanding or using our own language; in the case of French, it is all too easy to neglect the need to be aware of different varieties, sometimes called levels, or registers, of usage. (These variations are not, in themselves, a reflection of social class.)

To guide you towards use of appropriate language, a system of labels is used, in the **Points langue** sections, to point out if a particular form of words is more likely to be used in one kind of situation than in another. An explanation of these labels is given in the section on **Grammatical terminology**, under the headings **Niveau(x) de langue** and **N1**, **N2**, **N3**, **N4** (see page 249).

As a general rule, if there is no indication as to the level of formality for which a particular example is appropriate, this means that you can safely use the words or structures in **any** situation. If an example is labelled **N3**, this means that it would be appropriate for you to use it in a **formal** situation (i.e. with people you address individually as *vous*); **N2** indicates an example that would be appropriate in an **informal** situation (i.e. with people you address individually as *tu*).

N4, on the other hand, represents a marked degree of formality, and **N1** of informality: native French speakers will expect you to avoid these two extremes, at least initially. (Examples labelled N4 and N1 are kept to a minimum in this book.)

Usage is your servant, not your master: these indications (N3, N2, etc) are offered as a guide to what would be expected in a given situation, but once you know the ropes, you are free to break through them, and to take the consequences!

Reading
Each of the texts printed here is part of a **learning** programme, a means of acquiring and practising useful skills. Additional reading will enable you to keep abreast of current events, issues, preoccupations, trends and attitudes in French-speaking countries, to widen your experience of the range of written expression in French, and to identify different types of writing, and the purposes for which they are used. (Some additional texts, suitable for photocopying, are provided in the **Tutor's Guide**, which is available separately.)

Writing
Active reading of French texts is essential if you are to develop your own skills of expression. The individual French words and phrases used in each of the texts in the book do not belong to their author: you are free to adapt them, in speech or in writing, for any purpose you choose. You should, however, avoid copying out, unacknowledged, whole sentences from French texts: instead, imitate or adapt the style of a text to suit your purpose, use words and phrases from it in sentences of your own invention, and use the text as a model for sentence structure, how to introduce new ideas, and so on.

Fluency and accuracy
These twin objectives are not in conflict: to achieve a satisfactory standard of performance in spoken and written French, you need to make progress both in speed and ease of expression, and in clarity and authenticity. Although much of what you say and write in French will be monitored, and some of it marked, you should look beyond the necessary artificiality of this situation. Every time you speak or write French, try to imagine francophone listeners or readers who are interested in what you have to say, and who, because of the circumstances, the medium of communication being used, what they know of you and of the topic in question, have particular expectations as to how you will say it. In other words, when choosing and evaluating how you express yourself, your criteria should be those of **communicability** and **acceptability**.

Communicability, because your listener or reader is expecting you to avoid ambiguity, and to make your message intelligible; **acceptability**, because your listener's or reader's attitude to you, and therefore to what you have to say, is influenced by your ability to use appropriate language, to formulate well-constructed phrases or sentences, and to be reasonably at ease with verb endings, agreements of adjectives, and so on. Seen in this light, accuracy is not a matter of avoiding mistakes, but a vital way of helping you get your message across.

Conclusion
When it comes to learning a language, we are all unique in terms of personality, attitudes and strategies, and we must all decide which approaches suit us naturally, which ones we feel we can learn to adopt, and which ones simply do not work for us.

To help you formulate your own strategies, here are the qualities which, according to R. Duda and P. Riley (editors of *Learning Styles*, Presses universitaires de Nancy, 1990), characterise Good Language Learners (GLLs):

Personality
GLLs *actively* involve themselves in the language learning task
GLLs are willing to *experiment* with new learning strategies
GLLs *don't mind taking risks* and experimenting with language

Attitudes
GLLs realise that language works as an *organised system*
GLLs realise that language is a means of *communication* and *interaction*
GLLs realise that it takes a lot of *hard work* and *time* to learn a language and this does not happen only in a classroom

Strategies
GLLs *monitor* and *evaluate* their progress
GLLs *vary* learning activities and choose activities that are *interesting* and *meaningful* to them
GLLs learn a little often and *practise* regularly
GLLs *organise* their learning programme and materials
GLLs have certain *sub-goals* as marks of progress

It goes without saying that, if you are endowed in good measure with **all** these qualities, you are not merely a GLL, but one fit to be Chief Executive in the Tower of Babel.

CHAPITRE 1

PRÉSENTATION

TEXTES

- **1A** ***Famille, je m'en vais***
- **1B** ***Politoscopie de François Guillaume***
- **1C** ***Souvenirs d'enfance***

POINTS LANGUE

- ● **1.1** ***Prononciation: les sons du français***
  voyelles, consonnes: prononciation, orthographe
- **1.2** ***Le dictionnaire: mode d'emploi***
- **1.3** ***Verbes pronominaux***
  se, objet direct/indirect, action ou état?
- **1.4** ***Pronoms personnels 1***
  il, *elle* ou *ce*, *cela*, *ça*?
  il ou *ce*, *cela*, *ça*?
- **1.5** ***Démonstratifs: adjectifs et pronoms***
  ce, *cette*, *ces*; *ceci*, *cela*, *ça*; *celui*, *ceux*, etc

1A

points de repère

● CONTEXTE

L'article que vous allez lire a paru dans *Jacinte*, un magazine destiné à des adolescentes. Comme c'est souvent le cas dans ce genre de publication, le niveau social des jeunes filles interrogées dans l'article est au-dessus de celui de la lectrice moyenne; même le psychologue, dont on donne les "Conseils", parle de quartiers de Paris (XIVe arrondissement, quartier du forum des Halles) où les loyers seraient trop élevés pour la majorité des Français.

En France, un étudiant sur dix fait ses études supérieures dans une école supérieure, souvent située à Paris ou dans une autre grande ville éloignée de la sienne (voir aussi texte 8C). Sur les cinq jeunes filles interrogées dans l'article, quatre ont préparé des concours pour entrer dans l'une de ces écoles:

- l'Ecole des Chartes (Paris) (1A1)
- l'Ecole Centrale (Paris) (1A3)
- le Conservatoire d'art dramatique (Paris) (1A4)
- l'Ecole des impôts (Clermont-Ferrand) (1A4)

En ce qui concerne les autres, les neuf dixièmes des étudiants en France, dont Anne (voir 1A3), font leurs études supérieures à l'université ("en fac"), le plus souvent dans la région ou la ville même où habitent leurs parents. Le fait de dire "Famille, je m'en vais" est donc plus rare et peut-être plus dramatique en France qu'en Angleterre, par exemple.

● SUJET

Le titre de l'article rappelle, en effet, le fameux cri d'André Gide, "Familles, je vous hais!". Si vous avez vous-même passé quelque temps dans la famille d'un correspondant français, vous aurez pu constater par vous-même la manière dont les relations familiales sont vécues, et faire des comparaisons avec la Grande-Bretagne. Pour les jeunes filles interrogées dans l'article (à l'exception d'Odile: voir 1A3), le départ et la séparation ont eu quelque chose de dramatique, même si les choses se sont arrangées par la suite (comme pour Cécile, par exemple: voir 1A2).

● PERSPECTIVE

L'essentiel de l'article est composé des propos des jeunes filles elles-mêmes: on essaie de permettre aux jeunes lectrices de se faire une idée, à travers ces propos, des réalités de la situation, qui sont finalement moins terrifiantes qu'elles ne s'imaginent. Et puis, "plus les études paraissent sérieuses, et plus les parents se montrent coopératifs".

● STYLE

Les propos des étudiantes ont été adaptés au style d'une publication écrite, mais plusieurs mots, et certaines locutions, sont encore caractéristiques du français parlé, familier: *carrément* (1A1), *ça l'a épaté* (1A3), *c'est la panique* (1A4), *les endroits sympas* (1A4), *les soirs de cafard* (1A5), *recaler* (1A5), par exemple.

● CONSEILS

En lisant cet article, essayez de vous faire une idée des attitudes qu'il exprime, et de comparer celles-ci avec votre propre situation.

(1) « C'était au mois de juillet, raconte Cécile, j'ai profité du long week-end du 14 juillet pour aborder la question. Profitant de la sérénité de ce jour de vacances où mes parents étaient détendus, disponibles pour m'écouter, je leur ai carrément annoncé que moi, Cécile, 18 ans, leur fille unique allait les quitter dans deux mois pour Paris. Pour le lycée Henri IV qui me préparerait à l'école des Chartes. Maman a eu un sourire un peu crispé, Papa a tondu les fleurs en même temps que la pelouse. Mais au fond, ne s'y attendaient-ils pas un peu ? Nous nous sommes penchés sur le plan de métro, pour situer la résidence universitaire où j'allais vivre désormais. Ensemble nous avons consulté les horaires du train qui me ramènerait pendant le week-end, du moins au début, quand je n'aurais pas encore beaucoup de travail, pour que l'absence ne pèse pas trop, d'un côté ou de l'autre.

(2) « J'ai tenu à patauger toute seule dans ma nouvelle vie, précise Cécile. Et quand j'ai été bien installée, maman est venue me rendre visite. Elle a été rassurée de voir ma chambre, mon quartier, les trajets que j'effectuais, les endroits où je mangeais. Je lui ai présenté mes premiers amis parisiens. Bien sûr il y a eu les mauvaises langues qui ont semé un instant le doute dans l'esprit de mes parents : « comment, votre fille vous quitte et c'est vous qui payez sa chambre ? Etes-vous sûrs au moins qu'elle va travailler sérieusement? Si elle devait subvenir à ses besoins pendant son temps d'études, elle serait plus motivée . . . » Heureusement les miens ont fait preuve de bon sens : « ce n'est pas une tare, quand on a 18 ans et que l'on doit préparer un concours difficile, de ne pas gagner sa vie ! Ils sont au contraire plutôt fiers que leur fille décroche des diplômes, même si c'est au loin. Et quand ils peuvent l'aider, ils le font bien volontiers. A condition quand même de ne pas abuser ! »

(3) « J'ai mis deux ans à décrocher ma première année de fac, toute prise que j'étais par ma nouvelle liberté ! se souvient Anne. Alors là, mes parents m'ont coupé les vivres ». Bien sûr, plus les études paraissent sérieuses, et plus les parents se montrent coopératifs. «J'ai réussi le concours de Centrale, explique Odile, 21 ans. Papa est lui-même ingénieur, mais qu'une fille, et de surcroît la sienne, réussisse une chose pareille, ça l'a épaté ! La question de savoir si je pouvais quitter Rennes pour Paris ne s'est même pas posée. Mes études passaient avant tout. »

Famille, je m'en vais

Dire : « je vous quitte pour Centrale, pour l'uniforme de Polytechnique, pour la gloire et les honneurs » ... Du simplissime. Plus délicat est de déclarer crûment : « je pars comme ça, pour mon indépendance.» Pris au dépourvu Papa vire au rouge. Maman s'effondre, il devient urgent de rattraper les choses avant que la maison n'explose.

(4) Téléphoner, les soirs de cafard

Mais même avec l'aide des parents, la séparation s'avère souvent difficile quand on se retrouve seule avec soi-même ! Marie-Jo, qui, à 19 ans, quitte La Rochelle pour le Conservatoire d'art dramatique de Paris, avoue : « quand on ne connaît personne, c'est la panique. Il faut se rendre compte de ce que c'est, chercher un logement, des petits jobs, trouver les bonnes adresses, prendre le métro quand on n'y comprend rien . . . » Beaucoup en effet n'ont pas la chance de rejoindre un oncle ou une amie déjà bien implantés dans la ville d'adoption. Si tout n'est pas rose pour la provinciale qui « monte à Paris », les parisiennes déracinées connaissent aussi la solitude et l'angoisse du dépaysement : «maintenant ça va mieux, précise Claire, 22 ans, admise l'an dernier à l'école des impôts de Clermont-Ferrand. Cette ville est réputée pour la froideur de son ambiance, en fait ce n'est pas pire qu'ailleurs. C'est-à-dire qu'au début on reste des jours entiers sans ouvrir la bouche, qu'on dîne seule le soir, qu'on se promène seule, qu'on a vite fait le tour du centre ville et que sans connaître les endroits sympas on s'ennuie, on s'ennuie . . . »

(5) D'où la nécessité de maintenir des liens familiaux étroits. C'est bon de rentrer le week-end, pendant les vacances, de téléphoner les soirs de cafard pour demander des nouvelles de Clémentine la petite nièce de 9 mois et de Barnabé, le chien. En même temps, les parents s'en trouvent rassurés et acceptent mieux la séparation. Et si jamais survient le coup dur, un échec qu'il faut bien parfois envisager, le retour au bercail reste possible : « je me dis que je suis la meilleure et que le concours d'entrée au Conservatoire, c'est comme si je l'avais déjà en poche, sourit Marie-Jo. Mais après tout les profs peuvent commettre l'erreur de me recaler ! Si je repars alors chez moi, mes parents seront contents, d'ailleurs ils ont l'habitude ! Mon frère a déjà échoué dans la photo à Paris, il est reparti à La Rochelle.» Un constat d'échec, c'est toujours très dur. Raison de plus pour se faire dorloter dans le creux tiède de la famille.

Premier jour à l'université
« J'ai mis deux ans à décrocher ma première année de fac »

(6) *PAROLES DE PARENTS*

PAPA

– Autoritaire :
« Je paye, donc je choisis pour ma fille : la chambre, le quartier, la ville, l'université. Comment ? Le papier peint? Vous vous moquez de moi ? »

– Homme d'affaires :
« Elle part, d'accord. Moi je lui accorde un prêt qu'elle me remboursera quand elle travaillera. En tenant compte de l'inflation ! »

– Soulagé :
« A la maison c'était une vraie peste, toujours hargneuse. Maintenant quand elle vient nous voir pendant les week-ends, en vacances, c'est un ange ! »

(7) *MAMAN*

– Masochiste :
« Je vais m'ennuyer moi sans sa bande de copains à accueillir. Ses coups de fil à noter et sa chambre à ranger. »

– Fataliste :
« De toute façon elle restait toujours dans sa chambre avec ses livres ou elle sortait avec des amis. Alors, un peu plus un peu moins . . . »

– Nostalgique :
« C'est amusant de la voir s'installer, choisir ses meubles, et ses plantes vertes. La veinarde. Moi je recommencerais bien comme ça, à zéro . . . »

(8) *LES CONSEILS DU PSYCHOLOGUE*

J. Paulhac dirige l'institut Pereire-Psychologie, à Paris.

■ ***D'abord****, dites-vous que le désir de vivre indépendante, de quitter le milieu familial n'est pas malsain du tout. Qu'au*

contraire, c'est bien naturel ! Ne culpabilisez donc pas. Mais voilà, si chez les animaux c'est la mère qui pousse les petits à partir, les hommes eux sont possessifs : normal donc que les parents veuillent garder leur enfant près d'eux, ce ne sont que « les horreurs de l'amour » ! Il s'agit seulement de concilier ces deux tendances pour que tout se passe bien.

■ ***Ne partez pas trop loin*** *de chez vous au début, pour ne pas vous sentir perdue. Gardez le contact avec vos parents, une rupture définitive est toujours un traumatisme. On ne divorce pas de ses parents, et l'on n'a qu'une mère ! D'ailleurs quand vous aurez la liberté que vous souhaitez, vous vous rapprocherez de votre famille, et vous vous entendrez souvent mieux avec elle, sans les accrocs de la vie quotidienne ! On se rapproche par la distance.*

■ ***En vous installant*** *vous choisirez les objets qui vous entoureront : c'est une fonction de maturation extrêmement positive. On est par ce qu'on a. De même cherchez un quartier, si financièrement vous le pouvez, « qui vous va » : à Paris le XIVe si vous aimez le calme chic, vers le forum des Halles si vous préférez l'originalité, l'animation de la vie nocturne. C'est un élément de personnalisation, et cela vous permettra de bien vous intégrer à votre nouveau milieu.*

■ ***Si vous en avez envie****, installez-vous avec des amis. Souvent d'ailleurs vous préférez une amie, c'est une affinité parfaitement normale ! Ainsi vous développerez votre socialité et vos facultés de concertation. Ce peut être, pourquoi pas, une bonne préparation à la vie de couple !*

■ ***Ne culpabilisez pas si*** *financièrement vous dépendez de vos parents. S'ils ont les moyens de vous aider, pourquoi refuseriez-vous ? Voyez la chose comme une sorte de contrat.*

■ ***Faut-il obéir à la mode****, vouloir à tout prix s'émanciper vis-à-vis de ses parents ? Il n'existe sur ce point aucune loi psychologique ou biologique. Si vous êtes bien chez vous, pourquoi vous forcer à partir ? La seule question à vous poser est : suis-je heureuse ? C'est ce critère qui doit décider.*

● propos recueillis par Sylvie Thomas

Activités

1 Autoprésentation

Tour de table

En quelques phrases brèves, présentez-vous aux membres de votre groupe. Vous pourrez parler, si vous voulez:

- de la ville, de la région où vous habitez;
- de vos études depuis l'âge de 16 ans (type d'établissement scolaire, matières étudiées);
- des voyages, des séjours que vous avez faits à l'étranger;
- de votre expérience du travail (temporaire, à temps partiel, par exemple);
- de vos goûts, passe-temps, activités sportives;
- de votre caractère, de votre tempérament;
- de votre avenir: ambitions, espoirs.

Ne cherchez pas à faire des phrases; exprimez-vous clairement et sincèrement: quelques détails, et c'est tout!

Variante (a)

Si certains membres du groupe se connaissent déjà, les présentations pourront se faire de la manière suivante:

Travail à deux

Présentez-vous à votre partenaire et, dans le courant de votre conversation, découvrez

(a) une chose qu'il/elle a faite mais que vous n'avez jamais faite et

(b) une région/une ville où il/elle est allé(e) mais où vous n'êtes jamais allé(e). Posez-lui quelques questions pour en savoir plus long sur la chose et la ville, afin de pouvoir donner quelques détails au reste du groupe.

Tour de table

Présentez votre partenaire au groupe, en donnant quelques détails sur la chose et la ville. Vous avez sûrement découvert, au cours de votre conversation, d'autres détails sur votre partenaire – par exemple, des goûts que vous avez en commun. Racontez!

Mise en commun
Participez à une brève discussion générale sur les points de convergence et de divergence qui se sont révélés.

Variante (b)
Si les deux partenaires sont inconnus l'un de l'autre, on peut mélanger réalité et fiction:

Travail à deux
Au cours de votre conversation avec votre partenaire, donnez-lui deux indications *exactes* et une indication *fausse* sur vous-même.

Tour de table
Au cours de la présentation que vous faites de votre partenaire, vous pouvez, si vous voulez, dire laquelle des indications vous semble fausse. Ou bien vous pouvez les laisser deviner, et on tâchera de résoudre la question pendant la *Mise en commun*.

Variante (c)
Si le groupe se réunit pour la première fois avec un lecteur/une lectrice qui arrive d'un pays francophone, la séance pourra se dérouler de la manière suivante:

Travail en classe 1
Le lecteur/la lectrice pose des questions sur les études supérieures en Grande-Bretagne: le système d'entrée, l'organisation des études, le logement des étudiants, les activités associatives, sportives, etc, dans votre établissement en particulier:

- les études préparatoires: choix des matières, organisation des études, méthodes de travail;
- la sélection à l'entrée: comment on pose sa candidature, les "offres conditionnelles", etc;
- les études de première année: choix des matières, organisation, programme des études;
- les activités associatives; vos préférences personnelles.

Travail en classe 2
A votre tour, vous pourrez poser au lecteur/à la lectrice des questions sur sa situation personnelle, afin de vous faire une idée des études secondaires (en primaire et en terminale), des moyens d'accès à l'université ou aux écoles supérieures, et des conditions de travail et de vie des étudiants dans son pays.

2 Le sens des mots

Travail individuel
Cherchez, dans un dictionnaire monolingue, le sens des expressions suivantes, dans leur contexte:

- leur fille unique (1A1)
- patauger toute seule (1A2)
- préparer un concours (1A2)
- décroche(r) des diplômes (1A2)
- ma première année de fac (1A3)
- l'angoisse du dépaysement (1A4)
- les soirs de cafard (1A5)
- se faire dorloter (1A5)
- un prêt qu'elle me remboursera (1A6)
- vos facultés de concertation (1A8)

3 Comparaison

Travail individuel
Notez par écrit deux ou trois points du texte où l'on exprime des idées ou des réactions qui correspondent plus ou moins à quelque chose que vous avez ressenti vous-même; notez brièvement les circonstances. Notez également deux ou trois points qui, au contraire, expriment des idées ou des réactions qui vous ont étonné, par exemple parce qu'elles sont différentes de ce que vous auriez ressenti, vous-même, dans une situation semblable.

Travail à deux
Comparez, avec un partenaire, les notes que vous avez prises: avez-vous eu, plus ou moins, les mêmes réactions tous les deux? Discutez-en ensemble.

Mise en commun
Présentez au groupe les résultats de votre discussion. Quelles sont les principales similarités, et les principales différences, entre les réactions exprimées par votre groupe et celles des jeunes Françaises? Comment expliquez-vous ces similarités, et ces différences?

4 Psychologie

Travail en classe
Comment avez-vous réagi en lisant les conseils du psychologue (1A8)? Choisissez un de ces conseils, lisez-le à haute voix et expliquez au groupe les raisons pour lesquelles vous êtes, ou n'êtes pas, d'accord avec ce qu'il dit.

1B

points de repère

● CONTEXTE

Un des rôles que se donne la presse écrite est de familiariser ses lecteurs avec les vedettes du moment – dans la politique, le monde des affaires ou l'industrie du spectacle. L'arrivée au pouvoir, en 1986, du gouvernement conservateur dirigé par Jacques Chirac, a braqué les feux de l'actualité sur un certain nombre de femmes et d'hommes jusque-là inconnus, parmi lesquels l'hebdomadaire *Le Point* a choisi, pour en faire la "politoscopie", le nouveau ministre de l'Agriculture.

● SUJET

La carrière de François Guillaume est un exemple frappant de cette possibilité qu'offre le système politique français: devenir ministre sans avoir été élu député. Contrairement à Edith Cresson (un de ses prédécesseurs au ministère de l'Agriculture dans le gouvernement socialiste de 1981–6, et une femme étroitement associée aux milieux politiques parisiens), François Guillaume était un homme de province, leader syndicaliste et patron d'entreprise.

● PERSPECTIVE

Malgré quelques détails sur ses choix politiques (gaullisme, réhabilitation de l'image du monde rural), il s'agit d'une "radioscopie" personnelle, plutôt que d'une "politoscopie" du nouveau ministre. Après avoir lu ces quatre pages, on a l'impression d'avoir fait sa connaissance, au moins jusqu'à un certain point.

● STYLE

En plus du style familier aux lecteurs du *Point* ou de *l'Express* – phrases courtes, détails concrets, frappants, découpage en paragraphes bien distincts – on trouve, ici, un dossier en sept parties dont le titre est un nom (Racines, Apparence, etc) et composée chacune de deux à quatre fiches dont le titre est un adjectif qualifiant le nom (Racines . . . paysannes, lorraines, gaullistes, etc). Chaque fiche est indépendante des autres, mais l'ensemble du dossier est arrangé selon un ordre clair et logique.

● CONSEILS

En lisant cette "politoscopie", soyez surtout attentif à la manière dont le portrait de François Guillaume est rédigé: description, narration, témoignages d'autres personnes, etc. Notez des phrases et des expressions que vous pourrez employer dans des descriptions orales ou écrites d'autres personnes – ou de vous-même.

Politoscopie de François Guillaume

(1) Leader, voilà quelques semaines à peine, des 800 000 agriculteurs de la FNSEA, François Guillaume est aujourd'hui ministre de l'Agriculture. Passé de l'autre côté de la barrière, il se trouve au cœur de toutes les tensions du monde rural. « Interpellé » par les paysans, qui voient se réduire leurs revenus et demandent des aides. Bridé par le marché mondial, l'Europe et le ministère des Finances. Cette semaine, à la réunion des ministres européens de l'Agriculture qui se tient aux Pays-Bas, il trouvera tous les dossiers chauds : montants compensatoires, surproduction, Etats-Unis, entrée de l'Espagne et du Portugal . . . Mardi, il abordera les difficultés hexagonales à l'assemblée générale de la Caisse nationale de crédit agricole, à Paris. Antoine Pinay, qui le connaît bien et l'apprécie, assure : *« A ce poste, il court au-devant des difficultés. A sa place, je ne l'aurais pas accepté. »* Il est vrai que sur François Guillaume repose aujourd'hui l'un des paris politiques de Jacques Chirac : non seulement tenir en main le monde paysan, mais aussi y renforcer son assise politique. Voici sa politoscopie, réalisée par Jacques Bouzerand.

(2) RACINES

Paysannes. Depuis plus de trois siècles, sa famille travaille la terre. Son grand-père paternel – Fernand, un chef de tribu à grosse moustache, sévère et fier – avait, à force de labeur, réussi à acheter l'exploitation dont il était simple fermier. François Guillaume s'estime aujourd'hui le *« dépositaire transitoire »* du patrimoine qu'il gère en fermage : 115 hectares à Ville-en-Vermois, à 12 kilomètres au sud de Nancy. Il en partage la propriété, au sein d'un groupement foncier agricole, avec sa mère, ses frères et ses sœurs. Production : lait, taurillons, blé, colza, maïs, mirabelle. Il est aussi bouilleur de cru.

Lorraines. Chaque année, enfant, il faisait avec sa famille le pèlerinage à Sion, la « colline inspirée » de Barrès. Une façon de conjurer les menaces allemandes sur la Lorraine, annexée en 1870 et libérée en 1918. Né le 19 octobre 1932, il a 7 ans au début de la guerre de 1939–1945 et assiste *« avec rage »* à la débâcle.

Gaullistes. Obsédé par le « rang de la France » dans le monde, il se passionne pour de Gaulle et lit tout ce qui s'écrit sur lui. Et que le symbole du gaullisme soit la croix de Lorraine ne peut que le conforter dans son gaullisme.

(3) APPARENCE

Surveillée. *« Je veux faire net »*, dit-il. François Guillaume déteste le négligé. Il fait attention à sa mise, mais n'est pas tracassé par son look. Il laisse à sa femme le soin de lui choisir des vêtements. Ils achètent les costumes par deux ou par trois. Style cadre passe-partout. Lors du premier conseil des ministres auquel il participait – vêtu de marron – il n'avait pas pensé à arborer l'uniforme classique gris ou marine des membres du gouvernement.

Décidée. Des yeux très bleus, perçants, déterminés. Une stature longiligne et nerveuse. Des mains fines, le geste posé, mais les jambes aussi fébriles que celles de Chirac. La voix assurée et le verbe dompté, François Guillaume, de congrès en congrès, s'est imposé comme orateur. A la porte de Pantin, le 23 mars 1982, où le président de la FNSEA avait drainé 120 000 agriculteurs, son éloquence avait fait barrage à la politique d'Edith Cresson.

Médiatique. Il passe bien à la télévision et il est photogénique. Un de ses adversaires politiques dit de lui, miel et vinaigre, *« entre John Wayne et Robert Mitchum, c'est un cowboy du XIXᵉ siècle qui s'est trompé de siècle »*.

(4) SENSIBILITÉ

Rentrée. Il n'aime guère parler de lui. Il tutoie peu. A la FNSEA, seuls quelques-uns lui disent « tu ». Au ministère, le « vous » est de rigueur. Une déception, un mot de travers le blessent et le « ferment ». Mais il a une grande sensibilité pour sa famille.

Agreste. Le parfum des fruits, celui de la mirabelle l'émeuvent. Il aime flâner dans sa chênaie et cueillir des champignons. Il connaît toutes ses vaches par leur nom : Paloma, Pivoine, Patrie . . .

Syndicale. En 1952 – à 20 ans – il participe sur son tracteur à sa première manifestation paysanne à Nancy. Quatre ans plus tard, bouleversé par le discours d'Albert Genin, le président de la FNSEA, il décide de militer. Chez les Jeunes Agriculteurs d'abord, puis à la FNSEA dans le sillage de Michel Debatisse. Il y prend le goût de devenir un leader.

(5) MODE DE VIE

Austère. Sa grande maison, dans la grande rue de Ville-en-Vermois, que sa femme Françoise tient d'une main de fer, est une vraie ferme. L'étable, la grange sont attenantes. Du confort mais pas de luxe. Sa résidence parisienne est un modeste studio à Asnières. Et, dans la chambre du ministère de l'Agriculture où il dort souvent, il a apporté un petit transistor. S'il conduit vite, il n'a pas la passion des voitures. Sa R20 est *« bouffée par la rouille »*.

Patriarcal. Ses deux garçons, les cadets de la famille, Jean-François, 25 ans, conseiller de gestion agricole, et Alain, 18 ans, qui poursuit ses études agricoles, reprendront – ensemble – la ferme familiale. Comme leur père, ils ont fait une partie de leurs études à l'école libre de La Malgrange, dans l'ancienne résidence du roi Stanislas. Ses deux filles, Marie-Anne, 29 ans, et Sylvie, 27 ans, sont toutes deux médecins.

Fragmenté. Ministre – en costume – à Paris ; agriculteur – en salopette – dans sa ferme lorraine. S'il a dû renoncer (à cause de ses nouvelles fonctions) à la présidence du Comité économique et social de Lorraine, il est toujours président de la société Saint-Hubert, une laiterie de taille internationale. Cette entreprise produit – entre autres – les fromages Révérend et vient de lancer un nouveau type de yaourt, le BA au « bifidus actif ».

Scrupuleux. Il ne s'est jamais fait rémunérer par cette société qu'au prorata du temps passé. Coiffé d'une casquette puis d'une autre, toujours entre deux voyages ou entre deux réunions, il veut être partout, mais il lui arrive souvent d'être en retard à ses rendez-vous.

François Guillaume au mariage de son fils
« Il a une grande sensibilité pour sa famille »

SIGNÉ WOLINSKI

(6) GOÛTS

Sportifs. Tout jeune, il pratiquait l'escrime. En Algérie, pendant la guerre, il avait monté une équipe de football. Il a toujours aimé tirer au but ; son poste de choix : avant-centre. A 40 ans, il a goûté au ski alpin, à la station de La Bresse dans les Vosges. *« Ça va vite, ça me plaît. »* A 50 ans passés, il s'est mis au tennis avec ses enfants.

Mélos. Premier soprano au collège de La Malgrange, il chantait du grégorien. Sa mère, très musicienne, avait voulu lui imposer le piano et le violon. Le violon est au grenier. Il lui arrive de fredonner tout seul. Il a un faible pour Tino Rossi, Edith Piaf, Yves Montand. Dans les mariages, naguère, il se faisait une gloriole et un joli succès dans « Jalousie », un air des « Saltimbanques ». Il ne déteste pas le bal musette, et sa femme affirme qu'il est un bon valseur.

Bricoleurs. Un vieil agriculteur, serrurier à ses heures, à qui il voue une grande admiration, M. Martin, l'avait initié aux joies du bricolage. Chez lui, il soude, il répare le matériel agricole. Mais il se fait tirer – plusieurs fois – l'oreille avant de changer, à la maison, une prise électrique défectueuse.

Audiovisuels. S'il lit peu de romans *(« Je n'ai pas le temps de me cultiver »)*, il ne dédaigne pas de regarder de temps en temps la télévision. *« N'importe quoi. Ça m'endort. »* Il a apprécié quelques films, « Un homme et une femme », « La déchirure », et a bien ri à « La grande vadrouille ».

(7) CARACTÈRE

Autoritaire. Le pouvoir, à ses yeux, ne se partage pas. Il veille à tout, comme le lui ont appris, sur la ferme, son grand-père et son père. Et quand il délègue, il ne laisse pas la bride sur le cou. Il demande des comptes rendus précis de chacune des missions qu'il confie. Et se met dans des rages folles lorsqu'un de ses subordonnés, par exemple, ne répond pas dans les plus brefs délais à une lettre qu'il lui a confiée.

Raide. *« C'est un négociateur qui ne négocie pas. Il passe en force ou il ne passe pas »*, affirme un de ses partenaires. Et lui-même s'est fait une maxime de cette phrase : *« Ceux qui gagnent, ce ne sont pas toujours ceux qui ont raison, mais ceux qui ont la volonté. »* Il s'avoue mauvais perdant, mais son opiniâtreté et son énergie l'ont souvent servi. Il ne supporte pas la contradiction. Persuadé d'avoir raison, il est peu perméable aux raisonnements des autres. Il est entier. Ses adversaires le disent manichéen, binaire.

Exigeant. *« Tout ce que je peux faire et que je n'ai pas le temps de faire, mes collaborateurs peuvent le faire. »* Il n'hésite pas à faire recommencer un travail, une note qu'il juge insuffisants. Il peut être cassant.

(8) INTELLIGENCE

Méthodique. Il est doté d'une mémoire d'éléphant et à compartiments. Il est organisé pour ce qui l'intéresse – pour le reste, avoue-t-il, il est désordonné. Comme il ne dort que cinq heures par nuit, il travaille beaucoup et dévore dossier sur dossier. Il travaille vite. *« Il potasse comme* *un bon élève »*, dit un administrateur agricole du ministère. Il a besoin de maîtriser un sujet pour être rassuré et sûr de lui.

Écrite. Il a toujours rédigé ses discours syndicaux. Il a écrit un livre de 300 pages, « Le pain de la liberté » (Lattès), pendant ses week-ends du 1er septembre 1982 au 22 février 1983. *« J'écrivais dans le train, quand je me rendais à Paris ; ma secrétaire tapait le mardi, je corrigeais dans le train du retour. »* Orthographe scrupuleuse et sourcilleuse. A toutes les lettres de félicitations qu'il a reçues – des milliers – il a répondu par un petit mot manuscrit.

(9) AMBITION

Missionnaire. Une tradition médiévale, dit-on, veut que les habitants de son village natal, Ville-en-Vermois, soient des oies, et ceux du village voisin, des loups. Cette comparaison l'a meurtri jusqu'à ce qu'il apprît qu'en cacardant les oies du Capitole avaient sauvé Rome. Persuadé dans sa jeunesse que l'opinion publique méprise les paysans, il s'est donné pour mission de réhabiliter l'image du monde rural.

Compétitive. Ce ressort a été le fil conducteur de sa carrière qui l'a poussé de la présidence des Jeunes Agriculteurs à la présidence de la FNSEA, en passant par la présidence de l'entreprise Saint-Hubert, la présidence au Comité économique et social de Lorraine, et enfin au ministère de l'Agriculture.

Volontariste. Au poste où il est arrivé – et qui, assure-t-il, n'a pas changé ses habitudes *(« Ministre, ce n'est pas une situation »)* – il s'est fixé un nouveau challenge, européen celui-là : Bruxelles, où il est fier, dans les négociations agricoles, de parler au nom de la France.

Activités

1 Locutions

Pour comprendre un texte, il ne suffit pas de comprendre chaque mot pris séparément: quand un mot est employé dans un certain contexte, ou avec un autre mot, ce groupe de mots (qu'on appelle une *locution*) peut prendre un sens particulier.

Travail individuel
Cherchez, dans un dictionnaire monolingue, le sens des locutions suivantes:

- les dossiers chauds (1B1)
- les difficultés hexagonales (1B1)
- (le) patrimoine qu'il gère en fermage (1B2)
- bouilleur de cru (1B2)
- style cadre passe-partout (1B3)
- (tenir) d'une main de fer (1B5)
- l'école libre (1B5)
- il se fait tirer l'oreille (1B6)
- (laisser) la bride sur le cou (1B7)
- le fil conducteur (1B8)

Travail à deux
Comparez, avec un partenaire, les définitions que vous avez trouvées.

Mise en commun
Avec le professeur et le reste du groupe, vérifiez le sens de ces dix locutions ou groupes de mots.

2 Portrait

Travail individuel
Composez, pour chacune des huit rubriques utilisées pour le portrait de François Guillaume (Racines, Apparence, Sensibilité, Mode de vie, Goûts, Caractère, Intelligence, Ambition), une question qu'il serait utile de poser à un partenaire pour en faire le portrait à l'intention des autres membres du groupe. *Exemple* (Racines): "A quelle région de la Grande-Bretagne te sens-tu le plus attaché?"

Travail à deux
En vous servant des questions que vous avez composées, interrogez votre partenaire sur lui-même et écrivez ses réponses, sous forme de notes très brèves.

Tour de table
Faites le portrait de votre partenaire en vous servant des notes que vous avez prises, et de votre mémoire.

3 Jeu "Quelle est ma profession?"

Travail à deux
Avec un partenaire, composez cinq questions qu'il serait utile de poser à quelqu'un afin de deviner sa profession (imaginaire). (*Exemples:* Travaillez-vous en plein air ou à l'intérieur? Votre travail est-il plutôt manuel ou plutôt administratif ?) Ensuite, mettez-vous d'accord sur une profession qui, au moment de l'interrogation par les autres membres du groupe, sera la vôtre (à tous les deux).

Tour de table
Quand c'est votre tour (à tous les deux) répondez honnêtement aux questions qu'on vous posera. L'équipe gagnante est celle qui aura obligé les autres membres du groupe à poser le plus de questions avant de pouvoir deviner leur profession.

1C

points de repère

● CONTEXTE

Les Mots (1963) fut l'événement de la saison littéraire en France. Dans ce livre court (à peine 200 pages) et dense, Sartre raconte, d'une manière tout à fait originale, des "souvenirs d'enfance". Mais au lieu de nous dire que tel ou tel événement a eu lieu à telle ou telle date, il cherche une réponse à la question "Comment suis-je devenu Jean-Paul Sartre?"

● SUJET

Dans cet extrait de la première partie des *Mots*, Sartre, qui a été élevé jusqu'à l'âge de onze ans par sa mère, chez les parents (Charles et Louise) de celle-ci, évoque le rôle joué dans sa vie par les livres. Charles, professeur d'allemand, traite les livres comme des objets religieux; Louise, sans profession, prend elle aussi la lecture très au sérieux, mais d'une autre manière.

● PERSPECTIVE

Le petit Sartre, qui devait avoir entre cinq et sept ans au moment de la plupart des scènes qu'il rassemble dans cet extrait, est à la fois observateur et participant: observateur, il note chaque détail des gestes de ses deux grands-parents; participant, il cherche à les imiter, dans l'espoir de pénétrer, un jour, le mystère qui entoure les livres.

● STYLE

Sartre a dit lui-même de son livre qu'il marquait "ses adieux à la littérature"; un critique a parlé à son propos de "festival d'effets littéraires"; en lisant, déjà, cet extrait du livre, on a l'impression d'assister à un feu d'artifice, c'est-à-dire quelque chose qui, pour faire son effet, se consume, se détruit: le lecteur est pris au piège de cette distance ironique entre le petit Jean-Paul, qui veut croire aux livres, à la puissance mystérieuse de la littérature, et Sartre, écrivain d'âge mûr, qui se sert de la littérature pour nous dire qu'il n'y croit plus.

● CONSEILS

En lisant cet extrait, soyez attentif aux expressions descriptives (apparence physique, gestes, etc).

Souvenirs d'enfance

(1) J'ai commencé ma vie comme je la finirai sans doute : au milieu des livres. Dans le bureau de mon grand-père, il y en avait partout; défense était faite de les épousseter sauf une fois l'an, avant la rentrée d'octobre. Je ne savais pas encore lire que, déjà, je les révérais, ces pierres levées : droites ou penchées, serrées comme des briques sur les rayons de la bibliothèque ou noblement espacées en allées de menhirs, je sentais que la prospérité de notre famille en dépendait. Elles se ressemblaient toutes, je m'ébattais dans un minuscule sanctuaire, entouré de monuments trapus, antiques, qui m'avaient vu naître, qui me verraient mourir et dont la permanence me garantissait un avenir aussi calme que le passé. Je les touchais en cachette pour honorer mes mains de leur poussière mais je ne savais trop qu'en faire et j'assistais chaque jour à des cérémonies dont le sens m'échappait : mon grand-père – si maladroit, d'habitude, que ma mère lui boutonnait ses gants – maniait ces objets culturels avec une dextérité d'officiant. Je l'ai vu mille fois se lever d'un air absent, faire le tour de sa table, traverser la pièce en deux enjambées, prendre un volume sans hésiter, sans se donner le temps de choisir, le feuilleter en regagnant son fauteuil, par un mouvement combiné du pouce et de l'index puis, à peine

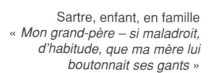

Sartre, enfant, en famille
« *Mon grand-père – si maladroit, d'habitude, que ma mère lui boutonnait ses gants* »

assis, l'ouvrir d'un coup sec « à la bonne page » en le faisant craquer comme un soulier.

(2) Dans la chambre de ma grand-mère les livres étaient couchés; elle les empruntait à un cabinet de lecture et je n'en ai jamais vu plus de deux à la fois. Ces colifichets me faisaient penser à des confiseries de Nouvel An parce que leurs feuillets souples et miroitants semblaient découpés dans du papier glacé. Vifs, blancs, presque neufs, ils servaient de prétexte à des mystères légers. Chaque vendredi, ma grand-mère s'habillait pour sortir et disait : « Je vais les rendre »; au retour, après avoir ôté son chapeau noir et sa voilette, elle les tirait de son manchon et je me demandais, mystifié : « Sont-ce les mêmes? » Elle les « couvrait » soigneusement puis, après avoir choisi l'un d'eux, s'installait près de la fenêtre, dans sa bergère à oreillettes, chaussait ses besicles, soupirait de bonheur et de lassitude, baissait les paupières avec un fin sourire voluptueux que j'ai retrouvé depuis sur les lèvres de la Joconde; ma mère se taisait, m'invitait à me taire, je pensais à la messe, à la mort, au sommeil : je m'emplissais d'un silence sacré. De temps en temps, Louise avait un petit rire; elle appelait sa fille, pointait du doigt sur une ligne et les deux femmes échangeaient un regard complice. Pourtant, je n'aimais pas ces brochures trop distinguées; c'étaient des intruses et mon grand-père ne cachait pas qu'elles faisaient l'objet d'un culte mineur, exclusivement féminin. Le dimanche, il entrait par désœuvrement dans la chambre de sa femme et se plantait devant elle sans rien trouver à lui dire; tout le monde le regardait, il tambourinait contre la vitre puis, à bout d'invention, se retournait vers Louise et lui ôtait des mains son roman : « Charles! s'écriait-elle furieuse, tu vas me perdre ma page! » Déjà, les sourcils hauts, il lisait; brusquement son index frappait la brochure : « Comprends pas! – Mais comment veux-tu comprendre? disait ma grand-mère : tu lis par-dedans! » Il finissait par jeter le livre sur la table et s'en allait en haussant les épaules.

Activités

1 Les mots et les choses

Images religieuses

Vous aurez sûrement remarqué, tout au long de ce texte, des mots et des expressions empruntés au vocabulaire religieux.

Travail individuel
Choisissez *un* passage du texte où Sartre emploie une expression, une image, un mot religieux et, en consultant, s'il le faut, un dictionnaire, notez

(a) le sens religieux de l'expression (etc) que vous avez choisie,
(b) son sens dans le contexte du passage, et
(c) la raison pour laquelle Sartre, selon vous, l'a employée.

Travail à deux
Avec un partenaire, discutez brièvement des expressions que vous avez choisies.

Tour de table
Lisez à haute voix le passage que vous avez choisi, puis parlez-en au groupe en suivant les trois rubriques ci-dessus.

2 Souvenirs d'enfance

Peut-être n'avez-vous pas l'habitude de parler de votre enfance; mais il y a sûrement au moins *un* souvenir (incident, journée, voyage, un membre de votre famille, etc) qui est resté gravé dans votre mémoire, et qui vous semble, pour une raison ou une autre, significatif, précieux ou mystérieux.

Travail individuel
Tâchez de vous rappeler ce souvenir et notez-en quelques détails.

Travail à deux
Avec un partenaire, échangez quelques détails sur vos "souvenirs" respectifs.

Tour de table
Faites le récit de votre souvenir au reste du groupe.

Mise en commun
Discussion: y a-t-il eu des points communs entre les récits des uns et des autres? Lesquels?

3 Images

Il y a peut-être peu de points communs entre votre enfance et celle de Sartre, mais vous avez sans doute été frappé par la manière dont il décrit les personnes et leurs gestes.

Travail individuel
Choisissez un passage (une à trois lignes) qui vous semble particulièrement réussi, intéressant ou mémorable, et notez quelques réflexions à ce sujet.

Tour de table
Lisez à haute voix le passage que vous avez choisi, et dites les réflexions qu'il vous a inspirées.

Mise en commun
Participez à une discussion générale sur l'ensemble de cet extrait des *Mots*, en observant les points sur lesquels la majorité des étudiants sont d'accord, et les points qui suscitent des réactions plus divergentes.

Points LANGUE

● 1.1 *Prononciation: les sons du français*

Quand on apprend le français, on doit apprendre à reconnaître et à (re)produire deux systèmes:

- le système **phonétique**: les sons, le français **parlé**;
- le système **orthographique**: les lettres, le français **écrit**.

Le système orthographique correspond au système phonétique, et vice-versa; mais cette correspondance est approximative: par exemple, le mot français qui correspond aux sons [**wazo**] s'écrit *oiseau*, et non *wazo*. Il faut donc étudier les deux systèmes ensemble, afin d'avoir une double image de chaque mot français qu'on apprend: les sons (**prononciation**) et les lettres (**orthographe**). Tous les francophones adultes ont cette double image de leur langue, même s'ils hésitent sur la prononciation ou l'orthographe de certains mots.

Le système phonétique du français

voyelles					
[i]	[**fini**]	fini	[y]	[**lyn**]	lune
[e]	[**ete**]	été	[ø]	[**dø**]	deux
[ɛ]	[**pɛ:R**]	père	[œ]	[**malœ:R**]	malheur
[a]	[**sak**]	sac	[ə]	[**pətit**]	petit
[ɑ]	[**pɑ**]	pas	[ɛ̃]	[**pɛ̃**]	pain
[ɔ]	[**alɔ:R**]	alors	[ɑ̃]	[**vɑ̃**]	vent
[o]	[**mo**]	mot	[ɔ̃]	[**bɔ̃**]	bon
[u]	[**fu**]	fou	[œ̃]	[**œ̃**]	un

semi-consonnes ou semi-voyelles					
[j]	[**pje**]	pied	[ɥ]	[**nɥi**]	nuit
[w]	[**wi**]	oui			

consonnes					
[p]	[**paRi**]	Paris	[v]	[**vɔl**]	vol
[t]	[**tɛt**]	tête	[z]	[**zo:n**]	zone
[k]	[**kɑ**]	cas	[ʒ]	[**ʒœn**]	jeune
[b]	[**bɑ̃**]	banc	[l]	[**laRʒ**]	large
[d]	[**dam**]	dame	[R]	[**Ra**]	rat
[g]	[**gaRsɔ̃**]	garçon	[m]	[**matɛ̃**]	matin
[f]	[**fœ:j**]	feuille	[n]	[**nɔ̃**]	non
[s]	[**sal**]	salle	[ɲ]	[**ɔɲɔ̃**]	oignon
[ʃ]	[**ʃa**]	chat	[ŋ]	[**smɔkiŋ**]	smoking

(*A history of the French language*, P. Rickard, Unwin Hyman, 2nd edition 1989; reprinted by Routledge, 1991)

1.1.1 Les voyelles

Voici les voyelles du français standard:

semi-voyelles (ou semi-consonnes)	[j]	[ɥ]		[w]	(voir 3.1.1)
voyelles orales	[i]	[y]		[u]	
	[e]	[ø]		[ɔ]	
	[ɛ]	[œ]		[o]	
	[a]		[ɑ]		
voyelles nasales	[ɛ̃]	[œ̃]	[ɑ̃]	[ɔ̃]	(voir 3.1.2)

***exercice oral* 1/1**

SYSTÈME PHONÉTIQUE ET SYSTÈME ORTHOGRAPHIQUE

Tour de table
Chaque étudiant pense à un mot (ou à un groupe de mots) français; tour à tour, chaque étudiant annonce "son" mot et dit si son image de ce mot est principalement **phonétique** (les sons) ou **orthographique** (les lettres) ou les deux.

Mise en commun
Quelles sont les similarités et les différences entre les témoignages des étudiants?

exercice oral 1/2

VOYELLES ORALES: PRONONCIATION

Lisez à haute voix les mots dans la liste ci-dessous, en observant chaque fois la lettre (ou le groupe de lettres) qui, à l'écrit, correspond à cette voyelle:

[i]	*la ville*	*le système*	*imiter*	*joli*
[y]	*public* *la structure*	*l'usine* *la voiture*	*urgent* *l'habitude*	*futur* *l'individu*
[u]	*le bout* *le cours*	*tout* *la course*	*toute* *un touriste*	*le doute* *l'amour*
[e]	*ayant* *un danger*	*l'été* *une idée*	*créer* *le numéro*	*préféré* *différent*
[ɛ]	*faible* *la guerre*	*français* *le service*	*un problème* *une personne*	*une centaine* *le cancer*
[ø]	*deux*	*européen*	*le déjeuner*	*heureux*
[œ]	*un club*	*l'œuvre*	*la peur*	*la couleur*
[ɔ]	*la police*	*folle*	*l'alcool*	*mort*
[o]	*rose*	*un dauphin*	*innocent*	*le bureau*
[a]	*les achats*	*les espaces*	*les parents*	*varié*
[ɑ]	*la pâte*	*le théâtre*		

(Cette voyelle est plus **longue** que la voyelle **[a]**).

Prononciation de *ou* et *u*: **[u]** et **[y]**
Pour l'étudiant anglophone, la prononciation de **[u]** et de **[y]** n'est pas toujours facile, surtout quand il faut prononcer les deux sons dans deux syllabes successives:

j'ai voulu	**[u]** + **[y]**
surtout	**[y]** + **[u]**

exercice oral 1/4

PRONONCIATION DE *OU* ET DE *U*

Travail à deux
Lisez à haute voix à votre partenaire ces extraits du texte 1A. En écoutant votre partenaire, avez-vous remarqué la distinction entre **[u]** (*ou*) et **[y]** (*u*)?

1 Maman a eu un sourire un peu crispé (1A1)
2 J'ai réussi le concours de Centrale (1A3)
3 Mes études passaient avant tout (1A3)
4 C'est-à-dire qu'au début on reste des jours entiers sans ouvrir la bouche (1A4)
5 Et si jamais survient le coup dur, (. . . .) le retour au bercail reste possible (1A5)
6 Un constat d'échec, c'est toujours très dur (1A5)

1.1.2 Prononciation des voyelles

En français standard, chaque voyelle est prononcée (sauf le *e* muet: voir 2.1), et sa prononciation ne change pas, même dans une syllabe non accentuée (voir 5.1.4).

En anglais, une voyelle dans une syllabe non accentuée peut être prononcée différemment, ou ne pas être prononcée du tout.

exercice oral 1/3

PRONONCIATION DES VOYELLES, EN FRANCAIS ET EN ANGLAIS

Travail à deux
Lisez à haute voix, **en anglais**, un mot choisi dans la liste suivante; votre partenaire doit aussitôt lire à haute voix l'équivalent **français** du mot en question, en regardant le mot français sur la page. En écoutant votre partenaire, avez-vous bien remarqué la différence avec la prononciation anglaise?

En français	En anglais	En français	En anglais
la police	police	*la structure*	structure
l'organisation	organisation	*l'énergie*	energy
le véhicule	vehicle	*l'industrie*	industry
confortable	comfortable	*particulier*	particular

1.1.3–1.1.6 Les consonnes

Voici les consonnes du français standard:

consonnes sourdes	[p]	[f]	[t]	[s]	[ʃ]	[k]	(1.1.3)
consonnes sonores	[b]	[v]	[d]	[z]	[ʒ]	[g]	(1.1.4)
consonnes nasales	[m]		[n]	[ɲ] ou [nj]		[ŋ]	(1.1.5)
consonnes liquides					[l]	[r]	(1.1.6)

1.1.3 Consonnes sourdes

[p]	*public*	*répéter*	*apprendre*	*on frappe*
[f]	*un fils*	*refaire*	*l'effet*	*neuf*
[t]	*la tête*	*le théâtre*	*attendre*	*Athènes*
[s]	*le sens*	*la science*	*basse*	*la France*
[ʃ]	*chaud*	*méchant*	*blanche*	
[k]	*la cause*	*accuser*	*une enquête*	*l'archéologie*

Prononciation de *p*, *t*, *k*

En **anglais,** *p*, *t*, *k* sont des consonnes **aspirées**: en les prononçant, au début d'un mot, on produit assez d'air pour faire bouger une flamme ou une feuille de papier à dix centimètres de la bouche.

En **français**, ces consonnes **ne sont pas** aspirées: l'étudiant anglophone doit apprendre à les prononcer **sans** faire bouger la flamme ou la feuille de papier!

Prononciation de *ti* + voyelle
(voir aussi 3.1.1: **Semi-voyelles**)

Devant une voyelle, le groupe *ti* se prononce [sj]:

international
un Martien
partiel
traditionnel

Devant un *e* muet, *ti* se prononce [si]:

l'aristocratie
la diplomatie

Prononciation de *s*: [s] ou [z]?

Au **début** d'un mot, *s* se prononce [s]:

le silence
le symbole
le scandale

(Pour le *s* final, c'est-à-dire à la **fin** d'un mot, voir 1.1.7.)

Devant ou après une **consonne**, *s* se prononce [s]:

l'Islam
Israël
penser
un décapsuleur

La **consonne double** *ss* se prononce [s]:

ressembler
la possession
la croissance

Entre deux voyelles, *s* se prononce [z]:

désolé
mesurer
peser
française

Prononciation de *ch*: [ʃ] ou [k]?

En règle générale, *ch* se prononce [ʃ], mais il y a des cas où il se prononce [k]:

le chaos
un écho
l'archéologie

1.1.6 Consonnes liquides

[l]	*la lampe*	*appeler*	*j'appelle*
	pâle	*la ville*	
[r]	*récent*	*un parent*	*un barrage*
	lire	*la barre*	

Prononciation de *l*:

En anglais, la prononciation du *l* varie selon sa place dans la syllabe ou dans le mot, et aussi selon la région: le mot "milk", par exemple, est prononcé sans *l* à Londres, mais à Dublin, le *l* est prononcé comme en français.

En français, le *l* est prononcé:

l'altitude *les Alpes*
Balzac *les Celtes*

Note Ne pas prononcer le *l* final, dans des mots comme *possible*, *valable*, *responsable*, etc, est considéré comme incorrect; mais au niveau N2, on n'entend pas souvent le *l* dans le groupe *–ble*.

Prononciation de *r*:

En anglais, la prononciation du *r* varie selon sa place dans la syllabe ou dans le mot, et selon la région.

En français standard, la prononciation du *r* ne ressemble à aucune des variétés qu'on trouve en anglais. Résultat: la prononciation du *r* français est aussi difficile pour l'étudiant anglophone que la prononciation du *h* anglais pour l'étudiant francophone.

1.1.4 Consonnes sonores

[b]	*bleu*	*le tabac*	*un tube*		
[v]	*vert*	*avoir*	*vive*		
[d]	*doux*	*madame*	*la limonade*		
[z]	*le zoo*	*un magasin*	*un magazine*	*un vase*	*le gaz*
[ʒ]	*joli*	*les gens*	*l'agent*	*rejoindre*	*la cage*
[g]	*la gare*	*grand*	*le wagon*	*vague*	

1.1.5 Consonnes nasales

[m]	*madame*	*aimer*	*récemment*	*la femme*
[n]	*la neige*	*un canard*	*une cabane*	*Anne*
[ɲ]	*ignorer*	*la dignité*	*le champagne*	
[ŋ]	*un parking*	*le shopping*		

Il faut donc s'entraîner, en **imitant** des francophones (*lecteur/lectrice*, au laboratoire de langues, etc), à produire des *r* qui ressemblent à la prononciation française standard. Au début, on risque de prononcer des *r* trop marqués (comme les francophones essayant de prononcer le *h* anglais), mais il faut persévérer.

1.1.7 Consonnes finales

La consonne finale de certains mots est **muette** (c'est-à-dire qu'elle n'est pas prononcée, sauf en liaison devant une voyelle initiale: voir 4.1.2).

–d, ***–p***, ***–x*** et ***–z*** sont généralement **muets**, mais il y a des exceptions:

–d muet:	*nord*	*laid*	*allemand*	
–d prononcé:	*sud*	*David*	*le week-end*	
–p muet:	*le coup*	*le champ*	*le temps*	
–p prononcé:	*stop*	*un slip*	*un handicap*	
–x muet:	*la paix*	*le prix*	*six mille*	*dix minutes*
–x prononcé **[s]**:	*trente-six*	*soixante-dix*		
–x prononcé **[ks]**:	*Astérix*			
–z muet:	*chez*	*assez*		
–z prononcé:	*le gaz*	*le jazz*		

–s et ***–t*** sont généralement **muets**, mais les exceptions sont nombreuses:

–s muet:	*le héros*	*le progrès*	*le succès*	
	le temps	*à travers*	*à propos de*	
–s prononcé:	*le fils*	*en mars*	*est/ouest*	
	le sens	*un virus*	*le campus*	*l'os*
–t muet:	*l'Etat*	*secret*	*à présent*	
	la mort	*le statut*		
–t prononcé:	*strict*	*sept*	*est/ouest*	*chut!*

–c et ***–f***:

–c muet:	*le tabac*	*l'estomac*	*le porc*	*blanc*
–c prononcé:	*le cognac*	*le trafic*	*donc*	*le parc*
–f muet:	*la clef*	*le nerf*		
–f prononcé:	(la plupart des autres cas)			

1.2 *Le dictionnaire: mode d'emploi*

L'étudiant du français langue étrangère doit utiliser deux sortes de dictionnaire:

- un dictionnaire **bilingue** (français/anglais, anglais/français) pour vérifier rapidement le sens d'un mot (ou d'une expression) français, et pour trouver rapidement les équivalents français d'un mot anglais;
- un dictionnaire **monolingue** (français/français) pour se faire une idée plus précise du sens d'un mot français (en notant les synonymes et en lisant les définitions), et pour savoir dans quels contextes (c'est-à-dire avec quels autres mots) on emploie ce mot en français (en étudiant les exemples, inventés ou authentiques, d'expressions ou de phrases où il est employé).

1.2.1 Consulter le dictionnaire 1: en préparant un travail écrit ou oral

Quand? Plusieurs fois, pour chaque travail qu'on prépare.

Comment? Faites attention aux indications grammaticales (*n.* = **nom**, *v.* ou *vb.* = **verbe**, etc), afin de distinguer entre *une goutte* et *laisser tomber* ("drop") ou *un bâton* et *coller* ("stick"), par exemple.

Pour certains mots techniques, spécialisés, etc, consultez un dictionnaire anglais/français; mais dans un exposé oral, n'utilisez pas trop de vocabulaire technique: vous risquez de ne pas être compris par votre public.

Pour les autres mots ou expressions, consultez un dictionnaire français/français, pour vous donner une idée plus précise du sens du mot en question et de son emploi.

Pourquoi? On écrit un texte (ou prépare un exposé oral) pour communiquer certaines idées à un public précis (professeur, d'autres étudiants, examinateur, etc) et pour améliorer sa compétence dans l'expression orale ou écrite.

Pour servir ces deux objectifs, il faut consulter le dictionnaire **chaque fois** qu'on prépare un travail oral ou écrit:

(a) pour pouvoir dire ou écrire des choses que vous n'avez jamais exprimées auparavant en français (ni, peut-être, en anglais);
(b) pour pouvoir employer certains mots, expressions ou effets de style qui rendront votre communication plus convaincante et plus facile – et agréable – à suivre.

1.2.2 Consulter le dictionnaire 2: en lisant (livre, journal, magazine) ou en écoutant (radio/TV, cassette, vidéo) un texte en français

Quand? Certaines fois, seulement: de temps en temps il faut essayer de lire un article, une page, etc, ou d'écouter un extrait, **sans** consulter le dictionnaire.

Comment? Lisez d'abord un paragraphe (ou écoutez un court passage) en essayant de vous faire une **idée générale** du sens, de ce qui se passe, etc.

Choisissez deux ou trois mots qui vous sont inconnus (ou que vous avez oubliés . . .), essayez de leur donner un sens qui s'accorde avec le reste du paragraphe, puis vérifiez votre idée en consultant le dictionnaire.

Pourquoi? On lit (ou écoute) un texte dans une langue étrangère pour le plaisir, l'information, etc, et pour améliorer sa connaissance de la langue.

Pour servir ces deux objectifs, consultez le dictionnaire de façon **sélective**:

(a) aucun texte n'est intéressant si on s'arrête tous les cinq mots pour consulter le dictionnaire;
(b) n'essayez pas d'apprendre vingt ou trente mots par page, car vous risquez de les oublier tous, mais vous n'oublierez peut-être pas les cinq ou six mots ou expressions qui vous ont permis, à l'aide du dictionnaire, de comprendre le sens de toute une page.

exercice 1/5

CONSULTER LE DICTIONNAIRE: ÉTUDES DE CAS

Pour chacun des mots ci-dessous, tirés des textes 1A, 1B et 1C,
(a) essayez de vous faire une idée de son sens en étudiant son contexte immédiat (la phrase où il se trouve);
(b) consultez un dictionnaire français/français pour vérifier le sens du mot dans le contexte où il se trouve;
(c) trouvez si le mot a d'autres sens, ou s'il s'emploie dans d'autres contextes.

disponible	(1A1)	gérer	(1B2)
crispé	(1A1)	foncier	(1B2)
désormais	(1A1)	conjurer	(1B2)
effectuer	(1A2)	la débâcle	(1B2)
semer	(1A2)	la rentrée	(1C1)
décrocher	(1A2)	s'ébattre	(1C1)
abuser	(1A2)	trapu	(1C1)
un pari	(1B1)	assister à	(1C1)
une exploitation	(1B2)	manier	(1C1)
le patrimoine	(1B2)	l'index	(1C1)

● 1.3 *Verbes pronominaux*

Voir aussi ***Livret audio.***

Se réveiller est un **verbe pronominal**: le pronom objet, ou **réfléchi** (*me*, *te*, *se*, *nous*, *vous*, *se*), correspond à la même personne, ou à la même chose, que le sujet du verbe:

*je **me** réveille*	*nous **nous** réveillons*
*tu **te** réveilles*	*vous **vous** réveillez*
*il/elle/on **se** réveille*	*ils/elles **se** réveillent*

Moi-même, ***soi-même*** (etc) Pour souligner que l'action est réfléchie, on peut ajouter *moi-même*, *soi-même*, etc:

*elle se regarde **elle-même***
*il se parle **à lui-même***

1.3.1 Verbes ayant deux formes (simple et pronominale)

Plusieurs verbes ont une forme **simple** quand ils sont employés transitivement (c'est-à-dire avec un objet):

*il **a développé** son idée; elle **a réveillé** sa sœur*

et une forme **pronominale** quand ils sont employés intransitivement (c'est-à-dire sans objet):

*la ville **s'est développée;** sa sœur **s'est réveillée***

Modèles

adapter	–	*s'adapter*	*former*	–	*se former*
amuser	–	*s'amuser*	*perdre*	–	*se perdre*
approcher	–	*s'approcher*	*résoudre*	–	*se résoudre*
cacher	–	*se cacher*	*retirer*	–	*se retirer*
développer	–	*se développer*	*réveiller*	–	*se réveiller*
ennuyer	–	*s'ennuyer*			

Exemples

*je **m'approchais** pour observer ces boîtes*
1B6 *je n'ai pas le temps de **me cultiver***
1A7 *je vais **m'ennuyer** moi sans sa bande de copains*
1B3 (Guillaume) ***s'est imposé** comme orateur*
1C2 *il entrait et **se plantait** devant elle*

Certains verbes, employés intransitivement, ne prennent pas la forme pronominale:

accélérer *diminuer* *respirer*

D'autres verbes s'emploient **exclusivement** comme verbes pronominaux:

s'absenter	*s'efforcer (de)*	*se moquer (de)*
se conformer (à)	*s'évanouir*	*se soucier (de)*
se démoder	*se fier (à)*	*se souvenir (de)*
s'écrier	*se méfier (de)*	*se spécialiser*

1C2 *« Charles! » **s'écriait**-elle furieuse*
1A6 *vous **vous moquez** de moi?*
1A3 *« j'ai mis deux ans (...) » **se souvient** Anne*

Certains verbes intransitifs ne s'emploient pas comme verbes pronominaux:

bouillir	*culpabiliser*	*croître*	*divorcer*
expirer	*exploser*	*pâlir*	*rougir*

1A8 *ne **culpabilisez** pas si vous dépendez de vos parents*
1A8 *on ne **divorce** pas de ses parents*
1A *rattraper les choses avant que la maison n'**explose***

1.3.2 Différence de sens (emploi transitif ou emploi pronominal)

Le **sens** de certains verbes est différent, selon qu'ils s'emploient ou non comme verbes pronominaux:

agir – il s'agit:
1A8 ***il s'agit** seulement de concilier ces deux tendances*

aller – s'en aller:
1C2 (il) ***s'en allait** en haussant les épaules*

attendre – s'attendre:
1A1 *au fond, ne **s'y attendaient**-ils pas un peu?*

demander – se demander:
1C2 *je **me demandais,** mystifié: « Sont-ce les mêmes? »*

entendre – s'entendre:
1A8 *vous **vous entendrez** souvent mieux avec elle*

exercice 1/6

FORME SIMPLE ET FORME PRONOMINALE

Cherchez, dans un dictionnaire, le sens et l'emploi de chacun des verbes suivants:

agir	–	il s'agit	entendre	–	s'entendre
aller	–	s'en aller	plaindre	–	se plaindre
attendre	–	s'attendre (à)	rappeler	–	se rappeler
demander	–	se demander	tromper	–	se tromper
douter (de)	–	se douter (de)	trouver	–	se trouver

Le **sens** de certains autres verbes est différent, selon qu'ils s'emploient

(a) transitivement (c'est-à-dire avec un objet direct ou indirect)
(b) intransitivement (c'est-à-dire sans objet) ou
(c) comme verbes pronominaux:

passer (a et b), ***se passer*** (c):
*il **passe** son temps devant la télévision* (a)
1B3 *il **passe** bien à la télévision et il est photogénique* (b)
1A8 *concilier ces deux tendances pour que tout **se passe** bien* (c)

retourner (a et b), ***se retourner*** (c):
*le vent **a retourné** son parapluie* (a)
*elle a décidé de **retourner** à sa ville natale* (b)
1C2 *à bout d'invention,* (il) ***se retournait** vers Louise* (c)

exercice 1/7

FORME SIMPLE ET FORME PRONOMINALE

Cherchez dans un dictionnaire le sens et l'emploi – (a, b et c) – de chacun des verbes suivants:

arrêter – s'arrêter	rendre – se rendre
battre – se battre	retourner – se retourner
décider–se décider	sentir – se sentir
glisser – se glisser	tenir – se tenir
passer – se passer	tourner – se tourner

1.3.3 *Se*, etc: objet **direct** ou **indirect?**

Le pronom réfléchi (*se*, etc) peut être l'objet **direct**, ou **indirect**, du verbe pronominal:

*elle **se** regarde dans la glace*
(*se* est objet **direct**: on regarde quelqu'un)
1A8 *d'abord, dites-**vous** que le désir de vivre indépendante n'est pas malsain*
(*vous* est objet **indirect**: on dit quelque chose **à** quelqu'un)

(Accord du participe passé d'un verbe pronominal: voir 3.4.8.)

1.3.4 Action réciproque

On emploie un verbe pronominal pour exprimer une action **réciproque**; le sujet et l'objet du verbe sont deux personnes, choses ou idées distinctes, mais ils sont simultanément sujet et objet de l'action:

1A8 *on* ***se rapproche*** *par la distance* (l'étudiant(e) et sa famille se rapprochent)

1C1 (ces pierres levées) *Elles* ***se ressemblaient*** *toutes* (tous les livres avaient le même aspect)

L'un l'autre (etc) Pour souligner que l'action est réciproque, on peut ajouter *l'un l'autre* (etc):

ils ***se*** *regardaient* ***les uns les autres***
elles ***se*** *parlaient* ***l'une à l'autre***

1.3.5 Sens passif

Souvent, le sens d'un verbe pronominal correspond, en anglais, au **passif** (voir 3.3):

1B1 *les paysans, qui voient* ***se réduire*** *leurs revenus*

1B2 (Guillaume) *lit tout ce qui* ***s'écrit*** *sur lui*

1B7 *le pouvoir, à ses yeux, ne* ***se partage*** *pas*

Se faire + infinitif

On peut employer *se faire* + infinitif à la place de la construction passive *être* + participe passé (voir 8.3.2):

1A5 *raison de plus pour* ***se faire dorloter***

1.3.6 Action ou état?

Certains verbes s'emploient comme verbes pronominaux pour décrire une **action**:

1A8 *en* ***vous installant*** *vous choisirez les objets qui vous entoureront* (s'installer: **action**)

Pour décrire non pas l'action, mais l'**état** qui en résulte, on emploie *être* + participe passé:

1A2 *quand* ***j'ai été*** *bien* ***installée****, maman est venue me rendre visite* (être installé: **état**)

C'est la présence ou l'absence du pronom réfléchi (*se*, etc), qui permet de distinguer entre **l'action** et **l'état**:

Action		**Etat**	
Présent	**Passé**	**Présent**	**Passé**
le train s'arrête	*le train s'est arrêté*	*le train est arrêté*	*le train était arrêté*
elle s'assoit	*elle s'est assise*	*elle est assise*	*elle était assise*
ils se couchent	*ils se sont couchés*	*ils sont couchés*	*ils étaient couchés*
je m'occupe	*je me suis occupé*	*je suis occupé*	*j'étais occupé*
la porte s'ouvre	*la porte s'est ouverte*	*la porte est ouverte*	*la porte était ouverte*

Action:

1A8 *vouloir* ***s'émanciper*** *vis-à-vis de ses parents*

1B6 *je n'ai pas le temps de* ***me cultiver***

1C2 *il entrait et* ***se plantait*** *devant elle*

Etat:

1A2 *elle* ***a été rassurée*** *de voir ma chambre*

1B3 (il) ***n'est*** *pas* ***tracassé*** *par son look*

1C2 *dans la chambre de ma grand-mère les livres* ***étaient couchés***

> ***exercice*** **1/8**
>
> **ACTION OU ÉTAT?**
>
> Autour de chacun des énoncés suivants, composez une phrase appropriée, en tenant compte du sens (action ou état) et du temps du verbe.
>
> **Exemple:** elle s'est levée
> **Réponse possible:** Ce jour-là, elle s'est levée à 7 heures comme d'habitude
>
> **Exemple:** elle était levée
> **Réponse possible:** Quand je suis passé(e) la voir, elle était déjà levée
>
> **1** elle s'assoit
> **2** elle est assise
> **3** elle s'est assise
> **4** elle était assise
> **5** on s'est installé
> **6** on était installé
> **7** ils ne s'intègrent pas (à)
> **8** ils ne sont pas intégrés (à)
> **9** elle s'entourait (de)
> **10** elle était entourée (de)

1.4 *Pronoms personnels 1: il, elle; il (neutre); ce, ça, cela*

1.4.1 *Il/elle est* ou *c'est* + adjectif ?

Il/elle est, ils/elles sont + adjectif

Le pronom personnel *il/elle/ils/elles* + *est/sont* réfère à une **personne**, à une **chose** ou à une **idée** dont on vient de parler ou dont on va parler:

1A2 ***maman*** *est venue me rendre visite.* ***Elle a été*** *rassurée de voir ma chambre*
je suis attaché(e) à ***ma ville****, car* ***elle*** *est très belle*
elle *est belle,* ***ma ville***

C'est + adjectif

On emploie *c'est*, *c'était*, etc, quand la référence à une **chose** ou à une **idée** n'est pas limitée à un seul mot, mais englobe la situation générale:

1A4 *cette ville est réputée pour la froideur de son ambiance, en fait* ***ce n'est*** *pas pire qu'ailleurs*

(ce qui est "pire", ce n'est pas la ville elle-même, mais **le fait de vivre** dans cette ville)

1A5 *un constat d'échec,* ***c'est*** *toujours très dur*

(ce qui est "dur", c'est de **constater** l'échec)

c'est beau, Paris (N2)
Paris, c'est beau (N2)
("Paris" représente une idée générale, "voir/visiter" Paris)
les vacances c'est long (N2)
c'est long, les vacances (N2)
(on parle du temps des vacances en général; on ne les décrit pas)

Dans ces cas, l'adjectif **ne s'accorde pas** avec un nom féminin ou pluriel.

1.4.2 *Il, elle* ou *ça, cela* + verbe?

Il, elle, ils, elles + verbe

Le pronom personnel (*il, elle, ils, elles*) se rapporte à une personne, une chose ou une idée:

1C1 *je les révérais, **ces pierres** levées. **Elles** se ressemblaient toutes*

Au niveau N2, on peut employer **ça**:
*une Rolls, **ça** coûte cher* (N2)
***ça** coûte cher, une Rolls* (N2)

1.4.3 *C'est un(e)* ou *il, elle est* + nom?

C'est un(e), ***ce sont des*** + nom

On emploie *c'est un(e)* + nom (au singulier) pour parler d'une personne, d'une chose ou d'une idée:

1A6 (sa fille) *à la maison **c'était** une vraie peste. Maintenant **c'est** un ange*
1B7 (Guillaume) ***c'est** un négociateur qui ne négocie pas. Il passe en force*

Avec un nom au pluriel, on emploie *ce sont/c'étaient*:

1A8 ***ce ne sont que** « les horreurs de l'amour »*
1B7 *ceux qui gagnent, **ce ne sont pas** toujours ceux qui ont raison*
1C2 (livres) *je me demandais: « **Sont-ce** les mêmes? »* (N3)
1C2 *je n'aimais pas ces brochures; **c'étaient** des intruses*

Il, elle est ou ***c'est un(e)*** + nom?

On emploie *il/elle est* + nom (sans article) pour **informer** de la profession, la situation, etc, de quelqu'un (voir aussi 10.2.5):
*Mme X? **Elle est** médecin*
*M et Mme X? **Ils sont** médecins (tous les deux)*

1B5 (Guillaume) ***il est** toujours président de la société Saint-Hubert*

On emploie *c'est un(e)* si on donne **d'autres détails**, une appréciation **subjective,** etc:
*Mme X, **c'est un** médecin très doué*
*M et Mme X, **ce sont des** médecins très doués* (N3)

Mais on peut employer *il, elle est un(e)*:

1B6 (Guillaume) *sa femme affirme qu'**il est un** bon valseur*

(Mme G a sans doute dit de son mari "**C'est** un bon valseur")

> **exercice 1/9**
>
> ***IL, ELLE* (PERSONNEL) OU *CE, ÇA, CELA*?**
>
> Complétez les phrases suivantes en employant un pronom approprié:
>
> **1** Je te présente Pierre. __ est un amateur de musique classique.
> **2** J'ai une voiture, mais __ est bouffée par la rouille.
> **3** __ coûterait une fortune de faire réparer ma voiture.
> **4** Est-ce que tu as lu son nouveau livre? __ se vend très bien, paraît-il.
> **5** Elle était partie depuis longtemps: __ lui paraissait évident.
> **6** Parle-lui de ski et de football: __ sont les seules choses qui l'intéressent!
> **7** Cet homme-là, __ était vraiment quelqu'un d'exceptionnel.
> **8** Il faut que tu voies sa collection de vieilles voitures. __ est extraordinaire!
> **9** Pas de café le soir: __ empêche de dormir.
> **10** Le Premier ministre n'a plus d'idées: __ dit vraiment n'importe quoi!

1.4.4 *Il* (neutre) ou *ce, ça, cela*?

Il est, ***c'est*** + adjectif + *que* + proposition subordonnée (voir 6.3.8)

Dans cette construction, on emploie *il est* au niveau N3 et *c'est* au niveau N2:

1B1 ***il est vrai que** sur Guillaume repose l'un des paris politiques de Chirac* (N3)
***c'est vrai qu'**elle est intelligente* (N2)

Il est, ***c'est*** + adjectif + *de* + infinitif (voir 9.2.2)

Dans cette construction, on emploie *il est* au niveau N3 et *c'est* au niveau N2:
***il est** difficile de trouver des exemples* (N3)

1A7 (sa fille) ***c'est** amusant de la voir s'installer* (N2)

Il, ***ça*** + verbe + adjectif + *de* + infinitif

Avec un verbe autre que *être*, on emploie *il* au niveau N3, et *ça* au niveau N2:

1A ***il devient** urgent de rattraper les choses* (N3)
***ça** me **paraît** absurde d'y aller maintenant* (N2)

C'est + nom, pronom, adverbe

On emploie *c'est* dans des énoncés comme ceux-ci:

1A4 *quand on ne connaît personne, **c'est** la panique*
1A1 ***c'était** au mois de juillet*
1A8 *vous développerez votre socialité **Ce peut être** une bonne préparation*
1A2 ***ce n'est pas** une tare **de** ne pas gagner sa vie*

Cela, ***ça*** + verbe + nom, pronom, etc

Avec un verbe autre que *être*, *cela* (N3) ou *ça* (N2) se rapporte à une situation ou à une idée générale:

1A8 *cherchez un quartier « qui vous va ». C'est un élément de personnalisation, et **cela vous permettra** de bien vous intégrer* (N3)
1B6 (regarder la télévision) ***Ça m'endort*** (N2)

Ceci

Dans les deux exemples ci-dessus, on emploie *cela* ou *ça* pour désigner quelque chose dont on **vient de** parler; pour attirer l'attention sur quelque chose dont on **va** parler, on emploie *ceci*:
*écoutez **ceci***
(écoutez ce que je vais vous dire)

1.4.5 *C'est* + nom, pronom + *qui*, *que*

On emploie cette construction pour **mettre en relief** un nom ou un pronom sujet (*qui*) ou objet (*que*) du verbe:

1A2 *votre fille vous quitte et **c'est vous qui** payez?*

1A8 ***c'est la mère qui** pousse les petits à partir*

1A8 ***c'est ce critère qui** doit décider*
***c'est cet homme-là que** j'ai vu*

C'est** + adverbe + **que
On emploie cette construction pour mettre en relief un adverbe ou une expression adverbiale:

***c'est là que** j'ai passé toutes mes vacances quand j'étais petit*
***c'est à ce moment-là que** j'ai compris*

> **exercice 1/10**
>
> **C'EST**
>
> Pour chacun de ces extraits du texte 1A, trouvez le point de référence (un nom, une idée, etc) du mot *ce*:
>
> **1** **c'**était au mois de juillet (1A1)
> **2** **ce** n'est pas une tare (1A2)
> **3** même si **c'**est au loin (1A2)
> **4** **c'**est la panique (1A4)
> **5** il faut se rendre compte de ce que **c'**est (1A4)
> **6** **ce** n'est pas pire qu'ailleurs (1A4)
> **7** **c'**est bon de rentrer le week-end (1A5)
> **8** **c'**est comme si je l'avais déjà en poche (1A5)
> **9** **c'**était une vraie peste. Maintenant, **c'**est un ange (1A6)
> **10** **c'**est amusant de la voir s'installer (1A7)

> **exercice 1/11**
>
> **ÇA/CELA**
>
> Pour chacun de ces extraits des textes 1A et 1B, trouvez le point de référence (un nom, une idée, etc) du mot *ça*:
>
> **1** **ça** l'a épaté (1A3)
> **2** maintenant **ça** va mieux (1A4)
> **3** moi je recommencerais bien comme **ça** (1A7)
> **4** **ça** va vite, **ça** me plaît (1B6)
> **5** **ça** m'endort (1B6)

● 1.5 *Adjectifs démonstratifs: ce, cette, ces* *Pronoms démonstratifs: ceci, cela; celui, ceux, etc*

Voir aussi ***Livret audio.***

On emploie un mot **démonstratif** quand on veut indiquer ou souligner un élément particulier de l'énoncé.

1.5.1 *Ce, cette, ces*, adjectifs démonstratifs (voir aussi 10.3.1)

***le** livre*	–	***ce** livre*
***l'**arbre*	–	***cet** arbre*
***les** enfants*	–	***ces** enfants*
***la** table*	–	***cette** table*
***l'**école*	–	***cette** école*
***les** tables*	–	***ces** tables*

Ce**, **cette**, **ces correspondent, en anglais, à "this/these", **ou** à "that/those" **ou** simplement à "the".

On les emploie en français, plus souvent qu'en anglais, pour désigner une personne, une chose ou une idée:

1 dont on vient de parler, et pour laquelle on emploie un nom différent:

1A4 *(. . .) à l'école des impôts de **Clermont-Ferrand. Cette ville** est réputée pour la froideur de son ambiance*

1B5 *il est toujours président de **la société Saint-Hubert**, une laiterie de taille internationale. **Cette entreprise** produit les fromages Révérend*

2 dont on répète le nom:
*elle m'a offert un livre; **ce livre,** tu le connais, peut-être* (N2)
*— Tu sais ce qu'il a encore fait, Jacques? — Ah, **ce Jacques,** quel farceur!* (N2)

3 dont on parle pour la première fois, mais sur laquelle on veut insister:
*je n'aime pas **cette musique** qu'on entend dans tous les magasins maintenant*

4 qui se trouve tout près, qu'on indique d'un geste:
*elle est vraiment jolie, **cette maison!***
***cette robe** te va très bien*

5 qui est proche dans le temps (récent ou à venir):

1B1 ***Cette semaine**, à la réunion des ministres européens de l'Agriculture, il trouvera tous les dossiers chauds*
*Tiens! je l'ai rencontrée **ce matin**, justement* (N2)

-ci, -là

S'il y a un risque de confusion, on ajoute ***-ci*** ou ***-là***:

1 pour distinguer entre deux personnes, choses ou idées dont on vient de parler:

-ci désigne le **dernier** nom qu'on a prononcé:
*. . . à Rome et à **Athènes. Cette ville-ci** s'est beaucoup développée depuis la guerre*
(on peut dire aussi: *cette dernière ville*)

-là désigne un nom qu'on a prononcé **avant** le dernier:
*. . . **les tigres** et les éléphants. **Cette espèce-là** est menacée d'extinction*
(on peut dire aussi: *la première de ces espèces*)

2 pour exprimer une réaction négative, on ajoute ***-là*** au nom, comme si on voulait **l'éloigner** de soi-même:
*je n'aime pas du tout **cet individu-là***
*je déteste **ces choses-là***

3 pour distinguer entre deux personnes ou deux choses ayant le même nom: ***-ci*** désigne la personne ou la chose la plus **proche** du locuteur, ***-là*** désigne une personne ou une chose qui est plus éloignée:
*j'aime mieux **ce tableau-ci** que **ce tableau-là***

4 pour situer quelque chose dans le **temps**: ***-ci*** désigne le présent ou le futur, ***-là*** désigne le passé:

présent/futur	passé
ces temps-ci	*en ces temps-là*
à cette époque-ci (de l'année)	*à cette époque-là (de l'histoire)*
ces mois-ci	*ces mois-là*

Dans certains cas, ***ce*** + **nom** suffit pour désigner le présent ou le futur; ***ce*** + **nom** + ***-là*** désigne le passé:

présent/futur	passé
ce matin	*ce matin-là*
ce soir	*ce soir-là*
en ce moment	*à ce moment-là*
cette semaine	*cette semaine-là*
cette année	*cette année-là*

Cette nuit désigne le futur **ou** le passé, selon le contexte. (Pour le passé, on peut dire aussi *cette nuit-là*.)

exercice 1/12

EMPLOI (OU NON) DE *-CI, -LÀ*

En lisant chacune des phrases suivantes, décidez s'il convient d'ajouter *-ci* ou *-là* :

1. **Ce** dimanche, il y avait eu un grand bal au château.
2. Tu as l'air préoccupé, **ces** jours.
3. Je n'ai pas beaucoup de travail en **ce** moment.
4. Qu'est-ce que tu fais **ce** soir?
5. Je trouve **ces** questions sans intérêt.
6. Je ne me rappelle plus ce que j'ai fait **ce** soir.
7. Il y aura une éclipse de la lune **cette** nuit.
8. Qu'est-ce que c'est que toutes **ces** histoires?
9. J'aime bien Grenoble et Nice, mais **cette** ville me plaît surtout à cause de la mer.
10. A **ce** moment, j'ai entendu plusieurs coups de feu.

1.5.2 *Celui, celle, ceux, celles*, pronoms démonstratifs définis

Celui, ***celle***, ***ceux***, ***celles*** remplacent un déterminant + nom; ils s'accordent (masculin/féminin; singulier/pluriel) avec le nom qu'ils remplacent. On les emploie dans certains contextes grammaticaux:

1 avec ***-ci***, ***-là***

j'ai deux photos d'elle: ***celle-ci*** *est plus ressemblante que* ***celle-là***
(cette photo-ci est plus ressemblante que cette photo-là)
— Quelles pommes désirez-vous, monsieur? — Je prendrai deux kilos de ***celles-là****, s'il vous plaît, madame*

Note ***Ceci***, ***cela*** ne se rapportent pas à un nom spécifique, mais à une idée générale; voir 1.4.2 et 1.4.4.

2 avec ***de***

il a dépensé son argent et ***celui de*** *sa sœur*
(l'argent de sa sœur)
1B3 *des mains fines, le geste posé, mais les jambes aussi fébriles que* ***celles de*** *Chirac*
1B9 *une tradition médiévale veut que les habitants de Ville-en-Vermois soient des oies, et* ***ceux du*** *village voisin, des loups*

Note Au niveau N2, on emploie *celui* (etc) avec d'autres prépositions (*à*, *dans*, etc), ou avec un participe passé (*assis*, *couché*, etc):

— Je prends quelle rue? — ***Celle à*** *gauche, là* (N2)
tous les chiens étaient adorables, mais surtout ***celui assis*** *au fond de la cage* (N2)

3 avec ***qui***, ***que***, ***dont***, ***où***, etc (voir aussi 7.4)

nous avons plusieurs espèces de fleurs, mais nous aimons surtout ***celles que*** *tu vois là*
(les fleurs que tu vois là)
1B7 ***ceux qui*** *gagnent, ce ne sont pas toujours* ***ceux qui*** *ont raison, mais* ***ceux qui*** *ont la volonté*

exercice 1/13

***CELUI*, ETC**

Complétez les phrases suivantes en ajoutant, selon le cas:
(a) *celui, celle, ceux, celles*
(b) *-ci, -là; de, du, de la, des; qui, que, dont* et *où*;

1. Je trouve sa maison plus jolie que ___ sa sœur.
2. Pour lui, ___ ne pensent pas comme ça sont des imbéciles.
3. J'aurais bien acheté des fleurs, mais ___ ont l'air toutes fanées.
4. Ces tomates hollandaises ont moins de goût que ___ jardin.
5. Prenez la première rue à gauche, ___ vous voyez des arbres, là-bas.
6. Tu vas prendre quel fromage? ___ ou ___?
7. Elle cherche un mari, mais ___ elle choisira ne sera pas ___ tout le monde parle.

exercice 1/14

***CELA, ÇA* OU *CELUI-LÀ, CELLE-LÀ*?**

***CECI* OU *CELUI-CI, CELLE-CI*?**

Complétez les phrases suivantes en ajoutant le mot qui convient:

1. __, c'est un homme remarquable.
2. __, c'était une expérience inoubliable!
3. Elle a laissé une fenêtre ouverte: je n'aime pas __.
4. Des deux maisons, __ me plaît mieux que __.
5. Allons, décide-toi! Tu prends quel modèle, __ ou __?
6. __, peut-être, ce n'était pas très intéressant, mais dis-moi ce que tu penses de __.
7. Qu'il soit pour le gouvernement ou pour l'opposition, __ n'y change rien.

PRATIQUE *orale*

1 *Interview, 3 à 5 minutes*
Autoportrait

Préparation
Avec un partenaire, discutez, préparez et enregistrez une interview radiophonique où l'on vous interroge sur vous-même, vos goûts, votre caractère, vos espoirs, etc. Avant d'enregistrer l'interview, les deux partenaires se mettront d'accord sur les principales questions qui seront posées.

Enregistrement
Enregistrez d'abord une ou deux questions, et les réponses, en guise d'essai, et écoutez-les, avant de procéder à l'enregistrement proprement dit. Pendant l'enregistrement, on pourra arrêter la machine s'il le faut, mais pas trop souvent, afin de ne pas détruire la spontanéité de l'interview. Dans un deuxième temps, on préparera et on enregistrera l'interview de l'autre partenaire.

2 *Discussion, 3 à 5 minutes*
Impressions

Préparation
Avec un partenaire, préparez et enregistrez une discussion radiophonique (par exemple pour une émission radiophonique destinée à une audience francophone) sur vos premières impressions, à tous les deux, de la vie et du travail à l'université: installation dans votre nouvelle vie, réactions de votre famille, le campus, le travail, les camarades, les professeurs. Sans révéler à votre partenaire les opinions que vous allez exprimer, mettez-vous d'accord sur les principaux points dont vous allez discuter.

Enregistrement
Tout au long de l'enregistrement, soyez attentif aux propos de votre interlocuteur, et, s'il exprime un point de vue différent du vôtre, essayez d'analyser les origines et les raisons de cette différence.

PRATIQUE *écrite*

1 *Autoportrait: lettre*

Qui suis-je? Faites, à l'intention par exemple d'un correspondant français, votre autoportrait.

2 *Autoportrait: interview*

Interview avec moi-même. Ecrivez le texte d'une interview, à paraître dans un magazine, par exemple, où l'on vous interroge sur vous-même, vos goûts, votre caractère, vos espoirs, etc. Précisez le genre de public à qui s'adresse cette interview.

3 *Description*

Rédigez vos premières impressions de la vie et du travail à l'université: installation dans votre nouvelle vie, réactions de votre famille, le campus, le travail, les camarades, les professeurs etc. Vous pouvez, si vous voulez, rédiger votre travail sous la forme d'une lettre, ou d'un article pour un magazine; dans ce cas, précisez pour qui vous écrivez.

4 *Souvenirs*

Fragment(s) d'autobiographie. Rédigez un extrait de vos souvenirs d'enfance, en choisissant de préférence des scènes qui vous permettent de faire le portrait d'un (ou de quelques-uns) des membres de votre famille. Vous n'êtes pas obligé d'imiter le style de Sartre, mais essayez quand même de donner à votre récit une unité de ton et d'inclure une variété d'incidents.

Sur le vif

Embauchologie

Je ne sais pas ce qui se passe en ce moment, mais je croule sous les demandes d'emploi. Vous m'appelez, vous m'écrivez : Tu verrais pas quelque chose pour moi? Je suis diplômé d'HEC . . . J'ai fait l'école des Chartes . . . J'ai passé douze ans à la BNP . . . J'ai bossé à Orly . . . J'ai . . .

Alors ça, votre CV, on s'en fout, mes pauvres chéris! Vous n'avez pas vu dans *Voici* à quoi ça tient, une embauche, aujourd'hui? A votre date de naissance. Non, pas rapport à votre âge, rapport à votre signe. Feuilletez les petites annonces, ça revient continuellement : Lion, Taureau de préférence, Scorpion s'abstenir. Un conseil : dites qu'en vous déclarant à la mairie votre papa, très ému, s'est trompé d'heure. Personne n'ira vérifier auprès de madame votre mère, et si vous êtes Verseau ascendant Balance, vous doublez vos chances.

Autres méthodes de recrutement :

Gestique. Ne passez pas le doigt sur vos lèvres : détresse intérieure. Evitez d'agiter les jambes : mauvais contacts. Ne croisez pas les bras en vous calant au fond de votre fauteuil : vulnérabilité. Bougez les doigts de haut en bas et pas de bas en haut, attention : esprit délié ou borné, c'est selon.

Hématologie. Seul moyen de cerner un tempérament, le groupe sanguin. O = équilibre. B = égocentrisme et goût de l'action. A = émotivité. Si c'est votre cas et si vous voulez faire contrôleur du ciel, pas la peine de vous déranger.

Numérologie. Chaque lettre de votre nom et de votre prénom correspond à un chiffre précis. On additionne, on divise, on multiplie et on se fonde sur le résultat : 8, vous êtes organisé ; 12, vous êtes sournois ; 14, vous êtes honnête ; 3, vous êtes brouillon, et avec un peu de pot on vous engagera à la Sécu.

Morphopsychologie. Un candidat à l'ossature lourde, la chair épaisse, le nez à la Cyrano et la bouche en tirelire fera un bon commercial. Avant de vous présenter, prenez cinq, six kilos et dormez avec une pince à linge sur le pif pendant un mois, faute de quoi . . .

Je passe sur la chirologie, lignes de la main, et sur la voyance extra-lucide, parce que, là, il s'agit de tests scientifiques n'autorisant aucune tricherie. Mais pour le reste, si vous cherchez du boulot, au boulot!

CLAUDE SARRAUTE

CHAPITRE 2

LOISIRS

TEXTES

- **2A** ***Ma première danse***
- **2B** ***Le bal du dimanche au "Bing-Bang"***
- **2C** ***Un espoir pour Fréjus***

POINTS LANGUE

- **2.1** ***Prononciation: la lettre*** e
  e muet; orthographe et prononciation de *e*, *é*, *è*, *ê*
- **2.2** ***Pronoms personnels 2: sujets***
  je, *tu*, *on*, etc
- **2.3** ***Pronoms personnels 3: objets***
  me, *te*, *le*, *lui*, etc
  ordre des mots, emploi
  le, *y*, *en*, pronoms impersonnels
- **2.4** ***Pronoms personnels 4: forme disjonctive***
  moi, *toi*, *soi*, etc
- **2.5** ***Description***
  description physique ou morale, gestes, emploi de prépositions

JACQUES FAIZANT

2A

points de repère

● CONTEXTE

Dans son livre de mémoires *Le Clos du Roi*, Marcel Scipion, né en 1922 en Haute-Provence, raconte ses souvenirs d'enfance et de jeunesse dans ce pays de bergers.

● SUJET

Dans le chapitre que vous allez lire, "Ma première danse", Marcel a seize ans; nous sommes donc en 1938: le bal du dimanche constitue une des rares distractions – et une des rares occasions où garçons et filles pouvaient se rencontrer en public.

● PERSPECTIVE

Marcel Scipion nous offre une double perspective sur les scènes qu'il raconte ici: d'une part, la naïveté des actions et des réflexions d'un garçon de seize ans qui n'a jamais dansé avec une fille; d'autre part, l'indulgence amusée de l'homme mûr qui, quarante ans après, se rappelle le jeune homme timide qu'il fut. (Pour s'en persuader, il suffit de lire, aussitôt après, le texte 2B, où pas une seconde il n'est question de timidité, mais plutôt de quelqu'un – le narrateur – qui sait ce qu'il veut.)

● STYLE

Le style est un mélange de phrases bien composées, avec une structure grammaticale et un vocabulaire assez traditionnels, presque littéraires, et des mots et des phrases plus caractéristiques du français parlé, familier (2A2: *Ça nous fascinait ces pieds qui . . . ; Mais vas-y démêler quelque chose dans . . .*). En gros, c'est un style qu'on trouve encore dans certaines pages de la presse régionale en France.

● CONSEILS

En lisant ce chapitre du livre de Scipion, soyez surtout attentif à la situation et à la psychologie du jeune Marcel, mais essayez aussi de comparer ses réactions et celles que vous avez eues, ou observées, dans les bals et les discothèques d'aujourd'hui. Avez-vous l'impression que les attitudes (a) des garçons (b) des filles ont beaucoup changé depuis 1938?

MA PREMIÈRE DANSE

(1) J'AVAIS seize ans. Dans la semaine on travaillait dur, mes cousins et moi, déjà presque comme des hommes, aux divers travaux des champs, et sans question de rémunération aucune. Il fallait aider les parents aux travaux de la ferme car ils n'étaient pas assez argentés pour se payer un de ces ouvriers agricoles qu'on appelait des journaliers. Nous aidions aux foins, à la moisson, et encore à la coupe des lavandes qui étaient les trois principales activités et récoltes de nos régions. Mes cousins aidaient les parents exclusivement dans les travaux de culture. Quant à moi, plus attiré par l'élevage, je prenais la garde du troupeau pendant les vacances scolaires, jeudis et dimanches compris. Un dimanche sur deux, on nous donnait quartier libre et je descendais alors au village retrouver quelques copains de mon âge. Enfourchant de vieux vélos, on se rendait tous ensemble aux fêtes des villages voisins où des bals champêtres gratuits étaient organisés sous les platanes des places publiques.

(2) Nous regardions nos aînés de dix ans qui prenaient à bras-le-corps de belles filles et les entraînaient dans les tourbillons tumultueux de la valse ou dans de lents et nostalgiques tangos. Ils martelaient ensemble de saccadées javas. Les voyant faire, l'envie nous prenait de les imiter. Mais hélas ! dans notre bande aucun ne savait danser. Chaque dimanche, avant d'enfourcher son vélo, on promettait toujours aux copains de leur en boucher un

1935 : bal du 14 juillet sur une place parisienne
« *Les voyant faire, l'envie nous prenait de les imiter* »

coin et de se lancer enfin dans une java pour se « faire la main ». Mais arrivés au bal, une fois de plus on se trouvait comme bloqués et pris de complexe devant la virtuosité des aînés : le mal danser rend ridicule aux yeux des spectateurs, du moins on se l'imaginait. Ce qui fait qu'accoudés aux balustrades, on se contentait de bien regarder les autres, leurs pieds surtout. Il nous semblait paradoxal que, dans cette sarabande de pieds qui se croisent et s'entrecroisent, on ne les emmêle pas avec ceux de sa cavalière. Ça nous fascinait ces pieds qui virevoltaient en tous sens et qui jamais ne venaient s'écraser les uns sur les autres. Nous voulions apprendre : il nous fallait donc regarder et comprendre à fond ce mécanisme. Mais vas-y démêler quelque chose dans ces pas rapides qui tous se ressemblent mais qu'aucun ne fait pareil. Car en fait chaque danseur a son style propre. A la fermeture du bal, on se trouvait bien un peu minable de ne pas avoir eu l'audace de se lancer une bonne fois.

(3) « Ce coup-ci, j'ai bien vu comment il place les pieds, mon frère Jacques, pour faire la java, dit l'un de nous. Au bal de dimanche, je m'en pique une. »

(4) Quant à moi qui n'avais pas de grand frère, j'avais regardé trop de pieds différents et je ne m'y étais pas retrouvé.

(5) La fête de notre village approchait. Pour éviter de passer pour un pas trop dégourdi, pour ne pas dire un couillon, vis-à-vis de ceux du village qui me diraient encore des dizaines de fois, en renforçant mes complexes : « Mais un grandet comme toi, pourquoi tu ne danses pas ? », je résolus d'essayer d'abord dans le village voisin du nôtre, où ça se remarquerait moins si à chaque pas j'écrasais les pieds de ma cavalière. Le copain était aussi fermement décidé à se lancer ce dimanche-là.

(6) Pour nous échauffer un peu et nous mettre en forme, nous décidâmes de nous envoyer deux cognacs derrière l'épiglotte. Légèrement grisés par l'alcool, on revint vers le bas par la grande rue tout en mimant avec une cavalière imaginaire les pas d'une java. Cette partenaire avait ça de bon qu'elle ne nous encombrait pas avec ses pieds. C'est sans doute ce qui nous regonfla à fond, car même arrivés sur la place publique, à deux pas du bal, on mimait encore, sans complexe, cette danse imaginaire.

(7) Nous arrivions à pic : justement l'orchestre entamait une java, qui est la danse par excellence des débutants. Plus brave que moi, le copain, franchissant les cordes, aborda une cavalière et carrément se lança. Il sautillait trois pas, raide comme un piquet, en des saccades toutes mécaniques, puis brusquement pirouettait, déséquilibrant sa cavalière qui chaque fois se laissait surprendre par cette rupture de rythme : il lui fallait passer inopinément du rythme de marche saccadé au rythme giratoire. De plus averties y auraient perdu l'équilibre. J'admirais la prouesse du copain, mais de temps en temps je voyais bien que sa cavalière sautillait sur un pied en faisant une affreuse grimace. Mais lui que l'alcool gonflait d'assurance ne s'apercevait de rien. C'est même souvent à ces moments-là que, brusquement, il pirouettait, faisant alors chanceler la fille qu'il rattrapait tant bien que mal avant qu'elle ne s'affale.

(8) Pour la seconde danse, ne voulant pas être en reste, j'avisai une très grande et grosse fille qui pouvait être de dix ans mon aînée. Elle avait d'énormes seins, presque aussi gros que des cougourdes muscates. J'avais remarqué que depuis le début du bal elle était restée assise. Aucun cavalier ne l'avait invitée et pour cause. Bravement je me pointai devant elle et je hasardai un timide : « Vous dansez, mademoiselle ? »

(9) La réponse vint, instantanée, brutale : un « Voui, Monsieur » viril et retentissant. Estomaqué, croyant m'être trompé de sexe, je portai mes yeux à l'avant sur les deux cougourdes. Il n'y avait pas à douter : malgré ses intonations masculines, c'était bien une jeune fille. Je n'eus du reste guère le temps de réfléchir : deux bras d'une vigueur sans pareille pour un sexe dit faible se nouèrent autour de mon buste et je me sentis pressé sur les deux énormes choses, assez dures il faut le dire, mais qui tout de même jouèrent entre moi et ma cavalière le rôle d'amortisseurs. Comme j'étais long à m'y mettre, les bras puissants et musclés imprimèrent à mon corps un mouvement rotatoire que je dus suivre, sous peine d'être déséquilibré. Presque porté, sautillant, le souffle court, je fus ainsi transporté à l'autre bout du bal par ma cavalière dont la joie de danser décuplait les forces de minute en minute.

(10) Les musiciens achevaient la première mi-temps. Je crois que cet arrêt de la musique avant la reprise me sauva d'une asphyxie certaine. Réemplissant mes poumons d'un air rédempteur, j'eus la force de faire trois pas vers les cordes ceinturant le bal, que je franchis en vitesse. J'échappai ainsi à l'emprise d'une cavalière bien trop musclée pour le gringalet débutant que j'étais. Je refluai vers le bar et c'est devant un troisième cognac, pour me remettre, que vint me rejoindre mon copain qui, lui, avait pu faire la reprise jusqu'au bout. Ravi, il me parlait de sa danse et de la souplesse de sa cavalière qu'il avait rendue en bout de piste, les deux pieds malmenés, mais intacts.

(11) Quant à moi, cette première expérience chorégraphique avec le sexe dit faible me complexa à tel point que ce n'est guère que deux ans plus tard, qu'au cours d'un nouveau bal, je me hasardai de nouveau à tendre les bras, pour une autre java, à une autre cavalière. Comme j'avais eu soin, cette fois-ci, d'éviter les rouleaux compresseurs, cette danse m'engagea à en faire d'autres, et en quelques années, je devins un passable danseur.

Activités

1 Le sens des mots

Travail individuel
Vérifiez, dans un dictionnaire monolingue, le sens des mots suivants:

- les récoltes; les travaux de culture; l'élevage; donner quartier libre (2A1)
- arriver à pic; justement; aborder; carrément; giratoire; chanceler; s'affaler (2A7)

Mise en commun
S'il y a des mots pour lesquels vous aimeriez des informations supplémentaires, consultez les autres membres du groupe et, éventuellement, le professeur.

2 Comparaison

Travail individuel
En relisant le texte, notez par écrit

(a) deux ou trois points (la situation, l'apparence physique des personnes, leurs réactions, etc) qui vous donnent l'impression d'une époque révolue, et
(b) deux ou trois points qui vous semblent décrire des situations ou des réactions qu'on pourrait retrouver encore aujourd'hui.

Pour chacun de ces quatre à six points

(a) expliquez quelle est, selon vous, la différence avec les mœurs d'aujourd'hui ou
(b) racontez une anecdote, personnelle ou non, pour illustrer votre point de vue.

Travail à deux
Comparez, avec votre partenaire, les notes que vous avez prises: avez-vous choisi, plus ou moins, les mêmes points, pour les mêmes raisons? Discutez-en brièvement.

Tour de table
Avec votre partenaire, présentez au groupe vos observations et vos conclusions.

Mise en commun
Si un membre du groupe exprime un jugement qui ne vous semble pas fondé, n'hésitez pas à intervenir pour exprimer votre opinion; si on intervient pendant que votre partenaire et vous-même présentez vos conclusions, soyez prêts à défendre votre point de vue.

3 Réaction

Tour de table
Choisissez un passage du chapitre qui vous a particulièrement frappé (pour la situation, les attitudes, les idées, le style, etc). Lisez-le à haute voix, et dites au groupe, aussi spontanément que possible, pourquoi vous avez choisi ce passage. Si vous n'êtes pas le premier à choisir le passage en question, essayez d'incorporer dans votre intervention ce qui en a déjà été dit, soit pour exprimer votre accord, soit pour exprimer un point de vue différent.

2B

points de repère

● **CONTEXTE**

Le roman *L'été meurtrier* (1977), de Sébastien Japrisot, a été porté à l'écran en 1983 dans un film remarquable, réalisé par Jean Becker, et où Isabelle Adjani joue le rôle de la victime. L'action du roman se déroule dans la France du Sud-Est, entre la Haute-Provence et le Haut-Var, non loin du pays de Marcel Scipion (voir texte 2A).

● **SUJET**

L'une des originalités du roman est que chacune des six parties est racontée par un personnage différent. L'extrait que vous allez lire est tiré de la première partie, racontée par Florimond Montecciari, trente ans, mécanicien et pompier-volontaire (d'où son surnom, "Pin-Pon"); les autres personnages principaux sont:

- les deux frères de Pin-Pon: Michel ("Mickey"), vingt-cinq ans, charrieur de bois, passionné de cyclisme, et Bernard ("Bou-Bou"), dix-sept ans, élève de terminale;
- Eliane ("Elle"), dix-neuf ans: c'est la fille à qui s'intéresse Pin-Pon. Sa mère est d'origine allemande;
- Georges Massigne: le rival;
- Georgette, employée des postes: la bonne amie de Mickey;
- Verdier, employé des postes, pompier-volontaire.

● **PERSPECTIVE**

La première moitié de cet extrait (paragraphes 1 à 4), avec tous les détails sur les personnages, l'arrivée au bal, le bruit, l'orchestre, les danseurs, a l'apparence, à la première lecture, d'une simple description du bal. Mais en réalité toute cette première partie s'organise autour d'un *vide*: l'absence d'Eliane ("Elle"), que le narrateur (Pin-Pon) attend avec impatience, et qui fait enfin son apparition à la fin du paragraphe 4 ("et puis j'ai vu que Mickey l'avait trouvée, Elle, et qu'elle était avec Georges Massigne, comme je l'avais craint").

Les paragraphes 5 à 8 sont entièrement occupés par Elle, par le désir du narrateur de se rapprocher d'elle, et par ses réflexions aux stades successifs de cette rencontre. Enfin, au début du paragraphe 8, il est clairement suggéré que cette rencontre aura des conséquences dramatiques ("Je sais ce qu'on va me dire . . . que j'aurais dû fuir . . .").

● **STYLE**

Une succession de phrases simples, directes, qui arrivent dans l'ordre des événements et des réflexions du narrateur: il s'agit, en somme, d'un monologue intérieur. Les détails de la scène sont donnés avec une grande intensité (voir aussi Activité 1).

● **CONSEILS**

En lisant cet extrait, laissez-vous emporter par son évocation du bal et des personnages; vous pouvez imaginer, si vous voulez, l'évolution future des relations entre Elle et le narrateur. En tout cas, il y aura plusieurs points de comparaison entre cet extrait et le texte 2A: commencez à les formuler et à les classer (voir Activité 3).

(1) Verdier devait me retrouver directement à Blumay, avec la voiture Renault de la caserne. Nous quatre – la bonne amie de Mickey, Georgette, nous accompagnait – nous y sommes allés avec la DS de mon patron. Il me la prête quand je la lui demande mais chaque fois, au retour, il dit qu'elle marche moins bien. Le plus étonné de me voir en civil, c'était Verdier. J'avais mis mon costume beige, avec une chemise saumon et une cravate en tricot rouge de Mickey. Je lui ai expliqué que j'étais avec mes frères, que je n'avais pas eu le temps de me mettre en tenue, mais que s'il y avait n'importe quoi, mes affaires étaient dans la voiture.

(2) Il était trois heures et il y avait déjà un vacarme à crever les tympans autour du *Bing-Bang* installé sur la grand-place, et des gens agglutinés à l'entrée de l'immense baraque, juste pour jeter un coup d'œil, et puis ils ne bougent plus de l'après-midi. J'ai dit à Verdier de rester en faction près de la caisse et de faire éteindre leur cigarette à ceux qui arrivaient. Il n'a pas posé de questions. Il n'en pose jamais.

(3) On me connaît, on ne voulait pas que je paie ma place, mais j'ai insisté pour avoir mon ticket en cocarde comme tout le monde. A l'intérieur, c'était l'enfer. Tout était rouge, les guitares électriques et la batterie et les hurlements de ceux qui étaient déjà fous vous hachaient la tête, mais on ne pouvait voir personne, on ne pouvait entendre personne, et comme le soleil avait chauffé à blanc les tôles qui servaient de toit, on étouffait sans pouvoir mourir. Bou-Bou est parti chercher à tâtons ses copains, puis Mickey m'a poussé vers Georgette pour que je danse avec elle et il est parti lui aussi, à travers les ombres qui gesticulaient autour de nous.

Le bal du dimanche au "Bing-Bang"

Georgette s'est mise à rouler des hanches et à donner des coups de reins dans le vide, j'ai fait pareil. Le seul endroit bien éclairé, dans la salle, c'était une petite scène circulaire où se défoulait l'orchestre, cinq jeunes en pantalon à franges, au visage et au torse bariolés de toutes les couleurs. Bou-Bou m'a dit, plus tard, qu'on les appelle les Apaches et qu'ils sont très bons.

(4) En tout cas, j'ai dansé sur place, avec Georgette, pendant une éternité où les morceaux s'enchaînaient les uns aux autres, j'étais en nage, je croyais vraiment que ça ne finirait jamais, quand tout à coup, les projecteurs se sont arrêtés, la lumière est redevenue presque normale, les Apaches exténués jouaient un slow du bout des doigts. J'ai vu des garçons et des filles qui allaient s'asseoir contre la cloison de la baraque, à même le plancher, les cheveux collés aux tempes, et puis j'ai vu que Mickey l'avait trouvée, Elle, et qu'elle était avec Georges Massigne, comme je l'avais craint, mais ça m'était presque égal, les choses sont comme ça.

(5) Elle portait une robe blanche, très légère, elle aussi avait les cheveux collés aux tempes et sur le front, et de l'endroit où je me trouvais, à quinze ou vingt pas d'elle, je pouvais voir sa poitrine se soulever et ses lèvres ouvertes pour reprendre son souffle. Je sais que c'est idiot, mais elle me plaisait tellement que j'ai eu honte de moi, ou peur, je ne sais pas, j'ai failli partir. Mickey parlait avec Georges. Je savais, parce que je connais mon frère, qu'il était en train d'inventer n'importe quoi pour le faire sortir du bal et me laisser le champ libre, et à un moment, il a fait un geste vers moi, il lui a dit quelque chose, à Elle, et elle m'a regardé. Elle m'a regardé plusieurs secondes, sans bouger la tête, sans tourner les yeux, je ne me suis même pas aperçu que Mickey s'en allait avec Georges Massigne.

(6) Et puis elle est allée rejoindre d'autres filles, dont deux ou trois habitent le village, et elles riaient, et j'avais l'impression qu'elles riaient de moi. Georgette m'a demandé si je voulais encore danser, j'ai dit non. J'ai enlevé mon veston et ma cravate, et j'ai cherché des yeux un endroit où les ranger. Georgette m'a dit

Une scène du film **L'été meurtrier**
« Elle portait une robe blanche, très légère »

qu'elle allait s'en occuper, et quand je me suis retourné, les mains libres, avec ma chemise que je sentais trempée et plaquée dans mon dos, Elle était là, devant moi, elle ne souriait pas, elle attendait, simplement, et – on sait tout d'avance, on le sait.

(7) J'ai fait une danse avec elle, et puis une autre. Je ne me rappelle pas ce que c'était – je suis un bon danseur, je ne m'occupe jamais de ce qu'on joue – mais c'était tranquille parce que je la tenais contre moi. La paume de sa main était moite, elle l'essuyait souvent sur le bas de sa robe, et son corps, à travers la robe, était brûlant. Je lui ai demandé pourquoi elle riait avec ses copines. Elle a rejeté ses cheveux noirs en arrière, ils m'ont balayé la joue, mais elle n'a pas tourné autour de la question. La première phrase que j'ai entendue d'elle, c'était déjà un coup de marteau. Elle riait avec ses copines parce qu'elle n'avait pas tellement envie de danser avec moi et qu'elle avait lancé, sans le faire exprès, un truc à se plier en deux à propos de pompier. Textuel.

(8) Je sais ce qu'on va me dire, on me l'a dit un million de fois et répété : qu'il faut se méfier des gens bêtes encore plus que des gens méchants, qu'elle était bête à faire fuir, que j'aurais dû fuir, qu'en une seule parole elle montrait exactement ce qu'elle était – et ce n'est pas vrai. C'est justement parce que ce n'est pas vrai qu'il faut tout le temps que je m'explique. Dans les bals, toutes les filles rient comme des juments pour des vulgarités interdites à la maison. Elles connaissent certainement moins de choses qu'elles en ont l'air, mais elles ont peur d'être ridicules si elles ne hennissent pas plus fort que les copines. Ensuite, c'est moi qui avais posé la question. J'ai demandé pourquoi elles riaient toutes et elle me l'a dit. Elle aurait pu mentir, mais elle ne mentait jamais quand sa vie n'en dépendait pas, c'était trop de travail. Si la réponse ne me plaisait pas, tant pis pour moi, je n'avais qu'à pas demander.

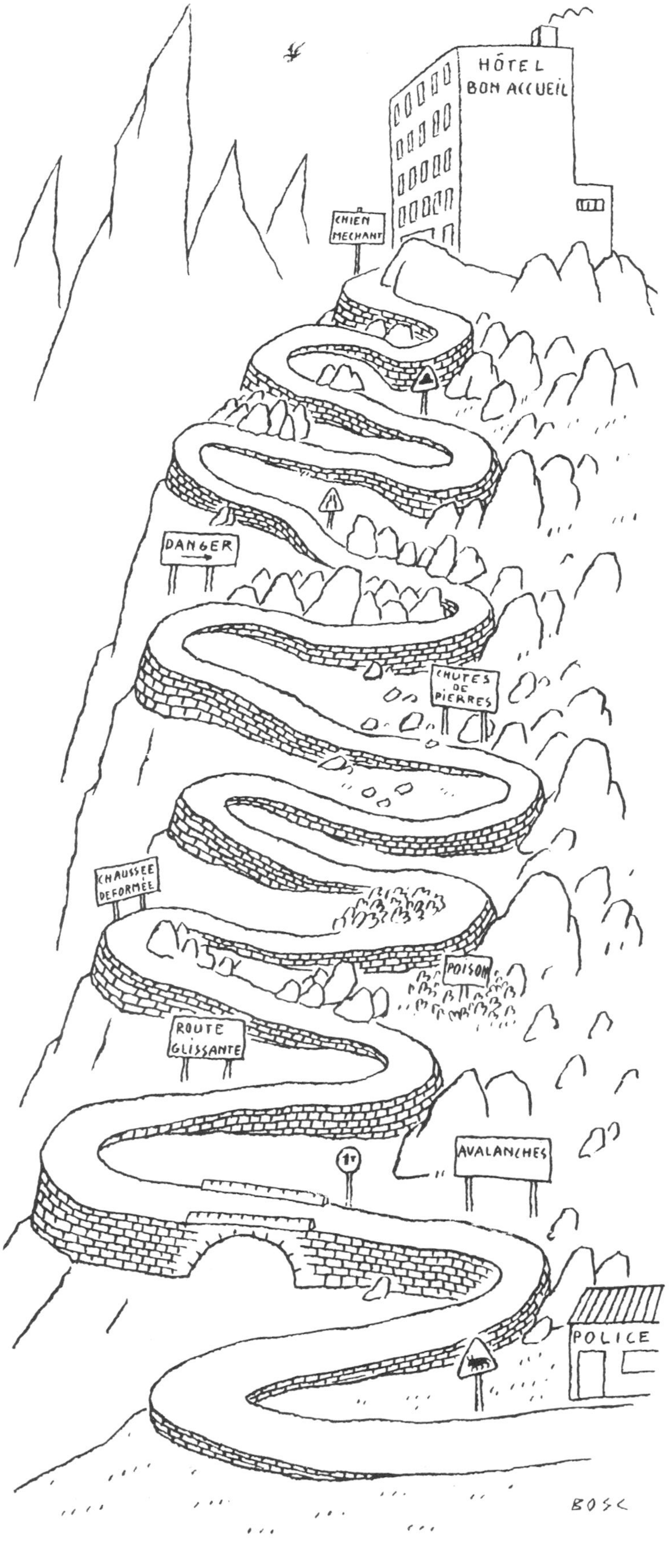

Activités

1 *Niveaux de langue*

Le style de cet extrait est proche du français standard (N3), mais afin de renforcer l'impression d'un monologue intérieur, l'auteur emploie certains mots ou expressions, ou certaines constructions grammaticales, qui sont plus proches du français familier (N2).

Travail à deux
Avec un partenaire, lisez à haute voix chacun des passages suivants, et essayez de décider

(a) s'il est plus proche du français familier (N2) que du français standard (N3),
(b) si c'est le vocabulaire ou la construction qui vous donne cette impression, et
(c) quel serait un équivalent au niveau N3 des passages que vous jugez caractéristiques du niveau N2:

- juste pour jeter un coup d'œil, et puis ils ne bougent plus de l'après-midi (2B2)
- il n'a pas posé de questions. Il n'en pose jamais. (2B2)
- Georgette s'est mise à rouler des hanches . . . j'ai fait pareil (2B3)
- je croyais vraiment que ça ne finirait jamais (2B4)
- je sais que c'est idiot, mais . . . (2B5)
- Georgette m'a demandé si je voulais encore danser, j'ai dit non (2B6)
- elle avait lancé . . . un truc à se plier en deux à propos de pompier. Textuel. (2B7)
- on me l'a dit un million de fois (2B8)
- elle était bête à faire fuir (2B8)
- je n'avais qu'à pas demander (2B8)

Mise en commun
Avec le reste du groupe, essayez de trouver un point de vue commun sur chaque passage. Le texte dans son ensemble vous donne-t-il l'impression d'un texte formel ou familier?

2 *Traduction*

Travail individuel
Relisez le dernier paragraphe du texte (2B8), et essayez de le traduire en anglais.

Travail à deux
Avec un partenaire, comparez vos versions du paragraphe 2B8, et discutez-en.

Mise en commun
Présentez au groupe les problèmes que vous avez rencontrés en traduisant ce paragraphe, et essayez de vous mettre d'accord sur une version commune.

3 *Comparaison*

Après avoir lu le texte 2B, vous aurez remarqué certaines différences avec la scène décrite par Marcel Scipion (texte 2A).

Travail individuel
Afin de vous faire une idée plus précise de ces différences, et de vos impressions des deux extraits, rédigez quelques notes sous les rubriques suivantes:

(1) *Le narrateur*: son âge, son attitude, son rôle, son caractère tel qu'il est présenté ici.
(2) *Les autres personnages*: des individus ou des caricatures? leur rôle vis-à-vis du narrateur.
(3) *Présentation de la scène*: détails descriptifs, déroulement de l'action, dialogue; vocabulaire, composition des phrases.
(4) *Votre jugement* sur l'un et l'autre extrait: lequel vous semble le plus réussi dans son genre (Scipion: souvenirs d'enfance; Japrisot: roman à suspense)?

Travail à deux
Avec un partenaire, comparez les notes que vous avez prises sous les quatre rubriques ci-dessus et discutez-en.

Tour de table
Présentez au groupe, individuellement ou avec un partenaire, vos observations.

Mise en commun
Participez à une discussion générale sur les différences entre les deux textes et les préférences personnelles de chaque étudiant.

2C

points de repère

● SUJET

Les deux faces de la migration annuelle des vacanciers vers la Côte d'Azur: pour les vacanciers, c'est la foule, la chaleur, le bruit et les détritus; pour les municipalités, c'est la difficulté de sauvegarder quelques zones naturelles face à l'invasion des touristes.

● PERSPECTIVE

Le journaliste Roger Cans, spécialiste de l'environnement au journal *Le Monde*, souligne la contradiction entre les rêves des vacanciers et la réalité des vacances. Mais on a l'impression, après avoir lu la deuxième partie de son article, que le combat entre tourisme et conservation est un combat inégal.

● STYLE

L'objectif du journaliste est double: évoquer les conditions dans lesquelles se passent les vacances au mois d'août, et présenter les conséquences permanentes de cette migration annuelle. Dans la première partie de l'article, le style est direct, linéaire: une série d'images qu'on ne voit jamais sur les cartes postales; dans la deuxième partie, la nécessité d'analyser la situation plutôt ambigüe des municipalités oblige le journaliste à utiliser un vocabulaire plus technique et un style plus nuancé.

● CONSEILS

En lisant cet article, essayez de vous mettre, d'abord à la place des vacanciers qui descendent sur la Côte à la recherche de la mer, du soleil et de la détente, ensuite à la place des autorités publiques (la municipalité de Fréjus, le conservatoire du littoral). Dans les deux cas, que feriez-vous?

(1) De la route nationale 98 qui longe le littoral de Fréjus, on mesure d'un coup d'œil l'épreuve infligée chaque jour aux aoûtiens. Côté mer, c'est l'embouteillage généralisé : alors même que les 2 kilomètres de sable ont déjà fait leur plein de chair à bronzer, les voitures, caravanes et camping-cars continuent d'affluer. On guette la place à l'ombre sous les tamaris – peine perdue après 9 heures du matin ! On erre à la recherche d'une place en bord de mer pour ne pas avoir à transporter le parasol, la glacière, le dinghy ou la planche à voile : peine perdue là encore, car de gros blocs de rocher interdisent l'accès des véhicules. Il faut donc se rabattre sur l'un des vastes parkings où la tôle, chauffée impitoyablement par le soleil d'août, transformera la plus confortable limousine en four. Un portique métallique aux montants soudés – pour dissuader les vandales – interdit même l'accès des aires de stationnement aux caravanes et camping-cars, car on ne doit pas bivouaquer dans les parkings.

255 hectares gelés

(2) Lorsque notre baigneur est enfin à pied d'œuvre, c'est-à-dire couché sur le sable ou pataugeant entre les bouées, planches à voile et autres embarcations qui accaparent la mer, ses épreuves ne sont pas terminées pour autant. Le ciel s'emplit de vrombissements divers. Ici, c'est un message publicitaire qui passe et repasse à la traîne d'un avion de tourisme loué à la journée. Là, c'est un hélicoptère de la base aéronavale qui s'entraîne au repêchage des hommes en mer. Enfin, sans trêve, des avions décollent de cette base, dont la piste d'envol surplombe la plage.

(3) Indifférents au vacarme et à l'agitation, des pêcheurs à la ligne ont envahi les étangs de Villepey, de l'autre côté de la

La plage de Fréjus (Var)
« Les deux kilomètres de sable ont déjà fait leur plein de chair à bronzer »

Un espoir pour Fréjus

FRÉJUS
de notre envoyé spécial

nationale. Ils taquinent le mulet dans une eau glauque d'où émergent de vieux pneus, des bouteilles de plastique et des chariots de grande surface. Il faut écarquiller les yeux pour distinguer, parmi les sacs plastiques multicolores qui parsèment les étangs, quelques oiseaux encore en activité : aigrettes blanches, sternes, et même un flamant rose qui piétine consciencieusement la boue du fond.

(4) Ce spectacle, courant sur bien des plages en cette période de l'année, souligne la difficulté qu'il y a à gérer les espaces naturels de loisir face au flux toujours grossissant de la marée touristique. A Fréjus, la municipalité, bien décidée à sauvegarder coûte que coûte *« le plus bel espace vierge du littoral entre Cannes et Saint-Tropez »*, a décidé de geler toute construction sur les 255 hectares compris entre l'Argens et Saint-Aygulf, c'est-à-dire cette précieuse zone « naturelle » qui comprend les étangs de Villepey et le cordon de dunes littorales. Les plaisanciers iront chercher leurs anneaux à la marina de Saint-Aygulf ou au futur Port-Fréjus.

(5) Mis en alerte par ces bonnes dispositions, le conservatoire du littoral est intervenu dès 1980 pour acquérir ces terrains au nom de l'Etat. Il en a déjà acquis les deux tiers (180 hectares). Mais il a exigé, sous l'impulsion de son nouveau délégué à la région Provence-Côte d'Azur, M. Jean-Philippe Grillet, que l'on détruise même le bâti existant – sauf une ferme appelée à servir de centre d'accueil du conservatoire. Un hôtel a donc été rasé l'an dernier, en attendant que l'autre, bien décidé à se vendre chèrement, le soit à son tour. Et c'est seulement lorsque le conservatoire aura repris la maîtrise totale des lieux qu'il pourra les aménager pour un tourisme qu'on espère moins rude.

(6) Le conservatoire se bat aussi pour préserver un superbe domaine planté de chênes-lièges et de pins parasols au cap Lardier, sur la commune de La Croix-Valmer. La municipalité, après force palabres, s'est laissé convaincre de geler les enclaves de terrain à construire, mais elle exige en compensation l'exploitation d'un parking payant sur les terrains déjà acquis par le conservatoire ! Les édiles du littoral, qui sont pourtant les premiers à souffrir de la surcharge touristique, cèdent volontiers au « toujours plus ».

R.C.

Activités

1 Le sens des mots

Travail individuel
Cherchez, dans un dictionnaire monolingue, le sens des mots suivants:

- le littoral; des aoûtiens; la chair à bronzer; se rabattre sur (2C1)
- à pied d'œuvre; pour autant (2C2)
- taquiner le mulet; une grande surface (2C3)
- la municipalité (2C4)
- le conservatoire (2C5)
- force palabres; les édiles (2C6)

Travail à deux
Avec un partenaire, comparez les définitions que vous avez trouvées.

Mise en commun
Vérifiez ces définitions avec le professeur et les autres membres du groupe.

2 Témoignage

Travail individuel
Notez par écrit quelques détails d'un séjour de vacances qui vous a laissé un souvenir particulier (agréable ou désagréable), ou bien notez quelques idées sur ce que seraient, pour vous, des "vacances de rêve".

Tour de table
Présentez brièvement, aux membres du groupe, vos souvenirs ou vos réflexions personnelles au sujet des vacances.

Mise en commun
Résumez les points de convergence, et de divergence, entre les différents témoignages.

3 Résumé oral

(a) Première partie de l'article
(**la moitié** des étudiants, seulement)

Travail à deux
Avec un partenaire, rédigez, en deux ou trois phrases, le résumé d'**un** extrait (paragraphe 1, les treize premières lignes; le reste du paragraphe 1; paragraphe 2; paragraphe 3) de l'article. Ensuite, résumez ces phrases sous forme de titres ou de sous-titres.

Travail à quatre
(si deux groupes ont travaillé sur le même paragraphe) Mettez-vous d'accord sur une version commune des (sous-) titres que vous avez composés.

Mise en commun
Présentez au reste du groupe les (sous-) titres que vous avez composés; soyez prêts à répondre aux commentaires ou aux suggestions des autres membres du groupe.

(b) Deuxième partie du texte
(**l'autre** moitié des étudiants)

Travail à deux
Avec un partenaire, rédigez un résumé, puis des titres ou des sous-titres, pour le paragraphe 4 **ou** 5 **ou** 6 de l'article.

Travail à quatre
Mettez-vous d'accord sur une version commune.

Mise en commun
Présentez au groupe les (sous-)titres que vous avez composés, et répondez aux commentaires ou aux suggestions des autres étudiants.

Discussion
Parmi les mesures de sauvegarde dont il est question dans la dernière partie de l'article, lesquelles vous semblent les plus efficaces?

En Bretagne, aussi ...

Points LANGUE

● 2.1 *Prononciation: la lettre* e

La lettre *e* correspond à trois sons en français (pour **l'orthographe** de ces sons, voir 2.1.5):

[e]	*les éléments*	*préférer*	*un effort*	*premier*
[ɛ]	*cher*	*chère*	*la terre*	*honnête*
[ə]	*Que veux-tu?*	*la salle de bain*	*mesurer*	

2.1.1 *E* muet

Dans certaines positions, le *e* n'est pas prononcé: on l'appelle ***e* muet**. La prononciation ou la non-prononciation du *e* est une question difficile pour le non-francophone, à cause de sa **variabilité**:

- variation **géographique**: le *e* est plus souvent prononcé, à la fin d'un mot, dans le Midi que dans le Nord de la France;
- variation **sociale**: la prononciation du *e* dans la première syllabe de certains mots peut être considérée comme plus "correcte", un signe de bonne éducation, etc;
- variation **situationnelle**: la prononciation de certains *e* est plus caractéristique du niveau N3 (discours, conférence, etc) que du niveau N2 (conversation spontanée).

On peut distinguer trois cas, selon la position du *e* dans le **groupe rythmique** (voir 4.1):
2.1.2 – **à la fin** d'un groupe rythmique (*e* final)
2.1.3 – **à l'intérieur** d'un groupe rythmique (*e* interne)
2.1.4 – **au début** d'un groupe rythmique (*e* initial)

2.1.2 *E* final

En français standard, le *e* final **n'est pas prononcé**:

ils ont pris des mesures
une maison confortable

Mais on prononce le *e* final dans:

*fais-**le**!*
*dis-**le**!*

2.1.3 *E* interne

Après **une seule** consonne (ou *l*, *r* + consonne), le *e* interne **n'est pas prononcé**:

L'Alle/magne
éle/vé
en re/tard (2 syllabes)
déve/loppe/ment
pâ/ti/sserie
ferme / la fe/nêtre! (3 syllabes)

Après **deux** consonnes, le *e* interne est **prononcé**, pour éviter un groupe de consonnes difficile à prononcer sans interruption:

*l'en/**tre**/tien*
*au/**tre** / chose*
*le par/**le**/ment*

Et on prononce le *e* interne quand il est précédé et suivi de la **même** consonne avant et après:

*cal/**me**/ment*
*l'hon/nê/**te**/té*

Au niveau N3, on prononce le *e* interne **au début d'un mot**:

nous / de/vons / ré/flé/chir (N3)
le / se/cré/taire / d'E/tat (N3)
ma se/cré/taire (N2)
la / se/maine (N3)
la se/maine (N2)
à / de/main (N3)
à de/main (N2)

2.1.4 *E* initial

Le *e* initial est généralement **prononcé**:

***me**/su/rer* ***re**/pro/duire*
***le** / **Pre**/mier / Mi/nistre*
***je** / suis / cer/tain / **que** / tu / as / rai/son*

Mais au niveau N2, le *e* est souvent muet dans *je*, par exemple: voir 2.2.2.

> ## *exercice oral* 2/1
> ***E*: MUET OU PRONONCÉ?**
>
> **Travail à deux**
> Avec un partenaire, étudiez ces extraits adaptés du premier paragraphe du texte 2A:
> **(1)** notez tous les *e* écrits sans accent;
> **(2)** décidez, dans chaque cas, si le *e* est prononcé ou muet;
> **(3)** lisez à haute voix chaque extrait à votre partenaire.
>
> Dans la semaine, on travaillait dur, déjà presque comme des hommes.
>
> Quant à moi, plus attiré par l'élevage, je prenais la garde du troupeau pendant les vacances scolaires.
>
> Un dimanche sur deux, je descendais au village retrouver quelques copains de mon âge.
>
> **Mise en commun**
> Avec le professeur, vérifiez la prononciation de chaque extrait.

2.1.5 Orthographe: *e*, *é*, *è* ou *ê*?

L'orthographe de la lettre *e* (avec ou sans accent) dépend de sa **prononciation** et de sa **position** dans la syllabe.

***E* muet:** il n'y a pas d'accent:

acheter *j'achète*
on achètera *rejeter*
bouleversé *la pâtisserie*
la charcuterie

***E* prononcé [ə]:** il n'y a pas d'accent:

refuser *debout*
la religion *rejeter*

***E* prononcé [e] ou [ɛ]:** il y a trois possibilités:

1 dans une syllabe **fermée** (CVC, VC, etc: voir 5.1.1), il n'y a pas d'accent:

l'es/poir *dé/ses/péré*
la / tech/nologie
la cor/res/pondance

2 devant une **consonne double** (*ff*, *ll*, *rr*, *ss*, *tt*), le *e* est prononcé **[e]** ou **[ɛ]**, mais il n'y a pas d'accent.

Note Quand on coupe un mot, à l'écrit (voir 5.1.2), on sépare les consonnes doubles:

ef – fort	*intel – ligence*
ter – rifiant	
es – sayer	*on rejet – te*

3 dans une syllabe **ouverte** (CV, V, etc: voir 5.1.1), il y a un accent aigu (*é*) qui correspond au son **[e]**, ou un accent grave (*è*) ou circonflexe (*ê*) qui correspondent au son **[ɛ]**:

é – **[e]**	*le développement*	*un échange*
	le numéro	*la région*
è – **[ɛ]**	*j'achète*	*on achètera*
	les pièces	*sévère*
ê – **[ɛ]**	*un chêne*	*un prêtre*
	honnête	*l'intérêt*

exercice 2/2

ORTHOGRAPHE: *e* ou *é*, *è*, *ê*?

Dans ces extraits du texte 2B, tous les *e* ont été écrits sans accent. Pour chaque *e*, décidez
(a) sa prononciation,
(b) sa position dans la syllabe, et
(c) s'il doit s'écrire avec ou sans accent:

A l'interieur, c'etait l'enfer. Tout etait rouge, les guitares electriques et la batterie et les hurlements de ceux qui etaient dejà fous vous hachaient la tete (. . .) (2B3)

(. . .) les projecteurs se sont arretes, la lumiere est redevenue presque normale, les Apaches extenues jouaient un slow (. . .) (2B4)

Elles connaissent certainement moins de choses qu'elles en ont l'air, mais elles ont peur d'etre ridicules si elle ne hennissent pas plus fort que les copines. (2B8)

Vérifiez vos réponses en consultant le texte 2B.

exercice 2/3

ORTHOGRAPHE: *e* ou *é*, *è*, *ê*?

Lisez à haute voix chacun des mots suivants, puis réécrivez-les en mettant, ou non, des accents sur les *e*, selon leur prononciation, leur position dans la syllabe et la coupe du mot:

1 acierie	**11** partenaire
2 chevre	**12** prestige
3 effrayant	**13** probleme
4 exemple	**14** progres
5 exterieur	**15** responsable
6 ferroviaire	**16** restriction
7 inefficace	**17** retraite
8 interrogation	**18** rever
9 materialiste	**19** secondaire
10 parlement	**20** selection

Vérifiez vos réponses en consultant un dictionnaire.

● 2.2 *Pronoms personnels 2: sujets*

Les pronoms personnels sont présentés sous trois rubriques:

2.2 Pronoms personnels **sujets** (*je*, *tu*, *il*, *elle*; *on*; *nous*, *vous*, *ils*, *elles*)
2.3 Pronoms personnels **objets** (*me*, *te*, *se*; *le*, *la*; *lui*; *nous*, *vous*; *les*; *leur*; *y*, *en*)
2.4 Pronoms personnels: forme **disjonctive** (*moi*, *toi*, *lui*, *elle*; *soi*; *nous*, *vous*, *eux*, *elles*)

2.2.1 Pronoms personnels sujets: prononciation

		Devant voyelle	Devant consonne
je	(N3)	**[ʒ]**	**[ʒə]**
	(N2)	**[ʒ]**	**[ʒ]**
tu	(N3)	**[ty]**	**[ty]**
	(N2)	**[t]**	**[ty]**
il	(N3)	**[i/l-]**	**[il]**
	(N2)	**[i/l-]**	**[il]**
elle		**[ɛ/l-]**	**[ɛl]**
on		**[ɔ/n-]**	**[ɔ̃]**
nous		**[nu/z-]**	**[nu]**
vous		**[vu/z-]**	**[vu]**
ils	(N3)	**[il/z-]**	**[il]**
	(N2)	**[i/z-]**	**[i]**
elles		**[ɛl/z-]**	**[ɛl]**

exercice oral 2/4

PRONOMS SUJETS: PRONONCIATION

Lisez à voix haute les phrases suivantes, en prononçant les pronoms personnels sujets de la manière qui convient à la situation de communication.

(a) Conversation spontanée (N2):
1 Moi, je vois pas la nécessité de faire ça.
2 Là, tu as dit exactement ce qu'il fallait.
3 Moi, mon patron, il m'a dit qu'il était content de mon travail.
4 Ces gens-là, ils disent n'importe quoi.

(b) Exposé, lecture, conférence (N3):
5 Je ne crois pas que cela soit nécessaire.
6 Vous avez prononcé les paroles indispensables.
7 Quand je suis allé voir le directeur, il m'a dit qu'il était content de mon travail.
8 Méfiez-vous d'eux: ils parlent sans réfléchir.

2.2.2 Première personne: *je*, *nous*, *on*

Je, au niveau N2, se prononce souvent **[ʒ]**. A l'écrit, on peut indiquer cette prononciation par *j'*:

j'vais lui dire (N2)

Placé **après le verbe**, *je* se prononce **[ʒ]**:

sans doute, lui ***ai-je*** *répondu* (N3)

Nous + verbe au pluriel (*-ons*) s'emploie surtout au niveau N3, par exemple dans une histoire écrite ou racontée:

2A2 *nous regardions nos aînés de dix ans*

On Au niveau N2, on emploie *on* ou *nous, on* + verbe au singulier quand on parle d'un couple ou d'un groupe de personnes:

2A2 ***on*** *se contentait de bien regarder les autres*
2A1 ***on*** *travaillait dur, mes cousins et moi* (N2)
nous, on *travaillait dur* (N2)

L'accord de l'adjectif ou du participe passé appartient plutôt à la langue familière:

2A2 *on se trouvait comme* ***bloqués*** (N2)

2A2 *on se trouvait bien un peu* ***minable*** *de . . .*

exercice oral 2/5

***ON* OU *NOUS*?**

Relisez chacune des phrases suivantes, tirées du texte 2A (paragraphes 1 et 2). Dans certaines de ces phrases, l'auteur emploie *nous*, dans d'autres, il emploie *on*; mais dans **tous** les cas, le sujet de la phrase correspond à "we" en anglais.

Lisez chaque phrase à voix haute, mais en remplaçant *nous* par *on*, et vice-versa; y a-t-il des phrases où la version alternative vous semble aussi acceptable que l'originale? Si l'originale vous semble la seule possible, essayez de dire pourquoi.

1. On travaillait dur, mes cousins et moi.
2. Nous aidions aux foins, à la moisson.
3. On se rendait tous ensemble aux fêtes des villages voisins.
4. Nous regardions nos aînés de dix ans.
5. On promettait toujours aux copains de leur en boucher un coin.
6. Une fois de plus, on se trouvait comme bloqués.

2.2.3 Deuxième personne: *tu, vous, on*

Tu, devant une voyelle, se prononce souvent, au niveau N2, **[t]**. A l'écrit, on peut indiquer cette prononciation par *t'*:

t'as vu le patron? (N2)

Tu ou ***vous***?
Cette distinction a disparu de la langue anglaise standard, mais elle est bien vivante en français. Il n'y a pas de problème pour la production: avec un interlocuteur francophone plus âgé que vous-même, employez *vous*, jusqu'à ce qu'on vous invite à passer au *tu*:

2A8 *je hasardai un timide "Vous dansez, mademoiselle?"*

Dans un groupe d'étudiants, ou au travail, on tutoie le nouveau venu pour signifier son acceptation dans le groupe; c'est le signal que vous pouvez tutoyer vos camarades.

C'est dans la **compréhension** du français (parlé ou écrit) qu'il faut saisir la différence. Quand vous regardez un film français, essayez de distinguer qui, des personnages en scène, dit *tu* ou *vous*, à qui, et quand.

L'emploi de *tu* (ou de *vous*) constitue un indice de la situation de communication, et du niveau de langue qu'il convient d'employer. Les exemples ayant, dans ce manuel, la mention N2 ou N1 correspondent aux situations où vous diriez *tu*; la mention N3 ou N4 correspond aux situations où vous emploieriez *vous*.

Vous s'emploie, à tous les niveaux, pour le pluriel; à l'écrit, on marque la différence entre *vous* singulier et *vous* pluriel dans l'accord des adjectifs et du participe passé:

Je vous ai ***vu, vue, vus, vues*** *hier*

On peut s'employer à la place de *tu* ou de *vous* pour communiquer une attitude familière ou condescendante:

on aime les gâteaux?
on n'est pas content?

exercice oral 2/6

***TU* OU *VOUS*?**

Dans lesquelles des situations suivantes diriez-vous *tu*, et quand diriez-vous *vous*?
Etudiez chaque cas avec un(e) partenaire, et ensuite comparez vos conclusions avec celles des autres membres du groupe.

1. On vous présente pour la première fois à l'oncle et à la tante de votre correspondant(e) français(e).
2. Dans une discothèque, le jeune homme/la jeune femme de vos rêves vous invite enfin à danser.
3. Dans un supermarché, vous rencontrez un de vos professeurs de français.
4. Pendant votre stage d'entreprise en France, votre chef de bureau vous invite à le/la tutoyer.

2.2.4 Troisième personne: *il, elle, ils, elles, on*

Il Au niveau N2 *il*, devant une consonne, est réduit à **[i]**. A l'écrit, on peut indiquer cette prononciation par *i'* ou *y*. Au niveau N3 (discours, conférence, lecture d'une histoire, informations à la radio-TV), on prononce **[il]**.

Ils Au niveau N2, on prononce **[iz]** devant une voyelle, et **[i]** devant une consonne. A l'écrit, on peut indiquer ces prononciations par *y z'* (devant voyelle) et *i'* ou *y* (devant consonne).

Ils est la forme **non marquée**, et ***elles*** la forme **marquée**, de la troisième personne du pluriel: quand on parle d'un groupe ou d'un ensemble (personnes ou choses) composé d'éléments masculins **et** féminins, on emploie *ils*.

On fournit un sujet grammatical quand une construction passive n'est pas possible en français (voir 3.3.2):

on *ne nous a pas donné le temps d'expliquer*

Employé à la place de *il/elle*, *on* désigne une personne occupant une situation supérieure:

*qu'est-ce qu'****on*** *t'a dit?*
on *n'a pas voulu m'expliquer* (N2)

Employé à la place de *ils/elles*, *on* désigne un groupe de personnes (dans l'administration, par exemple):

2B3 ***on me** connaît, **on** ne voulait pas que **je** paie **ma** place*
*on **nous** prend pour des imbéciles*

Mais on emploie *ils* pour éviter la confusion avec *nous*:

*à la mairie, **ils** sont tous des imbéciles*

L'adjectif possessif qui correspond à *on* est généralement *son*, *sa*, *ses*:

2A2 ***on** ne les emmêle pas avec ceux de **sa** cavalière*

Quand *on* signifie *nous*, on peut employer *notre*, *nos*:

***on** a tous **nos** petites manies* (N2)

Quand *on* désigne un nom au féminin, on peut faire l'accord de l'adjectif ou du participe passé:

1A4 (Claire) *on dîne seule le soir*

L'on Après *si*, *et* et *que*, on peut employer *l'on*:

1A2 *quand on a 18 ans et **que l'on** doit préparer un concours difficile*
1A8 ***et l'on** n'a qu'une mère!*

> ## *exercice* 2/7
> **_ON_**
>
> Reformulez les phrases suivantes, en remplaçant *on* par un pronom qui convient au sens, et en faisant les autres modifications nécessaires:
>
> **1** On s'est bien amusés, mon copain et moi, à la discothèque.
> **2** On m'a répondu qu'il n'en était pas question.
> **3** Le concert était réussi, mais on n'était pas bien nombreux.
> **4** Pas la peine de crier comme ça, on arrive!
> **5** On nous dit des mensonges, constamment.
> **6** Je crois bien qu'on s'est trompés de chemin.

● 2.3 *Pronoms personnels 3: objets*

Voir aussi ***Livret audio.***

2.3.1 Ordre des mots

Le pronom personnel objet se place immédiatement **avant** le verbe:

1A2 *votre fille **vous** quitte*
2B1 *la bonne amie de Mickey, Georgette, **nous** accompagnait*
2B2 *il n'a pas posé de questions. Il n'**en** pose jamais*
***vous** a-t-on transmis le message?*
*n'**en** parlons plus!*
*n'**y** va pas!*

Dans le cas d'un impératif positif, le pronom objet vient **après** le verbe:

*faites-**le** tout de suite!*
*écris-**lui** dès ce soir*
1A8 *installez-**vous** avec des amis*
2A2 *mais vas-**y** démêler quelque chose* (N2)

Avec les temps composés (Passé composé, Plus-que-parfait, etc), le pronom objet se place **avant l'auxiliaire** *avoir* ou *être*:

1B1 (ce poste) *A sa place, je ne **l'**aurais pas accepté*
2B1 *je **lui** ai expliqué que j'étais avec mes frères*
2B1 *nous **y** sommes allés avec la DS*

> ## *exercice* 2/8
> **PRONOM OBJET: ORDRE DES MOTS**
>
> Dans les phrases suivantes, remplacez les noms soulignés par un pronom personnel objet (*le, lui, nous, les*, etc).
>
> **(a)** + **un** pronom objet
> **1** Elle a invité **mon frère et moi** à passer quelques jours chez elle.
> **2** Nous avons demandé **aux autorités** de faire quelque chose.
> **3** J'aimerais bien inviter **cette fille** à danser.
> **4** On est partis sans rien dire **à nos parents**.
> **5** Ils ont présenté leurs excuses **à moi et à mes camarades**.
>
> **(b)** + **deux** pronoms objets
> **6** Je lui ai prêté **ma voiture** hier soir.
> **7** Je vais te présenter **mon cousin**.
> **8** C'est la troisième fois qu'il montre ses **photos de vacances à ma sœur et à moi**.
> **9** Il a invité **sa famille à sa maison de campagne**.
> **10** Je parlerai **de cette affaire** demain, **à toi et à tes camarades**.

Si le pronom est l'objet d'un verbe à l'infinitif, il se place **avant l'infinitif**:

1A8 *pour ne pas **vous** sentir perdue*
1A8 *s'ils ont les moyens de **vous** aider*
1C1 (les livres) *défense était faite de **les** épousseter*
1C2 (sa femme) *sans rien trouver à **lui** dire*
2B1 *Verdier devait **me** retrouver directement*

Quand il y a **deux** pronoms objets avant le même verbe, l'ordre des mots est le suivant:

1	2	3	4	5
me				
te	*le*	*lui*		
se	*la*		*y*	*en*
nous	*les*	*leur*		
vous				
(objet direct ou indirect)	(objet direct)	(objet indirect)		

2B1 *la DS de mon patron. Il* ***me la*** *prête quand je* ***la lui*** *demande*
ce sera une bonne occasion pour ***vous la*** *présenter*
("to introduce you to her")

Mais on n'emploie pas ensemble un pronom de la colonne 1 et un autre de la colonne 3 (*lui, leur*): dans ces cas, le pronom indirect prend la forme **disjonctive** (voir 2.4.4).

2.3.2 Emploi des pronoms objets

On**:** formes du pronom objet

Avec un verbe pronominal, on emploie *se* (objet direct ou indirect):

2A2 *on* ***se*** *contentait de bien regarder les autres*
2A2 *du moins on* ***se*** *l'imaginait*

Il n'y a pas d'autres formes du pronom objet correspondant à *on*.

1 A la **première** personne, on emploie *nous*:

2A2 ***on*** *se contentait de bien regarder les autres. Il* ***nous*** *semblait paradoxal que (. . .)*

2 A la **deuxième** personne, on emploie *vous*:

2B3 *et les hurlements* ***vous*** *hachaient la tête, mais* ***on*** *ne pouvait voir personne*

3 A la **troisième** personne (avec *rendre* + adjectif ou *permettre de* + infinitif, par exemple), le pronom objet n'est pas indiqué:

2A2 *le mal danser* ***rend*** *ridicule aux yeux des spectateurs*
("makes **one/you** ridiculous")
pratiquer un sport, cela ***permet*** *de se détendre*
("allows **one/you** to relax")

Le, la, les (voir tableau 2.3.4)

Pour représenter un **objet direct** (nom de personne ou de chose) qu'on a déjà mentionné, on emploie *le, la, les*:

2A2 *nous regardions* ***nos aînés*** *de dix ans (. . .)* ***Les*** *voyant faire, l'envie nous prenait de* ***les*** *imiter*
2B5 *Mickey parlait avec* ***Georges*** *(. . .) il était en train d'inventer n'importe quoi pour* ***le*** *faire sortir*
2B6 *j'ai enlevé* ***mon veston et ma cravate****, et j'ai cherché des yeux un endroit où* ***les*** *ranger*

Lui, leur (voir tableau 2.3.4)

Pour représenter ***à*** **+ nom de personne** (et, rarement, de chose), on emploie *lui, leur*:

2B1 *le plus étonné de me voir en civil, c'était Verdier. Je* ***lui*** *ai expliqué que (. . .)*
(. . . J'ai expliqué **à Verdier**)
quand mes parents ont téléphoné, je ***leur*** *ai dit que tout allait bien*

Avec certains verbes on emploie ***à*** en français, mais une autre préposition en anglais:
acheter, chercher, choisir (chose) ***à*** (personne) ("for")

1B3 *il laisse à sa femme le soin de* ***lui*** *choisir des vêtements*

acheter, enlever, prendre, voler (chose) ***à*** (personne) ("from")

1C2 (il) ***lui*** *ôtait des mains son roman*

Le pronom objet direct s'emploie dans des constructions comme:

1B7 (Guillaume) *ses adversaires* ***le*** *disent manichéen* (N3)
on ***me*** *croit intelligent* (N3)

Et le pronom objet indirect s'emploie dans des constructions du type:
on ***lui*** *suppose du talent* (N3)

2.3.3 *Le, y, en*: pronoms objets impersonnels
(voir tableau 2.3.4)

On emploie *le, y, en*, pronoms impersonnels et invariables, pour représenter:

1. un adjectif, un verbe, un fait, une idée, une phrase dont on vient de parler ou dont on va parler **(*le*)**
2. *à, en, dans* + nom de chose, verbe, idée, etc **(*y*)**
3. *de* + nom de chose, verbe, idée, etc **(*en*)**

1 *Le*

On emploie *le* pour représenter un verbe, un adjectif ou un participe passé:

2C5 *un hôtel a donc été* ***rasé*** *l'an dernier, en attendant que l'autre* ***le*** *soit à son tour*
(. . . que l'autre soit **rasé**)

Ou pour représenter un fait, une idée, une phrase:

2B4 *elle était avec Georges Massigne, comme je* ***l'****avais craint*
(j'avais craint **qu'elle soit avec GM**)
2B8 *j'ai demandé pourquoi elles riaient toutes et elle me* ***l'****a dit*
(elle m'a dit **pourquoi elles riaient**)

Mais on n'emploie pas *le* avec certaines locutions qui expriment une opinion, un jugement, etc:

	—	*nécessaire*	
elle a cru	—	*prudent*	
ils ont jugé	—	*ridicule*	*de partir*
je trouve	—	*utile*	
	—	*inutile*	

2 *Y*

On emploie *y* pour représenter ***à, en, dans*** **+ nom de chose** (et, rarement, de personne):

1B1 *non seulement tenir en main* ***le monde paysan****, mais aussi* ***y*** *renforcer son assise politique*
(renforcer son assise politique **dans le monde paysan**)

Ou pour représenter ***à*** **+ verbe**:

2A7 *il lui fallait passer du rythme de marche saccadé au rythme giratoire. De plus averties* ***y*** *auraient perdu l'équilibre*
(elles auraient perdu l'équilibre **à passer** d'un rythme à un autre)

Ou pour représenter ***à, en, dans*** + une **idée**, une **phrase**, etc:

*c'est un conseil qui pourrait t'être utile, alors penses-****y***
*ils nous ont promis une chambre avec vue sur la mer, mais je n'****y*** *crois pas trop*
(*penser, croire* + pronom objet **personnel**: voir 2.4.4.)

On emploie *y* + verbe dans certaines locutions figées:

1A4 *prendre le métro quand on* ***n'y comprend rien***
comme ça tu pourras ***y voir clair***
tu es prête? eh bien, ***allons-y****!*

3 ***En***

On emploie *en* pour représenter *du*, *de la*, *des*, *de* + **nom de chose** (et, rarement, de personne):

1C1 (les livres) *je sentais que la prospérité de notre famille* ***en*** *dépendait*
(. . . dépendait **de ces livres**)

1C1 (des livres) *Dans le bureau de mon grand-père, il y* ***en*** *avait partout*
(il y avait **des livres**)

2A11 *cette danse m'engagea à* ***en*** *faire* ***d'autres***
(. . . à faire **d'autres danses**)

2B2 *il n'a pas posé de questions. Il n'****en*** *pose jamais*
(il ne pose jamais **de questions**)

2C5 *le conservatoire est intervenu pour acquérir ces terrains. Il* ***en*** *a déjà acquis* ***les deux tiers***
(les deux tiers **de ces terrains**)

Dans le cas de *un*, *une*, *deux*, etc, on répète *un*, *une*, etc, pour marquer le nombre:

1C2 (des livres) *je n'****en*** *ai jamais vu plus de* ***deux***
(plus de **deux livres**)

2A3 *au bal de dimanche, je m'****en*** *pique* ***une*** (N1)
(une **des filles**)

2.3.4 Emploi des pronoms objets (3e personne)

	nom de personne (les visiteurs)	**nom de chose (spécifié)** (la réunion)	**nom de chose (non spécifié), idée, fait, etc** (aller en ville)
objet direct	*le, la, les* (je **les** vois)	*le, la, les* (on **la** prépare)	*le* (ils **le** font souvent)
objet indirect (à) (action matérielle)	*lui, leur* (je **leur** parle; je **leur** donne un prospectus)	*lui, leur* (on **lui** consacre du temps)	*y* (ils **y** mettent trois quarts d'heure)
objet indirect (à) (mouvement, pensée)	*à lui, à elle à eux, à elles* (je pense **à eux**)	*y* (on **y** va) (on **y** réfléchit)	*y* (ils n'**y** songent pas)
objet indirect (de)	*de lui, d'elle d'eux, d'elles* (je me souviens **d'eux**)	*en* (on **en** sort)	*en* (*de cela/ça*) (ils ne veulent pas **en** entendre parler; j'**en** ai assez de ça)

***exercice* 2/9**

LE, Y, EN

Dans les phrases suivantes, remplacez par *le*, *y* ou *en* les mots soulignés.

Exemple Je ne vais pas souvent **en ville**.
Réponse Je n'**y** vais pas souvent.

1 Elle est entrée **au parlement** en 1988.
2 Je lui avais dit mille fois **que c'était dangereux**.
3 Je ne pose jamais **de questions**.
4 Personne ne croyait **à la réussite de son affaire**.
5 Je bois un verre **de vin** à chaque repas.
6 Mais tu ne comprends rien **à l'informatique**!
7 Ils ne m'ont jamais dit **comment leur chien est mort**.
8 Il faut choisir une **des trois réponses possibles**.
9 Cette plage est dangereuse, mais je ne sais pas si les autres sont **dangereuses** aussi.
10 Je n'arrive pas **à comprendre son système**.

● 2.4 *Pronoms personnels 4: forme disjonctive*

La forme disjonctive (*moi*, *toi*, *lui*, *elle*; *soi*; *nous*, *vous*, *eux*, *elles*) du pronom personnel peut s'employer comme **sujet** ou **objet** d'un verbe, après un **adverbe**, après une **préposition**, etc.

2.4.1 Emploi comme sujet

Moi, je, etc

On emploie la forme disjonctive, avec le pronom sujet, pour insister sur la personne dont on parle: *moi, je . . .* ; *nous, on . . .* ; *toi, tu . . .* ; *vous, vous . . .* ; *lui, il . . .* ; *eux, ils . . .* etc. Au niveau N3 on écrit généralement *moi, je . . .* , *je vais m'ennuyer, moi,* *. . .*, *les hommes, eux,* . . . , etc, mais au niveau N2 il n'y a pas de virgule:

1A7 *la veinarde.* ***Moi je*** *recommencerais bien comme ça*

1A7 *je vais m'ennuyer* ***moi*** *sans sa bande de copains*

1A8 *si chez les animaux c'est la mère qui pousse les petits à partir,* ***les hommes eux*** *sont possessifs*

On emploie la forme disjonctive si le sujet est séparé du verbe:

2A7 *mais **lui** que l'alcool gonflait d'assurance ne s'apercevait de rien*

2.4.2 Accord du verbe

On emploie la forme disjonctive quand un nom et un pronom, ou deux pronoms, sont reliés par *et*, *ou*, *comme*, etc; le verbe s'accorde avec le "nouveau" sujet:

__elle et moi__, nous nous connaissons/on se connaît depuis longtemps

2A1 *on travaillait dur, mes cousins **et moi***

Quand le pronom disjonctif est suivi de *qui*, l'accord du verbe se fait avec la personne du pronom:

1A2 *comment, votre fille vous quitte et c'est **vous** qui **payez** sa chambre?*

2A4 *quant à **moi qui n'avais** pas de grand frère . . .*

2.4.3 Emploi + adverbe, adjectif, etc

On emploie la forme disjonctive:

1 dans une incise:

2A10 *mon copain qui, **lui**, avait pu faire la reprise*

2 + **Adverbe: *aussi*, *surtout*,** etc:

2B3 *Mickey m'a poussé vers Georgette et il est parti **lui aussi***

2B5 ***elle aussi** avait les cheveux collés aux tempes*

3 + **Adjectif: *seul*, *autres*, *-même(s)*,** etc:

1A3 *j'ai réussi le concours (. . .) Papa est **lui-même** ingénieur, mais ça l'a épaté!*

1B7 *« il passe en force » affirme un de ses partenaires.*
*et **lui-même** s'est fait une maxime de cette phrase*

4 + **Numéral**:

2B1 ***Nous quatre** (. . .) nous y sommes allés*

5 Après une **comparaison**:

2A7 ***Plus** brave **que moi**, le copain aborda une cavalière*

2.4.4 Emploi + préposition

Avec moi, etc

La forme disjonctive est employée après une préposition:

2A1 ***quant à moi**, je prenais la garde du troupeau*

2A5 *un grandet **comme toi**, pourquoi tu ne danses pas?*

2B3 *pour que je danse **avec elle***

2B3 *les ombres qui gesticulaient **autour de nous***

2B7 *la première phrase que j'ai entendue **d'elle***

Locutions + ***de moi***, etc:

2B5 *j'ai eu **honte de moi***

2B6 *j'avais l'impression qu'elles **riaient de moi***
*tu dois être **contente de toi***

L'un de . . ., ***un d'entre . . .***, etc:

1C2 (les livres) *après avoir choisi **l'un d'eux***

2A3 *"j'ai bien vu comment il place les pieds", dit **l'un de nous***
***un d'entre eux** ne dit pas la vérité*

A moi, etc

Dans certains cas, on emploie *à* + pronom disjonctif à la place de *me*, *te*, *se*, *lui*, *nous*, *vous*, *leur*:

1 Avec *penser à*, *songer à*; *croire à*, *croire en*, quand l'objet est une **personne**:

je pense à lui/à elle
pense à moi!
elle croit en lui
(*penser*, *croire* + *y*: voir 2.3.3)

2 Avec *présenter*, *comparer*, à la place de ***lui***, ***leur***, quand il y a deux pronoms objets:

je vais te présenter à lui (voir 2.3.1)
comment nous comparer à eux?

3 Avec un possessif, pour insister sur l'appartenance, ou pour clarifier le sens de *son*, *sa*, *ses*:

*c'est **mon** idée **à moi***
*elle **lui** a repris **son** livre **à elle***

4 Dans des expressions comme:

*(c'est) **à vous** de jouer*
*(c'est) **à lui** de le faire*

Soi

La forme disjonctive (*soi*, *soi-même*) du pronom *on* s'emploie après une préposition:

*chacun **pour soi**; le respect **de soi***

1A4 *la séparation s'avère souvent difficile quand on se retrouve seule **avec soi-même!***

Si *on* a le sens de *nous*, on emploie *nous* pour la forme disjonctive:

*on va rentrer **chez nous***

> ***exercice* 2/10**
>
> **EMPLOI DU PRONOM DISJONCTIF**
>
> Dans chacune des phrases suivantes, adaptées du texte 2A, un nom ou un pronom a été souligné. Reformulez la phrase en ajoutant un pronom disjonctif (***moi***, ***soi***, ***eux***, etc) qui correspond au nom ou au pronom en question. Parfois, il y a **deux** places possibles pour le pronom disjonctif: cela change-t-il le sens de la phrase?
>
> **Exemple:**
> J'avais seize ans
> **Réponse possibles:**
> **Moi** j'avais seize ans
> (légère insistance sur **moi**)
> J'avais seize ans, **moi**
> (insistance sur **seize ans**; sens: "je n'avais **que** seize ans" ou "j'avais seize ans **déjà**")
>
> **1** Dans la semaine **on** travaillait dur. (2A1)
> **2** **Mes cousins** aidaient les parents dans les travaux de culture. (2A1)
> **3** J'ai bien vu comment **il** place les pieds. (2A3)
> **4** J'avais regardé trop de pieds différents. (2A4)
> **5** **Le copain** était aussi fermement décidé à se lancer. (2A5)
> **6** déséquilibrant **sa cavalière** qui se laissait surprendre par cette rupture de rythme. (2A7)

● 2.5 *Description*

Voir aussi ***Livret audio.***

2.5.1 Description physique ou morale: *le, la, les* ou *son, sa, ses*

Personnes

On emploie *le, la, les* pour décrire une partie du corps, quand la personne est le **sujet** du verbe *avoir*:

2B5 ***elle** aussi avait **les** cheveux collés **aux** tempes et sur **le** front*

Pour décrire un trait physique, on peut employer *avoir* + article indéfini (*un(e), des*):

*il avait **un** visage ingrat/**des** mains osseuses*

Quand **une autre personne** (ou une autre chose) est le sujet du verbe, on emploie un possessif:

2A9 *les bras puissants et musclés imprimèrent à **mon** corps un mouvement rotatoire*

2B5 *je pouvais voir **sa** poitrine se soulever et **ses** lèvres ouvertes*

Et aussi quand **la partie du corps** est elle-même le sujet de la phrase:

1C2 *brusquement **son** index frappait la brochure*

2B7 ***son** corps, à travers la robe, était brûlant*

Mais on emploie *le, la, les* quand on décrit un **détail**:

2A9 ***les** bras puissants et musclés imprimèrent à mon corps un mouvement rotatoire*
*je regardai **les** yeux (et non la bouche)*

2B7 *la paume de sa main était moite, elle l'essuyait souvent sur **le** bas de sa robe*

Choses

On **peut** employer le possessif (*son, sa, ses*) correspondant à "its" en anglais; mais généralement, en français, on emploie *le, la, les* + nom + *en* (= "**de** cette chose dont je viens de parler"):

1B2 (115 hectares) *il **en** partage **la** propriété avec sa mère*
(un livre) ***la** reliure **en** était verte*
(une histoire) *je n'**en** connais pas **la** fin*

> ***exercice* 2/11**
>
> **DESCRIPTION PHYSIQUE: *LE* OU *SON*?**
>
> Dans les phrases suivantes, remplacez les blancs par un article défini (*le, l', la, les*) ou un adjectif possessif (*son, sa, ses*). Dans chaque cas, essayez de justifier votre choix.
>
> **1** Brusquement, __ main lourde frappa la table.
> **2** J'ai remarqué surtout __ longues jambes.
> **3** Le prisonnier avait __ mains liées derrière __ dos.
> **4** __ pointe de __ nez était retroussée.
> **5** Il était à deux pas de moi; je pouvais voir __ yeux et __ bouche.
> **6** Elle avait __ cheveux longs mais __ front dégagé.

2.5.2 Gestes: *le, la, les* ou *son, sa, ses*?

Action accomplie par **une partie du corps**

Pour décrire un geste accompli **par** une partie du corps, on emploie le possessif, comme en anglais:

2A9 *je portai **mes** yeux à l'avant*

2B5 *ses lèvres ouvertes pour reprendre **son** souffle*

2B7 *Elle a rejeté **ses** cheveux noirs en arrière*

Mais dans certaines **locutions figées** (*lever la tête/les yeux*, etc), on emploie un verbe + article défini:

1C2 (elle) ***baissait les paupières***

1C2 (il)*s'en allait en **haussant les épaules***

2A11 *je me hasardai à **tendre les bras** à une autre cavalière*

Si la partie du corps est **l'instrument** de l'action, on emploie, dans certaines locutions figées, un verbe + ***de*** + article défini:

1C2 (elle) ***pointait du doigt** sur une ligne*

(mais: elle levait **le** doigt)

2B3 *Georgette s'est mise à **rouler des hanches***

2B6 *j'ai **cherché des yeux** un endroit où les ranger*

(mais: j'ai baissé **les** yeux)

(*Du bout des doigts, d'un coup d'œil*, etc: voir 2.5.6.)

Action accomplie sur **une partie du corps**

Pour décrire une action accomplie **sur** une partie du corps de la personne elle-même, on emploie un pronom réfléchi indirect (*me, te, se*, etc) + verbe + article défini ou indéfini:

2A2 *se lancer enfin dans une java pour **se** "faire **la** main"* (N2)

2A6 *nous décidâmes de **nous** envoyer deux cognacs derrière **l'**épiglotte* (N2)

On emploie la même construction (verbe pronominal + article défini ou indéfini) quand il s'agit d'une action morale plutôt que physique:

1B6 *il **se faisait un*** joli succès dans « Jalousie »

1B9 *il **s'est fixé un** nouveau challenge*

Quand il s'agit d'une action qui a pour objet **une autre personne**, on emploie le pronom objet indirect (*me, te, lui*, etc) + verbe + article:

2A2 *on promettait toujours aux copains de **leur** en boucher **un** coin*

2B3 *les hurlements (...) **vous** hachaient **la** tête*

2B7 (ses cheveux) ***m'**ont balayé **la** joue*

Pour décrire un geste qu'on accomplit **à la place** de quelqu'un, on peut employer le pronom objet indirect **et** l'adjectif possessif:

1C1 *mon grand-père – si maladroit que ma mère **lui** boutonnait **ses** gants*

1C2 *Charles! tu vas **me** perdre **ma** page!*

exercice 2/12

GESTES, ACTIONS: *LE, DES* OU *SON*?

Dans les phrases suivantes, remplacez les blancs par un article défini, ou par ***de*** + article défini, ou par un adjectif possessif. Dans chaque cas, essayez de justifier votre choix.

1 Quand on lui parlait, il baissait __ tête.
2 Il avait oublié de se laver __ mains.
3 Elle a cherché __ yeux une place vide.
4 Elle aimait s'occuper de __ cheveux.
5 Leur audace lui a coupé __ souffle.
6 Le petit garçon, ravi, battit __ mains.
7 Sans hésiter, il me tendit __ main.
8 L'enfant lui a demandé de lui boutonner __ manteau.
9 Pour toute réponse, elle haussa __ épaules.
10 Il s'était fait couper __ cheveux très court.

exercice 2/13

GESTES: *SE* OU *LUI, LEUR*?

Complétez chacune de ces phrases en ajoutant, selon le sens, le pronom réfléchi ***se*** + ***est, sont,*** ou le pronom objet indirect ***lui, leur*** + ***a, ont.***

1 Après son discours, plusieurs personnes __ serré la main.
2 Après l'incident, les deux joueurs __ serré la main.
3 Elle rentre: elle __ cassé le bras dans un accident de ski.
4 Ce nouvel échec __ enlevé le goût de poursuivre son enquête.
5 Ce jour-là, deux policiers __ barré l'accès à l'immeuble où ils habitaient.
6 Il __ frotté la joue à l'endroit où l'insecte l'avait piqué.

2.5.3–2.5.5 Description physique ou morale: emploi de prépositions

2.5.3 Sans préposition: locutions adverbiales

Au cours d'une narration, on emploie, entre deux virgules, *le*, *la*, *les* + nom + adjectif (ou participe) pour décrire un **état** nouveau, particulier ou passager:

2A9 *presque porté, sautillant,* ***le souffle court****, je fus ainsi transporté (. . .)*
2A10 *sa cavalière qu'il avait rendue en bout de piste,* ***les deux pieds malmenés****, mais intacts*
2B4 *des garçons et des filles qui allaient s'asseoir,* ***les cheveux collés aux tempes***
2B6 *et quand je me suis retourné,* ***les mains libres****, avec ma chemise (. . .)*

En français, il n'y a **aucune préposition** au début de ces séquences, alors qu'**en anglais** on y emploie souvent "with".

2.5.4 *A* + nom: locutions adjectivales

Pour décrire un **nom** (de personne ou de chose), on emploie ***à*** + *le, la, les* + nom + adjectif:

2B3 ***cinq jeunes (. . .), au*** *visage et* ***au*** *torse bariolés de toutes les couleurs*
2C1 ***un portique*** *métallique* ***aux*** *montants soudés*

On emploie *à* + nom (sans article) quand l'adjectif forme un tout avec le nom:

1B2 *Fernand, un chef de tribu* ***à*** *grosse moustache*

Et pour décrire ou la **fonction** d'une chose, ou un aspect en particulier:

2C2 *planches* ***à voile***
1B8 *il est doté d'une mémoire d'éléphant et* ***à compartiments***
2B3 *cinq jeunes en pantalon* ***à franges***

Sac à dos ou ***sac au dos***?

elle a acheté un sac ***à dos***
(on décrit la **fonction** du sac)
elle est partie, ***sac au dos***
(on décrit la personne au **moment** de son départ)

Tasse à thé ou ***tasse de thé***?

une tasse ***à*** *thé*
une boîte ***à*** *allumettes*
(on décrit la **fonction** de la tasse, de la boîte)
une tasse ***de*** *thé*
une boîte ***d'****allumettes*
(on décrit le **contenu** de la tasse, de la boîte)

exercice 2/14

DESCRIPTION (ASPECT PHYSIQUE)
***LE, LA, LES* OU *AU, À LA, AUX*?**

Complétez les phrases suivantes en ajoutant ***le, l', la, les*** ou ***au, à l', à la, aux***, selon le cas.

1 Elle est sortie du cinéma __ pieds gelés.
2 __ mains dans les poches, il observait les passants.
3 Ils ont donné le signalement d'un homme __ cheveux noirs.
4 Il a quitté le tribunal __ tête haute.
5 Connaissez-vous l'histoire de l'homme __ masque de fer?
6 C'est triste, une maison __ volets clos.

Nom + *à* + infinitif (voir aussi 8.1.3)

On emploie nom + *à* + infinitif pour parler d'une **obligation** ou d'une nécessité:

1A7 *sa bande de copains* ***à accueillir****, ses coups de fil* ***à noter*** *et sa chambre* ***à ranger***
(. . . **qu'il faut** accueillir)
1A8 *la seule question* ***à*** *vous* ***poser*** *est: suis-je heureuse?*
(. . . **qu'il faut** vous poser)

On emploie nom + *à* + infinitif pour indiquer la **fonction** du nom. L'infinitif a généralement un sens passif:

2C1 *leur plein de chair* ***à bronzer***
2C6 *les enclaves de terrain* ***à construire***

On emploie aussi nom + *à* + infinitif pour décrire une **conséquence**. Souvent, il s'agit d'une exagération – la conséquence en question ne se produira pas:

2B2 *un vacarme* ***à crever les tympans*** (N2)
2B7 *un truc* ***à se plier en deux*** (N1)

2.5.5 *En* + nom (voir aussi 10.1)

On emploie *en* + nom (ou adjectif) dans une description:

1 Pour indiquer comment quelqu'un est **habillé**:

1B5 *ministre –* ***en costume*** *– à Paris; agriculteur –* ***en salopette*** *– dans sa ferme*

2B1 *Le plus étonné de me voir en civil, c'était Verdier*

2B1 *je n'avais pas eu le temps de me mettre* ***en tenue***

2B3 *cinq jeunes* ***en pantalon*** *à franges*

On emploie aussi *habillé de/vêtu de/coiffé de/chaussé de*:

1B3 (le) *conseil auquel il participait –* ***vêtu de marron***

2 Pour indiquer la **composition** de quelque chose, on emploie *de* + nom:

un chapeau ***de*** *paille*
un tricot ***de*** *laine*

Mais si le second nom est suivi d'un adjectif, ou si l'on veut **insister** sur la composition, on emploie *en* + nom:

2B1 *une cravate* ***en*** *tricot* ***rouge***
une porte ***en*** *chêne* ***massif***
une montre ***en*** *or*

3 Pour décrire **l'état** physique ou mental de quelqu'un:

en sueur *en larmes* *en colère*

4 Pour indiquer, sans la décrire exactement, la **situation** physique d'une chose:

1A5 *le concours, c'est comme si je l'avais* ***en poche***

1B1 *tenir* ***en main*** *le monde paysan*

1C1 *Je les touchais* ***en cachette***

5 Pour décrire la **manière** dont quelque chose est disposé, arrangé, etc:

1C1 *noblement espacées* ***en allées*** *de menhirs*

2B3 *j'ai insisté pour avoir mon ticket* ***en cocarde***

6 Pour indiquer un **statut** légal, etc:

1B2 (le) *patrimoine qu'il gère* ***en fermage***

7 Pour indiquer les **limites** (temps ou espace) dans lesquelles une action s'accomplit (voir 10.1.2):

1C1 *Je l'ai vu traverser la pièce* ***en deux enjambées***

---

exercice **2/15**

DESCRIPTION (ASPECT PHYSIQUE) *À* OU *EN* + NOM?

Complétez ces phrases en ajoutant ***à*** ou ***en***, selon le cas:

1 Pourquoi les femmes portent-elles des chaussures __ talons hauts?
2 On a mis la maison __ vente l'année dernière.
3 C'est déprimant, toutes ces maisons __ rangées.
4 Aujourd'hui il est prudent d'avoir un réservoir _ essence qui se ferme à clef.
5 La plupart des voitures ont maintenant des boîtes __ cinq vitesses.
6 C'est pour le champagne, etc: c'est un seau __ glace.
7 Tiens, regarde! il y a des vélos __ location!
8 Celui-là, c'est sûrement un policier _ civil.
9 Qu'est-ce qu'il va nous sortir de son sac _ malice?
10 Il est encore rare de voir un homme _ larmes.

2.5.6 Gestes: emploi de prépositions

Verbe + préposition + nom

Pour indiquer la **manière** dont une action s'accomplit, de nombreuses locutions figées sont composées de préposition + nom, **sans article**:

1A7 *Moi je* ***recommencerais*** *bien comme ça,* ***à zéro***

1B2 (il) ***assiste "avec rage"*** *à la débâcle*

2A2 *qui* ***prenaient à bras-le-corps*** *de belles filles*

2B3 ***chercher à tâtons***

---

exercice **2/16**

LOCUTIONS AVEC PRÉPOSITION + NOM

Trouvez, en consultant un dictionnaire s'il le faut, un verbe qui s'emploie habituellement avec chacune des locutions suivantes. Ensuite, composez une phrase qui contient cette expression.

Exemple:
en marche
Réponse:
mettre en marche
– Sautant sur le tracteur, elle **a mis** le moteur **en marche**.

1 en service	**5** en colère
2 sans cesse	**6** à zéro
3 de travers	**7** par hasard
4 de rage	**8** avec soin

Mais on emploie préposition + déterminant + nom:

1 Pour indiquer l'appartenance:

2A6 *elle ne nous encombrait pas* ***avec ses*** *pieds*

2 Pour préciser la partie du corps (etc):

avec les *pieds*
(et non pas avec les mains)

3 Quand le nom est lui-même qualifié:

1A8 ***sans les*** *accrocs de la vie quotidienne*

Verbe + *de* + article + nom (voir aussi 2.5.2)

On emploie verbe + *de* + article + nom quand le nom est **l'instrument** de l'action:

1B5 *Sa grande maison, que sa femme Françoise tient* ***d'une main de fer***

2B4 *les Apaches jouaient un slow* ***du bout des doigts***

2C1 *on mesure* ***d'un coup d'œil*** *l'épreuve infligée*

On emploie la même construction pour indiquer la **manière** dont une action s'accomplit:

1C1 *Je l'ai vu se lever* ***d'un air*** *absent*

Adjectif (ou verbe) + *de* + nom

Plusieurs expressions descriptives sont composées d'un adjectif (ou d'un verbe) + *de* + nom:

2A2 *on se trouvait comme bloqués et* ***pris de*** *complexe*

1C2 (elle) ***soupirait de*** *bonheur et* ***de*** *lassitude*

exercice 2/17

DESCRIPTION (GESTES): VERBE + *À*, *DE* + NOM

Complétez les phrases suivantes en ajoutant ***à***, ***de*** ou ***d'***, selon le cas.

1 Le train roulait maintenant __ plus de 300km à l'heure.
2 Je n'entends plus rien: ils doivent parler __ voix basse.
3 Vous n'êtes pas en cause: je parlais __ manière générale.
4 Pas de taxis: il faut rentrer __ pied.
5 Sur un signe du prêtre, la foule se mit __ genoux.
6 Il nous a regardés __ un air distrait.
7 D'un geste __ la main, il indiqua la porte.
8 Le chat nous observait __ un œil méfiant.
9 Elle avait l'habitude de faire de longues promenades __ cheval.
10 On y arrivera, __ une façon ou __ une autre.

exercice 2/18

DESCRIPTION (MÉLANGE)

Complétez ces extraits, adaptés des textes 1C et 2B, en ajoutant les **prépositions**, les **articles** et les adjectifs **possessifs** qui conviennent.

1 Mon grand-père – si maladroit, d'habitude, que ma mère lui boutonnait __ gants – maniait ces objets culturels __ une dextérité d'officiant. Je l'ai vu mille fois se lever __ air absent, traverser la pièce __ deux enjambées, prendre un volume, le feuilleter par un mouvement combiné __ pouce et __ index, puis l'ouvrir __ coup sec. (IC1)
2 (Ma grand-mère) s'installait près de la fenêtre, dans sa bergère __ oreillettes, soupirait _ bonheur et __ lassitude, baissait __ paupières __ fin sourire voluptueux. (1C2)
3 Elle avait __ cheveux collés __ tempes et __ front, et je pouvais voir __ poitrine se soulever et _ lèvres ouvertes pour reprendre __ souffle. (2B5)
4 __ paume de __ main était moite, elle l'essuyait souvent sur __ bas de __ robe, et __ corps, à travers la robe, était brûlant. Elle a rejeté __ cheveux noirs __ arrière, ils m'ont balayé __ joue, mais elle n'a pas tourné autour de la question. (2B7)

PRATIQUE *orale*

Compte rendu, 2 à 3 minutes

Un film ou un livre

Préparation

Rédigez, sous forme de notes, les impressions, réactions, etc que vous avez eues en regardant récemment un film, ou en lisant un livre. Notez, pour vous aider dans votre compte rendu, des mots et des expressions-clés, mais non des phrases complètes. Rubriques possibles:

- ce qu'on vous avait déjà dit du film, ou du livre; l'idée que vous vous en faisiez *avant* de le voir/lire;
- les conditions dans lesquelles vous l'avez vu/lu;
- (très brièvement) le sujet du film/livre;
- la principale impression que vous en avez tirée;
- si vos impressions/idées ont changé au cours du film/livre;
- vos principales raisons pour recommander (ou non) ce film/livre à vos camarades.

Travail en classe

Présentez votre compte rendu au groupe. A la fin de votre présentation, les autres membres du groupe pourront vous poser des questions ou exprimer leur propre point de vue sur le film/livre.

PRATIQUE *écrite*

1 Version

Traduisez en anglais les paragraphes 2, 3 et 4 (de "Nous regardions nos aînés" à "et je ne m'y étais pas retrouvé") du texte 2A. Ne consultez le dictionnaire qu'après avoir bien étudié le texte, et afin de vérifier l'idée que vous vous êtes faite du sens des mots dans leur contexte.

2 Récit

Imaginez, à partir d'éléments réels ou fictifs, une rencontre entre un homme ou une femme (ou un incident au cours d'un bal, d'une réunion, pendant les vacances, etc). Vous pouvez essayer de vous inspirer du style de Japrisot dans le texte 2B, ou vous pouvez adopter un style tout à fait différent, mais en tout cas essayez de trouver un style et un ton que vous pourrez maintenir tout au long de votre récit. Adoptez un *point de vue* constant: narrateur, observateur ou participant? *Je* ou *il/elle*?

3 Analyse

Si vous avez pu voir le film *L'été meurtier*, rassemblez les impressions que vous avez eues en le regardant, et écrivez-les en vrac sous forme de notes. A partir de ces notes, rédigez une analyse du film en faisant une large part à vos réactions personnelles. Plan possible:

- quelles semblent avoir été les intentions du réalisateur?
- les personnages et l'intérêt psychologique du film;
- les scènes les plus et/ou les moins réussies;
- votre jugement global.

Variante
Avec un camarade, discutez, notez et rédigez votre analyse du film, *ou bien* sous la forme d'une dissertation traditionnelle, *ou bien* en forme de dialogue entre vous deux. (Dans les deux cas, vous recevrez tous les deux la même note pour votre travail.)

4 Article

On vous a demandé d'écrire un article (pour un magazine de jeunes ou une revue d'étudiants, par exemple) sur les vacances. Vous décidez de raconter un séjour de vacances particulièrement mémorable en vous inspirant de souvenirs réels, de votre imagination, ou des deux. En tout cas, précisez bien, en tête de votre article, le public pour qui il est destiné.

Sur le vif

Beeuuark !

Quatorze francs ! Quatorze francs pour un sandwich en caoutchouc, baguette surgelée, étroite tranche de jambon gluant, suant les polyphosphates et les colorants, beurre . . . Où il est passé ? Il a dû passer en courant. On en voit pas la couleur. Le bistrotier qui a vendu cette . . . chose à ma copine, moi, on me payerait, j'y toucherais pas, a fait plus de cinq fois la culbute, vu ce que ça lui coûte : à peine vingt sous. Et elle a rien dit. Ou plutôt si, elle a dit merci en ramassant sa monnaie. Pas toute. Elle a encore trouvé le moyen d'en laisser dans la soucoupe !

A Paris, si on veut déjeuner sur le pouce, c'est ça ou c'est la queue chez le traiteur du coin pour échanger son ticket-restaurant contre une barquette de patates-mayo-œuf dur. Des œufs durs en tube, prêts à couper en rondelles et achetés au mètre à Rungis. Et je vous raconte pas les coquilles de crabe à base de surimi, une infecte pâte fabriquée par les Japs sur leurs bateaux-usines. Je ne vous le raconte pas, parce que dans son dernier bouquin, *Au secours le goût*, lisez-le, c'est du nanan, Jean-Pierre Coffe le fait très bien.

Trop bien ! Il m'a ouvert les yeux, et du coup je me bouche le nez. Avant je mangeais bête, mais je mangeais heureuse. Pas question de laver une salade. J'en attrapais un sachet au self-service et je le jetais sur une pile d'ailes de poulet sous plastique, de plats cuisinés sous vide et de fromage blanc à 0 %. Le light, c'était mon truc. Au point de mettre du Perrier dans mon champagne ! Et le voilà qui m'explique qu'à trop alléger on enrichit. Pas seulement le fabriquant, le produit.

Depuis, je peux pas aller chez le charcutier sans me demander si c'est du lard ou du cochon. Et le pain, fait à la chaîne ou fait à la main ? Et ces endives, si blanches, si propres, d'où elles sortent ? Du sol ? Ça m'étonnerait. D'une salle climatisée, probable. Dans le doute, j'en bouffe pas. Je ne bouffe plus. Remarquez, si on veut lutter pour le retour à la qualité dans nos assiettes, rien de tel qu'une bonne grève. La grève de la faim.

CLAUDE SARRAUTE

CHAPITRE 3

MÉDIAS

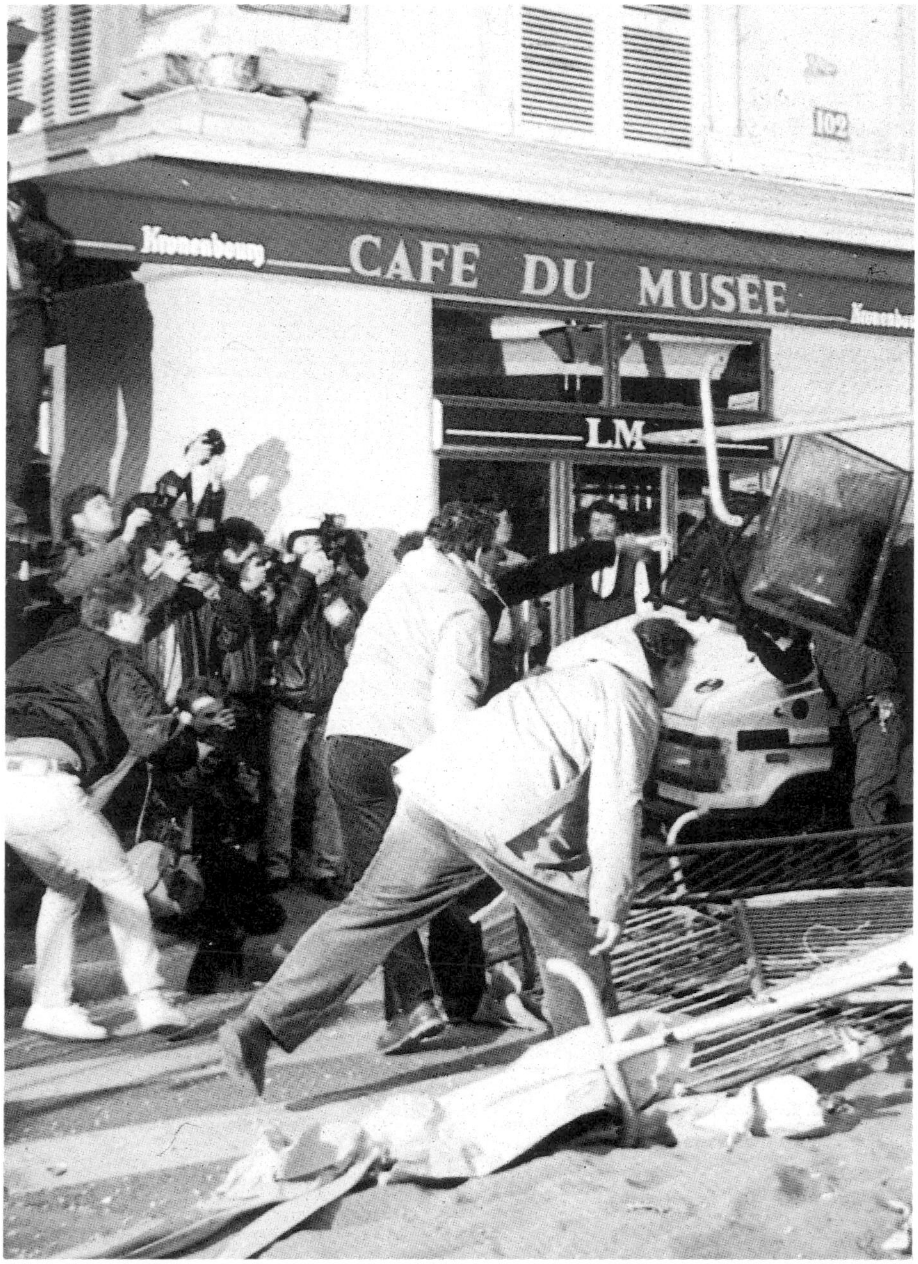

TEXTES

- 3A *Les meurtriers du Heysel*
- 3B *Choc des images, poids des truquages*
- 3C *Pour une télévision publique sans publicité*

POINTS LANGUE

- 3.1 *Prononciation* semi-voyelles; voyelles nasales; consonnes doubles
- 3.2 *Verbes* formation des temps, synonymes et faux amis
- 3.3 *Le passif* formation et emploi
- 3.4 *Le participe passé* sens, fonction et accord
- 3.5 *Le participe présent* emploi + *en*, emploi sans *en*, fonction

3A

points de repère

● CONTEXTE

Le 29 mai 1985, au stade du Heysel, à Bruxelles, trente-neuf spectateurs, presque tous des supporters de Juventus de Turin, meurent asphyxiés, victimes d'une bagarre sanglante entre Anglais et Italiens. La finale de la Coupe d'Europe des champions ne sera pas jouée; une trentaine de supporters de Liverpool sont arrêtés, emprisonnés à Londres puis extradés en Belgique où, en avril 1989, vingt-six d'entre eux sont jugés. Non seulement Liverpool, mais tous les clubs anglais sont exclus de toutes les compétitions européennes, exclusion qui prend fin en 1990 et, pour Liverpool, en 1992.

La "tragédie du Heysel" fait la une de tous les journaux d'Europe, et pendant des années, on en parle longuement à chaque rebondissement de l'affaire.

● SUJET

Cet article a paru dans *Le Journal du Dimanche* (l'équivalent, peut-être, du *Sunday Express*, mais avec une diffusion beaucoup moins importante) deux ans après la tragédie, alors que les "vingt-six" attendaient d'être extradés en Belgique.

La journaliste est allée enquêter sur place, à Liverpool; elle décrit pour les lecteurs la ville de Liverpool, le football en Angleterre, la violence; les "vingt-six" sont représentés par T., dont elle est allée interviewer le père.

● PERSPECTIVE

"Les meurtriers du Heysel abandonnés par Liverpool"; ce titre résume la perspective de l'article: on ne cherche pas à blanchir les supporters (au contraire, on les appelle "les meurtriers", "les condamnés", avant même qu'ils soient jugés), mais on suggère que, au fond, "tout ça, c'est de la faute à Liverpool-la-laide".

● STYLE

Quelques aspects du style et de la présentation de l'article rappellent un certain journalisme anglais: formules frappantes, emploi de caractères gras pour souligner des passages entiers. Mais nous sommes loin des pires excès de la "presse de caniveau" anglo-australienne.

● CONSEILS

Cet article a été publié pour frapper le lecteur français, peut-être aussi pour faire réfléchir. Vous-même, vous réagirez en lisant certains passages: notez lesquels, ainsi que la réaction que vous avez eue.

---

(1) LIVERPOOL. – Après la tragédie du Heysel, le Liverpool Football Club est toujours interdit de jeu hors des frontières de la Grande-Bretagne. Là-bas, au bout du bout du nord-ouest de l'Angleterre, dans le gris, la pluie et l'ennui, on murmure encore que tout ça, c'est de la faute à Liverpool-la-laide, à son chômage, à sa misère, à ses illusions.

ENVOYÉE SPÉCIALE
ISABEL ELLSEN

(2) Chacun ressasse sa honte. Chacun déguise la vérité. Surtout, on change le vocabulaire : « Ne les appelez pas des hooligans, s'écrie Sir Harry Livermore, défenseur de onze des accusés. On ne juge pas un homme avant la justice, n'est-ce pas ? »

(3) Des chauffeurs de taxi aux journalistes locaux du « Daily Post », de l'avocat aux parents des supporters déchaînés, tous veulent expliquer. Oui, on s'en prend à la ville. Aux conditions de vie. A l'avenir aussi brumeux que les docks de l'aube. A tout ce qui fait qu'ici l'équipe au maillot rouge, les Reds, sont des dieux qui méritent presque le sang versé.

(4) Il y a dans Liverpool trop de petitesse, de monotonie, de vraie misère.

(5) Ici, l'effort d'une vie n'est pas de partir, mais de s'en sortir. Simplement. Et c'est déjà difficile. Alors les parents sont tous les mêmes et les enfants, ceux que l'on nommera hooligans, tous pareils. **Les condamnés de Liverpool ont entre vingt et un et vingt-six ans. Ils ont passé leur enfance dans les banlieues de la ville, dans des petites maisons à un étage, proprettes, briquées. Leur misère a une certaine dignité,** parce qu'elle est différente de la nôtre. Avec de petits jardins, tous alignés dans un ordre parfait. Symétriques. Identiques. Seul le nom des familles change, mais tous se ressemblent. On s'y perd. Un cauchemar.

(6) Ils ont grandi à l'ombre des stades de fortune aux délimitations imaginaires, dans le culte des Reds. Ceux qui s'en sont sortis . . . à seize ans, ils ont commencé les petits boulots. 25 livres la semaine (250 F) pour débarquer

Les meurtriers du Heysel

« Si j'ai castagné ces connards d'Italiens, c'était pour venir en aide à un compatriote agressé », explique T. (20 ans)

des tonnes de cannettes de bière ou de sacs de patates. Ils se sont musclés, durcis, ils ont compris : les années passent, rien ne change.

Soudain, l'excitation

(7) Sauf les jours de match. Alors T. et les vingt-cinq autres quittaient la petite maison, le petit jardin impeccable, leur petite vie étriquée. **Ils descendaient dans l'enfer paradisiaque du Anfield Stadium. Une promesse d'ailleurs et d'autrement. Comment vous dire ? L'espace ! Soudain, la liberté, la gloire, la foule, l'immensité, la voie ouverte sur le ciel, la joie, l'excitation.** Et là, sur le gazon, les héros dont on dit qu'ils pourraient être les meilleurs footballeurs du monde.

(8) Bière et castagne. Laxisme général oblige. On en fait autant en Finlande, en Russie. On se prend des cuites à en mourir le samedi soir et on se tape sur la gueule. C'est le pays qui veut ça. **A Liverpool, le football est devenu l'opium du pauvre. Il fait du mal et du bien. Il soulage et il tue.** Il donne la vie :« Parce que sans lui, je serais déjà mort », dit un jeune chauffeur de taxi. D'ennui, de bêtise, de punition, va savoir. **« J'aurais volé, tué à mon tour, fait n'importe quoi, pourvu qu'il se passe quelque chose dans cette putain de ville ».** Putain de vie. Ici le football en a aidé plus d'un à supporter la misère et la grisaille.

(9) Puis il a fait sauter les plombs dans la tête des autres. **Comme ces « vingt-six » jeunes du stade du Heysel qui, jurent leurs parents, ne voulaient pas tuer. Juste s'amuser, castagner un peu, se chauffer.** Un match de foot comme un autre. Une ambiance bouillante comme dans les grands jours du Anfield Stadium. Non, ils ne voulaient pas tuer. Non, il ne faut pas les appeler des hooligans. **Ces furieux-là existent,** bien sûr. **Mais à Londres, à Manchester. Allez donc voir au club de Chelsea, dans la capitale . . . Ils sont organisés, moralement et financièrement. Ils bastonnent, frappent sur tout ce qui bouge, ils sont d'extrême droite, racistes, affiliés à des mouvements mélancolico-pro-nazis ou au National Front** (l'équivalent du Front national en France). Ils sont durs, hard, violents. Plus intéressés par la cogne dans les gradins que par les buts marqués.

Défigurée à vie

(10) Souvenez-vous, en mars 1986, de l'arrestation de six hommes à Londres. **Hooligans patentés et connus des services de police, ils détenaient chez eux un véritable arsenal : barres, couteaux, boules d'acier à pointes, scalpels, matraques et revolvers . . .** Des jeunes de vingt ans, en marge de la société. Oui, confirme Alf Bennet, spécialiste de la question au quotidien « Liverpool Echo », les vrais hooligans sont ailleurs.

Le stade du Heysel, après la bagarre

« *Le football devient une explosion difficilement contrôlable* »

(11) Ici, ce sont des accidents du hasard. Les gosses boivent un peu, beaucoup, et vont gueuler tant qu'ils peuvent pendant les matches. C'est leur exutoire, leur façon à eux de ne pas devenir fous dans les banlieues de cette ville. **Mais ils n'ont pas de barres de fer, pas de revolvers chargés à blanc pour terroriser, exciter la foule, comme les supporters italiens. Ils n'ont que leurs poings, leurs mains.** C'est déjà moins grave . . .

(12) Et tout le monde oublie. Volontairement, A., une jeune fille de dix-neuf ans, défigurée à vie par des hooligans en folie à la sortie d'un match de Liverpool l'an dernier, et P., qui s'est pris un coup de marteau dans l'œil droit le même jour. Et quelques mois plus tard, on oublie même la mort du responsable de ligue, B., tabassé parce qu'il essayait de séparer cinquante supporters. **Il s'est pris un coup perdu** et ne s'en est pas remis.

(13) C'est justement son poing vengeur qui a perdu T. Il a vingt ans. **Il était au Heysel le 29 mai 1985, dans la tribune « Y », quand les trente-neuf spectateurs, presque tous des supporters de Turin, sont morts asphyxiés, écrasés par une fouie en délire qui fuyait la violence des Anglais.** Quand le train qui le ramenait à Liverpool est entré en gare et que la presse furieuse l'a interrogé, T. a levé le poing dans un geste de rage triomphant. Il ne savait pas pour les trente-neuf morts.

Pour défendre un gamin

(14) Dans la panique, la pagaille, il n'avait rien compris, rien entendu. Et T. a répondu aux questions : « **Oui, j'ai castagné ces connards d'Italiens avec mes poings . . .** » T. est en prison. Il sera vraisemblablement extradé. Même son avocat dit qu'il n'a aucune chance. Ni lui ni les autres.

(15) Son père, un aimable monsieur baraqué, tatoué, à l'accent des faubourgs incompréhensible, excuse son fils : « Il est tombé sur les Italiens parce qu'ils tabassaient un jeune gosse de quatorze ans, un petit supporter anglais. Alors T., parce que c'est vrai qu'il a le poing facile, est descendu des tribunes et est allé se bagarrer pour défendre le gamin . . . »

(16) Mais T. n'a jamais été un hooligan. Il travaillait comme manutentionnaire. Il ne buvait pas parce que ça le rendait malade. Depuis deux ans il suivait l'équipe de Liverpool. **Il n'a jamais eu un seul problème. Des bagarres, oui, comme tout le monde ici, mais pas de tueries. Pas de coups de couteau, de barre de fer dans le ventre . . .**

(17) Et son père de balayer du regard son petit salon si propre, si briqué, où l'on ose à peine s'asseoir de peur de salir, et de s'arrêter sur le magnétoscope, sur les cassettes vidéo. Du football, rien que du football: **« T. a gagné beaucoup de coupes quand il était plus jeune, il était très doué . . . Vous savez,** dit-il encore comme si cela expliquait tout, **T. n'a jamais fait de politique, tout ça il s'en fichait. Tout ce qu'il aimait c'était l'équipe de Liverpool, les matches, les déplacements . . .** Alors les hooligans, c'était bien trop dur, bien trop compliqué pour lui . . . »

(18) Aujourd'hui, il paraît qu'il regrette, T. Qu'il ne comprend toujours pas comment tout ça est arrivé. Comment ? Pourquoi ? Pour un gosse de quatorze ans ? T. jure que « oui ». **Son père le soutient, même s'il avoue qu'il n'est pas encore allé le voir depuis cinq semaines qu'il est emprisonné à Londres : « Parce qu'il doit assumer sa responsabilité tout seul. Parce que je ne veux pas m'en mêler. Je sais qu'il n'a aucune chance.** Et ça, uniquement parce que Mme Thatcher a décidé d'avoir leur peau, à tous. Pour l'exemple, et pour que le football anglais retrouve la compétition européenne. » Il fait la grimace, le père. Il se lève, tourne en rond. Et l'image de ce grand homme, qui peut à peine se mouvoir dans ses huit mètres carrés, explique tout le mal de vivre de la jeunesse de Liverpool. T., 1,80 m, une force colossale pour décharger et recharger des camions à longueur de journée, des épaules larges comme ça, des muscles qui saillent sous le tatouage. La force, la vivacité . . . Un lion dans une cage. Un poisson dans un bocal qui tourne en rond, qui n'a pas de place, pas d'air, pas d'espace. **Petite maison, petit jardin, petite vie. Et le football devient une explosion difficilement contrôlable.**

(19) « Ils sont des tas de jeunes comme lui, dit le père de T. Au Heysel, il n'a pas eu de chance. Victime de sa fougue, de son caractère, de Liverpool, des circonstances . . . »

(20) Inutile de lui dire que les trente-neuf morts du stade ont encore eu moins de chance. Cet homme est un père brisé. Il sait, sans l'avouer, que la vie de son fils est fichue. T. a été renvoyé de son emploi deux mois après la tragédie. A croire que la ville avait honte de lui. Seule sa fiancée attend encore. Elle croit au miracle.

Activités

1 Les mots et les idées

En lisant cet article, vous aurez remarqué une certaine progression dans la façon dont le sujet est traité:

- le débat, à Liverpool, sur la tragédie;
- les conditions de vie pour les jeunes de Liverpool;
- l'importance du football dans leur vie;
- la violence dans les stades :
  (a) à Londres (b) à Liverpool;
- le retour en Angleterre du jeune T.;
- le témoignage du père de T.;
- conclusion: la tragédie d'une vie – et de trente-neuf morts.

Travail individuel
Choisissez *une* partie du texte et notez par écrit les mots, les images, les effets de style, etc, qui vous semblent avoir été choisis par la journaliste pour créer une certaine impression chez le lecteur du journal.

Tour de table
Présentez au groupe un résumé des points que vous avez notés.

Mise en commun
Essayez de dresser une liste des techniques d'écriture les plus utilisées par la journaliste.

2 Réactions

Travail individuel
Choisissez quatre ou cinq points du texte (sur Liverpool, sur le football et la violence en Angleterre, sur les "vingt-six" du Heysel, sur T., sur son père) qui vous ont frappé particulièrement, soit parce qu'ils vous paraissent justes, soit parce que vous n'êtes pas d'accord avec la journaliste. Notez par écrit vos réactions.

Travail à deux
Avec un partenaire, comparez vos réactions à l'article en général, et les points que vous avez notés, et discutez-en.

Tour de table
Choisissez un passage (deux ou trois lignes), lisez-le à haute voix, puis résumez pour les autres membres du groupe la discussion que vous venez d'avoir sur ce passage avec votre partenaire.

3 Rapport (variante de l'Activité 2)

Travail à deux
En discutant avec votre partenaire, vous tomberez sûrement sur un point de l'article ou un aspect du sujet sur lequel vous n'êtes pas d'accord l'un avec l'autre.

Tour de table
Présentez au reste du groupe la question qui vous divise, en résumant, non pas votre propre point de vue, mais celui de votre partenaire.

4 Discussion

Travail individuel
En relisant l'article sans interruption, essayez de décider quelle est, pour vous, la question fondamentale soulevée par l'article. Notez par écrit quelques observations.

Travail en classe
Participez à une discussion générale sur l'article, et les questions qu'il soulève. On peut désigner, si l'on veut, deux rapporteurs qui auront la tâche de conclure la discussion en résumant les points d'accord et de désaccord.

3B

points de repère

● CONTEXTE

Fiction, réalité: deux choses bien distinctes, pourrait-on penser. Mais à la télévision, cette distinction n'est pas toujours facile à maintenir:

- d'une part, le succès en Grande-Bretagne de feuilletons télévisés tels que "Neighbours" ou "Eastenders" s'accompagne, dans la presse populaire, d'un nuage d'articles et de photos, où chaque nouvel épisode est présenté comme s'il s'agissait d'un événement de la vie réelle; quant aux acteurs, leur vie personnelle et celle des personnages qu'ils incarnent au petit écran sont si souvent mélangées, voire confondues, qu'on se demande parfois s'ils arrivent eux-mêmes à faire la distinction entre les deux;
- d'autre part, alors qu'on aimerait penser qu'une émission ou une séquence intitulée "reportage", "enquête", "documentaire" présente la réalité et rien que la réalité, les truquages sont, hélas, nombreux. C'est le sujet de l'article "Choc des images, poids des truquages".

● SUJET

Les "documentaires", à la télévision, deviennent de plus en plus sophistiqués. Mais où s'arrête la réalité, et où commence la fiction?

● PERSPECTIVE

La journaliste (Annick Cojean) construit son article autour d'une enquête, "La faune étrange des sous-sols parisiens" réalisée par Denis Vincenti et diffusée sur TF1 dans le cadre du magazine "52 Minutes sur la Une" (producteur et présentateur: Jean Bertolino).

La journaliste n'exprime pas directement sa propre opinion: elle laisse parler les autres: thèses de Denis Vincenti et de Jean Bertolino; antithèses de Alain Debos et de Paul Nahon; synthèse de Michèle Cotta.

● STYLE

L'article est construit selon un plan bien défini (voir *Activité 2*: Résumé oral). La journaliste tient à présenter elle-même son sujet puis, à mesure qu'on avance dans l'article, la parole est donnée davantage aux professionnels de l'audio-visuel. Quand il s'agit d'informer le lecteur (paragraphe 1, par exemple), les phrases sont composées avec soin et précision; mais la journaliste ne néglige pas les formules directes, frappantes, qui relient les paragraphes et ponctuent les phrases (paragraphe 5, par exemple: "Ils le furent en effet (. . .) La caméra put à son aise filmer (. . .) Va donc pour ce défilé (. . .) Horreur garantie et suspense assuré").

● CONSEILS

En lisant cet article, essayez de comparer ce qui y est dit sur les documentaires en France et ce que vous avez observé en regardant la télévision en Grande-Bretagne.

Choc des images, poids des truquages

La quête du sensationnalisme à la télévision n'épargne pas certains magazines d'information

(1) « Bidonner » , en jargon journalistique c'est tricher ; truquer une enquête pour lui donner une force, un aspect spectaculaire ou une conclusion qu'elle n'aurait peut-être pas ; fausser un reportage en travestissant certains éléments ; présenter comme la réalité une situation issue de l'imagination du journaliste, de ses supputations ou d'observations non vérifiées. Une lauréate du prix Pulitzer, il y a quelques années, s'en est mordu les doigts, qui s'est fait démasquer après avoir écrit – non sans talent, mais sans la moindre enquête – un bouleversant reportage sur un enfant noir toxicomane, pour le *Washington Post* et le directeur de l'*Asahi Shimbun* à Tokyo a préféré démissionner au début de cette année, déshonoré par une photo « bidon » publiée dans son illustre journal. En Grande-Bretagne, les chaînes de télévision se sont vu reprocher, en 1981, de falsifier leurs reportages sur l'Irlande du Nord en incitant des enfants à lancer des pierres sur l'armée.

(2) Le *Canard enchaîné* du 18 juillet a accusé les producteurs du magazine « 52 Minutes sur la Une » d'avoir truqué un reportage sur les Catacombes

Dans les Catacombes de Paris
« La faune étrange des sous-sols parisiens »

parisiennes en y intégrant des reconstitutions artificielles de scènes racoleuses et en rémunérant des figurants. Jean Bertolino, pourtant, n'est pas un tricheur. Trente ans de grands reportages sur toutes les routes du monde attestent de son métier et d'une passion intacte pour traquer la vérité. Mais Bertolino, producteur et présentateur du magazine « 52 Minutes sur la Une », aime aussi les belles images, les mises en scène parfaites, les reportages construits *« comme des fictions »*, réglés comme du papier à musique, avec des intervenants sélectionnés *« comme dans un casting »*.

(3) Finis les documentaires genre « Connaissance du monde ». Voici le « docu » scénarisé avec une priorité à l'image et un commentaire en retrait. *« Je peaufine mes sujets avec la même rigueur que si je réalisais une dramatique »*, confiait-il au *Monde* à l'occasion de la diffusion d'un reportage sur l'exploitation de l'émeraude en Colombie *(le Monde Radio-Télévision* daté 4-5 avril). *« Je peaufine les synopsis avec les reporters, je fais recommencer les prises lorsque les « acteurs » des reportages ne sont pas bons, je fais faire les doublages de son par les journalistes comme s'il s'agissait d'un film de fiction . . . »*

(4) En matière d'acteurs et de décor, le sujet de l'enquête diffusée le 1er juin sur « La faune étrange des sous-sols parisiens » était donc pour lui une bénédiction. Le mythe, la mystère, la poésie des Catacombes joints à la passion ou la déraison de quelques marginaux cataphiles invétérés, trop flattés d'attirer l'attention . . . Tout était réuni pour faire d'un sujet bien léger et d'un phénomène pour le moins marginal un film vendeur et sans doute étonnant. Pourvu que l'image fût belle et les « héros » . . . coopérants.

(5) Ils le furent en effet. Contacté par le journaliste Denis Vincenti, le responsable de l'association « Les cataphiles associés » accepta d'organiser tout exprès pour la télévision plusieurs de ces spectacles et cérémonies étranges qu'il affirme donner à l'occasion, moyennant un dédommagement de 10 000 francs. La caméra put à son aise filmer, faire reprendre et répéter, accumuler les plans-séquences (action de face, puis de profil) sous l'œil ravi et complaisant des cataphiles transformés en figurants. Va donc pour ce défilé genre Ku Klux Klan, un spectacle post-apocalyptique avec des guerriers issus de *Highlander*, un concert de musique industrielle et un spectacle pornographique, annoncés, d'ailleurs, à l'antenne par un Bertolino devenu très bateleur . . . pour maintenir son audience après la publicité. Horreur garantie et suspense assuré.

(6) Réalité ? Fiction ? Denis Vincenti est offusqué de la question. *« Réalité*, dit-il. *Rien n'a été inventé. Rien ne s'est fait devant la caméra qui ne se fasse quand elle n'est pas là. Nous n'avons opté pour ce type de reconstitution que pour une commodité de tournage. Je voudrais vous voir filmer dans les égouts et à plusieurs mètres sous terre!»* En fait de Paris, les scènes en question furent tournées dans les anciennes carrières de Meudon. Un commentaire ambigu évoquait *« la banlieue parisienne »* ; le spectateur, lui, situait forcément l'action à Paris. Et, tout bien réfléchi, Vincenti luimême n'a jamais vu de ses propres yeux les spectacles (défilé nazi, réunion d'un groupe appelé *Securitate* . . .) dont il a pourtant filmé la « reconstitution ». *« Mais j'ai eu des témoignages*, dit-il, *et je possède des tracts qui prouvent leur existence »*.

(7) Toutes ces questions donnent à Bertolino le sentiment d'une grande incompréhension et d'une méconnaissance de la télévision. *« C'est ignorer nos contraintes*, gronde-t-il. *On ne peut pas s'abriter derrière des mots pour évoquer une scène : il nous faut la* *montrer. Et, si possible, avec de belles images . . . Que faire alors quand le calendrier d'un reportage ne coïncide pas avec l'événement ou quand le cadre d'une action complique singulièrement le tournage ? S'adapter, composer. Ne jamais inventer mais tout faire pour ramener une image parfaite. La forme ne doit pas être dissociée du fond. Et dans un reportage léger comme celui-là, la forme, c'est vrai, dominait le fond. »*

(8) Ex-grand reporter pour la chaîne américaine CBS, aujourd'hui l'un des responsables des reportages sur la 5, Alain Debos est en total désaccord avec ce discours sur la forme. *« Un journaliste est un témoin,* dit-il. *Il montre un événement ou il en recueille les témoignages ; en aucun cas il ne l'organise ou ne cherche à le reconstituer, fût-ce avec les mêmes participants. Comment croire que les comportements sont les mêmes quand la scène est jouée uniquement pour les caméras ? Il nous faut des images-vérité – fussent-elles imparfaites – pas des images préfabriquées. »*

Des sujets de plus en plus scénarisés

(9) Même écho à A2, où Paul Nahon, producteur du magazine hebdomadaire « Envoyé spécial », pourtant diffusé à 20h 30, exprime sa méfiance envers des sujets de plus en plus scénarisés, destinés à attirer le public avec les ingrédients d'une fiction. *« La multiplication des magazines a créé le show-business de l'information,* dit-il, *et tout sujet propre à récolter de l'audience semble désormais le bienvenu – le sexe, la prostitution, les skins, les eunuques – sans qu'on se demande si le thème mérite vraiment cinquante-deux minutes. Où va-t-on ? Les magazines deviennent des clips, les journalistes transforment l'information en spectacle ou la scénarisent comme une fiction . . . On nous a proposé, il y a peu, un reportage inouï sur un travesti du Bois de Boulogne. Un portrait intimiste bouleversant, presque parfait . . . si ce n'est que tout était scénarisé, jusqu'aux dialogues du travesti, qui, eux aussi, avaient été écrits . . . »*

(10) Emotion garantie. La concurrence, la difficulté du marché des informations, incitent les petites agences à miser de plus en plus sur le sensationnel, pour attirer l'attention des chaînes. *« C'est une tendance »* , note Paul Nahon, convaincu pourtant par le courrier d' « Envoyé spécial » des attentes du public pour des sujets plus quotidiens ou plus ardus.

(11) Michèle Cotta, directrice de l'information sur TF1 et productrice du magazine « Reportage », ne partage pas ce pessimisme ; mais, elle aussi, se méfie de la frontière, parfois ténue, entre information et fiction. *« Tout est affaire de mesure et de rigueur intellectuelle,* déclare-t-elle. *Ce qui importe, c'est de ramener des images qui témoignent, avec le plus de vérité possible, d'une réalité. Je me méfie du mélange des genres. Mais comment donner tort à ce journaliste qui, traitant des problèmes de la rentrée universitaire et tombant, exceptionnellement, sur un amphithéâtre peu rempli, avait attendu pour filmer que d'autres étudiants acceptent de s'y entasser, donnant ainsi à l'endroit un aspect artificiel ce jour-là, mais conforme à la réalité des autres jours ? » . . .*

ANNICK COJEAN

Activités

1 *Témoignage: choses vues*

Travail individuel
Choisissez une émission (informations, reportage, enquête, documentaire) que vous avez vue à la télévision, et sur laquelle vous avez eu des doutes ou des soupçons quant à la manière dont la réalité (personnes, événements, circonstances) y était traitée. Notez par écrit le sujet de l'émission, les séquences qui vous ont frappé, la réaction que vous avez eue et les raisons de celle-ci.

Tour de table
Présentez votre témoignage aux membres du groupe; soyez prêt à fournir, si on vous les demande, des précisions supplémentaires.

Mise en commun
Participez à une discussion sur les points de convergence et de divergence entre les divers témoignages.

2 *Résumé oral*

Le plan de l'article est facile à suivre:

- "bidonner": définition et exemples; (3B1)
- l'accusation du *Canard enchaîné*; la réputation de Bertolino; ses objectifs et ses méthodes; (3B2–3)
- l'émission en cause: sujet, préparation, tournage, résultat; (3B4–5)
- le réalisateur et le producteur défendent leurs méthodes: dans cette émission (Vincenti); en général (Bertolino); (3B6–7)
- un autre reporter (Debos) et un autre producteur (Nahon) s'expliquent sur leurs principes et leurs méthodes; tous les deux sont en désaccord avec les idées de Vincenti et de Bertolino; (3B8–10)
- le "mot de la fin" est donné par Michèle Cotta, directrice de l'information sur TF1. (3B11)

Travail à deux
Avec un partenaire, relisez et analysez ensemble *une* des six parties de l'article (voir liste ci-dessus). Selon le nombre d'étudiants dans le groupe, il y aura une ou deux équipes pour chaque extrait; s'il y a deux équipes pour un extrait, ils pourront constituer un groupe de quatre étudiants. Mettez-vous d'accord sur les deux à quatre points principaux de "votre" extrait, et résumez-les en quelques mots ou expressions-clefs.

Tour de table
En suivant l'ordre de l'article, chaque équipe présente un résumé oral de son extrait.

3 Débat

Alain Debos:	"Un journaliste est un témoin" (3B8);
Jean Bertolino:	"Je peaufine mes sujets avec la même rigueur que si je réalisais une dramatique" (3B3).

Travail individuel
Même si vous trouvez qu'il y a des choses à dire des deux côtés, prenez parti pour l'un ou l'autre de ces points de vue et notez quelques arguments que vous pourrez défendre dans un débat contradictoire.

Travail en classe
A l'aide des notes que vous avez prises, participez à un débat contradictoire sur la question.

Les téléfilms « made in USA » fleurissent sur le petit écran en période de vacances.

3C

points de repère

● CONTEXTE

TF1 (41% de part d'audience), Canal + (5%), M6 (11%), chaînes privées (57% de part d'audience); France 2 (26%), France 3 (14%), chaînes publiques (40% de part d'audience): la télévision en France se répartit entre deux camps de poids inégal. C'est la privatisation de TF1, en 1987, qui a fait pencher définitivement la balance en faveur du secteur privé, malgré la faillite, en 1992, de la 5 (chaîne privée).

Contrairement à la BBC, qui a su se défendre, depuis 1955, face à la concurrence de la télévision commerciale, tout en jouissant d'une certaine réputation d'indépendance vis-à-vis du Gouvernement, la télévision publique en France n'était que partiellement affranchie de la tutelle ministérielle quand, à partir de 1985, elle a dû affronter la concurrence de chaînes commerciales nouvellement créées (Canal +, la 5, M6) ou privatisées (TF1).

Imaginez que, en Grande-Bretagne, la BBC 1 et la BBC 2 soient financées en partie par la publicité. Quelle serait votre réaction? Positive, hostile, indifférente? Or, c'est bien le cas des chaînes publiques (France 2 et France 3) en France.

● SUJET

Dans le texte que vous allez lire, les auteurs plaident pour une séparation nette entre chaînes privées, financées uniquement par la publicité, et chaînes publiques, financées uniquement par la redevance annuelle.

● PERSPECTIVE

Les auteurs de ce Point de vue, publié dans *Le Monde*, poussent dès le 2e paragraphe ce cri d'alarme: "La télévision publique est entrée dans une spirale suicidaire". En deux mots, ils estiment

(a) qu'une télévision publique, sans but lucratif, est indispensable pour le bon fonctionnement d'une République démocratique et
(b) que des réformes de financement, de structures et de gestion sont nécessaires pour permettre à la télévision publique de jouer son rôle.

On remarque, en passant, combien le prestige de la BBC reste élevé dans des pays comme la France (voir 3C16).

● CONSEILS

Ce texte est un texte *polémique*, partial: il défend un point de vue qui n'est pas celui de tout le monde en France. En le lisant, essayez de décider dans quelle mesure ses auteurs basent leur argument sur des faits, des chiffres, des objectifs incontestables.

POINT DE VUE

(1) Depuis plus de deux ans nous n'avons cessé de l'écrire, dans ces colonnes et ailleurs (1). De le dire sur les chaînes de radio, chaque fois que l'on nous en a donné l'occasion.

Nous savions, hélas, que le temps jouait en faveur de nos thèses, mais minait chaque jour un peu plus cette télévision publique qui aurait dû rester le bien de tous les Français, l'instrument premier d'information, de communication, de culture, de distraction, d'enrichissement.

(2) La télévision publique est entrée depuis bientôt vingt ans dans une spirale suicidaire qui n'a cessé de s'accélérer. Elle est en train de l'emporter.

(3) Qu'avons-nous dit ? Depuis deux décennies le pouvoir politique, en matière de télévision publique, a fait le choix de l'incohérence. Pour des raisons sans doute pas toujours avouables.

(4) Incohérence dans le mode de financement, assuré aujourd'hui à près de 70% directement par la publicité et la sponsorisation.

(5) Ce financement qui met le programme sous la coupe de l'argent, dans une logique de commerce identique à celle des télévisions commerciales. Alors pourquoi une redevance ?

(6) Incohérence au niveau des missions de services publics, qui passent après l'intérêt des annonceurs, pourvoyeurs de financement, ce qui revient à renoncer à ces missions.

(7) Incohérence au niveau des structures, qui tentent de répondre aux nécessités de l'enjeu commercial et non à celui des programmes et à l'intérêt du téléspectateur.

(8) Incohérence au niveau du choix des hommes dont le profil doit répondre aux critères imposés par cette dérive.

(9) Incohérence enfin au niveau de l'analyse de l'écoute qui ne prend en compte que la quantité de consommateurs-spectateurs (l'audimat) et jamais la qualité des programmes.

Renoncer à la publicité

(10) A l'heure où la télévision publique exsangue se meurt, le marché de la publicité connaît un développement exceptionnel : 65% d'augmentation en quatre ans, passant

Pour une télévision publique sans publicité

Plusieurs personnalités demandent que les chaînes dépendant de l'État ne soient plus soumises à la dictature des scores d'audience

de 40 milliards en 1985 à 66 milliards en 1989. 75 milliards sont prévus pour 1990.

(11) Entendons-nous bien. Nous ne méconnaissons pas l'importance de l'une et de l'autre. Nous vivons dans une société qui a choisi de produire et de consommer et qui en tire les avantages. Mais nous disons : que chacun reprenne sa place et assure sa fonction. Que la télévision publique, bien public au service du public, qui n'a pas d'objectif lucratif, regagne sa liberté avec des moyens d'existence à la mesure du rôle qu'elle doit jouer dans notre société, rôle dont chacun d'entre nous doit se sentir reponsable.

(12) Elle doit pour cela renoncer à la publicité et à la part de ressources directes qui en découle (2,5 milliards aujourd'hui) qui retournera sur le marché au bénéfice de l'ensemble des différents supports. En contrepartie une contribution culture et communication doit être créée, raisonnable, modulée, équilibrée, prélevée sur l'ensemble des investissements publicitaires. Outre la liberté retrouvée, la télévision publique y gagnera l'indexation de ses ressources à parité avec la télévision commerciale. Calculée sur les chiffres de 1989 c'est près de 4 milliards que cette contribution pourrait rapporter. Pas un franc ne sera pris dans la poche du téléspectateur ni dans les caisses du budget.

(13) Si, pour les esprits envahis par le scrupule, il fallait ajouter un argument de « morale », n'oublions pas de rappeler que l'outil technique de diffusion des images, aujourd'hui utilisé par la télévision commerciale, a été élaboré, construit et développé avec l'argent du contribuable, et qu'au demeurant l'espace hertzien relève du domaine public.

(14) Après cette réforme du financement, et alors seulement, pourront s'effectuer les vraies réformes de structures et de gestion qui doivent être mises au service de la création dans son sens le plus large. La logique du programme retrouvera sa place, une véritable émulation renaîtra entre les créateurs qu'il faudra organiser, les spectateurs en seront les témoins, les acteurs et les arbitres, pour le plus grand épanouissement des uns et des autres.

(15) Les socialistes, depuis 1981, ont largement contribué à affranchir la télévision publique du pouvoir politique. Il revient au Parlement en place actuellement de l'affranchir du pouvoir de l'argent. Ne doutons pas qu'il existe pour cela une majorité bien plus large que celle qui est au pouvoir aujourd'hui.

(16) Rappelons une fois encore qu'en Grande-Bretagne la BBC a su échapper aux pièges dans lesquels notre télévision publique est tombée. Un chiffre résume la situation de l'une et de l'autre : en 1987 la BBC a récolté 160 prix et médailles dans les compétitions du monde entier, la télévision française aucun . . .

Deux erreurs

(17) Deux erreurs restent encore à commettre :

1) croire qu'un « superman » – un autre – pourrait courir derrière la télévision commerciale pour récupérer des parts de marché, et renflouer les caisses au prix de nouveaux renoncements en matière de programmes,

2) jeter l'éponge et abandonner à un opérateur privé la gestion de la télévision publique, au nom de l'« économie mixte », en rassemblant dans le même enclos 51 moutons et 49 renards? Laisser filer donnerait à penser que c'est la solution qui a été choisie dans le secret des instances ministérielles . . .

(18) A l'heure où de façon inespérée l'Europe s'ouvre, où le président de la République marque l'urgence de faire émerger une réalité culturelle qui ne laisse pas seulement la place aux marchands, faut-il vraiment que chez nous, en France, la télévision publique meure ?

(1) *Le Monde* des 19 octobre 1988 (« Pour que vive la télévision publique ») et 11 mai 1989 (« Tombeau pour une ambition »).

● Ce texte est signé par Pierre Bourdieu, professeur au Collège de France, Ange Casta, réalisateur, Max Gallo, écrivain et journaliste, Claude Marti, conseil en communication, Jean Martin, avocat à la cour, Christian Pierret, député PS des Vosges, président de la Caisse des dépôts et consignations, ancien rapporteur général du budget.

Activités

1 Le sens des mots

Travail individuel
Cherchez, dans un dictionnaire monolingue, le sens des mots suivants, dans leur contexte:

- nos thèses (3C1)
- emporter (3C2)
- (la) redevance (3C5)
- (les) annonceurs (3C6)
- cette dérive (3C8)
- (les) supports (3C12)
- en contrepartie (3C12)
- l'indexation (3C12)
- (le) contribuable (3C13)
- l'espace hertzien (3C13)
- (la) gestion (3C14)
- échapper aux pièges (3C16)
- jeter l'éponge (3C17)
- (les) instances ministérielles (3C17)

2 Les mots et les idées

Travail individuel
Choisissez deux ou trois des phrases suivantes qui expriment des idées *générales*, et décidez quelle est la situation *spécifique* que les auteurs de l'article cherchent à évoquer:

- qui aurait dû être le bien de tous les Français (3C1)
- qui met le programme sous la coupe de l'argent (3C5)
- répondre aux nécessités de l'enjeu commercial (3C7)
- que chacun reprenne sa place et assure sa fonction (3C11)
- une véritable émulation renaîtra entre les créateurs (3C14)
- en rassemblant dans le même enclos 51 moutons et 49 renards (3C17)

3 Discussion

Comment réagissez-vous habituellement à la publicité télévisée, en France ou en Grande-Bretagne? Trouvez-vous qu'il y en a trop? ou trop peu? Pensez-vous que la publicité peut avoir une influence sur le contenu ou la qualité des programmes en général, ou de certaines émissions en particulier?

Travail individuel
Notez en vrac quelques idées sur ces questions, telles qu'elles se présentent à votre esprit.

Travail à deux
Avec un partenaire, comparez vos points de vue sur la publicité à la télévision; sur quels points êtes-vous d'accord ou n'êtes-vous pas d'accord?

Mise en commun
Présentez vos opinions, et/ou celles de votre partenaire, au reste du groupe. Au cours de la discussion, chacun essayera de décider quels arguments, parmi ceux qui ont été présentés, sont les plus convaincants.

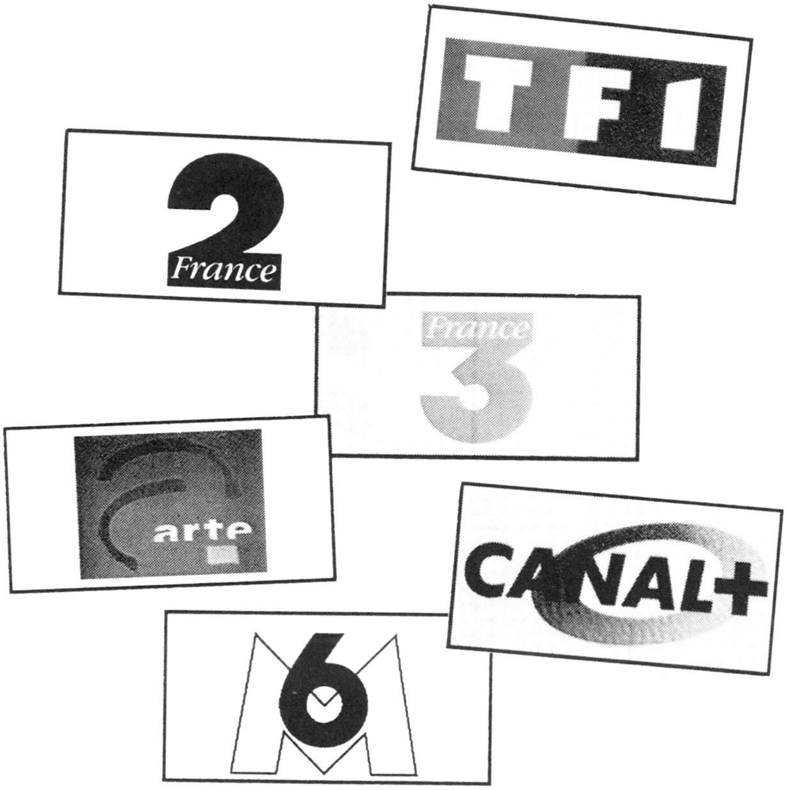

Points LANGUE

3.1 *Prononciation: semi-voyelles, voyelles nasales, consonnes doubles*

3.1.1 Semi-voyelles (ou semi-consonnes): [j], [ɥ], [w]

Ces **semi-voyelles** ont certaines caractéristiques en commun avec les voyelles, et d'autres avec les consonnes: on les appelle aussi "semi-consonnes", ou "consonnes".

Une semi-voyelle est toujours prononcée **avec une voyelle**, et le groupe semi-voyelle + voyelle forme **une seule syllabe**:

so/cié/té	(3 syllabes, et non 4)
ac/tuel	(2 syllabes, et non 3)
jouer	(1 syllabe, et non 2)

(Une **syllabe**, en français, est composée **d'une seule voyelle** prononcée (voir 5.1.1), avec une ou plusieurs consonnes, ou sans consonne.)

Chacune de ces semi-voyelles correspond à une voyelle (voir 1.1.1):

	A l'oral	A l'écrit	Exemples
Semi-voyelle	[j]	*i, y*	*copier* (2 syllabes)
Voyelle	[i]	*i, y*	*on copie*
Semi-voyelle	[ɥ]	*u*	*tuer* (1 syllabe)
Voyelle	[y]	*u*	*on tue*
Semi-voyelle	[w]	*ou, w*	*jouer* (1 syllabe)
Voyelle	[u]	*ou, w*	*on joue*

[j]	**devant une voyelle:**	[ɥ]	**devant une voyelle:**	[w]	**devant une voyelle:**
[ja]	*matérialiste*	[ɥa]	*la situation*	[wa]	*croire, quelquefois*
[aja]	*royal*	[ɥe]	*situer*	[we]	*jouer*
[je]	*premier*	[ɥɛ]	*actuel*	[wi]	*un sandwich*
[aje]	*travailler*	[ɥɛ̃]	*juin*	[wɛ̃]	*moins*
[ije]	*un ouvrier, fusiller*	[ɥi]	*puis, juillet*		
[jɛ]	*intermédiaire*				
[ijɛ]	*juillet*				
[jɔ]	*traditionnel*				
[jɔ̃]	*la tradition*				
[jɛ̃]	*un Martien*				
[ijø]	*ennuyeux*				

[j]	**après une voyelle:**			
[aj]	*le travail*	*le rail*	*on travaille*	*un maillot*
[ej]	*un appareil*	*un conseil*	*une bouteille*	*la veille*
[jej]	*vieille*	*vieillir*		
[œj]	*un œil*	*le seuil*	*un feuille*	
[ij]	*la fille*	*la vanille*	(voir aussi 3.1.4: *ll*)	
[uj]	*Anouilh*	*une grenouille*	*des nouilles*	

exercice oral 3/1

PRONONCIATION DES SEMI-VOYELLES

Travail à deux

Avec un partenaire, prononcez tour à tour un des groupes de mots choisis au hasard dans la liste suivante. Avez-vous, chaque fois, l'impression que votre partenaire les a prononcés de la même façon que vous?

- une pièce de Molière
- le premier juillet
- les transports ferroviaires
- la presse régionale
- la situation à Lyon
- des conseils pour le travail
- l'actualité internationale
- la situation en juin
- visiter les ruines
- tuer par ennui
- la voix de Françoise
- trois fois, au moins

Mise en commun

Etudiez, avec les autres membres du groupe, la prononciation des mots qui ont posé le plus de problèmes.

3.1.2 Voyelles nasales: [ɑ̃], [ɛ̃], [œ̃], [ɔ̃]

A l'écrit, ces voyelles sont suivies de *n* ou *m*:

[ɑ̃]	***an*** ***am***	***en*** ***em***	***ian***	
	anti-	*anglo-*	*emporter*	*central*
	la campagne	*l'ambiance*	*la banque*	*quand*
	la Provence	*allemand*	*un habitant*	

[ɛ̃]	***ain*** ***aim***	***ein*** ***ien***	***en*** ***in*** ***im***	***yn*** ***ym***
	important	*intéressant*	*s'inquiéter*	*simple*
	le symbole	*olympique*	*plein*	*indien*
	la province	*vingt*	*humain*	*Berlin*
	européen	*un examen*		

[œ̃]	***un*** ***um***				
	un	*brun*	*un parfum*	*quelques-uns*	*aucun*

(La majorité des francophones prononcent ces mots avec le son [ɛ̃], ne faisant aucune distinction entre *impatient* et *un patient*.)

[ɔ̃]	***on*** ***om***					
	on	*le nom*	*l'ombre*	*la bonté*	*le violon*	*Colomb*

A l'oral, le groupe voyelle + *n* ou *m* forme une voyelle nasale **à la fin** d'une syllabe, c'est-à-dire:

- devant une **consonne**:
  *la **cam**/pagne* *l'**in**/dustrie* *la **mon**/tagne*
- ou à la **fin** d'un groupe rythmique:
  *passer à l'é/**cran*** *aller à Ber/**lin*** *jouer du vio/**lon***

Mais devant une **voyelle** (ou *e* muet), la voyelle "nasale" est **dénasalisée**, et on prononce **[n]** ou **[m]** au début de la syllabe suivante:

ca/ma/rade *i/nu/tile* *mo/no/pole*
hu/ma/ni/té *li/mo/nade* *ma/ga/zine*

exercice oral 3/2

PRONONCIATION: VOYELLE NASALE OU VOYELLE DÉNASALISÉE + CONSONNE?

Voici quelques groupes de mots tirés du texte 3B (premier paragraphe).

Travail à deux

Avec un partenaire, décidez, chaque fois qu'il y a voyelle + *n* ou *m*, s'il faut prononcer une voyelle **nasale** ou **dénasalisée**. Ensuite, lisez à haute voix chaque groupe de mots.

1 en travestissant certains éléments
2 l'imagination du journaliste
3 non sans talent, mais sans la moindre enquête
4 un enfant noir toxicomane
5 déshonoré par une photo bidon
6 les chaînes de télévision
7 l'Irlande du Nord
8 en incitant des enfants à lancer des pierres

Mise en comun

Avec le professeur, vérifiez, dans chaque cas, que vous avez fait le bon choix. (Voir aussi 4.2.4 et Exercice oral 4/4.)

3.1.3 Consonnes doubles: *nn*, *mm*

A l'écrit, entre deux voyelles, on trouve *n* ou *m* dans certains mots, et *nn* ou *mm* dans d'autres:

inutile	*imiter*
innocent	*immense*
évidemment	*récemment*
[evidamɑ̃]	[resamɑ̃]
la semaine	*le carbone*
européenne	*bonne*
certainement	*pleinement*
[sɛrtɛnmɑ̃]	[plɛnmɑ̃]

A l'oral, la voyelle devant *n* + voyelle ou *m* + voyelle, et devant *nn* et *mm* est **dénasalisée**: on prononce **[n]** ou **[m]** selon le cas.

exercice oral 3/3

PRONONCIATION: VOYELLE DÉNASALISÉE + *NN* OU *MM*

Lisez à haute voix chacun de ces groupes de mots tirés du texte 3B, en ayant soin de donner une prononciation **dénasalisée** aux voyelles devant *nn* et *mm*:

1 il y a quelques années (3B1)
2 les Catacombes parisiennes (3B2)
3 sélectionnés « comme dans un casting » (3B2)
4 Connaissance du monde (3B3)
5 un commentaire en retrait (3B3)
6 je fais recommencer les prises (3B3)
7 un film sans doute étonnant (3B4)

exercice oral 3/4

PRONONCIATION: VOYELLE NASALE OU DÉNASALISÉE?

Travail à deux

Indiquez, au hasard, un des mots suivants: votre partenaire doit aussitôt le lire à haute voix. Décidez ensemble, chaque fois, si le mot a été bien prononcé (voyelle + *n* ou *m*: **nasale** ou **dénasalisée**?).

1	la semaine	**11**	industriel
2	pleinement	**12**	l'examen
3	évidemment	**13**	allemand
4	Edimbourg	**14**	l'habitant
5	la province	**15**	féminine
6	incroyable	**16**	l'ambiance
7	innocent	**17**	l'inondation
8	important	**18**	inimaginable
9	immense	**19**	l'ennui
10	l'imitation	**20**	Anouilh

Mise en commun

Avec le professeur, vérifiez que vous avez prononcé correctement tous les mots.

3.1.4 Deux consonnes: prononciation Etudes de cas: *qu*, *x*; *cc*, *sc*; *bs*, *ps*; *gn*; *gg*; *ll*

Prononciation de *qu*: [k] ou [kw]?

En règle générale, *qu* se prononce **[k]**:

la quantité
un questionnaire   *l'équilibre*

Mais dans certains cas, *qu* se prononce **[kw]**:

quadruple   *l'Equateur*

Prononciation de *x* interne: [ks] ou [gz]?

En règle générale, *-x-* se prononce **[ks]**:

une exception   *un expert*
l'oxygène   *vexer*
un paradoxe   *le luxe*

Mais *ex-* se prononce **[gz]** devant une voyelle ou un *h* muet:

exact   *exagéré*
un examen   *exécuter*
un exemple   *un exercice*
exhaustif

Et *x* se prononce **[s]** dans soixante.

Prononciation de *cc*: [k] ou [ks]?

Devant *a*, *o* et *u*, on prononce **une seule** consonne, **[k]**:

accuser   *le baccalauréat*
accompagner

Devant *e* et *i*, on prononce **deux** consonnes, **[ks]**:

l'accent   *occidental*
l'accès   *le succès*

Prononciation de *sc*: [sk] ou [s]?

Devant *a*, *o* et *u*, on prononce **deux** consonne, **[sk]**:

bousculer   *scandaleux*
une radioscopie

Devant *e* et *i*, on prononce **une seule** consonne, **[s]**:

scientifique   *sceptique*
fascinant

Prononciation de *bs*: [ps]

Ce groupe, prononcé **[bz]** en anglais, est prononcé **[ps]** en français (mais la consonne **[p]** n'est pas aspirée en français: voir 1.1.3):

absolument   *observer*
l'observation

Prononciation de *ps*: [ps]

Ce groupe est prononcé **[ps]**, sauf à la fin d'un mot:

la psychologie   *un psychiatre*
une capsule

A la fin d'un mot, le groupe *ps* est muet (*le corps*, *le temps*) ou prononcé **[ps]** (*un laps*).

Prononciation de *gn*: [ɲ]

Ce groupe forme **une seule** consonne, prononcée **[ɲ]** (prononciation proche de "senior" en anglais):

l'Allemagne   *ignore*
signifier   *un signe*
l'indignation   *la dignité*
l'agneau

Exception:

stagnant **[gn]**

Prononciation de *gg*: [g] ou [gʒ]?

Ce groupe est prononcé **[g]** devant une consonne (*aggraver*), mais **[gʒ]** devant une voyelle:

suggérer   *une suggestion*

Prononciation de *ll*: [l] ou [j]?

Ce groupe est prononcé **[l]**, comme en anglais:

allemand   *hollandais*
un ballon   *une bulle*

Mais dans le groupe *ill*, *ll* est prononcé **[j]**: voir 3.1.1.

Exceptions:

ville **[vil]**   *village* **[vilaʒ]**
mille **[mil]**   *tranquille* **[-kil]**
un million **[milyɔ̃]**

3.1.5 Consonnes doubles: orthographe

***gg* ou *g*? *pp* ou *p*? *tt* ou *t*? *rr* ou *r*?**

Il n'y a pas de règle pour l'orthographe d'un mot avec une de ces consonnes; on doit apprendre chaque mot séparément:

s'aggraver – agressif
frapper – attraper
battu – courbatu
la carotte – le carrosse

***ff*, *f* ou *ph*?**

On écrit *ph* dans des mots d'origine gréco-latine:

la physique
la photographie   *le téléphone*

On écrit *ff* à l'intérieur d'un mot:

efficace   *un effort*
une raffinerie

Mais *f* après *dé-*, *pré-*, *ré-*, et *re*:

la défense   *la préférence*
un référendum   *refuser*

● 3.2 *Verbes*

3.2.1 Les temps du verbe en français

Voici, pour le verbe ***faire***, comment on forme les temps de l'indicatif:

présent	*on fait*
futur	*on fera*
conditionnel	*on ferait*
imparfait	*on faisait*
passé composé	*on a fait*
passé simple	*on fit*
plus-que-parfait	*on avait fait*
passé surcomposé	*on a eu fait*
passé antérieur	*on eut fait*
futur antérieur passé	*on aura fait*
conditionnel antérieur passé	*on aurait fait*

Savez-vous conjuguer les verbes irréguliers les plus courants?

exercice 3/5

LE PRÉSENT (ET L'IMPARFAIT)

Lisez à haute voix chacune des phrases suivantes, ensuite récrivez-la **au pluriel**, vérifiez-la, faites les corrections nécessaires, enfin lisez à haute voix la phrase au pluriel:

1 il sait chanter
2 elle peut entrer
3 tu dois partir
4 il va venir
5 elle sort ce soir
6 je pars bientôt
7 elle promet d'y aller
8 tu connais cette ville
9 il prend le bus
10 je reçois des amis

Ensuite, récrivez les phrases (au singulier et au pluriel) à l'**imparfait**, vérifiez-les, faites les corrections nécessaires, enfin lisez à haute voix les phrases à l'imparfait.

exercice 3/6

LE FUTUR (ET LE CONDITIONNEL)

Lisez à haute voix chacune des phrases suivantes, ensuite récrivez-la **au futur**, vérifiez-la, faites les corrections nécessaires, enfin lisez à haute voix la phrase au futur:

1 il fait beau
2 vous venez au bal
3 tu peux lui parler
4 j'ai vingt ans
5 tu es riche
6 elle sait l'expliquer
7 j'envoie une réponse
8 il faut faire vite
9 ils en meurent
10 il s'agit de l'empêcher

Ensuite, récrivez les phrases au **conditionnel,** vérifiez-les, faites les corrections nécessaires, enfin lisez à haute voix les phrases au conditionnel.

exercice 3/7

LE PASSÉ COMPOSÉ (ET LE PLUS-QUE-PARFAIT)

Lisez à haute voix chacune des phrases suivantes, ensuite récrivez-la **au passé composé**, vérifiez-la, faites les corrections nécessaires, enfin lisez à haute voix la phrase au passé composé:

1 elle vit en France
2 je reste à la maison
3 il devient très riche
4 je reçois une invitation
5 on ouvre un magasin
6 ils naissent prématurément
7 nous leur fournissons l'essentiel
8 vous commettez un crime
9 ils repeignent leur maison
10 on lui permet de répondre

Ensuite, récrivez les phrases au **plus-que-parfait**, vérifiez-les, faites les corrections nécessaires, enfin lisez à haute voix les phrases au plus-que-parfait.

3.2.2 Synonymes et faux amis

Synonymes

Il est rare que deux mots aient exactement le même sens; mais souvent deux mots ont un sens très proche. Dans ces cas, on parle de **synonymes**.

Faux amis

L'étude du français (pour un anglophone) ou de l'anglais (pour un francophone) est facilitée par les milliers de mots qui font partie du vocabulaire commun à ces deux langues. Mais, de la même façon que les **prononciations** anglaise et française de ces mots sont différentes (voir 5.1.3), leur **sens** dans les deux langues peut être différent. Dans ces cas, on parle de **faux amis**.

Sens et emploi de certains verbes: deux études de cas

Exemple (a)

achever, *arriver (à)*, *atteindre*, *finir*, *réussir*, *terminer*
("achieve", "finish", "reach", etc)

exercice 3/8a

TEMPS DU VERBE: RÉVISION GÉNÉRALE 1

Si vous avez fait plus de deux ou trois fois erreurs dans ces trois exercices, révisez le **présent**, le **futur** et le **passé composé** des verbes irréguliers suivants:

acheter	aller	appeler	boire	conduire
(re)connaître	courir	créer	croire	devoir
dire	écrire	(r)envoyer	(re)jeter	lire
(per)mettre	mourir	naître	(c)ouvrir	partir
(re)peindre	pouvoir	préférer	(ap)prendre	recevoir
savoir	suivre	tenir	venir	voir
vouloir				

exercice 3/8b

TEMPS DU VERBE: RÉVISION GÉNÉRALE 2

Si vous avez accompli un parcours sans faute, ou presque, êtes-vous sûr de la formulation du **présent,** du **futur**, et du **passé composé** des verbes irréguliers suivants?

acquérir	craindre	(ac)croître	(re)cueillir	(s'en)fuir
(é)mouvoir	plaire	résoudre	rire	suffire
(con)vaincre	valoir	vivre		

Tous ces verbes décrivent l'accomplissement d'une action, mais chacun s'emploie dans certains contextes plutôt que d'autres:

- ***Achever*** ("finish", "finish off"):
  il n'arrive jamais à achever un travail qu'il a commencé
  l'arbre était malade déjà; trois années de sécheresse l'ont achevé
- ***Arriver (à)*** ("arrive at", "manage to", "reach"):
  trois heures plus tard, ils sont arrivés au sommet
  j'essaie de résoudre le problème, mais je n'y arrive pas
- ***Atteindre*** ("reach"):
  ils étaient contents d'avoir atteint leur objectif
  dans ces pays, le taux de mortalité atteint 20%
- ***Finir, terminer*** ("finish"; souvent synonymes: *terminer* souligne non seulement la fin, mais aussi la situation, l'effort, le travail, etc, précédents)
- ***Réussir*** ("achieve", "manage", "bring off"):
  elle réussit tout ce qu'elle entrepend
  ils cherchaient à amuser le public, et ils y ont bien réussi

Exemple (b)

habiter, *loger*, *rester*, *séjourner*, *faire un séjour*, *vivre*
("live", "stay")

- ***Habiter, vivre*** ("live"; sens assez rapprochés: *habiter* souligne le lieu, la situation, *vivre* met l'accent sur la personne, le style de vie)
- ***Loger*** ("live", "stay"; s'emploie souvent avec *chez* + personne, ou *dans* + maison/appartement, etc):
  pour un touriste, la meilleure façon de connaître un pays, c'est de loger chez l'habitant
  pendant longtemps, il avait logé dans un hôtel meublé
- ***Rester*** ("stay", "remain", "be"; s'emploie souvent avec une expression de temps):
  je suis allé au bal, mais je n'y suis pas resté longtemps
  je suis resté dix-huit mois sans travail
  on a demandé aux spectateurs de rester assis
- ***Séjourner, faire un séjour*** ("stay", "live"; s'emploie pour parler des vacances, d'un voyage, ou d'une période plus longue):
  pendant sa jeunesse, elle avait séjourné longtemps au Québec
  nous avons fait en Tunisie un séjour inoubliable

exercice 3/9

VERBES: SENS ET SYNONYMES

En consultant un dictionnaire monolingue, étudiez les similarités et les différences du sens et de l'emploi des verbes suivants. Soyez attentif

(a) à leur emploi grammatical (transitif + objet direct, transitif + objet indirect, intransitif) et
(b) à leur emploi avec d'autres mots, ou dans des expressions figées:

1 accepter admettre assumer avouer
2 s'accroître augmenter se développer (se) hausser
3 amener apporter chercher emmener emporter prendre
4 assister à témoigner (de) être le témoin de voir
5 baisser descendre (se) réduire
6 connaître éprouver savoir (se) sentir
7 conserver garder préserver retenir
8 considérer penser à penser de réfléchir trouver
9 constater déclarer noter observer
10 étudier faire des études (de) fréquenter

● 3.3 *Le passif*

Voir aussi ***Livret audio.***

Construction active et construction passive

Dans une construction **active**, c'est le sujet grammatical de la phrase (*son frère*) qui accomplit l'action du verbe, et qui est placé en première position:
son frère a écrit la lettre
Dans une construction **passive**, l'ordre des éléments de la phrase est inversé; l'action du verbe **n'est pas** accomplie par le sujet grammatical (*la lettre*):
la lettre a été écrite par son frère
Les faits présentés sont les mêmes, mais l'emploi de la construction passive permet, en changeant l'ordre des mots, de donner à la phrase une certaine orientation, voire un sens différent.

3.3.1 Formation du passif

Le **passif** est formé par l'emploi du verbe *être* + le participe passé. Tous les temps du verbe *être*, et aussi l'infinitif, sont utilisés:

3A14 *T. est en prison. Il* ***sera*** *vraisemblablement* ***extradé***
3A18 *depuis cinq semaines qu'il* ***est emprisonné***
3B6 *rien n'****a été inventé***
3B4 *tout* ***était réuni*** *pour faire un film vendeur*
3C12 *une contribution doit* ***être créée***

3.3.2 Emploi du passif

Seuls les verbes **transitifs** suivis d'un objet **direct** peuvent s'employer au passif:

- ***Abandonner*** et ***renoncer (à)***:
  Dans le cas du verbe *abandonner*, on peut dire:
  on a abandonné cette idée
  ou
  cette idée a été abandonnée.
  Le verbe est suivi d'un objet **direct**, qui peut devenir le sujet d'une construction passive.
  Mais dans le cas du verbe *renoncer*, il n'y a pas d'équivalent passif:
  on a renoncé à cette idée
  Le verbe est transitif, mais il n'y a pas d'objet direct; *cette idée* est l'objet **indirect** du verbe.

- ***Donner***
  Quand un verbe transitif est accompagné d'un objet direct et d'un objet indirect:
  un ami m'a donné l'adresse de l'hôtel
  seul l'objet **direct** (*l'adresse*) peut devenir le sujet grammatical d'une construction passive:
  l'adresse de l'hôtel m'a été donnée par un ami
  Si l'on voulait formuler cette phrase en commençant par *je*, il faudrait employer un verbe différent:
  ***j'ai appris** l'adresse de l'hôtel grâce à un ami*
  (construction active)
  ou
  ***j'ai été informé de** l'adresse de l'hôtel par un ami*
  (construction passive)

- ***Autoriser*** et ***permettre (à)***
  Ces deux verbes sont suivis d'un objet **direct**, si l'objet est un nom de **chose**; la construction passive est donc possible avec l'un et l'autre verbe:
  cela n'est pas autorisé
  cela n'est pas permis
  Mais si l'objet est un nom de **personne**, les deux verbes fonctionnent différemment:
  *on **les** a autorisés à sortir*
  *on **leur** a permis de sortir*
  Avec un nom de personne, la construction passive n'est donc possible qu'avec *autoriser*:
  ils ont été autorisés à sortir
  Si l'on voulait garder l'idée de *permettre*, il faudrait employer une construction différente, par exemple:
  *ils ont reçu **la permission** de sortir*

Note Dans certaines expressions figées, l'objet indirect du verbe devient le sujet d'une construction passive:

3A1 *le Liverpool FC est toujours **interdit de jeu***
3B6 *Et, **tout bien réfléchi**, Vincenti lui-même n'a jamais vu (. . .)*

3.3.3 Présence (ou absence) de l'agent

Dans la construction passive, l'agent de l'action est précédé de la préposition *par*, ou *de*. On emploie *par* quand il s'agit d'une action **spécifique** ou volontaire, et *de* pour des cas **habituels** ou automatiques:

2A9 *je fus ainsi transporté à l'autre bout du bal **par** ma cavalière*
*le premier ministre arriva, suivi **de** ses ministres*

Mais plusieurs locutions sont composées de participe passé + *de* (*satisfait de*, *couvert de*, *enveloppé de*, etc):

3B6 *Vincenti est offusqué **de** la question*

> ## *exercice oral* 3/10
> **CHOISIR LE PASSIF?**
>
> Voici dix phrases formulées avec une construction active.
>
> **Travail à deux**
> Décidez, dans chaque cas,
>
> **(a)** si une construction passive est possible et
> **(b)** quelle formulation vous semble préférable.
>
> **1** La télévision a dominé le paysage culturel du dernier demi-siècle.
> **2** Le public italien a reçu la nouvelle avec stupéfaction.
> **3** Finalement, la journaliste a renoncé à son projet.
> **4** Le directeur de la chaîne n'a pas autorisé l'émission.
> **5** Le directeur de la chaîne a interdit l'émission.
> **6** On leur a permis de donner leur avis.
> **7** Le capitaine de l'équipe m'a accordé une interview.
> **8** Le réalisateur avait entièrement truqué son enquête.
> **9** On a renvoyé le journaliste de son poste.
> **10** La radio nous donne des informations sur le vif.
>
> **Mise en commun**
> Présentez et défendez vos conclusions devant le reste du groupe.

3.3.4 Choisir (ou ne pas choisir) le passif

La construction passive s'emploie dans toutes les situations de communication, mais elle n'est pas la seule construction possible.

Voici quelques alternatives à la construction passive en français:

1 un verbe pronominal (voir 1.3)
3B6 *Rien ne **s'est fait** devant la caméra*
4B1 *Droits et servitudes **se sont transmis***

2 *Se faire/se laisser/se voir* (voir 8.3.2)
3B1 *Une lauréate (. . .) **s'est fait démasquer***
2A7 *sa cavalière qui **se laissait surprendre** par cette rupture de rythme*
3B1 *les chaînes de télévision **se sont vu reprocher***

3 Le pronom impersonnel *on* (voir 2.2)
3B9 ***On** nous **a proposé** un reportage*
3C1 *chaque fois que **l'on** nous en **a donné** l'occasion*

4 Un verbe impersonnel (voir 9.4)
3C14 *une véritable émulation qu'**il faudra organiser***

5 Une construction active + le même verbe, ou
Une construction active + un verbe différent

Note La construction passive est très souvent employée au niveau N4 (documents juridiques, administratifs, etc).

exercice oral 3/11

CHOISIR (OU NE PAS CHOISIR) LE PASSIF

Voici huit phrases formulées avec une construction passive: dans les textes 3A et 3B, chacune de ces phrases a été formulée avec *se (faire), on*, ou une construction active.

Travail à deux
Dans chaque cas, essayez

(a) de retrouver (sans regarder les textes!) la formulation choisie par l'auteur et
(b) de décider dans quelle mesure cette formulation est préférable à la construction passive.

1 Le vocabulaire est changé. (3A2)
2 On y est perdu. (3A5)
3 Même la mort est oubliée. (3A12)
4 Il a été interrogé par la presse furieuse. (3A13)
5 Elle a été démasquée. (3B1)
6 Rien n'a été fait devant la caméra qui ne soit pas fait quand elle n'est pas là. (3B6)
7 L'action a été située à Paris par le spectateur. (3B6)
8 Un reportage inouï nous a été proposé. (3B9)

Mise en commun
Présentez vos conclusions au reste du groupe en défendant, s'il le faut, vos positions.

● 3.4 *Le participe passé*

Pour bien comprendre et employer le participe passé (*donné*, *assis*, *sorti*, etc), il faut être attentif à son **sens**, à sa **fonction** et à son **accord**:

- **sens:** actif, passif ou réfléchi? (3.4.1)
- **fonction:** verbale ou adjectivale? (3.4.2)
- **accord:** oui/non? avec quel élément de la phrase? (3.4.3)

3.4.1 Sens du participe passé

Le participe passé a, selon le cas, un sens **actif**, **passif** ou **réfléchi**:

	Auxiliaire		**Sans auxiliaire**
Verbes . . .	+ *avoir*	+ *être*	
transitifs + objet direct (*écrire*)	**actif** (*elle a **écrit** une lettre*)	**passif** (*la lettre a été **écrite***)	**passif** (*une lettre **écrite** à la hâte*)
transitifs + objet indirect (*renoncer à*)	**actif** (*elle a **renoncé à** son projet*)	–	–
intransitifs + *avoir* (*échouer*)	**actif** (*le projet a **échoué***)	–	–
intransitifs + *être* (*sortir*)	–	**actif** (*elle est **sortie** à 5 heures*)	**actif** (*une femme **sortie** d'un milieu modeste*)
pronominaux (*s'asseoir*)	–	**réfléchi** (*elle s'est **assise** sur le banc*)	**réfléchi** (*une femme **assise** sur un banc*)

1 **Verbes transitifs: sens actif ou passif ?**

Sens actif
On emploie *avoir* + participe passé, avec un sens **actif**, pour former les temps composés d'un verbe transitif:

*ils ont **écrit** une lettre*
(passé composé)
*on lui avait **donné** une lettre*
(plus-que-parfait)

L'action d'écrire, de donner, est accomplie par le **sujet** grammatical de la phrase.

Sens passif (voir 3.3)
On emploie *être* + participe passé, avec un sens **passif**, pour former tous les temps d'un verbe qui, à l'actif, est suivi d'un objet direct:

*la lettre a été **écrite***
(passé composé)
*une lettre lui sera **donnée***
(futur)

L'action d'écrire, de donner, **n'est pas** accomplie par le sujet grammatical de la phrase.

2 **Verbes intransitifs** (+ *avoir* ou *être*): sens **actif**

Avec certains verbes intransitifs (*échouer*, *sourire*, etc) on emploie ***avoir*** + participe passé dans les temps composés:

*elle a **souri***
(passé composé)
*le projet avait **échoué***
(plus-que-parfait)

Avec *entrer*, *partir*, etc, on emploie ***être*** + participe passé:

*elle est **partie** à 5 heures*
(passé composé)

Sortir, partir, rentrer, naître, mourir peuvent indiquer, selon le contexte, une **action** ou un **état**:

2B3 *puis Mickey m'a poussé vers Georgette et il* ***est parti*** *lui aussi* (action)

3A13 *les trente-neuf spectateurs* ***sont morts*** *asphyxiés* (action)

3A8 *sans lui, je* ***serais*** *déjà* ***mort*** (état)

quand j'ai téléphone, elle ***était*** *déjà* ***partie*** (état)

Note Certains verbes transitifs (*commencer, passer, finir*, par exemple) peuvent s'employer intransitivement, pour présenter une **action** (+ *avoir*) ou un **état** (+ *être*):

le concert ***a fini*** *à minuit* (action)

le concert ***était fini*** *depuis longtemps* (état)

3 **Verbes pronominaux:** sens **réfléchi** (voir 1.3)

On emploie *s'être* + participe passé, avec un sens **réfléchi**, dans les temps composés:

elle s'est ***assise*** (passé composé)

le ciel s'était ***couvert*** (plus-que-parfait)

Le sujet grammatical (*elle, le ciel*) est en même temps l'objet de l'action du verbe (*assise, couvert*).

3.4.2 – 3.4.4 Fonction du participe passé

Comme le participe présent (voir 3.5), le participe passé peut s'employer, selon le sens et le contexte, comme **verbe** (3.4.2), **adjectif** (3.4.3) ou **nom** (3.4.4).

3.4.2 Emploi comme verbe

1 **Verbes transitifs** (sens **passif**): emploi sans *être*

On emploie très souvent le participe passé, sans *être*, à la place d'une proposition commençant par *qui, parce que, quand*, etc + **passif**:

3B1 *une photo «bidon»* ***publiée*** *dans son illustre journal* (qui avait été publiée)

2C5 ***Mis*** *en alerte par ces bonnes dispositions, le conservatoire du littoral est intervenu* (ayant été/après avoir été mis en alerte)

4C4 *Une fois l'opération* ***réalisée***, *le butin séjourne dans des fermes isolées* (une fois que l'opération a été réalisée)

Cet emploi du participe **passé** (avec un sens passif) correspond à l'emploi du participe **présent** (avec un sens actif; voir 3.5.3):

5A2 *des ballons rouges qui,* ***tenus*** *au bout d'un fil,* ***voyageant*** *dans l'air, promenaient par les rues une réclame vivante!*

> **exercice oral 3/12**
>
> **LE PARTICIPE PASSÉ AVEC OU SANS *QUI, PARCE QUE, QUAND*, ETC + PASSIF**
>
> **Travail à deux**
>
> Lisez à haute voix chacune des phrases suivantes
>
> **(a)** telle qu'elle est imprimée ici, et
>
> **(b)** sans la construction avec *qui, quand*, etc.
>
> **Exemple:**
>
> **(a)** J'ai vu la photo **qui a été** publiée dans votre journal.
>
> **(b)** J'ai vu **la photo publiée** dans votre journal.
>
> Décidez, dans chaque cas, si l'une des deux versions est préférable à l'autre.
>
> 1 **Parce qu'ils étaient** assis au fond de la salle, ils n'ont presque rien vu du spectacle.
>
> 2 **Après avoir été** bouleversé par les images du désastre, on a voulu faire quelque chose.
>
> 3 J'écris pour protester contre l'article **qui a été** publié dans votre journal.
>
> 4 **Quand il a été** accusé de négligence, le directeur a essayé de se justifier.
>
> 5 **S'ils avaient été** filmés pour la télévision, ces incidents auraient provoqué une tempête de protestations.
>
> 6 Une fois **que** le poste **est** fermé, on oublie presque tout ce qu'on a vu.
>
> **Mise en commun**
>
> Présentez et défendez vos conclusions devant le reste du groupe.

2 **Verbes intransitifs** (sens actif): emploi sans *être*:

On emploie le participe passé de ces verbes, sans *être*, pour présenter un **état**:

3B5 *un Bertolino* ***devenu*** *très bateleur* (qui était devenu)

2A2 *mais* ***arrivés*** *au bal, une fois de plus on se trouvait comme bloqués* (une fois qu'on était arrivés)

3 **Verbes pronominaux:** action ou état? (voir 1.3.6)

On emploie le participe passé d'un verbe pronominal, sans *être*, pour présenter un **état**:

1B7 ***persuadé*** *d'avoir raison, il est peu perméable aux raisonnements des autres* (sens pronominal: quand il s'est persuadé . . .)

2A2 ***accoudés*** *aux balustrades, on se contentait de bien regarder les autres*

Note Le participe **passé** (*assis, couché*, etc) d'un verbe pronominal en français correspond souvent, en anglais, à un participe **présent** (-ing).

3.4.3 Emploi comme adjectif

1 **Verbes transitifs** (sens **passif**)

3A9 *ils sont* ***organisés***

3C17 *un opérateur* ***privé***

3A15 *un aimable monsieur* ***baraqué, tatoué***

2 **Verbes intransitifs** (sens **actif**)

son visage était ***mort***

3 **Verbes pronominaux**

quand je leur ai téléphoné, ils étaient déjà ***couchés*** (se coucher)

3.4.4 Emploi comme nom

Un participe passé peut s'employer comme nom:

1 **Verbes transitifs** (sens passif)

3A2 *onze* ***des accusés***

3A5 ***Les condamnés*** *de Liverpool*

1B3 (Guillaume) *déteste* ***le négligé***

2 **Verbes pronominaux**

3B9 *un travesti* (se travestir)

3.4.5 – 3.4.8 Accord du participe passé

L'accord du participe passé se remarque beaucoup plus **à l'écrit** qu'**à l'oral**; pour la majorité des verbes, les différentes formes du participe passé se prononcent de façon **identique**:

[kree]	*créé*	*créée*	*créés*	*créées*
[reyni]	*réuni*	*réunie*	*réunis*	*réunies*
[ly]	*lu*	*lue*	*lus*	*lues*

Pour certains verbes, les formes **masculines** et les formes **féminines** du participe passé se prononcent différemment:

[ekri] *écrit(s)*	**[ekrit]** *écrite(s)*
[uvɛr] *ouvert(s)*	**[uvɛrt]** *ouverte(s)*
[mi] *mis*	**[miz]** *mise(s)*

Au niveau N3, on fait l'accord du participe passé dans tous les cas illustrés ci-dessous (3.4.5 – 3.4.8).
Au niveau N2, l'accord du participe passé n'est pas fait dans le cas des verbes transitifs employés avec un sens actif (3.4.5) ou des verbes pronominaux (3.4.8).
Mais dans le cas des verbes transitifs employés au passif (3.4.6), et du verbe *mourir* (*mort*, *morte*), on fait **toujours** l'accord, même au niveau N2.

3.4.5 Verbe transitif + *avoir* (sens **actif**)

Le participe passé s'accorde, au niveau N3, avec un objet **direct**, placé **avant** le verbe. L'accord ne se fait que si ces **deux** conditions sont réunies:

Accord:

2B4 *j'ai vu que Mickey l'avait* **trouvée**, *Elle*
(l'objet **direct**, *l'*, vient **avant** le verbe; il représente *Elle*, féminin singulier)

2B7 *la première phrase* ***que*** *j'ai* ***entendue*** *d'elle, c'était (...)*
(l'objet **direct**, *que*, vient **avant** le verbe; il représente *phrase*, féminin singulier)

Non-accord:

3A5 *ils ont* ***passé leur enfance*** *dans les banlieues*
(l'objet **direct**, *enfance*, est féminin, mais vient **après** le verbe)

3B9 *on* ***nous*** *a* ***proposé un reportage***
(l'objet, *nous*, qui vient **avant** le verbe, est **indirect**)

1C2 (les livres) *je n'****en*** *ai jamais* ***vu*** *plus de* ***deux***
(*en*, qui représente *livres*, vient avant le verbe, mais l'objet **direct**, *deux*, vient **après** le verbe)

3.4.6 Verbe transitif + *être* (sens **passif**): voir 3.3.1

Quand un verbe est employé au **passif**, le participe passé s'accorde avec le **sujet** du verbe:

3B6 ***les scènes*** *en question* ***furent tournées*** *dans les (...)*

3B7 ***La forme*** *ne doit pas* ***être dissociée*** *du fond*

Mais dans certaines expressions figées où le participe passé vient avant le nom, il est **invariable**:

étant donné les *circonstances, ils ont agi avec prudence*
vu la *situation, il vaut mieux ne pas sortir*

3.4.7 Verbe intransitif + *être* (sans **actif**)

Le participe passé d'un verbe intransitif formé avec *être* s'accorde avec le **sujet** du verbe:

2B1 ***nous*** *y sommes* ***allés*** *avec la DS de mon patron*

2B4 ***la lumière*** *est* ***redevenue*** *presque normale*

3.4.8 Verbe pronominal

Le participe passé d'un verbe pronominal s'accorde, au niveau N3, avec le pronom réfléchi (*me*, *te*, *se*, *nous*, *vous*), si celui-ci est l'objet **direct** du verbe; si le pronom réfléchi est l'objet **indirect**, le participe passé ne s'accorde pas:

Accord:

1A1 *nous* ***nous*** *sommes* ***penchés*** *sur le plan de métro*

1A3 *la question ne* ***s'****est même pas* ***posée***

3A6 *ils* ***se*** *sont* ***musclés***

Non-accord:

3B1 *une lauréate* ***s'****en est* ***mordu*** *les doigts*
(l'objet direct de *mordu* est *les doigts*; le pronom réfléchi *s'* est féminin, mais il est objet **indirect** de *mordu*.)

Dans les constructions *se faire*, *se voir* + infinitif, c'est l'infinitif qui fonctionne comme objet direct:

3B1 *une lauréate qui* ***s'****est* ***fait*** *démasquer*

3B1 *les chaînes de télévision* ***se*** *sont* ***vu*** *reprocher (...)*
(les pronoms réfléchis (*s'* et *se*) sont objets **indirects** de *fait* et de *vu*, qui restent invariables)

exercice 3/13

ACCORD DU PARTICIPE PASSÉ: VERBES PRONOMINAUX

Faites l'accord, s'il le faut, du participe passé:

1. Ils se sont (lavé) de la tête aux pieds.
2. Elle s'est (lavé) la tête avec un nouveau shampooing.
3. Ils s'étaient (demandé) ce qu'il fallait faire.
4. La question ne s'était jamais (posé).
5. C'est quelque chose qu'elle s'est toujours (demandé).
6. C'est une question qu'ils s'étaient souvent (posé).
7. Ils se sont (dit) qu'ils s'étaient (trompé).
8. Toutes les deux, elles se sont (reproché) les malentendus qui s'étaient (créé).

> ***exercice* 3/14**
>
> **ACCORD DU PARTICIPE PASSÉ: MÉLANGE**
>
> Complétez ces extraits adaptés du texte 2B, en faisant, s'il le faut, l'accord du participe passé.
>
> **1** Nous y sommes (allé) avec la DS de mon patron: j'avais (mis) mon costume beige. (2B1)
> **2** Il y avait déjà un vacarme autour du *Bing-Bang* (installé) sur la grand-place et des gens (aggglutiné) à l'entrée. (2B2)
> **3** Mickey m'a (poussé) vers Georgette, qui s'est (mis) à rouler des hanches. (2B3)
> **4** Tout à coup les projecteurs se sont (arrêté) et la lumière est (redevenu) presque normale. (2B4)
> **5** J'ai (vu) des garçons et des filles (assis) à même le plancher, les cheveux (collé) aux tempes, et puis j'ai (vu) que Mickey l'avait (trouvé), Elle, et qu'elle était avec Georges comme je l'avais (craint). (2B4)

● 3.5 *Le participe présent* (*–ant*)

Voir aussi ***Livret audio.***

Comme le participe passé (voir 3.4), le participe présent peut s'employer, selon le sens et le contexte, comme **verbe** (3.5.1 – 3.5.3), **adjectif** (3.5.4) ou **nom** (3.5.5).

Le participe **présent** a toujours un sens **actif**; le participe **passé** (voir 3.4) a, selon le cas, un sens **actif** ou **passif**.

3.5.1 Emploi avec *en* (invariable)

On emploie le participe présent avec *en* pour indiquer le **moyen** par lequel une action est accomplie (en anglais: "**by** . . . -ing"):

3B1 *fausser un reportage* ***en travestissant*** *certains éléments*
3B2 *avoir truqué un reportage* ***en*** *y* ***intégrant*** *des reconstitutions*

Le **sujet** des deux verbes (*fausser (. . .) en travestissant; avoir truqué (. . .) en intégrant*) est le même.

On peut dire aussi:
en travestissant certains éléments, on fausse un reportage
et: *en y intégrant des reconstitutions, ils ont truqué le reportage.*

On emploie également le participe présent avec *en* pour décrire une action qui est **simultanée** avec une autre action accomplie par le même sujet (en anglais: "**while** . . .-ing"):

2A7 *sa cavalière* ***sautillait*** *sur un pied* ***en faisant*** *une affreuse grimace*
5C3 *on peut* ***vivre*** *au Mans* ***en travaillant*** *à Paris*

Pour **insister** sur la simultanéité de deux actions, on peut employer ***tout en*** *-ant*:

2A6 *on revint par la grande rue* ***tout en mimant*** *les pas d'une java*
tout en trouvant *votre projet intéressant, je ne pourrai pas le recommander* (N3)

Dans le dernier exemple ci-dessus, on insiste sur un **conflit** ou une **contradiction** (réel ou possible) entre les deux propositions.

Après *être (là), rester, passer (du temps)*, etc, on n'emploie pas *en -ant* mais ***à* + infinitif**:

il ***restait*** *là toute la journée* ***à*** *ne rien* ***faire***
elle ***passait*** *tout* ***son temps à*** *s'occuper de la maison*

3.5.2 Emploi sans *en* (invariable)

On emploie le participe présent sans *en* pour présenter les **circonstances** d'une action, ou un rapport de **cause à effet** entre deux actions (ici encore, le **sujet** des deux verbes est le **même**):

1A1 ***profitant*** *de la sérénité de ce jour de vacances où mes parents étaient détendus, je leur ai carrément annoncé que (. . .)*
3B11 *ce journaliste qui,* ***traitant*** *des problèmes de la rentrée universitaire et* ***tombant*** *sur un amphithéâtre peu rempli, avait attendu (. . .),* ***donnant*** *ainsi à l'endroit un aspect artificiel*
2A2 *les* ***voyant*** *faire, l'envie nous prenait de les imiter*
2A7 *brusquement, il pirouettait,* ***faisant*** *alors chanceler la fille*

L'emploi du participe présent pour décrire une action qui est la cause d'une autre, est caractéristique du niveau N3; au niveau N2, on emploie souvent *et*, *puis*, *alors*, etc, pour relier les deux phrases.

> ***exercice* 3/15**
>
> **LE PARTICIPE PRÉSENT: AVEC OU SANS (*TOUT*) *EN* ?**
>
> Complétez les phrases suivantes en ajoutant, s'il le faut, ***en*** ou ***tout en*** avant le participe présent.
>
> **Exemple:** __ trouvant le film médiocre, j'ai quitté la salle.
> **Réponse:** Trouvant . . . (sans *en*: il y a un rapport de cause à effet entre les deux propositions)
> **Exemple:** __ trouvant le film médiocre, il a montré son ignorance.
> **Réponse:** **En** trouvant . . . (moyen)
> **Exemple:** __ trouvant le film médiocre, elle a reconnu que certaines scènes étaient réussies.
> **Réponse:** **Tout en** trouvant . . . (conflict entre les deux idées)
>
> **1** __ prononçant ces mots, elle avait essayé de sourire.
> **2** Je me demande comment il fait pour chanter __ se rasant.
> **3** __ voyant que la pluie tombait encore, on a décidé de ne pas sortir.
> **4** Quelqu'un a crié "Au secours!", __ créant la panique dans la foule.
> **5** __ sachant que le projet était certain d'échouer, ils ne voulaient pas y renoncer.
> **6** C'est alors que la télévision s'est développée, __ obligeant la presse écrite à repenser son rôle.
> **7** __ tombant par hasard sur une vidéo de l'événement, elle a décidé d'accuser la police.
> **8** __ démarrant, la voiture a dérapé sur la chaussée mouillée.
> **9** Ils se sont séparés __ espérant qu'ils se retrouveraient un jour.
> **10** C'est __ forgeant qu'on devient forgeron.

3.5.3 Emploi après un nom (fonction **verbale**)

Placé après un nom, le participe présent peut être employé pour décrire une action accomplie par ce nom:

*deux hommes **travaillant** sur le chantier en face de l'église*
(qui travaillent/qui travaillaient)
*une vieille femme **marchant** péniblement à l'aide d'une canne*
(qui marche/qui marchait)

Dans cette construction, *travaillant* et *marchant* ont une fonction **verbale**: le participe présent est **invariable**.

3.5.4 Emploi avec un nom (fonction **adjectivale**)

Dans les exemples précédents (3.5.3), le participe présent a une fonction **verbale** (il décrit une **action**), et ne s'accorde pas avec son sujet. Mais très souvent, on emploie un participe présent pour décrire non pas une action mais un **nom**:

3A9 *une ambiance **bouillante***
3B4 *les «heros» **coopérants***

Dans cette fonction **adjectivale**, le participe présent **s'accorde** avec le nom.

3.5.5 Emploi comme nom (fonction **nominale**)

Un participe présent peut s'employer comme nom (de personne, de chose ou d'idée):

2C1/3 *la route nationale 98 (. . .) de l'autre côté de **la nationale***
3B2 ***des figurants (. . .) des intervenants***
3B8 *les mêmes **participants***

PRATIQUE *orale*

Interview, 4 à 6 minutes (*Interrogation d'un témoin*)

Préparation
Avec un partenaire, discutez, préparez et enregistrez une interview entre un journaliste (presse écrite ou radio/TV) et le témoin d'un incident (réel ou imaginaire).

Avant d'enregistrer l'interview, les deux partenaires se mettront d'accord sur la situation générale et les faits matériels que le journaliste est censé savoir déjà.

Ensuite, mais séparément, le "journaliste" préparera ses questions et le "témoin" rédigera des notes pour l'aider à se rappeler les faits au cours de l'interview.

Enregistrement
Enregistrez une ou deux questions, et les réponses, en guise d'essai, et écoutez-les avant de procéder à l'enregistrement proprement dit.

C'est le journaliste qui parlera le premier, pour situer l'événement et pour donner quelques détails sur le témoin. Le journaliste doit être prêt à formuler, au cours de l'interview, des questions supplémentaires en fonction des réponses du témoin. S'il le faut, on pourra arrêter la machine en cours de route, mais il ne faut pas abuser de cette facilité, car cela enlèverait beaucoup à la cohérence et à la spontanéité des propos.

exercice 3/16

LE PARTICIPE PRÉSENT OU PASSÉ?

Complétez les phrases suivantes (adaptées du texte 3B) en ajoutant un participe **présent** ou un participe **passé**, selon le cas.

Voici les verbes qu'il vous faudra employer:

(a) Première série

construire	étonner	finir	intégrer	régler
réunir	scénariser	travestir	truquer	vérifier

1 Bidonner, c'est fausser un reportage en __ certains éléments; présenter comme la réalité une situation issue d'observations non __. (3B1)
2 Il les a accusés d'avoir __ un reportage en y __ des reconstitutions artificielles. (3B2)
3 Il aime les reportages __ comme des fictions, __ comme du papier à musique. (3B2)
4 __ les documentaires genre « Connaissance du monde ». Voici le « docu » __ avec une priorité à l'image. (3B3)
5 Tout était __ pour faire un film vendeur et sans doute __. (3B4)

(b) Deuxième série

annoncer	(s')associer	assurer	(se) complaire	devenir
figurer	garantir	moyenner	ravir	(se) transformer

6 Contacté par le responsable de l'association « Les cataphiles __ », il accepta d'organiser des spectacles __ 10 000 francs. La caméra put filmer sous l'œil __ et __ des cataphiles __ en __. Va donc pour ce défilé genre Ku Klux Klan, un concert et deux spectacles, __ à l'antenne par un Bertolino __ très bateleur. Horreur __ et suspense __. (3B5)

PRATIQUE *écrite*

1 Lettre

Habitant (réel ou imaginaire) de Liverpool, vous avez lu l'article du *Journal du Dimanche* (texte 3A), et vous écrivez à la rédaction du journal. Rédigez le texte de votre lettre.

2 Rapport

Choisissez un événement récent dont on a beaucoup parlé dans la presse écrite et à la télévision. Comparez la manière dont cet événement a été présenté et analysé dans **un** journal et sur **une** chaîne TV en particulier. Essayez, à la fin de votre rapport, de tirer des conclusions, sous la forme de **propositions** visant à aider le journal ou la chaîne TV en question à améliorer sa pratique dans le domaine de l'information.

3 Manifeste

Vous avez sans doute eu envie, au moins une fois, de rédiger un manifeste sur un sujet qui vous préoccupe – sur un aspect des médias, peut-être, ou dans un autre domaine. Rédigez le texte de votre manifeste, en précisant d'abord le sujet (l'occasion, l'événement, etc) et à qui votre manifeste est adressé.

4 Dialogue

Inventez un dialogue téléphonique, **ou bien** entre deux personnes qui se connaissent déjà, **ou bien** entre deux inconnus. Précisez bien l'identité des deux personnes et les circonstances dans lesquelles a lieu leur entretien; essayez, au cours de leur dialogue, d'inclure un malentendu quelconque.

Sur le vif

La culture sur canapé

Je suis dans un état, aujourd'hui, les enfants, je vous raconte pas. Figurez-vous que *l'Evénement du jeudi* m'a invitée à établir mon parcours télé pour la semaine à venir. Je feuillette le Chaix . . . Voyons voir . . . Dimanche, deux films. Départ 20 h 30 quai n° 1 et quai n° 5. Lundi, six films. Mardi, trois. Lesquels prendre ? Les plus rapides. Pas question de louper ma correspondance living-chambre à coucher.

Si le trajet dure plus de quatre-vingt-dix minutes, dès 22 h 15, je commence à m'agiter, à descendre les valises, à défaire mon lit, à filer me laver les dents en profitant d'un tunnel signalé par la baisse de la bande son. La zizique se met en sourdine. Pendant que je me tartine la tronche, je tends l'oreille et dès qu'on me sonne – pom pom pom pom ! – je me précipite devant le poste mon sac de rouleaux à la main. Après quoi je repars direction salle de bains, enlever mes yeux, enfin mes verres de contact, dix minutes avant l'entrée en gare. La fin, je la vois pas, je l'entends. C'est mieux que rien.

Parce que sortis des films, des matches, des jeux et des variétés, nous les lève-tôt, la télé, connaît pas. Si, par ouï-dire ! Moi j'ai des copains très chic et choc, très classe affaires, ils se payent des voyages à l'autre bout de la grille. Ils se retrouvent chez Dechavanne le mardi, chez PPDA le mercredi. Ils traînent avec Ardisson, Closets et Sérillon jusqu'à des heures pas possibles. Ils se filent des rancards au « Cinéma de minuit », les veinards. Et ils la ramènent : paraît qu'on trouve des coins super, un peu à l'écart, pas trop fréquentés. Il y en a un surtout, très à la mode, là, en ce moment . . . Comment il s'appelle, déjà . . . ? Ah oui ! « Océaniques ». Mais ça, bon, c'est trop loin, trop tard pour moi.

Faudra que je me fasse envoyer des cartes postales. Histoire de rêver. De rêver et de prier, de supplier saint Djack et sainte Tasca : Allez-y, mollissez pas ! Donnez-nous une chaîne culturelle. Une chaîne modèle BBC 2 ou Channel 4. Une chaîne, va pour FR 3, qui affiche fièrement la couleur. Ouais, on donne dans le genre intello. Si ça vous plaît pas, personne vous oblige à nous regarder. Non, c'est pas le ghetto, au contraire, on est ouverts, grands ouverts à tous les amoureux inexpérimentés, transis, intimidés, à tous les groupies de ces inaccessibles superstars que sont Shakespeare, Rubens ou Mozart. Sans parler des modernes.

Allez-y, mollissez pas ! Etalez du matin au soir, à la vitrine de l'écran, des produits exclusifs, enfin à la portée des exclus !

CLAUDE SARRAUTE

CHAPITRE 4

PROVINCE

TEXTES

- **4A** ***Chanzeaux, village d'Anjou***
- **4B** ***La traite des touristes***
- **4C** ***France: le désert des barbares?***

POINTS LANGUE

- **4.1** ***Prononciation: enchaînement***
  élision, liaison, disjonction
- **4.2** ***Adjectifs 1: formes et sens***
  accord, formes orales et écrites, synonymes
- **4.3** ***Adjectifs 2: position, fonction***
  position, emploi comme adverbe et comme nom
- **4.4** ***Noms 1: formes, sens, emploi***
  masculin ou féminin, occupations, sens et emploi, nom (+ *de*) + nom
- **4.5** ***Noms 2: noms de pays***
  préposition + nom de pays, etc, villes, noms et adjectifs géographiques

4A

points de repère

● **SUJET**

Un livre qui, à travers l'étude d'un village d'Anjou, permet de saisir les grandes transformations de la société française des années 1960.

● **PERSPECTIVE**

L'objectif du journaliste (Frédéric Gaussen) est de faire connaître au lecteur le sujet du livre et les idées de l'auteur (Laurence Wylie). Son article est composé de trois parties:

1 présentation du sujet et de l'auteur du livre;
2 (la plus importante) résumé des principaux éléments du livre;
3 appréciations sur les qualités du livre.

● **STYLE**

Le style est celui d'une bonne dissertation française: absence de **je**; ton sérieux, mesuré; phrases longues, liées les unes aux autres; unité de structure. Bref, un style traditionnel pour parler de la France traditionnelle.

● **CONSEILS**

En lisant cet article, essayez de vous rappeler

(a) des choses que vous avez vues, lues ou entendues au sujet du passé, de la tradition, du changement, des transformations, et
(b) les attitudes exprimées par les différentes générations.

Si vous connaissez une région rurale, en Grande-Bretagne, en France ou ailleurs, comparez ce que vous en savez avec ce qui est dit, dans cet article, sur Chanzeaux et les Chanzéens.

UN SOCIOLOGUE AMERICAIN CHEZ LES CHOUANS

« Chanzeaux, village d'Anjou », DE LAURENCE WYLIE

(1) Pour les futurs historiens, les années 1960-1970 apparaîtront sans doute comme la période charnière pendant laquelle la France traditionnelle, rurale, agricole, vivant à l'heure de son village, a basculé vers une société urbaine, industrielle et bureaucratique. Les communes de campagne se sont vidées progressivement, perdant peu à peu leurs forces vives, à savoir leurs fermiers, leurs curés et leurs instituteurs. La classe des ruraux français s'est trouvée emportée dans un gigantesque glissement de la ferme au bourg, du village au chef-lieu, de la province à Paris, et ce mouvement, triste et un peu honteux comme tous les exodes, s'est fait dans une résignation secouée parfois par de brefs spasmes de révolte.

(2) Le caractère irréversible de cette évolution a conduit plusieurs sociologues à s'intéresser à cette France d'hier, promise à la même destruction que les sociétés primitives, et à chercher à en fixer les traces avant qu'elles ne s'effacent dans l'oubli. C'est le cas notamment de Laurence Wylie, professeur à l'université Harvard et ancien conseiller culturel de l'ambassade des Etats-Unis à Paris, qui après *Un village de Vaucluse* publie *Chanzeaux, village d'Anjou.*

Le pays de la fidélité

(3) Situé en plein pays chouan, serré autour de son église et de son château, Chanzeaux apparaît comme le symbole de la France immobile et éternelle, enfoncée dans les valeurs terriennes. Son histoire est celle de sa fidélité : fidélité au roi après la Révolution, à la noblesse après l'avènement de la IIIe République, à la droite classique, puis au gaullisme ensuite, à sa foi catholique en toutes circonstances. Pour Wylie, toutefois, une étude historique et démographique montre que cette continuité apparente n'a pu être assurée qu'au prix de mouvements et de conflits continus. C'est ainsi, par exemple, que la population de Chanzeaux a de tout temps connu une grande mobilité. Mais les migrations intéressent précisément les catégories de population dont la présence prolongée risquerait de rompre l'équilibre de la communauté : les « élites », d'une part, dont l'action « progressiste » pourrait battre en brèche le maintien des traditions, et le prolétariat agricole ou les marginaux, d'autre part, qui pourraient constituer un facteur d'opposition.

(4) Ainsi le mouvement a-t-il pour conséquence de préserver la cohésion du groupe. Celle-ci est elle-même faite d'un réseau ténu de relations sociales et topographiques. Les attitudes, les comportements, le statut social, sont étroitement liés à la position de chacun dans ce système : l'endroit où on habite – que ce soit dans le bourg lui-même, dans un hameau, dans une ferme isolée ou dans un village de vignerons à la lisière de la commune, – l'activité professionnelle, la taille de l'exploitation, le nombre de parents qu'on a dans la commune, la place qu'on occupe à l'église, la durée de la scolarité, la façon de trouver un conjoint, la manière de voter, la stabilité dans la commune ou la possibilité d'émigrer, l'influence civique ou politique . . . tous ces éléments interfèrent si étroitement qu'il apparaît que le hasard a peu de place dans la vie d'un Chanzéen.

Le village de Nérac (Lot-et-Garonne)
« Un village comme tant d'autres, arraché peu à peu à un rythme séculaire »

(5) Comment une société aussi fortement structurée, et dans laquelle la tradition occupe une place si importante, peut-elle faire face à la crise qui secoue l'économie agricole depuis plus de dix ans ? Laurence Wylie fait à ce sujet des constatations apparemment contradictoires. D'une part les Chanzéens résistent instinctivement à toute tentative trop brutale de modifier le cours des choses. Les personnalités les plus actives et les plus lucides de la commune ne sont pas suivies. L'importance des relations familiales ou de clientèle, grâce auxquelles les notables traditionnels tiennent le pouvoir, est telle qu'il est bien difficile de changer de dirigeants. D'une façon générale, on se méfie des innovations. Le remembrement des terres se fait lentement. Le morcellement de la propriété par l'héritage continue d'être la règle . . . Malgré cela, Wylie constate, en quelques années, une évolution sensible : la coopération entre agriculteurs se développe, la pression culturelle des parents sur les jeunes se détend, les relations avec les communes voisines se multiplient . . . Ainsi, à petits pas, et comme malgré elle, Chanzeaux s'aventure dans le XXe siècle. Lorsqu'en 1965 il fallut choisir entre le représentant des jeunes agriculteurs progressistes et celui des conservateurs pour élire un maire, ce fut le premier qui, finalement, l'emporta, après qu'il eut défini ainsi sa philosophie politique : *« Il ne faut pas trop bousculer les gens . . . »*

(6) Cette évolution est symbolisée par celle qu'a connue l'institution de loin la plus importante de Chanzeaux : l'Eglise. Ayant longtemps joué le rôle de soutien inconditionnel de l'ordre et de la tradition, elle est maintenant remuée de courants novateurs qui l'ont obligée à modifier profondément son attitude. L'importance des mouvements catholiques dans l'évolution des mentalités et des institutions est en effet considérable, et les plus assidus à la messe sont aussi ceux qui militent le plus activement pour cette transformation.

(7) S'il est abondamment pourvu de graphiques et de tableaux statistiques, le livre de Laurence Wylie n'a aucune aridité scientifique. Comme il l'avait fait pour *Un village de Vaucluse*, Wylie consacre, en effet, une large place à la description « sur le vif », à la discussion avec les habitants. La connaissance personnelle et subjective compte pour lui autant que l'élaboration des questionnaires et l'établissement des échantillons. C'est ce qui donne à son livre un aspect humain et quotidien et en rend la lecture aisée et passionnante. Les attitudes et les comportements, pour lui, ne sont pas des abstractions statistiques mais correspondent toujours à des noms et des visages. Certains de ses portraits – comme celui de ce paysan dynamique et moderniste, dévoré par la curiosité professionnelle, le goût du perfectionnement et par . . . l'endettement, opposé à cet autre, traditionaliste, attaché à une nonchalante douceur de vivre, refusant le progrès et ne s'en portant pas plus mal – éclairent de façon frappante les multiples facettes que recèle, sous son visage d'eau dormante, un village comme tant d'autres, arraché peu à peu à un rythme séculaire et s'avançant à pas lents dans un monde qui n'a que faire de ce à quoi il tient le plus : son passé.

FRÉDÉRIC GAUSSEN

Activités

1 Les mots et les idées

Travail individuel
Choisissez **une** des expressions suivantes, et notez les idées ou les images qu'elle évoque pour vous

(a) après la lecture de l'article de Gaussen,
(b) de façon plus générale:

exode rural; continuité des valeurs; mobilité de la population; société structurée; rôle de l'église.

Travail à deux
Comparez vos réactions et celles de votre partenaire.

Tour de table
Présentez vos idées au groupe.

Mise en commun
Résumez et commentez les idées qui ont été exprimées le plus souvent.

2 Résumé oral

(a) premier paragraphe

Travail en classe
Le premier paragraphe du texte est lu à haute voix par le professeur (ou par trois étudiants à tour de rôle).

Travail à deux
Avec un partenaire, rédigez, en deux ou trois phrases, un résumé de ce paragraphe; ensuite, résumez chacune de ces phrases sous forme de titre ou de sous-titre.

Mise en commun
Présentez au groupe les (sous-)titres que vous avez composés, puis essayez de vous mettre d'accord sur deux ou trois titres parmi ceux proposés par les membres du groupe.

(b) troisième paragraphe

Travail en classe
Lecture à haute voix du troisième paragraphe du texte.

Travail à deux
Avec un partenaire, composez (cette fois-ci sans l'écrire) un résumé de ce paragraphe, puis rédigez deux ou trois (sous-)titres à partir de ce résumé.

Mise en commun
Présentez au groupe les (sous-)titres que vous avez composés, puis essayez de choisir, parmi tous ceux qui sont proposés, les titres les plus appropriés.

3 Témoignage: choses vues

On dit souvent que les Français, même s'ils ne travaillent plus à la campagne, sont plus marqués (dans leurs attitudes et leur vie familiale) que les Britanniques, par exemple, par les traditions rurales.

Travail individuel
En songeant à des Français que vous avez rencontrés ou observés (au cours d'un séjour dans une famille française, ou dans des films français), notez un ou deux exemples (actions, paroles, habitudes, anecdotes) qui vous semblent indiquer, soit la présence d'attitudes héritées du passé, soit au contraire l'existence d'attitudes nouvelles, liées à la vie moderne.

Travail à deux
Avec un partenaire, comparez les observations que vous avez notées, et mettez-vous d'accord, si vous le pouvez, sur un ou deux points que vous présenterez oralement au groupe.

Mise en commun
Participez à une discussion (ou à un débat) sur la question de la continuité et du changement des mentalités en France.

4 Rapport: choses entendues

Vous avez sûrement eu, au moins une fois, une conversation avec un membre de votre famille ou un(e) voisin(e), où votre interlocuteur vous a parlé de votre rue, de votre quartier, ou de votre région, et des changements qu'il/elle y a vus depuis sa jeunesse.

Travail individuel
Notez quelques détails

(a) sur ce qu'on vous a dit, et
(b) pour dire ce que vous en pensez vous-même.

Tour de table
Présentez au groupe la personne qui vous a parlé des changements qu'elle a vus, ce qu'elle vous a dit, et ce que vous en pensez vous-même.

Mise en commun
Participez à une discussion sur la question.

4B

points de repère

● SUJET

L'écrivain Jean-Pierre Chabrol évoque son pays (les Cévennes), les changements qu'il y a vus depuis les années 1950, et les conséquences pour le pays du tourisme et de la construction de maisons pour le week-end, pour les vacances, pour la retraite.

● PERSPECTIVE

Chabrol pousse, ici, un cri de cœur pour son pays, mais surtout il analyse, finement, une situation où rien n'est simple, où les choses sont souvent contradictoires: "Plus ça se dépeuple, plus ça construit".

● STYLE

L'auteur est présent tout au long de son texte, non seulement quand il dit **je**, mais aussi dans la manière dont il présente les personnes et les paysages. Tout, ici, est personnel, subjectif, engagé; rien, dans ses descriptions, n'est pittoresque: il est de tout cœur avec les habitants, même quand, pour vivre, ils accueillent des touristes: "Que veux-tu, les vaches, ça ne paye plus, alors je vais prendre des touristes".

● CONSEILS

En lisant ce beau texte, ne vous laissez pas décourager par la quantité de mots qui vous sont inconnus. Essayez plutôt de vous faire une idée

(a) de l'aspect physique de la région,
(b) des changements qui s'y sont produits depuis un demi-siècle, et
(c) des réactions et de l'attitude de l'auteur: que veut-il, au juste?

La traite des touristes

(1) Imaginez un village de vallée, au flanc du mont Lozère. A la sortie, le long de la rivière, une plaine, une petite plaine miraculeuse. Tout autour, les cultures doivent se contenter d'étroites terrasses soutenues par des murettes sur les pentes, mais en bas, là où la vallée s'évase, elles peuvent s'étaler sur un limon renouvelé par les sept crues annuelles. Depuis des siècles, chaque famille en possède un morceau, c'est la meilleure part des héritages. Une modeste digue en amont, un canal et un ingénieux système de rigoles permettent l'arrosage pénard des potagers et des prairies. Les « heures d'eau » sont réparties sur les jours et les nuits de la semaine entre les propriétaires, presque les mêmes heures et les mêmes familles depuis toujours. Untel se lève le dimanche à 3 heures du matin et va « mettre son eau » pour quatre-vingt-dix minutes. L'entretien du barrage et du canal communs est aussi scrupuleusement réparti en heures de travail ou, par défaut, en espèces. Droits et servitudes se sont transmis de père en fils, de vendeur en acheteur, non sans procès ni querelles, jusqu'à nos jours. Mais, si le voisinage n'allait pas sans histoires, il y avait une communauté de travaux, de vie, la grêle frappait tout le monde.

(2) Voilà. Il y a eu la saignée de 1914-1918, la naissance de besoins nouveaux qui exigeaient de plus en plus d'argent frais et régulier . . . Bref, la polyculture montagnarde n'a plus nourri les familles, même avec l'apport de la parcelle la plus fertile.

(3) Pendant près d'un siècle, le sous-sol a pallié la carence du sol. Chaque mas envoyait un homme au charbon, le père ou l'un des fils. Après sa journée, le dimanche et pendant les congés, le mineur lâchait le pic et la pelle pour la bêche et la faux. C'est en août 1936, pendant les premiers congés payés, que la vallée s'est rajeunie. Ainsi s'est créée une sorte d'homme attachant, le mineur-agriculteur, alliant le meilleur du prolétaire au meilleur du paysan. Fier comme un propriétaire terrien, révolté comme un exploité. A 800 mètres de fond, il était encore sous *sa* terre. Il faut comprendre ça : il était encore au fond plus chez lui que les ingénieurs ou le directeur parachutés de Paris. Les tailles parlaient occitan. Au sortir du trou, les gueules noires plongeaient dans leur rivière avant d'aller à la vigne ou au jardin. Ils pouvaient tenir une grève, il y avait à la maison des patates, des œufs, du vin et du bon fromage de chèvre.

La ceinture pendant quatre-vingt-dix jours

(4) Dans les années 50, les petites mines cévenoles ont fermé les unes après les autres. Les enfants sont partis à la recherche du travail, de plus en plus loin. La vallée ne revit plus qu'au mois d'août, quand ils reviennent, parmi beaucoup d'autres.

(5) Cependant, chaque retraité a gardé jalousement sa bonne parcelle de la petite plaine, jusqu'à ces jours-ci. Le trésor de la famille, la moins dévaluée des épargnes séculaires. Ces mille à deux mille mètres carrés ont gardé plus fidèlement leur valeur que les bons du Trésor, que cette moitié de pension que l'on continue à placer chaque trimestre, obstinément, sur le livret de l'Ecureuil, quitte à se serrer quatre-vingt-dix jours la ceinture. Ce pré arrosable, qui nous vient du fond des âges, c'est pour les enfants. Ils ont d'autres besoins que nous, il leur faut du gros argent pour s'établir, faire construire, se payer un appartement ou une voiture digne d'eux. Il faut leur plaire, sans ça ils seraient bien capables d'aller passer leurs vacances en Espagne, surtout que les femmes qu'ils ont trouvées dans les villes s'ennuient un peu dans notre « bled ». Le bien de la plaine, il faut donc en tirer le maximum : il n'y a que le Belge, le Hollandais, voire le chirurgien parisien pour payer ces prix-là. L'angoisse, c'est le « *non edificandi* », l'idéal, c'est la viabilité.

(6) Il est fini le temps où l'on n'aurait jamais construit là *« où poussaient les pommes de terre »*. Les vieux mas sont ancrés sur le roc, c'est pour ça qu'ils sont si solides, si joliment situés. Les estivants, eux, ne rêvent que gazon et bord de l'eau. Du coup, les inondations tournent au cauchemar. Jadis, on les bénissait, elles rénovaient le sol, nettoyaient la rivière, regarnissaient les nappes d'eau souterraines, assuraient les sources. N'en faut plus ! Les résidents secondaires n'aiment pas trouver, en arrivant, vingt centimètres de boue dans leur living rustique. La

Cévenne est donc championne du monde dans la spécialité rarissime des barrages écrêteurs de crues. Y en a partout, c'est laid, dangereux, et ça coûte un maximum, mais il faut savoir faire des sacrifices pour ces trois ou quatre semaines de balancelle au bord de l'onde.

(7) Sur la petite plaine que vous imaginez, il reste un paysan, un seul. On pourrait me chicaner sur le mot : un « demi-paysan » plutôt, comme la plupart de ceux qui survivent au flanc du Lozère : maris d'institutrice, d'épicière, de postière . . . Sans le maigre mais régulier salaire de la moitié, ils n'y arriveraient pas, même en se tuant à la tâche. Je le répète : un paysan, un vrai, qui passe sa vie sur ses terres, conscient et organisé, superbe, un empereur. La vallée, il la veut toute à lui.

(8) Prendre parti paraît simple : d'un côté, la défiguration d'un paysage d'une rare beauté, pour des sous, rien que des sous, au profit d'exilés citadins, de résidents secondaires ou de campeurs, surpeuplement factice et puant qui laisse 330 jours le pays déserté, sinistre, avec ses maisons vides aux volets blindés contre les cambrioleurs. De l'autre côté : le maintien et la prospérité d'un paysan, d'un seul, d'accord, mais le paysan n'est-il pas *« le jardinier du paysage » ?*

(9) Ouais. J'envie ces militants occitans purs et durs qui fondent sur nous annuellement, depuis leurs hauteurs universitaires et capitales, pour nous donner, le temps d'un bronzage, des leçons de rigueur idéologique. Sereins. A vivre en permanence au pays de mes aïeux, je suis devenu moins intransigeant, *mea culpa.*

Le Tarn : barrage de la Jourdanie (Aveyron)
« *Les inondations tournent au cauchemar. N'en faut plus!* »

Les notables qui rament

(10) Vous vous dites : c'est l'agriculture ou le tourisme. Naïfs que vous êtes ! L'agriculture d'aujourd'hui, par ici, conduit irrémédiablement au tourisme, grâce à l'Etat et à la SAFER, bien souvent. Sur sa part de plaine, le paysan construit un camping. Mais si. Un « camping à la ferme », l'expression passe mieux, elle est « in ». Pour ses sanitaires touristiques, problème ! Les égouts de la commune ne peuvent absorber le trop plein de la digestion de toutes ces merguez de barbecue. Il faut deux bacs supplémentaires à la station d'épuration. Ils seront en partie payés par les contribuables, c'est-à-dire les retraités qui puiseront peut-être dans les sous de leur parcelle, s'ils sont parvenus à la vendre.

(11) Les touristes coûtent cher au contribuable permanent. La ruelle du village se prête mal au croisement des caravanes ? Une rocade est en construction ; elle va trancher d'une vilaine cicatrice la noble face du village, entre le temple, l'ancienne filature et l'antique pont en dos d'âne. Comme elle va faire sauter aussi l'écurie en pierre du paysan, il a obtenu d'édifier, pour la remplacer, un gigantesque bâtiment, moellons et poutres métalliques, on dirait un hangar d'aviation. Un peu partout, on éventre la montagne pour élargir les virages, c'est cher mais y aura plus à ralentir. Dire que les touristes venaient pour le cachet du village, pour la splendeur paisible de sa vallée, pour le murmure des rigoles d'irrigation dans les prés par les soirs d'été . . .

(12) – *Que veux-tu, les vaches, ça ne paye plus,* m'a dit un autre paysan, *alors je vais prendre des touristes. Eux, au moins, ils se nourrissent à leurs frais, et ils nettoient eux-mêmes leur écurie . . .* »

(13) Plus ça se dépeuple, plus ça construit. Absurdités, contradictions, partout . . . Et les notables naviguent là-dedans, ils rament, faut les voir. Comment tenir autrement ? Ils ont grand besoin des voix des retraités et des paysans. C'est la démocratie. Retraités, paysans, vacanciers, ils sont coincés, tous. Des fois, ils rient ensemble. Le pays est si triste quand les aoûtiens s'en vont ! Ces larges tournants parmi les résidences secondaires, les prairies-campings où l'herbe ne repousse plus, les pots de yaourt dans les clairières, les méduses de plastique entre deux eaux, à la digue du canal . . . En fin de compte, c'est pimpant, les crépis blancs ou roses des fermettes préfabriquées, ça met des notes vivantes sur les pentes abandonnées aux résineux, aux genêts, aux broussailles et aux ronces, tout ça très sec, de l'amadou . . . Gaffe aux mégots *long size !*

(14) Ce week-end, annonce la télé, il va pleuvoir sur la Cévenne. J'en connais qui sont bien contents. Les pompiers. Ils vont pouvoir danser tranquilles au bal du troisième âge.

JEAN-PIERRE CHABROL

Activités

1 Les mots et les idées

Travail individuel
Choisissez **une** des phrases suivantes, et notez les idées ou les images qu'elle évoque pour vous, en pensant à la France, à votre région (autrefois ou aujourd'hui) ou en géneral:

- la vallée ne revit plus qu'au mois d'août (4B4)
- les femmes (. . .) s'ennuient dans notre « bled » (4B5)
- le paysan (est) « le jardinier du paysage » (4B8)
- les vaches, ça ne paye plus (4B12)
- plus ça se dépeuple, plus ça construit (4B13)

Travail à deux
Comparez vos réactions et celles de votre partenaire.

Tour de table
Présentez vos idées au groupe.

Mise en commun
Résumez et commentez les idées qui ont été exprimées le plus souvent.

2 Témoignage

Dans une région ou une ville que vous connaissez, il y a eu des changements (population, constructions, routes, création d'emplois, fermeture d'usines, etc) que vous avez vu se faire, ou dont on vous a parlé.

Travail individuel
Notez par écrit quelques détails sur les changements dans **un** de ces domaines: la situation avant; les raisons du changement; les avantages et les inconvénients de la situation actuelle.

Tour de table
Présentez votre témoignage aux membres du groupe.

Mise en commun
Participez à une discussion sur les points communs, et les différences, entre les témoignages des uns et des autres.

3 Appréciation

Travail individuel
Choisissez un extrait (trois à dix lignes) du texte de Chabrol qui vous a frappé particulièrement, soit par la qualité de l'évocation du pays des Cévennes, soit par la compréhension qu'il vous a donnée de la situation actuelle, soit par l'expression du point de vue de l'auteur. Vous pouvez, si vous voulez, noter quelques observations sur le passage que vous avez choisi.

Tour de table
Lisez à haute voix le passage que vous avez choisi, et dites ce qui vous a frappé dans ce passage en particulier, et les réflexions qu'il vous a inspirées.

4 Débat

Le phénomène décrit par Chabrol est-il, globalement, positif ou négatif ?

Travail individuel
Même si vous trouvez qu'il y a des choses à dire des deux côtés, prenez parti, et notez quelques arguments que vous pourrez défendre dans un débat contradictoire.

Travail en classe
A l'aide des notes que vous avez prises, participez à un débat contradictoire sur le thème des changements décrits par Chabrol.

4C

points de repère

● SUJET

Les conséquences possibles de la désertification du milieu rural en France.

● PERSPECTIVE

La journaliste ne cherche pas à rendre compte du livre d'Eric Fottorino: elle fait un article, pour des lecteurs citadins, à partir de certains éléments et certains exemples tirés du livre. Il s'agit de composer une page qui pourra se lire comme n'importe quel article du magazine *Le Point*: voir, à titre de comparaison, le texte 4A.

● STYLE

Chaque paragraphe, ou presque, annonce un nouvel aspect du sujet. Aucun paragraphe ne dépasse les 20 lignes; tout, ici, est plus facile à digérer que les textes 4A et 4B: c'est que l'objectif est différent.

● CONSEILS

En lisant cet article, essayez de comparer les images qu'on y donne de la campagne française et ce que vous savez de la vie rurale en Grande-Bretagne, en France ou ailleurs. Avez-vous l'impression que la journaliste exagère l'étendue et les dangers de la désertification?

JOURS D'AUJOURD'HUI

France : le désert des barbares ?

Pour l'auteur de « La France en friche », la campagne sans agriculteurs deviendra un repaire de délinquants, de terroristes, ou de pollueurs.

(1) Des bandits de grand chemin sur les petites routes de France. Des champs de cannabis dans le « Triangle d'or » de Limoges-Guéret-Clermont-Ferrand. Des terroristes tranquillement planqués dans des fermes isolées de la province profonde. « *Ces images terrifiantes n'appartiennent plus au domaine de la fiction,* assure Eric Fottorino, auteur de "La France en friche" (Editions Lieu commun), un livre en forme de mise en garde sur l'abandon de la campagne hexagonale. *L'Etat français, théoriquement souverain, risque de ne plus contrôler la moitié de son territoire d'ici à quelques décennies.* »

(2) Ainsi, la douceur de vivre en milieu rural ne serait plus qu'un cliché démodé. La campagne, devenue dangereuse, insécurisante, hostile, hériterait de tous les fléaux traditionnellement associés à l'univers urbain : terrorisme et délinquance, abandon de l'individu, drogue, incendies géants, pollution.

(3) Terrorisme et délinquance ? Les membres d'Action directe, arrêtés en février 1987, ne se cachaient pas dans l'anonymat d'une grande ville, mais dans une ferme du Loiret. Une stratégie de dissimulation inimaginable il y a encore peu. « *La vie de voisinage et de communauté n'existe plus,* estime François-Henri de Virieu, qui a longtemps couvert le secteur agricole au *Monde. Il y a trente ans, les malfaiteurs se seraient cachés en ville, car rien n'échappait au gendarme à pied de la zone rurale. Aujourd'hui, on peut se cacher sans problème à la campagne. Il n'y a plus de délation, car il n'y a plus de voisins.* »

(4) Cette nouvelle race de malfaiteurs trouve son bonheur dans les régions les plus désertées. Dans le Limousin, certains repèrent et marquent d'une croix les résidences secondaires dans lesquelles une horloge ancienne ou une armoire paysanne mérite le déménagement. Une fois l'opération réalisée, le butin séjourne dans des fermes isolées à l'abri des regards indiscrets, avant d'être écoulé.

(5) Abandon de l'individu ? Il a fallu attendre quatre longs mois pour retrouver le corps de la comédienne Pauline Lafont, découvert par un agriculteur lozérien après que plus de trois cents militaires eurent participé, en vain, aux recherches. L'agriculteur, lui, n'a pas manqué de mentionner qu'une telle disparition aurait été tout à fait impossible il y a quelques années, simplement parce qu'il cultivait alors ses champs, situés en contrebas des lieux du drame.

(6) Drogue ? S'il est un mal considéré comme essentiellement urbain, c'est bien celui-là. Et pourtant. Des cultivateurs du troisième type continueraient à soigner leurs champs de cannabis dans la Creuse, entre les murs en ruine d'une exploitation abandonnée, si leur curieuse plantation n'avait été repérée par un avion qui volait à basse altitude.

(7) Incendies géants ? Au scénario de « La tour infernale » risque de succéder celui de « La forêt maudite ». Durant l'été 1987, les flammes ont presque léché l'entrée de la ville de Grasse et même son hôpital. *« Ces incendies, qui anéantissent chaque année près de 35 000 hectares de forêts, tuent quelques dizaines de personnes et coûtent cher à la collectivité,* explique Eric Fottorino. *Une activité pastorale maintenue dans la forêt de haute Provence aurait sans doute évité l'embroussaillement qui annonce l'incendie. Et l'élevage de moutons, même subventionné, coûterait bien moins cher que les Canadair. »*

(8) Pollution ? Les élections municipales ont initié force débats et revendications sur la propreté urbaine. Mais qui songe aux décharges qui infestent les campagnes? Qui revendique le maintien du cadre de vie en dehors des villes ? Les rebuts dont la civilisation urbaine ne veut plus pourraient bien s'entreposer dans la friche hexagonale, au risque, pourquoi pas, de transformer la France, moins peuplée que ses voisins, en poubelle de l'Europe.

(9) La désertification du territoire a déjà commencé. Au nom de la rentabilité, le nombre d'exploitations agricoles a diminué de plus de 50 %. La France compte aujourd'hui 4 millions de paysans, dont à peine 1 million de vrais actifs, contre 10 millions dans les années 50. Plus spectaculaire encore : l'agriculture nationale a perdu 250 emplois par jour depuis 1945. L'exode rural n'est plus un simple concept enseigné dans les manuels de géographie, mais un phénomène douloureusement concret dans nombre de villages et bourgades. Désertés par les commerçants, ils hébergent une population ravitaillée par des commerçants itinérants qui jouent même, parfois, le rôle de banquiers. Le Crédit agricole, banque verte, n'a-t-il pas lui aussi rallié les cités ?

(10) *« J'ai rencontré des négociateurs de l'Opep qui, après leur sommet, prenaient le train de Genève à Paris pour admirer le paysage,* dit Eric Fottorino. *Mais bientôt il n'y aura plus grand-chose à admirer. Car il n'existe aucun paysage naturel en France. La campagne a été dessinée et ne survit que par la main de l'homme. »*

(11) Si la friche remplace les champs, les haies et les chemins, le monde rural ne sera sûrement pas le seul perdant. Les citadins goûteraient-ils encore les charmes d'une nature redevenue naturelle, donc nécessairement hostile, pour passer agréablement leurs week-ends ?

SOPHIE COIGNARD

Auvergne : paysage à Aubrac (Lozère)
« L'agriculture nationale a perdu 250 emplois par jour depuis 1945 »

Activités

1 *Les mots et les idées*

Vous aurez remarqué que, dans cet article, les conséquences possibles de la désertification du milieu rural en France sont regroupées sous plusieurs rubriques: terrorisme et délinquance; abandon de l'individu; drogue; incendies; pollution.

Travail individuel
Parmi ces cinq rubriques, choisissez celle où les conséquences de la désertification vous semblent les plus probables et/ou les plus graves. Rédigez sous forme de notes quelques idées et quelques exemples pour justifier et illustrer votre choix.

Tour de table
Présentez vos idées au groupe.

Mise en commun
Résumez et commentez les idées qui ont été exprimées le plus souvent.

2 *Point de vue*

Avez-vous l'impression que la gravité du phénomène décrit dans cette article a été exagérée par la journaliste? Ou avez-vous remarqué des phénomènes similaires en Grande-Bretagne?

Travail individuel
Notez quelques observations sur ces deux questions.

Travail à deux
Avec un partenaire, comparez vos impressions et essayez de vous mettre d'accord sur une réponse commune à chacune des deux questions.

Mise en commun
Participez à une discussion générale sur la question, y compris sur les mesures à prendre.

3 *Réactions*

Tour de table
Choisissez un passage de l'article qui vous a particulièrement frappé, lisez-le à haute voix, et dites au groupe, aussi spontanément que possible, pourquoi vous avez choisi ce passage. Si vous n'êtes pas le premier à choisir le passage en question, essayez d'incorporer dans votre intervention ce qui en a déjà été dit, soit pour exprimer votre accord, soit pour exprimer un point de vue différent.

Points LANGUE

● 4.1 *Prononciation: enchaînement*

Lue à haute voix, la phrase ci-dessous se compose de quatre **groupes rythmiques**: on marque trois pauses, aux endroits indiqués par //:

4C5 *une telle disparition // aurait été // tout à fait impossible // il y a quelques années*

Dans chacun de ces groupes rythmiques, les syllabes sont **enchaînées**: elles se prononcent sans interruption.

A l'oral, il n'y a aucune différence entre
l'émettre et *les mettre*
(pronom objet + infinitif)
l'étoile et *les toiles*
(article défini + nom)

Le locuteur francophone est obligé parfois de donner des indications supplémentaires:
"l'étoile, au singulier"
"l'étoile, dans le ciel"

Enchaînement de deux voyelles

A l'intérieur d'un groupe rythmique, deux voyelles (ou plus) sont **enchaînées**: on **prononce chaque voyelle**, mais **en glissant** d'une voyelle à l'autre:

*r**éa**liser*	*le **pays***	*r**éu**ni*
*un lyc**ée**n*	*l'**aé**roport*	*le ch**ao**s*
*le m**aï**s*	*une **oa**sis*	

4B1 ***là où** la vallée s'évase*
4B2 *il **y a eu** la saignée de 1914–1918*

On peut diviser le phénomène de **l'enchaînement** en trois catégories:

- **élision** d'une voyelle (à l'oral et à l'écrit): 4.1.1
- **liaison** (entre consonne finale muette et voyelle initiale): liaisons invariables et liaisons variables: 4.1.2, 4.1.3, 4.1.4
- liaisons **interdites**; *h* aspiré: 4.1.5, 4.1.6

4.1.1 Elision

Il y a **élision, à l'oral**, quand une voyelle finale n'est pas prononcée devant une voyelle initiale, et **à l'écrit**, quand une voyelle finale est remplacée par une apostrophe.

Elision du *e* final (à l'écrit)	**Exemples**
j', c' (pronoms sujets)	***j'****ai vu;* ***c'****est vrai*
m', t', s', l' (pronoms objets)	*on* ***s'****aime; je* ***l'****ai vu*
l' (article)	***l'****amour*
d' ; n' ; qu' ; jusqu'	*elle* ***n'****aime* ***qu'****une seule espèce d'animal*
Mais on écrit *-je* après un verbe	*puis-****je*** *y aller?*
lorsqu', puisqu', quoiqu' + pronom	***puisqu'****on le dit*
Mais on écrit *lorsque, puisque, quoique* + nom propre	***quoique*** *André me l'ait dit*
quelqu' + *un*	***quelqu'****un*
presqu' + *île*	*une* ***presqu'****île*
entr' + certains verbes	***entr'****ouvrir*
Mais dans les autres cas on écrit *quelque, presque, entre* + voyelle	***quelque*** *autre animal,* ***presque*** *aussitôt,* ***entre*** *agriculteurs*

- **Le *e* final (à l'oral)** est élidé devant une voyelle initiale, même s'il n'y a pas d'élision à l'écrit:
  puis-je y aller? *presque épuisé* *entre amis*
  Mais le *e* final n'est pas élidé dans:
  *fais-**le** après*
- **Le *a* final** est élidé dans le mot ***la*** (article ou pronom):
  l'*attitude* ***l'****unité* *je* ***l'ai*** *vue*
- *Ma, ta, sa* + voyelle sont remplacés par *mon, ton, son*:
  mon idée *ton intention* *son intelligence*
- **Le *i* final** est élidé dans la conjonction *si*, devant *il, ils*, mais non devant *elle, elles*:
  s'il *veut/****s'ils*** *veulent* ***si elle*** *veut/****si elles*** *veulent*

4.1.2 Liaison

Il y a **liaison** quand, à l'intérieur d'un groupe rythmique, on **prononce** une consonne finale muette (voir 1.1.7) devant une voyelle initiale.

En liaison avec une voyelle initiale, certaines consonnes finales ont une prononciation différente:

Forme écrite	**Prononciation en finale**	**Prononciation en liaison**	**Exemples (en liaison)**
-s	muet ou [s]	[z]	les années
-x	muet ou [ks]	[z]	deux ans
-z	muet ou [z]	[z]	allez-y!
-d	muet	[t]	un grand immeuble quand il pleut
-t	muet ou [t]	[t]	Où vont-ils? un petit enfant
-n	voyelle nasale	voyelle **dénasalisée** + [n] **Mais** voyelle **nasale** + [n]	bien avant un ami/un bon ami **mon/ton/son** enfant/ami, etc
-f	muet ou [f]	[f] **Mais** [v]	neuf erreurs neuf exemples, etc neuf **ans** neuf **heures**

-t-

Quand il y a inversion du verbe et du pronom sujet singulier *il, elle, on*, on prononce et on écrit *-t-* entre le verbe et le pronom, si le verbe se termine par une voyelle:

Où a-t-elle trouvé cela? (N3)
Où va-t-on trouver l'argent? (N3)
Pourquoi regrette-t-il son action? (N3)

4.1.3 Liaisons invariables

Voici les cas où, à l'intérieur d'un groupe rythmique, on fait **toujours** la liaison en français:

Avant un nom:

4A1 *leur**s** instituteurs*
4A5 *en quelque**s** années*
4A1 *les futur**s** historiens*
4A3 *so**n** église*
4A7 *u**n** aspect humain*
4B1 *les même**s** heures*

Après *plus, moins, très, bien, tout, rien, quand*:

4A6 *l'institution la plu**s** importante*
*trè**s** intelligent*
*bie**n** évident* *rie**n** à faire*
4B1 *tou**t** autour*
*tou**t** à coup* *tou**t** à fait*
4B4 *quan**d** ils reviennent*
*quan**d** un avion atterrit*

Après *dans, en, sans, sous, chez*:

4A1 *dan**s** un gigantesque glissement*
*dan**s** une heure*
4A6 *e**n** effet*
4B1 *e**n** amont*
*e**n** une heure*
*san**s** histoires* *san**s** hésiter*
*che**z** eux*

Pronom personnel avant ou après un verbe:

*nou**s** avons; il**s** aiment;*
*je le**s** ai vus; on nou**s** aime*
*où pren**d**-il l'argent?;*
*quand fini**t**-on?*
*allon**s**-y!; ils en ont; nou**s** y voilà;*
*alle**z**-vous-en!*

Avoir, être + infinitif ou participe passé:

4A6 *qui l'on**t** obligée à modifier son attitude*
4B6 *les vieux mas son**t** ancrés sur le roc*

Dans un nom de lieu ou dans certaines locutions figées:

4A2 *l'ambassade des Etat**s**-Unis*
*les Champ**s**-Elysées*
*de temp**s** en temps*
*commen**t** allez-vous?*

> ## exercice oral 4/1
> **LIAISONS INVARIABLES**
>
> Lisez à haute voix ces extraits adaptés du texte 4C, en faisant toutes les liaisons obligatoires:
>
> **1** Ils se cachaient dans une ferme du Loiret. (4C3)
> **2** Une telle disparition aurait été tout à fait impossible il y a quelques années. (4C5)
> **3** Leur plantation avait été repérée par un avion qui volait à basse altitude . (4C6)
> **4** Les élections municipales ont initié des débats sur la propreté urbaine. (4C8)
> **5** La France compte 4 millions de paysans, dont à peine 1 million de vrais actifs, contre 10 millions dans les années 50. (4C9)

Dans tous les cas ci-dessus, la liaison est **invariable**, c'est-à-dire qu'elle est faite **automatiquement**, dans toutes les situations de communication. Mais il y a d'autres cas où la liaison est **variable**: on la fait surtout au niveau N3.

4.1.4 Liaisons variables

Voici les principaux cas où, à l'intérieur d'un groupe rythmique, on fait ou ne fait pas la liaison, selon:

- la **situation** de communication
- le **rythme** de l'énoncé: plus il y a hésitation, moins on fait la liaison.

Après un **nom au pluriel**:

4C1 *dans des fermes isolées*
4C9 *le nombre d'exploitations agricoles*

Après un **verbe**:

4B1 *il y avait une communauté de travaux*
4B3 *il était encore sous sa terre*
4A6 *L'importance (. . .) est en effet considérable*
4C3 *rien n'échappait au gendarme*

Après ***pas*** (négatif):

ce n'est pas important
ce n'est pas une bonne idée
il n'est pas arrivé
il n'est pas encore arrivé

Après **un adverbe** de plus d'une syllabe:

4A5 *Comment une société aussi fortement structurée (. . .)?*

Après ***mais***:

4B6 *mais il faut savoir faire des sacrifices*
4C9 *mais un phénomène douloureusement concret*

4.1.5 Liaisons interdites

Dans certains cas la liaison est **interdite**; les francophones, automatiquement, **ne font pas** la liaison:

Après **un nom** (ou adjectif) **au singulier** + adjectif, adverbe, préposition, connecteur ou verbe:

4C2 *associés à l'univers / urbain*
4A4 *l'endroit / où on habite*
4B7 (un paysan) *conscient / et organisé*
4A4 *Ainsi le mouvement / a-t-il pour conséquence (. . .)*
4B3 *Chaque mas / envoyait un homme au charbon*

Après ***et***:

4A1 *triste et / un peu honteux*
4B1 *un canal et / un ingénieux système de rigoles*

Devant un **titre**:

4A2 *après /* Un village de Vaucluse

Devant un ***h*** **aspiré** (voir 4.1.6)

4.1.6 La lettre *h*

Le *h* en français standard est **toujours muet**, mais certains Français le prononcent dans des interjections comme ***Ho, là là!, Hop (là)!, Hue!***

Quand il y a un *h* entre deux voyelles (*un cahier, le Sahara, Tahiti*), on **enchaîne** les deux voyelles: **[kaje]**, **[saara]**, **[taiti]**.

Les mots français commençant par *h* sont d'origines diverses:

- mots latins commençant par un *h*
  habiter *l'habitude* *l'harmonie*
- mots commençant par *hui*:
  huit *l'huile* *l'huître*
- mots germaniques:
  haïr *la haie* *le havre*

***H* muet**

Dans le cas des mots latins (ou commençant par *hui-*), il y a **élision** entre l'article défini (*le* ou *la*) et le *h* initial, et **liaison**, à l'oral, entre une consonne finale muette et *h* initial:

l'homme *l'horloge*
l'huile (élision)

les hommes *les horloges*
les huîtres (liaison)

On appelle ces *h* des "*h* muets".

***H* aspiré**

Dans le cas des mots d'origine **germanique**, il n'y a ni élision entre *le*, *la* et le *h* initial, ni liaison après *les*, *des*, *en*. On appelle ces *h* des "*h* aspirés", mais en réalité, ils sont aussi muets que les "*h* muets"!

A l'oral, on ne fait pas la liaison entre une consonne finale muette et un *h* aspiré, mais on **enchaîne** les deux voyelles:

des héros : **[deeʀo]**
en haut : **[ɑ̃o]**
les hauteurs : **[leotœʀ]**

L'absence de liaison permet de distinguer, à l'oral, entre:

des héros et *des zéros*
en haut et *en eau*
les hauteurs et *les auteurs*

Avant ***huit***, ***onze*** il n'y a ni élision ni liaison:

le huit
au soir du onze (sans élision)
les / huit enfants
les / onze personnes (sans liaison)

Note Dans le cas des **mots étrangers**, commençant par **[j]** ou **[w]**, il n'y a ni élision ni liaison:

le yaourt
le whisky (sans élision)
des / yaourts
des / whiskys (sans liaison)

4.2 *Adjectifs 1: formes et sens*

Voir aussi ***Livret audio.***

4.2.1 Accord de l'adjectif

L'adjectif s'accorde en **genre** (masculin ou féminin) et en **nombre** (singulier ou pluriel) avec le nom ou le pronom qu'il qualifie. L'accord se fait si l'adjectif se trouve:

Avant ou après le nom:

4C1 *sur les* ***petites routes*** *de France*
4C1 *Ces* ***images terrifiantes***

Après *être* ou un verbe comme *rester*, *devenir*:

4B6 (les vieux mas) *c'est pour ça qu'****ils*** *sont si* ***solides***
4C2 *La* ***campagne****, devenue* ***dangereuse****,* ***insécurisante***

Séparé du nom par la ponctuation:

3A5 *Avec de petits* ***jardins****, tous alignés dans un ordre parfait.* ***Symétriques. Identiques***
3C12 *une* ***contribution*** *doit être créée, raisonnable,* ***modulée****,* ***équilibrée****,* ***prélevée*** *sur (. . .)*

Si un adjectif qualifie **deux** noms, il s'accorde au **pluriel**:

__une__ joie et __une__ surprise indescriptibles
4B1 *l'entretien* ***du*** *barrage et* ***du*** *canal commun****s***

Un nom au pluriel est suivi d'adjectifs au singulier, s'ils représentent chacun une catégorie séparée:

*les gouvernement****s*** *américai****n*** *et russ****e***
5B3 *au cours des dix-neuvièm****e*** *et vingtièm****e*** *siècle****s***

Non-accord

Employé comme **adverbe**, l'adjectif est invariable: voir 4.3.4. Certains **noms**, employés comme adjectifs, sont invariables: voir 4.4.5.

"Masculin" et "féminin"

Ce qu'on appelle la forme "masculine" de l'adjectif est la forme **non marquée**: celle qui est employée dans **tous** les cas où l'adjectif ne qualifie pas un nom (ou pronom) exclusivement féminin: nom masculin; nom mixte; emploi comme adverbe; dans un dictionnaire ou autre liste. La forme "féminine" est la forme **marquée**, c'est-à-dire celle qu'on emploie **uniquement** pour marquer l'accord avec un nom (ou groupe nominal) exclusivement féminin.

4.2.2 – 4.2.4 Formes orales et écrites de certains adjectifs

4.2.2 Adjectifs se terminant par une consonne muette

froid	*froi**de***	*froids*	*froides*
important	*importan**te***	*importants*	*importantes*
blanc	*blan**che***	*blancs*	*blanches*
épais	*épai**sse***	*épais*	*épaisses*
muet	*mue**tte***	*muets*	*muettes*
doux	*dou**ce***	*doux*	*douces*
dangereux	*dangereu**se***	*dangereux*	*dangereuses*

A l'oral, c'est la **consonne finale** qui marque le féminin.
A l'écrit, la marque du féminin est *-e* ; dans certains cas la consonne finale est modifiée ou doublée.

> ***exercice oral*** **4/2**
>
> **PRONONCIATION: *-T* (MUET), *-TE* (PRONONCÉ)**
>
> Voici quelques groupes de mots tirés des textes 4A, 4B et 4C. Lisez-les à voix haute, en ayant soin chaque fois de marquer la différence entre *-t* et *-te*.
>
> **1** cette continuité apparente (4A3)
> **2** s'avançant à pas lents (4A7)
> **3** une petite plaine miraculeuse (4B1)
> **4** ça met des notes vivantes sur les pentes (4B13)
> **5** ces images terrifiantes (4C1)
> **6** les membres d'Action directe (4C3)
> **7** à l'abri des regards indiscrets (4C4)
> **8** des incendies géants (4C7)
> **9** des commerçants itinérants (4C9)
> **10** le Crédit agricole, banque verte (4C9)

4.2.3 Adjectifs se terminant en *-al* et *-ial*

rural	*rura**le***	*rur**aux***	*rurales*
social	*socia**le***	*soci**aux***	*sociales*

A l'oral, la seule variation est le **masculin pluriel**, prononcé **[o]**.
A l'écrit, la marque du féminin est *-e*, et la marque du masculin pluriel est *-aux*.

Adjectifs se terminant en *-el*, *-iel* et *-eil*

personnel	*personne**lle***	*personnels*	*personnelles*
industriel	*industrie**lle***	*industriels*	*industrielles*
pareil	*parei**lle***	*pareils*	*pareilles*

A l'oral, ces adjectifs sont **invariables** (sauf *-s* avant un nom commençant par une voyelle).
A l'écrit, le féminin se termine par *-lle*.

exercice oral 4/3

ADJECTIFS EN *-AL*, *-ALE* ET EN *-EL*, -ELLE

(a) Première étape
Un membre du groupe lance le nom d'une personne, d'une ville, d'une activité, d'une situation, etc; chacun à son tour, les autres membres doivent faire immédiatement un commentaire sur la personne (etc) en question, en employant un adjectif en ***-al***, ***-ale*** ou en ***-el***, ***-elle***.

Exemple:
- La tour Eiffel . . .

Réponses possibles:
- C'est **génial**!
- Je la trouve **sensationnelle**!
- C'est un monument **national**.
- Pourquoi elle n'est pas **hexagonale**?
- Moi je préfère l'architecture **traditionnelle**.

PLURIELS: *-AUX/-ALES* OU *-ELS/-ELLES*

(b) Deuxième étape
Cette fois-ci les réponses doivent être formulées **au pluriel**: *C'est* + adjectif au singulier ne sera plus admis. Les étudiants qui trouvent un adjectif en *-el*/*-elle* n'auront aucun mal à le formuler au pluriel, mais s'ils choisissent un adjectif en *-al*, ils devront faire l'accord (*-aux* ou *-ales*)!

Exemple:
- Les Champs-Elysées . . .

Réponses possibles:
- Trop **commerciaux**!
- Y a quelques boutiques très **originales**.
- Ce n'est pas une de mes promenades **habituelles**.
- Les prix dans les cafés sont **criminels**.

Variante: Même jeu, mais avec des adjectifs en *-al*, *-aux* seulement (singulier ou pluriel).

4.2.4 Adjectifs se terminant en *-ain*, *-in*, *-an* et *-ien*:

Adjectifs se terminant en *-ain* et *-in*:

urbain, *urb**aine***, *urbains*, *urbaines*
fin, ***fine***, *fins*, *fines*

A l'oral, la voyelle nasale est **dénasalisée** au féminin, et on ajoute **[n]**.
A l'écrit, le féminin se termine par *-ne*.

Adjectifs se terminant en *-an* et *-ien*:

paysan, *pays**anne***, *paysans*, *paysannes*
ancien, *anc**ienne***, *anciens*, *anciennes*

A l'oral, la voyelle nasale est **dénasalisée** au féminin et on ajoute **[n]**.
A l'écrit, le féminin se termine par *-nne*.

exercice oral 4/4

PRONONCIATION: *-AN/-ANNE*, *-EN/-ENNE*, *-IN/-INE*, *-ON/-ONNE*, *-UN/-UNE* (VOYELLE NASALE/VOYELLE DÉNASALISÉE + CONSONNE)

Voici quelques groupes de mots tirés des textes 4A, 4B et 4C. Lisez-les à voix haute, en ayant soin chaque fois de marquer la différence entre la prononciation **nasale** (au masculin) et la prononciation **dénasalisée** (au féminin).

1	les communes voisines	(4A5)
2	un aspect humain et quotidien	(4A7)
3	l'entretien du barrage et du canal communs	(4B1)
4	du bon fromage de chèvre	(4B3)
5	sa bonne parcelle de la petite plaine	(4B5)
6	le chirurgien parisien	(4B5)
7	les nappes d'eau souterraines	(4B6)
8	l'univers urbain	(4C2)
9	une horloge ancienne	(4C4)
10	la civilisation urbaine	(4C8)

4.2.5 Formation de l'adjectif

Certains adjectifs, surtout les mots courts (*blanc*, *bas*, *fou*, etc) ont une forme semblable à certains noms (*franc*, *tas*, *genou*, etc).

Mais la plupart des adjectifs sont formés en ajoutant un **suffixe** à un nom, ou ils ont un suffixe différent du nom correspondant. Voici les suffixes adjectivaux les plus productifs:

	Nom	**Adjectif**
-ique	*l'histoire*	*historique*
-able	*la valeur*	*valable*
-al, ***-ial***	*la famille*	*familial*
-el, ***-iel***	*la profession*	*professionnel*
-aire	*l'université*	*universitaire*
-eux	*la religion*	*religieux*
-er, ***-ier***	*le lait*	*laitier*
-é	*le stéréotype*	*stéréotypé*
-iste	*le modernisme*	*moderniste*
-eur	*la conservation*	*conservateur*
-if	*l'éducation*	*éducatif*
-ole	*l'agriculture*	*agricole*
-en, ***-ien***	*la terre*	*terrien*
-ard	*la montagne*	*montagnard*
-ois	*le village*	*villageois*

-ant ou ***-ent***?
Certains adjectifs, formés à partir du participe présent, ont le suffixe ***-ent***:
apparent *conscient* *permanent*
D'autres adjectifs, de formation plus récente, ont le suffixe ***-ant***:
frappant *passionnant* *terrifiant*
(voir 3.5: **Le participe présent**)

Voici quelques autres **suffixes adjectivaux**:

-ible	*sensible*
-ite	*cosmopolite*
-esque	*gigantesque*
-ain	*souterrain*

exercice 4/5

FORMATION D'ADJECTIFS À PARTIR DE NOMS

Complétez ces extraits adaptés du texte 4A, en ajoutant un adjectif formé à partir du nom indiqué entre parenthèses:

1 La France (tradition), rurale, (agriculture) a basculé vers une société urbaine, (industrie) et (bureaucratie). (4A1)
2 Une étude (histoire) et démographique (4A3)
3 L'activité (profession) (4A4)
4 L'importance des relations (famille) (4A5)
5 La pression (culture) des parents (4A5)
6 La connaissance (personne) et (sujet) compte pour lui. C'est ce qui donne à son livre un aspect (homme) et quotidien et en rend la lecture aisée et (passion). (4A7)

exercice 4/6

NOMS ET ADJECTIFS

(a) Trouvez les noms qui, dans le texte 4A, correspondent aux adjectifs suivants:

1	campagnard	6	équilibré
2	bourgeois	7	scolaire
3	provincial	8	critique
4	symbolique	9	économe
5	fidèle	10	curieux

(b) Trouvez les adjectifs qui, dans le texte 4A, correspondent aux noms suivants:

1	la vie	6	l'isolement
2	la tristesse	7	la contradiction
3	l'immobilité	8	la lucidité
4	l'éternité	9	le sens, la sensibilité
5	le progrès	10	le siècle

4.2.6 Sens et emploi de certains adjectifs: étude de cas

Agréable*, *aimable*, *amical*, *bon*, *gentil*, *sympa(thique)

- ***Agréable*** (sens proche de l'anglais "pleasant") s'emploie plus souvent avec une idée ou une chose, qu'avec une personne:
  on a passé une soirée agréable
  son visage? agréable mais pas frappant
  c'est un jeune homme agréable
- ***Aimable*** ("kind", "nice"; idée d'**intention**) s'emploie avec une personne ou une idée:
  il a toujours été très aimable avec moi
  je lui ai adressé quelques paroles aimables
- ***Amical*** ("friendly") s'emploie plus souvent avec une idée qu'avec une personne:
  impossible d'avoir une discussion amicale avec lui
  elle m'a salué d'un geste amical
  pour une fois, il a décidé de se montrer amical
- ***Bon*** (mot à plusieurs sens; ici, proche de l'anglais "kind", "good-natured") s'emploie (avant le nom) avec une idée, et (après le nom) avec une personne:
  c'était une bonne action de sa part
  c'était une femme bonne et dévouée
- ***Gentil*** ("good", "kind", "nice": sens assez superficiel) s'emploie avec une personne, une chose ou une idée:
  il a été très gentil avec tout le monde
  elle m'a écrit une lettre très gentille
  c'est gentil de m'avoir apporté des fleurs
- ***Sympathique*** (N3); ***sympa*** (N2) (sens fort: proche de l'anglais "likeable"; sens faible: *gentil*) s'emploie avec une personne, une chose ou une idée:
  moi je la trouve très sympathique
  il a un petit sourire que je trouve sympathique
  tu m'emmèneras en ville? ah, c'est sympa!

exercice 4/7

ADJECTIFS: SENS ET SYNONYMES

En consultant un dictionnaire monolingue, étudiez les similarités et les différences du sens et de l'emploi des adjectifs suivants. Soyez attentif

(a) à leur emploi avec une personne, une chose ou une idée,
(b) à leur emploi avec d'autres mots, ou dans des expressions figées:

1	actuel	réel
	véritable	vrai
2	bizarre	curieux
	étrange	étranger
3	calme	muet
	silencieux	tranquille
4	comparable	égal
	pareil	semblable
5	éduqué	élevé
	formé	instruit
6	élevé	haut
	important	
7	prochain	suivant
8	romain	roman
	romanesque	romantique

● 4.3 *Adjectifs 2: position, fonction*

Ordre des mots

La position de l'adjectif en français (avant ou après le nom) dépend de certains facteurs:

- la **fonction** de l'adjectif (4.3.1)
- le **sens** de certains adjectifs (4.3.2)
- la **construction** de la phrase (4.3.3)

4.3.1 Fonction de l'adjectif

1 **Après** le nom
Placé **après** le nom, l'adjectif a une fonction **informative**, c'est-à-dire qu'il apporte une information nouvelle sur le nom qu'il qualifie:
4A1 *perdant peu à peu leurs forces vives*
Il y a un **contraste** implicite entre ceux qui s'en vont (les **forces vives**),

et ceux qui restent (les **inactifs**, les **retraités**).

A l'oral, on ne fait pas la liaison entre consonne finale muette et voyelle initiale:

un talent / admirable
des dents / éclatantes

Certains adjectifs s'emploient **après** le nom:

- les **couleurs**:
  une robe bleue
  des chaussures noires
- la **nationalité**, l'origine **géographique**, etc (voir 4.5.7)
- un **participe** présent ou passé, employé comme adjectif:

2A9 *les bras* ***puissants*** *et* ***musclés***
(voir 3.4.3 et 3.5.4)

2 Avant le nom
Placé **avant** le nom, l'adjectif a une fonction **intensive**: il **renforce** l'image créée par le nom. Il est **attaché** au nom; à l'oral, on fait **toujours** la liaison (voir 4.1.3):

un ***grand*** **[t]** *homme*
de ***grandes*** **[z]** *espérances*

On peut mettre l'adjectif **avant** le nom quand le sens de l'adjectif est évident:

4A1 *pour les* ***futurs historiens****, les années 1960–1970 apparaîtront (. . .)*

On ne cherche pas à distinguer entre historiens **futurs**, historiens **du XVIII**^e^ **siècle**, etc.

On peut mettre l'adjectif **avant** le nom pour **exagérer** son importance; on exprime une **attitude**, on ne fait pas une description objective:

2B2 *à l'entrée de* ***l'immense*** *baraque*
4A1 *dans un* ***gigantesque*** *glissement de la ferme au bourg*
4B11 *elle va trancher d'une* ***vilaine*** *cicatrice la noble face du village*

Un adjectif employé comme déterminant se place **avant** le nom:

certaines choses
diverses raisons
(voir 10.3.2)
plusieurs erreurs
quelques cas
(voir 10.3.4)

4.3.2 Sens de certains adjectifs

Certains adjectifs ont un sens différent, selon qu'ils se placent **avant** ou **après** le nom:

ancien certain cher même
nouveau pauvre propre seul

4B11 ***l'ancienne*** *filature*
4C4 *une horloge* ***ancienne***
c'est vrai, dans une ***certaine*** *mesure*
2A10 *cet arrêt me sauva d'une asphyxie* ***certaine***
une ***nouvelle*** *méthode*
(une méthode **de plus**)
de ***nouvelles*** *idées*
(**d'autres** idées)
une méthode ***nouvelle***
(une méthode **originale**)
des idées ***nouvelles***
(des idées **neuves**)
elle est contente, maintenant qu'elle a sa ***propre*** *voiture*
2A2 *chaque danseur a son style* ***propre***

Certains adjectifs qui s'emploient habituellement avec un sens **intensif avant** le nom peuvent s'employer aussi, avec un sens **informatif**, **après** le nom:

beau bon grand
jeune joli petit

4.3.3 Construction de la phrase

On place l'adjectif **avant** le nom quand il y a une autre locution adjectivale immédiatement après:

4A1 *par de* ***brefs*** *spasmes* ***de révolte***
4B1 *un* ***ingénieux*** *système* ***de rigoles***
4B11 ***l'antique*** *pont* ***en dos d'âne***

Dans ces exemples, les adjectifs *brefs*, *ingénieux*, *antique* ont une valeur **intensive** plutôt qu'informative: ce sont les locutions *de révolte*, *de rigoles*, *en dos d'âne* qui apportent des renseignements **objectifs**.

L'adjectif peut occuper dans la phrase une position **isolée** (marquée, à l'écrit, par deux virgules):

2A9 *la réponse vint,* ***instantanée, brutale***
4A1 *ce mouvement,* ***triste*** *et un peu* ***honteux****, s'est fait*

Deux adjectifs

Quand on emploie deux adjectifs (ou plus) pour qualifier un seul nom, on les met l'un après l'autre s'ils ont **la même fonction**: **deux** adjectifs informatifs, ou **deux** adjectifs intensifs, etc. On les sépare, soit par une virgule, soit par *et*, *ou*, *mais*, etc:

4A1 *la France traditionnelle,* ***rurale, agricole****, vivant à l'heure de son village*

exercice 4/8

AVANT OU APRÈS LE NOM, SELON LE SENS

Voici quelques groupes de mots tirés des textes 4B et 4C. Dans chaque cas, l'adjectif (indiqué entre parenthèses) a été enlevé. Décidez, selon le sens de la phrase, si la place de l'adjectif est **avant** ou **après** le nom.

Exemple: (même)
Cette France d'hier, promise à la **destruction** que les sociétés primitives. (4A2)
Réponse: la **même** destruction

1 (modeste) une **digue** en amont (4B1)
2 (mêmes) les « heures d'eau » sont réparties entre les propriétaires, presque les **heures** et les **familles** depuis toujours (4B1)
3 (nouveaux) il y a eu la saignée de 1914–1918, la naissance de **besoins** qui exigeaient de plus en plus d'argent (4B2)
4 (vieux) les **mas** sont ancrés sur le roc, c'est pour ça qu'ils sont si solides (4B6)
5 (nouvelle) cette **race** de malfaiteurs trouve son bonheur dans les régions les plus désertées (4C4)
6 (simple) l'exode rural n'est plus un **concept** enseigné dans les manuels (4C9)

4B7 *un paysan, un vrai, (. . .)* ***conscient et organisé****, superbe*
4B13 *les crépis* ***blancs ou roses*** *des fermettes*

Quand on emploie deux adjectifs informatifs (ou plus) de deux catégories **différentes**, on met l'adjectif de **classement** avant l'adjectif de **description**:
4B9 *ces militants* ***occitans purs et durs***

4.3.4 Emploi comme adverbe

Plusieurs adjectifs peuvent fonctionner comme des adverbes, souvent dans des locutions figées (*parler bas, parler haut, crier fort*, etc). L'adjectif, rattaché au **verbe** (et non pas au nom), est **invariable**:
2A1 *on* ***travaillait dur****, mes cousins et moi*
4B11 *les touristes* ***coûtent cher*** *au contribuable*
1B3 *je veux* ***faire net***

exercice 4/9

PLACE DE L'ADJECTIF: AVANT, APRÈS OU ISOLÉ?

Selon le sens et la construction de la phrase, mettez l'adjectif à la place qui vous semble convenir le mieux:

(a) **avant** le nom;
(b) **après** le nom;
(c) **isolé** entre deux virgules.

Exemples:
(pour l'adjectif **pragmatique(s)**)
Sans **les Américains**, les négociations auraient échoué. **Réponse:** (a)
Tous **les Américains** désapprouveront le dogmatisme de certains de leurs représentants. **Réponse:** (b)
Les Américains ont accepté le compromis proposé par leurs alliés. **Réponse:** (c)

Bas(se)
1 Le gouvernement a interdit aux avions militaires de voler à **altitude**.
2 Sa **voix** puissante a fait trembler les murs.
3 A **marée**, la plage est immense.

Important(e)
4 Les malfaiteurs ont été arrêtés après **une opération** policière.
5 On lui avait volé tout son argent. **La somme** n'a jamais été retrouvée.
6 On a annoncé que le ministre ferait **une déclaration** vers midi.

Tranquille
7 Tout ce qu'elle cherchait, c'était **une vie** à la campagne.
8 Le Président a parlé avec **cette assurance** qu'il a toujours dans les grandes occasions.
9 Tout le monde s'agitait autour de lui, mais **le fermier** a continué de fumer sa pipe.

Triste(s)
10 C'est vers la fin des vacances qu'elle a appris **la nouvelle** de la mort de son oncle.
11 Je trouve les films drôles infiniment préférables aux **films**.
12 **La rue** laide et poussiéreuse ressemblait à une photo des années 1920.

Quand l'adjectif se rattache à la fois au verbe **et** à un nom (ou pronom), il peut s'accorder:
1A8 (pour une jeune fille) *le désir de* ***vivre indépendante*** *n'est pas malsain du tout*
4B14 *ils vont pouvoir* ***danser tranquilles*** *au bal*

Certains verbes exprimant une impression, une opinion, etc, par exemple *(se) croire, (se) dire, (s')estimer, (se) juger, (se) trouver*, etc, peuvent être suivis d'un adjectif, qui s'accorde avec le nom (ou le pronom):
1A3 *les parents* ***se montrent*** *coopératifs*
1A8 *pour ne pas* ***vous sentir*** *perdue*

Note *Vite* ne s'emploie jamais comme adjectif (voir 5.3.2).

4.3.5 Emploi comme nom:

entrée interdite ***au public;***
un écrivain et ***son public***

Quand un adjectif est employé comme nom, c'est **l'ordre des mots** (voir 4.3.1) qui permet de décider quel mot est le nom, et lequel l'adjectif:
4A1 (les) *ruraux français*
(et non: les Français ruraux)
4B8 (des) *exilés citadins*
(et non: des citadins exilés)

● 4.4 *Noms 1: formes, sens, emploi*

4.4.1 Masculin ou féminin?

En français, tous les noms ont un genre: masculin ou féminin; la marque du genre est, dans la plupart des cas, un signe purement formel: un *fauteuil* n'est pas plus "masculin" qu'une *chaise* n'est "féminine".

Forme et genre

Pour apprendre "le genre" d'un nom en français, il faut l'apprendre systématiquement avec l'article *le, la* ou, pour les mots commençant par une voyelle, *un, une*.

Voici, cependant, certaines "familles":

Masculin

- les noms en *-age* (sauf: monosyllabes et *image*)
- les noms **concrets** en *-eur* (*voyageur, footballeur*, etc)
- les noms en *-ing*

Féminin

- les noms en *-sion* et *-tion*
- les noms **abstraits** en *-eur* (*chaleur*, *profondeur*, etc)
- les noms en *-elle* et en *-ette*

exercice 4/10

MASCULIN OU FÉMININ?

Voici une liste de noms. Dans chaque cas:

(a) décidez si le nom est masculin ou féminin;
(b) vérifiez vos choix en consultant un dictionnaire;
(c) prononcez-les à haute voix, avec l'article défini ou indéfini.

Attention! Deux de ces noms ont un sens différent, selon qu'ils sont masculins ou féminins. Lesquels?

1 acte	**11** manque
2 banlieue	**12** mode
3 côté	**13** musée
4 crime	**14** oasis
5 étape	**15** offre
6 façon	**16** photo
7 fois	**17** public
8 groupe	**18** service
9 livre	**19** sourire
10 luxe	**20** surprise

exercice 4/11

MASCULIN OU FÉMININ?

Voici une liste de noms, tirés des textes 4A, 4B et 4C; chaque nom est accompagné d'un adjectif. Dans chaque cas:

(a) décidez si le nom est masculin ou féminin
(b) prononcez-le à haute voix (avec un article s'il le faut) avec l'adjectif, en faisant l'accord de l'adjectif.

Exemple: sans doute (aucun)
Réponse: (masculin) sans **aucun** doute

1 caractère (effrayant)	**7** incendie (géant)
2 crise (profond)	**8** phénomène (récent)
3 église (ancien)	**9** problème (gros)
4 équilibre (permanent)	**10** salaire (bas)
5 étude (sérieux)	**11** siècle (dernier)
6 histoire (romain)	**12** valeur (occidental)

4.4.2 Profession, occupation, statut: hommes et femmes

Pour certaines occupations, le nom (qui se termine en *-e*) est invariable, qu'il s'agisse d'un homme ou d'une femme:

un dentiste, une dentiste;
un linguiste, une linguiste

Pour la plupart des occupations, le nom varie selon qu'il s'agit d'un homme ou d'une femme:

un acteur, une actrice
un avocat, une avocate
un boulanger, une boulangère
un comédien, une comédienne
un fermier, une fermière
un infirmier, une infirmière
un instituteur, une institutrice
un ouvrier, une ouvrière

4C5 *la **comédienne** Pauline Lafont*
4A1 *leurs **fermiers**, leurs curés et leurs **instituteurs***
4B7 *maris d'**institutrice**, d'**épicière**, de **postière***

D'autres noms indiquant le statut ou le rang ont une forme féminine:

3B1 *une **lauréate** du prix Pulitzer*
4B6 *La Cévenne est donc **championne** du monde*

Certains noms de profession n'ont pas de forme féminine; on emploie *le* ou *un* + la forme masculine, même s'il s'agit d'une femme:

un auteur *un docteur*
un médecin *un ministre*

On dira donc: *Madame le ministre*, etc; on peut parler d'*une femme auteur*, etc.

Directeur Une femme qui dirige un établissement scolaire, une entreprise, etc, peut s'intituler *directeur* ou *directrice*, et se faire adresser comme *Madame le directeur* ou *Madame la directrice*.

Ecrivain Au Québec, une femme qui écrit des livres s'appelle une *écrivaine*; en France, cet usage n'est pas encore officiel.

Professeur Au niveau N3, ce mot s'emploie au masculin, même s'il s'agit d'une femme:

*Madame Martin est **un** professeur exceptionne**l**, car **elle** (. . .)* (N3)

Au niveau N2, on emploie le mot *prof*, qui peut être féminin, surtout s'il est suivi d'un adjectif:

*Madame Martin, c'est **une** prof exceptionn**elle*** (N2)

S'il n'y a pas d'adjectif, *prof* peut s'employer au masculin, même quand il s'agit d'une femme:

7B11 *« On verra ça à la fin du cours » m'a dit **mon** prof de techno. Puis **elle** m'a emmenée (. . .). **Une** autre prof m'a raccompagnée* (N2)

Autrefois, la forme féminine du nom de certaines professions désignait, non pas une femme qui exerçait cette profession, mais **l'épouse** d'un homme dont c'était la profession:
la générale (la femme du général)
la présidente (la femme du président)

Aujourd'hui, la langue française a du mal à s'adapter aux changements de la société: amélioration du statut de la femme, ouverture aux femmes d'occupations traditionnellement masculines, etc.

exercice oral 4/12

Appeler les femmes par leur nom

Travail à deux
Essayez de vous mettre d'accord

(a) sur la forme féminine qu'on pourrait adopter pour chacun des mots suivants, et
(b) sur la question de savoir s'il faut adopter une forme féminine pour le nom de chaque occupation:

1	chauffeur	**6**	officier
2	docteur	**7**	premier ministre
3	écrivain	**8**	prof(esseur)
4	ingénieur	**9**	(sapeur-)pompier
5	médecin	**10**	soldat

Mise en commun
Ensuite, discutez-en avec les autres membres du groupe.

4.4.3 Sens et emploi de certains noms: deux études de cas

Exemple (a)

(les) gens ***(un) individu***
(une) personne ***(des) personnes***
(un) type

Les gens (sens général, proche de l'anglais "people") s'emploie quand on inclut tous les membres d'un groupe, **sans les compter**:

qu'est-ce qu'ils veulent, tous ces gens?

Un individu (sens proche de l'anglais "an individual") s'emploie généralement au singulier:

les droits de l'individu
je n'aime pas cet individu (N2)

Une personne (sens proche de l'anglais "person") s'emploie toujours au féminin:

une personne d'une trentaine d'années (homme ou femme)
le respect de la personne humaine (= l'individu)

Les personnes ("people") s'emploie à la place de *gens* quand on donne un **chiffre**:

une dizaine de personnes
douze personnes ont été interrogées
les grandes personnes ("grown-ups")

Un type ("bloke") s'emploie, au niveau N2, pour parler d'un ou de plusieurs hommes:

celui-là, c'est un drôle de type (N2)

Exemple (b) ***Hommes, femmes et enfants, jeunes et vieux***

	Hommes	**Hommes/Femmes**	**Femmes**
Le 4e âge (75 ans +)	*un homme âgé*	*un(e) centenaire*	*une femme âgée*
Vieillesse		*les personnes âgées*	
Le 3e âge (60 ans +)		*un(e) retraité(e)*	
Retraite	*un vieux garçon* (non marié) (N2)	*d'un certain âge/ d'âge mûr*	*une vieille fille* (non mariée) (N2)
Mariage	*le mari* *l'époux*	*les grandes personnes* *un(e) célibataire* (non marié(e))	*la femme* *l'épouse*
Maturité sexuelle	*un jeune homme* *les jeunes gens*	*les jeunes* *les adolescents*	*une jeune femme*
Jeunesse	*un jeune garçon* *un garçon*		*une jeune fille* *une fille*
Enfance		*un(e) enfant*	*une fillette*
Petite enfance	*un petit garçon*	*un bébé*	*une petite fille*
Naissance	*c'est un garçon!*	*le/la nouveau-né(e)*	*c'est une fille!*

exercice 4/13

NOMS: SENS ET SYNONYMES

En consultant un dictionnaire monolingue, étudiez les similarités et les différences du sens et de l'emploi des noms suivants:

1	l'aptitude	la capacité	l'habileté	
2	le caractère	le personnage		
3	la compagnie	l'entreprise	la firme	la société
4	la discipline	la matière	le sujet	
5	l'énergie	la force	le pouvoir	la puissance
6	les études	la formation	l'instruction	la scolarité
7	l'humeur (fém.)	l'humour (masc.)		
8	le mémoire	la mémoire	le souvenir	
9	le ministère	le ministre		
10	la nuit	le soir	la soirée	
11	l'occasion	l'opportunité	la possibilité	
12	la part	la partie		

4.4.4 Nom + *de* + nom
(voir aussi 9.1.1)

Quand on emploie un nom comme **adjectif**, c'est-à-dire pour qualifier un autre nom, on ajoute souvent *de* (sans article) entre les deux noms (pour l'emploi d'un nom comme adjectif, **sans *de***, voir 4.4.5):

4A1 *les communes **de** campagne*
4B1 *un village **de** vallée*
4B3 *du bon fromage **de** chèvre*
4C1 *des bandits **de** grand chemin*

Si le second nom est suivi d'un adjectif ou d'une locution adjectivale, on ajoute *le*, *l'*, *la*, *les*:

*les communes **de la** compagne **environnante***
*du bon fromage **de la** chèvre **de mon voisin***
*un village **du** Vaucluse **du nord***

Nom + *à* + nom: voir 2.5.4.

4.4.5 Nom + nom

Certains noms sont habituellement employés comme adjectifs; ils s'accordent avec le nom qu'ils qualifient:

4A5 *les communes **voisines***
4C2 (des) *incendies **géants***

Certains noms, habituellement employés comme adjectifs de couleur, ***s'accordent*** avec le nom qu'ils qualifient (*mauve*, *pourpre*, *rose*, *violet*, par exemple):

4B13 ***les** crépis blancs ou **roses***

D'autres sont **invariables** (*crème*, *framboise*, *marron*, *saumon*):

2B1 *avec **une** chemise **saumon***

N'importe quel nom peut s'employer comme adjectif; il se place après le nom, et il est souvent invariable:

3B1 ***une** photo « **bidon** »*
4A1 ***la** période **charnière***
3C12 *une contribution **culture et communication***
les radios pirates
les phrases clef **ou** *clés*
des embouteillages monstre **ou** *monstre**s***

Le second mot est souvent un nom de personne, de lieu ou d'organisation, ou un nom d'origine **étrangère**:

4C5 *la comédienne **Pauline Lafont***
4A2 *l'université **Harvard***
2B1 *avec la voiture **Renault** de la caserne*
3A17 *les cassettes **vidéo***
3B6 (un) *défilé **nazi***
4B13 (les) *mégots* **long size***!*

Le groupe nom + nom peut former un **nom composé**; selon le cas, les deux noms sont reliés par un trait d'union, ou restent distincts:

une jupe culotte
une porte-fenêtre
4B3 *le mineur-agriculteur*
4B13 *les prairies-campings*

Mais si le groupe nom + nom est d'origine **étrangère**, l'ordre des mots reste inchangé:

2C1 (les) *camping-cars*
3B9 *le show-business*
4C11 *leurs week-ends*
la science-fiction

4.4.6 Noms collectifs

Après certains noms dont le sens est pluriel (ou collectif) le verbe est au **singulier**:

*tout le monde **avait** bien compris*

Après d'autres noms collectifs (*une collection*, *un groupe*, *un nombre*, *un tas*, etc), + *de* + nom au pluriel, le verbe est au singulier **ou** au pluriel, selon le sens:

4C9 *le nombre d'exploitations agricoles **a** diminué*
(c'est **le nombre** qui a diminué)
*un certain nombre de réponses **ont** été reçues*
(ce sont **les réponses** qui ont été reçues)

> ***exercice*** **4/14**
>
> **NOM + DE + NOM**
>
> Complétez chacun des groupes de mots suivants (tirés du texte 4C) en ajoutant **de**, ou **du**, **de l'**, **de la**, **des**; dans chaque cas, essayez de justifier votre choix.
>
> **Exemple:** sur les petites routes __ France
> **Réponse: de**: le second nom est employé comme adjectif, et n'est pas lui-même suivi d'un adjectif ou d'une locution adjectivale.
> **Exemple:** dans des fermes isolées __ province profonde
> **Réponse: de la**: le second nom est suivi d'un adjectif.
> **Exemple:** au domaine __ fiction
> **Réponse: de la**: le second nom n'est pas employé comme adjectif.
>
> 1 sur l'abandon __ campagne hexagonale (4C1)
> 2 cette nouvelle race __ malfaiteurs (4C4)
> 3 à l'abri __ regards indiscrets (4C4)
> 4 situés en contrebas __ lieux __ drame (4C5)
> 5 l'entrée __ ville __ Grasse (4C7)
> 6 le maintien __ cadre __ vie en dehors __ villes (4C8)
> 7 la désertification __ territoire (4C9)
> 8 au nom __ rentabilité (4C9)
> 9 les manuels __ géographie (4C9)
> 10 qui jouent le rôle __ banquiers (4C9)

● 4.5 *Noms de pays, d'habitants, etc*

Voir aussi ***Livret audio.***

4.5.1 Pays, continents; provinces, régions; départements, comtés
(villes: voir 4.5.2)

Articles et prépositions + noms de pays, etc

On peut classer les noms de pays (etc) en deux groupes:

Groupe 1 **Masculin singulier** avec **consonne** initiale **MS(C)**
Tous les noms **pluriels** **PL**

Groupe 2 **Masculin singulier** avec **voyelle** initiale **MS(V)**
Féminin singulier (+ consonne ou voyelle) **FS**

(a) pays, continents;
(b) provinces, régions, certains départements avec plus d'un mot;
(c) départements, comtés

	Groupe 1		Groupe 2	
	MS(C)	PL	MS(V)	FS
1 **Sans préposition** (J'aime; J'ai visité)	**(a)** le Canada **(b)** le Limousin **(c)** le Lancashire	les Etats-Unis les Alpes les Yvelines	l'Iran l'Anjou l'Ain	la France la Normandie la Manche
2 **Situation** (J'habite, J'ai passé 8 jours) **Mouvement vers** (Je vais; J'arriverai)	**(a)** **au** Canada **(b)** **dans le** Limousin **(c)** **dans le** Lancashire	**aux** Etats-Unis **dans les** Alpes **dans les** Yvelines	**en** Iran **en** Anjou **dans l'**Ain	**en** France **en** Normandie **dans la** Manche
3 **Distance géographique** (qui s'étend de X à Y)	du … au …	des … aux …	de l'… à l'…	de la … à la …
4 **Mouvement de retour, provenance** (Je reviens; J'arrive) ***De* + nom: emploi adjectival** (les routes; un produit)	**(a)** **du** Canada **(b)** **du** Limousin **(c)** **du** Lancashire	**des** Etats-Unis **des** Alpes **des** Yvelines	**d'**Iran **d'**Anjou **de l'**Ain	**de** France **de** Normandie **de la** Manche
5 ***De* + article défini + nom: emploi non adjectival** (l'avenir; des problèmes)	du	des	de l'	de la

Exemples:

1 Situation *(J'habite . . .)*
1B1 *la réunion qui se tient **aux** Pays-Bas*
1B6 ***en** Algérie, pendant la guerre*
4C4 ***dans le** Limousin*
*ils se sont installés **en** Indre-et-Loire*
4C6 *soigner leurs champs de cannabis **dans la** Creuse*

2 Mouvement vers *(Je vais . . .)*
***elle va souvent en** Normandie*

3 Distance géographique sans idée de déplacement *(qui s'étend **de** . . . **à** . . .)*
*la région allant **de la** Normandie **à l'**Alsace*

4 Mouvement de retour, provenance *(Je reviens . . .)*
5B2 *arrivée massive des rapatriés **d'**Algérie*

5 *De* + nom (emploi adjectival)
4C3 *dans une ferme **du** Loiret*
4A2 *l'ambassade **des** Etats-Unis à Paris*
4A2 *Chanzeaux, village **d'**Anjou*
4C1 *sur les petites routes **de** France*

6 *De* + article défini + nom (emploi non adjectival)
1B1 *entrée (. . .) **du** Portugal*
4C8 *transformer la France en poubelle **de l'**Europe*
1B9 *fier de parler au nom **de la** France*

4.5.2 Villes, villages

Certains noms de **villes** (etc) sont formés avec l'article défini; (*le* ou *les* se combine avec *à* ou *de*):

le Caire	*au, du Caire*
la Mecque	*à la, de la Mecque*
les Andelys	*aux, des Andelys*

Les autres noms de villes (etc) s'emploient sans article:
Paris, à Paris, de Paris
Londres, à Londres, de Londres

On emploie ***à*** + nom de ville pour désigner la **situation** ou le mouvement **vers**, et ***de*** pour désigner la **provenance**:
4A1 *un gigantesque glissement de la province **à** Paris*
4B3 *les ingénieurs ou le directeur parachutés **de** Paris*
4C10 (qui) *prenaient le train **de** Genève **à** Paris*

Dans s'emploie à la place de *à* pour préciser qu'il s'agit du **centre**, du **cœur** ou de l'**âme** de la ville:
*ils voudraient quitter la banlieue pour s'installer **dans** Paris même*
3A4 *Il y a **dans** Liverpool trop de petitesse*

Cité désigne la partie ancienne d'une ville, et non la ville elle-même:
l'île de la Cité (à Paris)
L'équivalent du mot anglais "city" est *une grande ville* ou, tout simplement, ***la ville***. ***Une cité (ouvrière)***, c'est un ensemble d'immeubles d'habitation ("council estate", en anglais).

exercice 4/15

***À, EN, DANS* OU *DE*, ETC?**

AVEC OU SANS ARTICLE?

Voici dix extraits du texte 1B. Chaque blanc, avant un nom de pays, de province, de ville, etc, correspond à une préposition, un article, ou les deux. Dans chaque cas, complétez le texte en ajoutant le ou les mots qui conviennent.

1 à la réunion des ministres européens de l'Agriculture qui se tient __ Pays-Bas (1B1)
2 il trouvera tous les dossiers chauds: surproduction, Etats-Unis, entrée __ Espagne et __ Portugal (1B1)
3 115 hectares __ Ville-en-Vermois, à 12 kilomètres au sud __ Nancy (1B2)
4 conjurer les menaces allemandes sur __ Lorraine (1B2)
5 obsédé par le rang __ France dans le monde (1B2)
6 le symbole du gaullisme (. . .) la croix __ Lorraine (1B2)
7 __ Algérie, pendant la guerre, il avait monté une équipe de football (1B6)
8 il a goûté au ski alpin, à la station __ La Bresse __ Vosges (1B6)
9 j'écrivais dans le train, quand je me rendais __ Paris (1B8)
10 il est fier, dans les négociations agricoles, de parler au nom __ France (1B9)

4.5.3 *Nord, sud*, etc

Pour désigner **une partie** du territoire d'un pays, on emploie *le nord* (etc) *de* + nom, ou *le Nord* (etc):

3A1 *au bout du bout du nord-ouest de l'Angleterre*
5C3 *le mouvement spéculatif dans l'Ouest (. . .) dans le Nord*

Le sud de la France:
(dans) le Midi (de la France)

Quand il s'agit de **tout un pays**, ou d'une **région** continentale, on emploie *du Nord* (etc) après le nom:

3B1 *leurs reportages sur l'Irlande* ***du Nord***
6A5 *l'Afrique* ***du Nord***
(en) Afrique ***du Sud***

Pour situer une ville par rapport à une autre, on emploie *au nord* (etc) *de*:

1B2 *à 12 kilomètres* ***au sud de*** *Nancy*

Employés comme adjectifs, *nord, sud*, etc, sont **invariables**:

6A3 *Porte* ***sud*** *du Sahara, verrou* ***nord*** *des expéditions*

4.5.4 Iles, montagnes, fleuves/ rivières

Pour désigner une **île**, l'usage varie selon le cas:

(le) Cuba	*à Cuba*	*de Cuba*
(la) Chypre	*à Chypre*	*de Chypre*
la Corse	*en Corse*	*de (la) Corse*
l'Islande	*en Islande*	*d(e l)'Islande*
la Réunion	*à la Réunion*	*de la Réunion*

Pour des îles plus petites, on emploie le mot *île(s)*:

l'île de Ré, l'île de Sein,
les îles Anglo-Normandes,
l'île de Wight, l'île de Man

Pour désigner une **montagne**, on peut omettre *mont* si le contexte indique qu'il s'agit d'une montagne:

4B1 *au flanc du mont Lozère*
4B7 *au flanc du Lozère*

Cas particuliers:
la conquête ***de l'Everest***
(sans *mont*)
le mont Blanc
(*mont* + adjectif)

Régions montagneuses: article défini + nom:

les Alpes, les Pyrénées,
l'Himalaya, etc:
6A4 *la ligne bleue des Vosges*
les (montagnes) *Rocheuses*

Fleuves/rivières: article défini + nom:

le Rhin *le Rhône* *la Loire*
la Seine *la Tamise*

Lacs: *le lac* + nom:

6A3 *du Sénégal* ***au lac*** *Tchad*

exercice oral 4/16

OÙ EST-CE QU'ON PARLE . . . ?

Un membre du groupe pose cette question, en ajoutant le nom d'une langue, à trois autres personnes: la première doit répondre en donnant le nom d'un **pays**, la seconde, le nom d'une **région** ou d'une province, la troisième, le nom d'une **ville**.

Modèle: Où est-ce qu'on parle français?
Réponses possibles: En France/En Normandie/A Paris

Langues:

allemand	anglais	arabe	chinois	espagnol
néerlandais	ouolof	portugais	russe	swahili

Observations

1 C'est à celui qui pose la question de décider si la réponse est bonne.
2 La personne interrogée a le droit de sommer celui qui pose la question de donner lui-même la réponse.
3 Pour chaque langue, plusieurs séries de réponses sont possibles.

4.5.5 Rues, avenues, places, etc

Ces mots s'écrivent sans majuscules; on emploie l'article défini dans des phrases comme:

à six heures du soir, ***la place*** *de la Concorde est souvent bloquée*
un magasin de luxe ***de la rue*** *Saint-Honoré*

Mais quand on indique une adresse, une localité, etc, on emploie ces mots **sans** préposition et **sans** article:

place *de la Concorde, c'est l'embouteillage complet*
(reportage)
rue *Saint-Honoré, le* m^2 *vaut 25 000F*

le magasin se trouvait ***42 rue*** *Saint-Honoré*

4.5.6 Note sur les majuscules

On écrit **avec** majuscule le **nom** d'un habitant d'un pays, d'une ville, etc:

4B5 *il n'y a que* ***le Belge, le Hollandais...***

4A4 *la vie* ***d'un*** *Chanzéen*

On écrit **sans** majuscule les **adjectifs** de nationalité, d'origine ou de situation géographique:

4A1 (les) *ruraux* ***français***

4B5 *le chirurgien* ***parisien***

4B9 *ces militants* ***occitans***

4C5 *un agriculteur* ***lozérien***

On distingue donc entre

c'est ***un Belge*** (nom)

et *il est* ***belge*** (adjectif)

On écrit le nom d'une **langue** (*le français*, etc) sans majuscule:

4B3 *les tailles parlaient* ***occitan***

4.5.7 Formes adjectivales

On emploie la forme adjectivale (*le bassin* ***lorrain***, *le Nord* ***alsacien***) si le groupe nom + adjectif forme **un ensemble**, sans accent particulier sur le pays, la région, la ville en question:

4C1 *l'Etat* ***français***

3B2 *un reportage sur les Catacombes* ***parisiennes***

4B4 *les petites mines* ***cévenoles***

Autrement, on emploie *de* + nom:

1A4 *le Conservatoire d'art dramatique* ***de Paris***

2C1 *la route qui longe le littoral* ***de Fréjus***

3B6 *dans les anciennes carrières* ***de Meudon***

En français, chaque nom de pays, de région, de ville, de village, etc, a une forme adjectivale qui lui correspond:

La Normandie
les Normands, normand

Saint-Etienne
les Stéphanois, stéphanois

4A *Chanzeaux*
les Chanzéens, chanzéen

exercice 4/17

VILLES ET HABITANTS

Trouvez, pour chacun de ces adjectifs et noms d'habitants, le nom de la **ville** en question.

Exemple: parisien, les Parisiens
Réponse: Paris

1 bellifontain, les Bellifontains
2 bisontin, les Bisontins
3 bordelais, les Bordelais
4 castro-radulphien, les Castro-Radulphiens
5 clermontois, les Clermontois
6 ébroicien, les Ebroiciens
7 manceau, les Manceaux
8 messin, les Messins
9 monégasque, les Monégasques
10 poitevin, les Poitevins

PRATIQUE *orale*

Exposé, 4 à 5 minutes
Ma région

Préparation
(voir aussi *Pratique orale*, Chapitre 5)

Rédigez, sous forme de notes, une description de la région (de l'agglomération, de la ville, etc) où vous habitez. N'écrivez pas des phrases complètes, mais des mots et des expressions-clés, groupés sous certaines rubriques; par exemple:

- climat, situation géographique, nombre d'habitants;
- principales activités économiques;
- aspect visuel des différents quartiers (centre-ville, quartiers industriels, banlieues résidentielles, etc);
- ce qui vous attache à la région: le nombre d'années que vous y avez vécu, vos souvenirs d'enfance, vos quartiers préférés, vos activités, etc;
- les changements matériels, culturels, économiques qu'a subis la région depuis que vous y habitez, et vos opinions personnelles sur ces changements.

En choisissant les détails que vous allez présenter, mettez-vous à la place de quelqu'un qui ne connaît ni votre région ni vous-même; ne faites pas une énumération impersonnelle de chiffres, de dates ou de descriptions, mais cherchez plutôt des détails et des anecdotes qui donneront des images de la vie de votre région telle qu'elle est vécue par un des habitants.

Travail en classe
Présentez votre description au groupe. Surtout, ne lisez pas votre texte: regardez vos interlocuteurs, en vous servant de vos notes uniquement pour vous rappeler le point suivant; essayez de varier le ton et le rythme de votre présentation.

A la fin de votre exposé les autres membres du groupe pourront intervenir pour vous poser des questions, demander des précisions ou des renseignements supplémentaires, etc: en leur répondant, vous pourrez employer un style plus spontané, moins formel que pour l'exposé lui-même.

PRATIQUE *écrite*

1 *Evocation*

Rédigez une évocation personnelle, subjective, voire passionnée, d'une ville ou d'une région de France (ou d'un autre pays étranger) que vous connaissez. Indiquez s'il s'agit d'une lettre à un ami, d'un article pour un magazine, d'une page de votre journal intime, etc.

2 *Présentation*

Rédigez, sous la forme d'une lettre ou d'un article, une présentation de votre région. Vous pourrez vous servir de quelques-unes des idées que vous avez notées pour votre présentation orale (voir ci-dessus: *Pratique orale*, Exposé: *Ma région*), mais la conception, l'organisation et l'expression de vos idées doivent être appropriées une communication écrite.

3 *Souvenirs*

Rédigez un extrait des souvenirs d'une personne âgée de 70 ans qui évoque, pour un public plus jeune (au cours d'une émission radio, par exemple), quelques aspects de la vie des gens autour d'elle, quand elle était jeune.

4 *Résumé*

Rédigez, en français ou en anglais, selon ce que vous dira votre professeur, un résumé de l'article *France: le désert des barbares?* (texte 4C). Relisez attentivement l'article, en notant les points qui vous semblent importants; ensuite, essayez de distinguer entre les points indispensables, auxquels vous consacrerez de une à trois phrases, et les points accessoires, dont vous parlerez peu ou pas du tout.

Ecrivez 250 mots au maximum, sinon l'objet de l'exercice est invalidé. Votre résumé doit prendre la forme d'un article écrit pour une publication comme *Le Point*, mais pour lequel vous ne disposez que de 250 mots.

Sur le vif

Vandales

J'en ai marre des voleurs, des voyous, des loubards, mais alors vraiment marre. Vous savez ce qu'ils m'ont fait ? Ils ont brûlé ma maison, oui, ma jolie petite maison dans les pins en Bretagne, toute en bois, peinte en blanc. On l'avait depuis vingt ans. Et là, en une nuit, elle est partie en fumée. Pourquoi? Pour rien. Deux gamins. Ils sont entrés par effraction. Ils ont pris une paire de jumelles et une bouteille de whisky. Et pour effacer leurs traces, leurs empreintes, ils ont mis le feu. C'est vraiment malin ! Un truc à confondre tous les Maigret du coin. Vive la violence à la télé. Ça donne des idées.

Où qu'on aille, quoi qu'on fasse, dans ce pays de vandales, tout est salopé, bousillé ou piqué. Moi, ici – je ne vous l'avais pas dit, mais bon, tant pis, – je ne peux rien laisser dans mon bureau sans que ça disparaisse aussitôt. Un vrai moulin, ce journal, ouvert à tous les vents, le vent de la fauche. Et ces cabines téléphoniques béantes, hébétées, ces ascenseurs souillés, ces bagnoles forcées, ces trains saccagés ! Le patron de la SNCF en parlait l'autre jour au micro d'Europe 1. Vous savez où ils passent, nos sous ? A remplir les trous de ses banquettes éventrées, de ses moquettes brûlées à la cigarette, à réparer, à nettoyer ses wagons sinistrés.

Ça finit par être exaspérant à la longue. Ça vous pousse à bout. Moi, hier, je surprends un ado en train de bomber en énormes lettres fluo une connerie du genre « T'es une salope Charlotte » sur le mur d'un immeuble fraîchement ravalé. Soigneusement rangée au bord du trottoir, sa superbe moto, immaculée, nickelée, briquée. La rage m'a saisie. J'ai sorti mon bâton de rouge à lèvres et j'ai écrit « Pauvre con » sur son réservoir. Il se retourne, il me voit, il se fiche dans une de ces colères : Si c'est pas honteux de voir ça ! Ah ces vieux, ils se croient tout permis. Ils ne respectent rien. Lâche ça tout de suite ou j'appelle les flics. C'est qu'il l'aurait fait, ce salaud !

Vous ne me croyez pas ? Vous avez raison, j'oserais jamais. Le coup de la maison, en revanche, c'est vrai. J'aurais préféré que ce soit le contraire.

CLAUDE SARRAUTE

CHAPITRE 5

PARIS

TEXTES

- **5A** ***Le Bonheur des Dames inaugure ses magasins neufs***
- **5B** ***Les années de béton***
- **5C** ***Municipalités: un TGV nommé Désir***

POINTS LANGUE

- **5.1** ***Prononciation: mots, syllabes, groupes rythmiques***
  la syllabe modèle: C + V, coupe des mots, accent rythmique, mots longs, ponctuation
- **5.2** ***Mots connecteurs 1: adverbes***
- **5.3** ***Adverbes: formation et emploi***
- **5.4** ***Verbes modaux et verbes auxiliaires***
  devoir, *pouvoir*, *vouloir*
  aller, *venir*, *commencer*
- **5.5** ***Les temps du verbe 1: avec*** si

5A

points de repère

CONTEXTE

Dans son roman, *Au Bonheur des Dames* (1883), Zola décrit l'immense expansion des "grands magasins" dans le Paris du Second Empire (1852–1870): 1852, le Bon Marché; 1855, les Magasins du Louvre; 1865, le Printemps; 1869, la Samaritaine.

Le personnage central du roman de Zola, Octave Mouret, patron et propriétaire du Bonheur des Dames, représente cette nouvelle génération de commerçants qui ne négligent aucun moyen pour attirer le client – et, surtout, la cliente – et lui faire dépenser son argent.

Dans le roman, la croissance du magasin est marquée par la description de trois journées de grandes ventes: octobre 1864, mars 1866 et février 1869.

SUJET

Dans cet extrait, c'est le lundi 14 mars 1866, jour de l'inauguration du nouveau magasin, entièrement transformé.

PERSPECTIVE

Le magasin est entièrement la création de Mouret; la description des galeries, des rayons, de la publicité, etc, est constamment animée par la présence de Mouret: ses idées, son imagination, son sens de la psychologie, ses trouvailles. Mouret, c'est son magasin, et le magasin, c'est Mouret.

STYLE

Les phrases de Zola s'accumulent, s'entassent comme les articles sur les comptoirs du magasin. Phrases longues, mais sans complexité, reliées par des mots connecteurs comme *mais*, *puis*, *ensuite*, *déjà*, *ainsi*, *justement*, *pourtant*.

CONSEILS

Lisez l'extrait sans chercher le sens exact de chaque mot. Essayez plutôt de vous faire une idée de ce qui se passe

(a) dans le magasin, et
(b) dans la tête de Mouret.

(1) Dès six heures, cependant, Mouret était là, donnant ses derniers ordres. Au centre, dans l'axe de la porte d'honneur, une large galerie allait de bout en bout, flanquée à droite et à gauche de deux galeries plus étroites, la galerie Monsigny et la galerie Michodière. On avait vitré les cours, transformées en halls ; et des escaliers de fer s'élevaient du rez-de-chaussée, des ponts de fer étaient jetés d'un bout à l'autre, aux deux étages. L'architecte, par hasard intelligent, un jeune homme amoureux des temps nouveaux, ne s'était servi de la pierre que pour les sous-sols et les piles d'angle, puis avait monté toute l'ossature en fer, des colonnes supportant l'assemblage des poutres et des solives. Les voûtins des planchers, les cloisons des distributions intérieures, étaient en briques. Partout on avait gagné de l'espace, l'air et la lumière entraient librement, le public circulait à l'aise, sous le jet hardi des fermes à longue portée. C'était la cathédrale du commerce moderne solide et légère, faite pour un peuple de clientes. En bas, dans la galerie centrale, après les soldes de la porte, il y avait les cravates, la ganterie, la soie ; la galerie Monsigny était occupée par le blanc et la rouennerie, la galerie Michodière par la mercerie, la bonneterie, la draperie et les lainages. Puis, au premier, se trouvaient les confections, la lingerie, les châles, les dentelles, d'autres rayons nouveaux, tandis qu'on avait relégué au second étage la literie, les tapis, les étoffes d'ameublement, tous les articles encombrants et d'un maniement difficile. A cette heure, le nombre des rayons était de trente-neuf, et l'on comptait dix-huit cents employés, dont deux cents femmes. Un monde poussait là, dans la vie sonore des hautes nefs métalliques.

Le Bonheur des Dames inaugure ses magasins neufs . . .

1890 : voleuse dans un grand magasin à Paris
« *Prenez toujours, madame : vous nous rendrez l'article, s'il cesse de vous plaire* »

(2) Mouret avait l'unique passion de vaincre la femme. Il la voulait reine dans sa maison, il lui avait bâti ce temple, pour l'y tenir à sa merci. C'était toute sa tactique, la griser d'attentions galantes et trafiquer de ses désirs, exploiter sa fièvre. Aussi, nuit et jour, se creusait-il la tête, à la recherche de trouvailles nouvelles. Déjà, voulant éviter la fatigue des étages aux dames délicates, il avait fait installer deux ascenseurs, capitonnés de velours. Puis, il venait d'ouvrir un buffet, où l'on donnait gratuitement des sirops et des biscuits, et un salon de lecture, une galerie monumentale, décorée avec un luxe trop riche, dans laquelle il risquait même des expositions de tableaux. Mais son idée la plus profonde était, chez la femme sans coquetterie, de conquérir la mère par l'enfant ; il ne perdait aucune force, spéculait sur tous les sentiments, créait des rayons pour petits garçons et fillettes, arrêtait les mamans au passage, en offrant aux bébés des images et des ballons. Un trait de génie que cette prime des ballons, distribuée à chaque acheteuse, des ballons rouges, à la fine peau de caoutchouc, portant en grosses lettres le nom du magasin, et qui, tenus au bout d'un fil, voyageant en l'air, promenaient par les rues une réclame vivante !

(3) La grande puissance était surtout la publicité. Mouret en arrivait à dépenser par an trois cent mille francs de catalogues, d'annonces et d'affiches. Pour sa mise en vente des nouveautés d'été, il avait lancé deux cent mille catalogues, dont cinquante mille à l'étranger, traduits dans toutes les langues. Maintenant, il les faisait illustrer de gravures, il les accompagnait même d'échantillons, collés sur les feuilles. C'était un

Le Bonheur des Dames inaugure ses magasins neufs . . .

débordement d'étalages, le Bonheur des Dames sautait aux yeux du monde entier, envahissait les murailles, les journaux, jusqu'aux rideaux des théâtres. Il professait que la femme est sans force contre la réclame, qu'elle finit fatalement par aller au bruit. Du reste, il lui tendait des pièges plus savants, il l'analysait en grand moraliste. Ainsi, il avait découvert qu'elle ne résistait pas au bon marché, qu'elle achetait sans besoin, quand elle croyait conclure une affaire avantageuse ; et, sur cette observation, il basait son système des diminutions de prix, il baissait progressivement les articles non vendus, préférant les vendre à perte, fidèle au principe du renouvellement rapide des marchandises. Puis, il avait pénétré plus avant encore dans le cœur de la femme, il venait d'imaginer « les rendus », un chef-d'œuvre de séduction jésuitique. « Prenez toujours, madame : vous nous rendrez l'article, s'il cesse de vous plaire. » Et la femme, qui résistait, trouvait là une dernière excuse, la possibilité de revenir sur une folie : elle prenait, la conscience en règle. Maintenant, les rendus et la baisse des prix entraient dans le fonctionnement classique du nouveau commerce.

(4) Mais où Mouret se révélait comme un maître sans rival, c'était dans l'aménagement intérieur des magasins. Il posait en loi que pas un coin du Bonheur des Dames ne devait rester désert ; partout, il exigeait du bruit, de la foule, de la vie ; car la vie, disait-il, attire la vie, enfante et pullule. De cette loi, il tirait toutes sortes d'applications. D'abord, on devait s'écraser pour entrer, il fallait que, de la rue, on crût à une émeute ; et il obtenait cet écrasement, en mettant sous la porte les soldes, des casiers et des corbeilles débordant d'articles à vil prix ; si bien que le menu peuple s'amassait, barrait le seuil, faisait penser que les magasins craquaient de monde, lorsque souvent ils n'étaient qu'à demi pleins. Ensuite, le long des galeries, il avait l'art de dissimuler les rayons qui chômaient, par exemple les châles en été et les indiennes en hiver ; il les entourait de rayons vivants, les noyait dans du vacarme. Lui seul avait encore imaginé de placer au deuxième étage les comptoirs des tapis et des meubles, des comptoirs où les clientes étaient plus rares, et dont la présence au rez-de-chaussée aurait creusé des trous vides et froids. S'il en avait découvert le moyen, il aurait fait passer la rue au travers de sa maison.

(5) Justement, Mouret se trouvait en proie à une crise d'inspiration. Le samedi soir, comme il donnait un dernier coup d'œil aux préparatifs de la grande vente du lundi, dont on s'occupait depuis un mois, il avait eu la conscience soudaine que le classement des rayons adopté par lui, était inepte. C'était pourtant un classement d'une logique absolue, les tissus d'un côté, les objets confectionnés de l'autre, un ordre intelligent qui devait permettre aux clientes de se diriger elles-mêmes. Il avait rêvé cet ordre autrefois, dans le fouillis de l'étroite boutique de Mme Hédouin ; et voilà qu'il se sentait ébranlé, le jour où il le réalisait. Brusquement, il s'était écrié qu'il fallait « lui casser tout ça ». On avait quarante-huit heures, il s'agissait de déménager une partie des magasins. Le personnel, effaré, bousculé, avait dû passer les deux nuits et la journée entière du dimanche, au milieu d'un gâchis épouvantable. Même le lundi matin, une heure avant l'ouverture, des marchandises ne se trouvaient pas encore en place. Certainement, le patron devenait fou, personne ne comprenait, c'était une consternation générale.

(6) – Allons, dépêchons ! criait Mouret, avec la tranquille assurance de son génie. Voici encore des costumes qu'il faut me porter là-haut . . . Et le Japon est-il installé sur le palier central ? . . . Un dernier effort, mes enfants, vous verrez la vente tout à l'heure !

(7) Bourdoncle, lui aussi, était là depuis le petit jour. Pas plus que les autres, il ne comprenait, et ses regards suivaient le directeur d'un air d'inquiétude. Il n'osait lui poser des questions, sachant de quelle manière on était reçu, dans ces moments de crise. Pourtant, il se décida, il demanda doucement :

(8) – Est-ce qu'il était bien nécessaire de tout bouleverser ainsi, à la veille de notre exposition ?

(9) D'abord, Mouret haussa les épaules, sans répondre. Puis, comme l'autre se permit d'insister, il éclata.

(10) – Pour que les clientes se tassent toutes dans le même coin, n'est-ce pas ? Une jolie idée de géomètre que j'avais eue là ! Je ne m'en serais jamais consolé . . . Comprenez donc que je localisais la foule. Une femme entrait, allait droit où elle voulait aller, passait du jupon à la robe, de la robe au manteau, puis se retirait, sans même s'être un peu perdue ! . . . Pas une n'aurait seulement vu nos magasins !

(11) – Mais, fit remarquer Bourdoncle, maintenant que vous avez tout brouillé et tout jeté aux quatre coins, les employés useront leurs jambes, à conduire les acheteuses de rayon en rayon.

(12) Mouret eut un geste superbe.

(13) – Ce que je m'en fiche ! Ils sont jeunes, ça les fera grandir . . . Et tant mieux, s'ils se promènent ! Ils auront l'air plus nombreux, ils augmenteront la foule. Qu'on s'écrase, tout ira bien !

Activités

1 Les mots et les idées

Dans cet extrait, Zola veut insister sur la *nouveauté* des idées de Mouret.

Travail individuel
Choisissez *une* des phrases suivantes, extraites du texte, et notez les idées ou images qu'elle évoque pour vous

(a) après la lecture de cet extrait, et
(b) de façon plus générale:

- C'était la cathédrale du commerce moderne (5A1)
- Mouret avait l'unique passion de vaincre la femme (5A2)
- La grande puissance était surtout la publicité (5A3)
- (*Mouret*) avait eu la conscience soudaine que le classement des rayons était inepte (5A5)
- « Qu'on s'écrase, tout ira bien! » (5A13)

Travail à deux
Comparez vos idées et celles d'un partenaire (si vous avez choisi la même phrase), ou décrivez-les-lui (si vous avez choisi une phrase différente).

Mise en commun
Pour chacune des cinq phrases, participez à une discussion sur les images qu'elle évoque.

2 Récit

Les magasins, on aime ou on déteste, mais on s'y rend tous, plus ou moins souvent.

Travail individuel
En choisissant une occasion où vous vous êtes trouvé dans un grand magasin ou un supermarché, écrivez spontanément, sous forme de notes, ce que vous y avez vu, entendu, fait et pensé.

Travail à deux
Avec un partenaire, échangez quelques détails sur le récit que vous allez faire.

Tour de table
Présentez votre récit au reste du groupe, de façon aussi vivante et aussi spontanée que possible.

Mise en commun
Participez à une discussion sur les grands magasins aujourd'hui: enfer ou paradis?

3 Psychologie

Travail individuel
En relisant rapidement le texte de Zola, notez par écrit deux ou trois exemples de la "tactique" de Mouret. Pour chaque exemple, décidez si les techniques utilisées sont encore valables dans le commerce des années 1990. Soyez précis!

Travail à deux
Avec un partenaire, comparez les notes que vous avez prises. Mettez-vous d'accord sur *un* aspect de la technique utilisée par Mouret qui vous semble, à tous les deux, valable aujourd'hui, et *un* autre qui, à votre avis, ne l'est plus.

Tour de table
Chacun lit à haute voix la phrase où est décrite la "tactique" qu'il a choisi de présenter, en disant si, oui ou non, elle lui semble valable aujourd'hui. Tout membre du groupe est libre d'intervenir, à tout moment, pour demander des explications supplémentaires, ou pour contester le point de vue qui vient d'être exprimé.

4 Appréciation

Cet extrait du roman de Zola vous a-t-il, dans l'ensemble, plu ou déplu?

Travail individuel
Notez quelques passages qui (ne) vous semblent (pas) particulièrement réussis.

Tour de table
Exprimez et défendez votre opinion sur un passage, ou un aspect, du texte.

5B

points de repère

● CONTEXTE

Les années 1960: en France comme en Grande-Bretagne, on construit des immeubles d'habitation de 5, 10, 15, voire 20 étages. Aujourd'hui, en Grande-Bretagne, plusieurs de ces immeubles (mais pas tous) ont été démolis, et remplacés par . . . des petites maisons à un étage, chacune avec son petit jardin; en France, le voyageur est frappé, aujourd'hui encore, par le "mur de béton" qui entoure de nombreuses villes, grandes ou petites.

● SUJET

Pourquoi a-t-on construit tous ces "grands ensembles", composés de tours alignées les unes près des autres? Dans cet extrait de sa *Chronique des années 60*, l'historien Michel Winock situe la construction de ces blocs sans âme dans un contexte politique (l'arrivée des rapatriés d'Algérie, le gaullisme) et social (afflux des ruraux et des étrangers vers les villes, crise du logement).

● PERSPECTIVE

L'auteur s'intéresse moins aux chiffres et aux mouvements de population qu'à l'évolution des mentalités et des attitudes parmi ces nouveaux banlieusards. Surtout, son analyse permet de voir, dans les conditions créées par ces constructions dès les années 60, les origines de la criminalité et de l'insécurité qui y règnent depuis les années 80: "Les villes champignons sont vénéneuses".

● STYLE

A mi-chemin entre le journalisme et les sciences sociales.

● CONSEILS

Ce style correspond à peu près à celui qu'on peut adopter pour une dissertation.

LES ANNÉES DE BÉTON

(1) Le Français jusque-là avait été un villageois, même si son village était au cœur de la ville. Mais les choses ne pouvaient plus durer. Tous les ans, des travailleurs des bourgs et des guérets, des ouvriers étrangers, appelés par les usines et les bureaux qui se multipliaient, en même temps que la « montée des jeunes », venaient gonfler la communauté citadine. Il fallait bien caser tout ce monde-là quelque part. Longtemps, ils se sont débrouillés vaille que vaille : occupant les chambres de bonne, entassés dans des meublés, cohabitant dans des taudis, enterrés dans des caves, envahissant les membres de leur famille déjà installés, tombant sous la loi implacable des marchands de sommeil, ou sous la tôle ondulée des bidonvilles.

(2) De 1962, année de l'arrivée massive des rapatriés d'Algérie, à 1969, fin de la magistrature gaullienne, les bétonneuses tournent à plein rendement : plus de 500 000 logements sont construits par an ; une armée de 6 000 architectes déploient leurs troupes sur le terrain et repoussent toujours plus loin les limites de la superficie urbaine qui, entre 1954 et 1975, sera passée de 7 à 14% du territoire national, au détriment des potagers, des labours, et des communes rurales absorbés par la mégalopolis dévorante. Progrès ou désastre ?

(3) La brutalité du phénomène a eu pour effet de fabriquer en série non pas des citadins, mais des banlieusards. Le Corbusier donnait, dans *la Charte d'Athènes*, cette définition saisissante de la banlieue : elle « est le symbole à la fois du déchet et de la tentative. C'est une sorte d'écume battant les murs de la ville. Au cours des XIXe et XXe siècles,

Pantin (Seine-St-Denis) : grand ensemble des Courtillières
« On sentait l'organisation. Ils avaient tout fait pour qu'on soit bien »

cette écume est devenue marée, puis inondation. Elle a sérieusement compromis le destin de la ville et ses possibilités de croître selon une règle. Siège d'une population indécise, vouée à de nombreuses misères, bouillon de culture des révoltes, la banlieue est souvent dix fois, cent fois plus étendue que la ville ». Ce mal ainsi dénoncé a cependant changé de figure, en troquant son nom contre l'expression « grand ensemble collectif contemporain ». On va de catastrophe en malédiction.

(4) Si l'on prend le cas de l'agglomération parisienne, on s'aperçoit que la population *intra muros* diminue régulièrement, les 20 arrondissements perdant 1,71% de leurs habitants entre 1962 et 1968 ; dans le même temps, la proche banlieue reste à peu près stable, tandis que la grande banlieue augmente de 3,45%. Tout se passe comme si la croissance trouvait son exutoire aux confins de la ville. Dans la plupart des agglomérations de plus de 50 000 habitants, même phénomène : stagnation ou déclin du centre, turgescence de la périphérie. Enfin, tandis qu'autrefois l'homme de la banlieue était pavillonnaire, jardinier, et conservait le contact avec son humus natal, son successeur se trouve dépossédé de ses dernières racines, emporté vers des sommets toujours plus hauts.

(5) La construction de ces grands ensembles retourne la logique de l'urbanisme traditionnel : l'espace est occupé par des blocs d'habitation isolés, plantés dans le vide, fouettés par les courants d'air. La rue n'a plus de droit : la sociabilité du trottoir et des petits commerces, celle du bistrot et des marchands à la sauvette, c'est fini. Oh certes, les bonnes intentions ne manquent pas forcément. « On sentait l'organisation, dit Liliane, dans *les Petits Enfants du siècle*, de Christiane Rochefort. Ils avaient tout fait pour qu'on soit bien, ils s'étaient demandé : qu'est-ce qu'il faut mettre pour qu'ils soient bien ? et ils l'avaient mis. » Les Français pourraient prendre désormais des douches, et faire leurs besoins sans sortir sur le palier. Il ne faut pas sous-estimer ce droit acquis à la dignité individuelle. Mais, le plus souvent, on a bâti tous ces immeubles géants avec des matériaux médiocres, dessiné ces logements avec un souci de rationalité qui exclut la fantaisie. Des maux nouveaux apparaissent à côté des maux anciens qui s'aggravent : sonorité, fragilité des finitions, défaillance des transports en commun, absence d'équipements collectifs, promis parfois et tardant toujours à venir, grisaille îlotière ; auxquels s'ajoutent des mouvements de population répétitifs : départs des maris, départs des enfants . . . Il ne reste « dans la Cité que les femmes, les vieillards et les invalides », comme le constate Liliane.

(6) La France a raté dans les grandes largeurs sa transformation urbaine. Le béton périphérique a laissé pour longtemps au flanc de la société la plaie de l'ennui et de la délinquance. D'après l'architecte viennois Roland Rainer, les vols et les cambriolages sont de 3 à 7 fois plus importants dans les immeubles de plus de 13 étages que dans les maisons individuelles. La fréquence des maladies est de 57% supérieure dans les tours, celle des névroses le serait de 800% (*le Monde*, 18 janvier 1981). Les villes champignons sont vénéneuses.

(7) Pour tenter de freiner ce désordre urbanistique, l'État, prenant le pas sur les communautés locales, décide au cours des années soixante la construction de 9 villes nouvelles : 5 en région parisienne et 4 en province. Elles seraient autonomes ; on ne se contenterait pas d'y entasser des logements les uns sur les autres : on soignerait les équipements ; on attirerait les emplois pour fixer la population. En 1966, les acquisitions foncières et les premiers travaux sont lancés à Evry et à Cergy. Sous le béton et l'acier, retrouverait-on une âme collective ?

(8) Je vois bien par quoi il faudrait corriger un discours trop pessimiste sur le sujet. Avec son humour habituel, Alfred Sauvy a pu dire : « L'histoire des villes n'est faite que de pleurs versés sur leur croissance. » On ne saurait oublier, face aux dégâts de l'urbanisme contemporain, ou trop sauvage, ou trop planifié, l'état déplorable des conditions d'habitat en France au milieu du XXe siècle : exiguïté, insalubrité, sous-équipement, surpeuplement . . . Mais, en parant au plus pressé, obsédé du quantitatif, on a oublié que l'homme ne vit pas seulement de parpaing.

Activités

1 Le sens des mots

Travail individuel
Cherchez dans un dictionnaire les définitions des mots suivants:

- un bourg: un meublé; un taudis; un bidonville (5B1)
- un logement; la superficie; une commune; la mégalopolis (5B2)
- la banlieue; un banlieusard; un grand ensemble (5B3)
- une agglomération; *intra muros*; pavillonnaire (5B4)
- l'urbanisme; les petits commerces (5B5)

Mise en commun
S'il y a des mots pour lesquels vous aimeriez des informations supplémentaires, consultez les autres membres du groupe et, éventuellement, le professeur.

2 Traduction

Travail individuel
Relisez le premier paragraphe du texte (5B1) et essayez de le traduire en anglais.

Travail à deux
Avec un partenaire, comparez vos versions du paragraphe 5B1, et discutez-en.

Mise en commun
Présentez au groupe les problèmes que vous avez rencontrés en traduisant ce paragraphe, et essayez de vous mettre d'accord sur une version commune.

3 Evocation

Il y a sûrement près de chez vous, ou dans une ville de votre région, un quartier composé entièrement ou en partie d'immeubles d'habitation.

Travail individuel
En faisant appel à vos souvenirs, à vos impressions et à votre imagination, esquissez brièvement, sous forme de notes, une description des immeubles, de leur situation, etc, et de la vie de ceux qui y habitent.

Travail à deux
Avec un partenaire, échangez quelques détails de vos impressions et discutez-en brièvement.

Tour de table
Présentez votre évocation aux membres du groupe.

Mise en commun
Participez à une discussion sur les différences que vous avez remarquées entre les observations faites par les étudiants et celles données dans le texte 5B.

4 Débat

"Il n'y a qu'à construire les villes à la campagne", disait l'humoriste Alphonse Allais.

Travail individuel
En prenant parti pour ou contre la proposition "Il faudrait démolir tous les grands ensembles", notez quelques arguments que vous pourrez défendre dans un débat contradictoire.

Travail en classe
A l'aide des notes que vous avez prises, participez à un débat contradictoire sur la question "Faut-il démolir les grands ensembles?"

5C

points de repère

● **SUJET**

Le TGV, tout le monde en parle et tout le monde en France, sauf quelques agriculteurs ou viticulteurs et une poignée d'écologistes, veut le voir passer près de chez lui.

● **PERSPECTIVE**

Dans cet article, le journaliste rend compte du désir de chaque grande ville de France d'avoir "son" TGV. Mais il pose aussi cette question pertinente: "Dans quel sens roulent les TGV?" Réponse: tout en permettant à de plus en plus de Français d'habiter de plus en plus loin de leur lieu de travail ("une heure de train vaut bien une heure de métro"), le TGV tend à renforcer la concentration de l'activité économique sur Paris.

● **STYLE**

Le journal *Libération*, dont Jean-Paul Sartre fut, au début des années 70, l'un des principaux inspirateurs, occupe depuis plusieurs années une place assurée dans la presse parisienne. Plus jeune et plus à gauche que le lecteur moyen du *Monde* (la "BBC" de la presse écrite), le lecteur de *Libé* se délecte chaque jour des titres qui coiffent les articles d'informations. Les jeux de mots sont parfois un peu tirés par les cheveux, mais ils ne sont jamais gratuits: le titre "Un TGV nommé Désir" rappelle au lecteur la pièce de Tennessee Williams (et le film), *A streetcar named Desire* (en français: *Un tramway nommé Désir*), mais il résume parfaitement la situation décrite dans l'article. Quant à l'article lui-même, il est solidement documenté et réalisé dans un style clair, alerte et concis.

● **CONSEILS**

La lecture de cet article serait une bonne occasion pour situer, sur une carte de la France, les villes, d'Amiens à Aix et du Mans à Metz, dont il y est question. Vous pourrez aussi constater pour vous-même la concentration sur Paris du réseau ferroviaire "classique" et du réseau, plus récent, des autoroutes.

ÉCONOMIE

GARE !

MUNICIPALITÉS : UN TGV NOMMÉ DÉSIR

Parce qu'ils espèrent en faire un instrument de développement, les élus locaux s'arrachent le TGV. Les riverains, eux, ne tiennent pas à le voir dans leur jardin. Tour de France des principaux lobbies à l'approche de la présentation du projet de schéma directeur des TGV à l'étude depuis l'an dernier.

Trains à grande vitesse

« Le TGV fait reculer les limites de la banlieue parisienne à 200 ou 300 km du cœur de la capitale »

(1) Dans quel sens roulent les TGV ? Pour les élus locaux qui veulent tous décrocher un train à grande vitesse dans le projet de schéma directeur des TGV en France, la réponse est évidente : ils doivent rouler dans le sens Paris-Province. Le train à grande vitesse est perçu comme un formidable outil de décentralisation. Fini, la concentration des investissements en Ile-de-France, les usines en province seront aux portes de Paris.

(2) Belle démonstration théorique. Mais elle ne tient pas dans la réalité. L'exemple du TGV Sud-Est le montre bien : les hommes d'affaires lyonnais "montent" travailler à Paris bien plus que les entreprises parisiennes déménagent en Rhône-Alpes. Et même l'arrêt TGV de Montchanin-Le Creusot n'a pas enrayé le déclin de la vieille cité métallurgique, sans parvenir à y drainer des activités de remplacement.

(3) Plus qu'un instrument de décentralisation, le train à grande vitesse se transforme en un élément de re-centralisation sur la région parisienne. Avec le TGV-Atlantique, on peut vivre au Mans en travaillant à Paris. Et les flux des jours ouvrables, suivant les heures de la journée, répondent à la même logique que pour le RER en Ile-de-France. Les prix des terrains, en revanche, augmentent avec l'arrivée d'un TGV qui fait reculer les limites de la banlieue parisienne à 200 ou 300 km du cœur de la capitale. Une heure de train vaut bien une heure de métro. Le mouvement spéculatif, déjà bien engagé dans l'Ouest, fait son apparition dans le Nord. Et l'on pourra constater que le nouveau schéma directeur en préparation n'échappera pas à cette logique centralisatrice politico-ferroviaire : Paris sera au cœur du réseau à grande vitesse comme il le fut pour le réseau classique et pour celui des autoroutes.

(4) Malgré tout, municipalités et conseils généraux s'arrachent le TGV. Car il reste un élément fort du désenclavement régional au même titre que les autoroutes. Amiens, qui a adopté une attitude jusqu'au-boutiste contre la direction de la SNCF et les gouvernements (de droite comme de gauche) qui ne cèdent pas à ses arguments, espère toujours casser un tracé qui l'ignore. Au sein de l'association TGV-Picardie-Normandie, elle a rallié à sa cause quatre conseils généraux. Avec l'approche de la présentation du schéma directeur par Michel Delebarre, ministre des Transports, à la fin du mois, elle redonne de la voix. Elle n'est pas la seule. Le concert des lobbies monte en puissance. Grenoble dispute à Chambéry le passage d'une future ligne transalpine à grande vitesse entre Lyon et Turin. Grenoble et Dôle ont entamé un bras de fer pour recevoir le TGV Rhin-Rhône. La région Languedoc-Roussillon met déjà la main au portefeuille pour un TGV qui rejoindrait l'Espagne. Provence-Côte d'Azur appuie de tout son poids en faveur de la construction d'une voie rapide qui donnerait naissance à un véritable TGV-Méditerranée. Avec des discordances : à Marseille, la CARDE (Coordination associative régionale de défense de l'environnement) dénonce le manque de concertation de la SNCF pour établir le tracé, tandis qu'Aix voudrait tirer la couverture à elle.

(5) Globalement, le principe du TGV n'est jamais remis en question . . . sauf lorsqu'il traverse des régions viticoles. Vers la montagne Sainte-Victoire, à l'est d'Aix, la SNCF rencontre le même cas de figure que dans le Vouvray, lorsque les viticulteurs refusaient qu'une ligne nouvelle déchire leur vignoble tout en s'opposant à la construction d'un tunnel ferroviaire, craignant que les vibrations du sous-sol nuisent à la qualité du vin dans les caves. Finalement, en payant au prix fort les expropriations et autres acquisitions foncières, la SNCF est parvenue à ses fins. Elle devra encore en passer par là. Au total, pour les deux branches du réseau TGV-Atlantique, la SNCF aurait déboursé près d'un milliard de francs pour les seules expropriations.

(6) Au-delà de la question des indemnisations, les lobbies obtiennent parfois gain de cause sur le fond. A Vendôme, sous la pression de l'opinion publique, la SNCF a modifié le tracé de la ligne nouvelle. Même chose en banlieue parisienne où la voie du TGV est entièrement recouverte de Bagneux à Massy : les riverains dénonçaient les nuisances sonores. A Villecresnes, sur l'interconnexion parisienne, d'autres ont pris la relève et réclament une couverture des voies, là où une simple tranchée était prévue. Jusque dans la banlieue nord-ouest de Lille, où une opposition de même nature a pris corps alors que la municipalité a bataillé pour devenir un carrefour du réseau du TGV-Nord. Une accumulation de conflits qui pourraient finir par freiner le TGV.

Gilles BRIDIER

Les prix de la vitesse sur le réseau Est

(7) Strasbourg à une heure cinquante de Paris : deux heures de moins qu'aujourd'hui pour relier la capitale française au Parlement européen. Dans le rapport sur la faisabilité du TGV-Est rendu public jeudi, Philippe Essig, ex-président de la SNCF, tient compte du caractère politique de la capitale européenne pour justifier un investissement de 24,4 milliards de francs – matériel roulant non compris. L'intérêt serait aussi économique puisque ce TGV, qui assurerait un branchement sur le réseau allemand, permettrait de relier Paris et Francfort en trois heures au lieu de cinq heures cinquante. Au passage, on parviendrait à Reims en moins de trois quarts d'heure.

(8) Metz et Nancy se battaient pour hériter d'une desserte. Finalement, Philippe Essig propose de faire passer la nouvelle ligne entre les deux villes. Pour ne décevoir personne, ne satisfaire aucun. Mais l'axe Paris-Strasbourg, selon la conception de Philippe Essig, n'est qu'une épine dorsale sur laquelle doivent venir se greffer moult raccordements. Pas facile à rentabiliser. Car, même dans cette optique, la population desservie par le TGV-Est ne dépasse pas 5 millions d'habitants en France. Aussi, la rentabilité ne dépasserait pas 4,5%, ce qui exclut aussi bien un financement exclusif par la SNCF que le recours au seul privé.

(9) Se basant sur la hauteur des contributions des pouvoirs publics pour les précédents TGV, Philippe Essig estime que l'Etat pourrait mettre 7,3 milliards de francs de sa poche. Les régions contribueraient à hauteur de 1,5 milliard de Francs pour l'Alsace, 1 milliard pour la Lorraine, autant pour l'Ile-de-France, et 0,5 milliard pour la Champagne-Ardennes. Ce qui, pour l'Alsace par exemple, correspondrait à 100 F par habitant et par an sur une période de vingt ans. Pour boucler le financement, Philippe Essig préconise la création d'une société qui réaliserait l'ouvrage, le louerait à la SNCF, et lui revendrait ensuite. Du crédit-bail bon teint pour un investissement ferroviaire. Les tarifs, dans le scénario du rapporteur, seraient de 12 à 15% supérieurs à ceux des trains actuels. A la SNCF, la vitesse se paiera. L'usager en a déjà fait l'expérience avec le TGV-Atlantique. Il devra de toute façon attendre 1997 pour voyager vers l'Est à bord d'un TGV . . . si le feu vert est donné cette année.

G.Br.

Activités

1 Le sens des mots

Travail individuel
Vérifiez, dans un dictionnaire monolingue, le sens des mots suivants:

- les élus; le schéma directeur (5C1)
- métallurgique (5C2)
- les jours ouvrables; le RER (5C3)
- le conseil général; la direction; un tracé (5C4)
- viticole; un viticulteur; le vignoble; une acquisition foncière (5C5)

Mise en commun
S'il y a des mots pour lesquels vous aimeriez des informations supplémentaires, consultez les autres membres du groupe et, éventuellement, le professeur.

2 Locutions figées

Dans le journalisme, on emploie constamment des locutions figées dont le sens risque d'échapper au lecteur étranger. En voici quelques-unes, tirées du texte 5C; n'hésitez pas, quand vous en voyez l'occasion, à utiliser de temps en temps l'une ou l'autre de ces locutions dans un travail écrit.

Travail individuel
Cherchez, dans un dictionnaire monolingue, le sens des locutions suivantes:

- ont entamé un bras de fer (5C4)
- met la main au portefeuille (5C4)
- tirer la couverture à elle (5C4)
- en payant au prix fort (5C5)
- est parvenue à ses fins (5C5)
- en passer par là (5C5)
- obtiennent gain de cause (5C6)
- ont pris la relève (5C6)
- a pris corps (5C6)

3 Point de vue

Les municipalités françaises ont-elles raison de vouloir que leur ville soit desservie par le TGV?

Travail individuel
Notez deux ou trois idées sur cette question, en vous basant

(a) sur vos opinions personnelles, et
(b) sur les informations données dans l'article.

Travail à deux
Avec un partenaire, comparez vos opinions et essayez d'arriver à un point de vue commun.

Tour de table
Présentez au groupe les points sur lesquels vous et votre partenaire êtes d'accord, et ceux sur lesquels vous avez des opinions opposées.

Mise en commun
Résumez et commentez les idées qui ont été exprimées le plus souvent.

POINTS LANGUE

● 5.1 *Prononciation: mots, syllabes, groupes rythmiques*

5.1.1 Syllabes (à l'oral)

A l'écrit, un texte est composé de **mots** distincts.
A l'oral, il n'y a pas, en français, de mots distincts, mais des **groupes rythmiques** (voir 4.1), chacun composé d'une ou de plusieurs **syllabes**.

Chaque **syllabe** est composée d'une seule **voyelle prononcée** (*e* muet: voir 2.1), avec une ou plusieurs consonnes, ou sans consonne:

hein? (N2)	*l'eau*	*vingt*	*texte*	*strict*
V	CV	CV	CVCCC	CCCVCC
(voyelle)	(consonne + voyelle)		(plusieurs consonnes + voyelle)	

Il y a deux types de syllabe:

- syllabe **ouverte**, sans consonne finale: CV, CCV, V
- syllabe **fermée**, avec consonne finale: CVC, CVCC, VC

La majorité (80%) des syllabes en français sont des syllabes **ouvertes**; la **"syllabe modèle"** (55% des cas) est formée d'une seule consonne + voyelle (CV):

la sé/vé/ri/té   *l'o/pé/ra*   *s'o/ccu/per*   *té/lé/vi/sé*

5.1.2 Coupe des mots à la fin d'une ligne (à l'écrit)

En anglais, on coupe un mot selon le **sens**: "some – where", "avail – able", "over – come", "build – ing".

En français, on coupe un mot selon la **prononciation** et la **syllabation**; après une coupure, la première lettre est une **consonne**:

réfé – rence   *em – ploi*   *pen – ser*
repré – senter   *prio – rité*

Mais on sépare les **consonnes doubles**:

Mitter – rand   *récem – ment*   *in – nocent*

On peut couper devant une syllabe avec *e* muet:

mar – que   *pau – vre*   *en – tre*

On ne coupe pas entre **deux voyelles**:

créées   *obéir*

5.1.3 L'accent rythmique final

En anglais, dans chaque mot de plus d'une syllabe, il y a un accent **tonique**, qui est **fixe**: "**a**ma**zing**"; "**won**derful"; "**pre**sent" (nom ou adjectif); "pre**sent**" (verbe). Cet accent tonique est indépendant de la place du mot dans la phrase.

En français, dans chaque **groupe rythmique** (voir 4.1), la dernière syllabe est prononcée avec une durée plus **longue** et souvent sur un **ton** différent (plus haut ou plus bas) que les autres syllabes; on appelle cet accent **l'accent rythmique**:

5A6 *un dernier ef**fort**, / mes en**fants**, / vous verrez la **vente** / tout à **l'heure**!*

L'intonation, en français, est déterminée par **le groupe rythmique**, et non par chaque mot séparément: dans l'exemple ci-dessus, il n'y a pas d'accent rythmique sur les mots *dernier* et *verrez*.

> ***exercice oral* 5/1**
>
> **GROUPES RYTHMIQUES: ACCENT RYTHMIQUE**
>
> **Travail à deux**
> Avec un partenaire, lisez cet extrait du texte 5A, et mettez-vous d'accord sur le découpage le plus probable en groupes rythmiques.
>
> **Mise en commun**
> Avec le professeur, vérifiez votre découpage de l'extrait.
>
> **Travail à deux**
> Avec votre partenaire, lisez tour à tour l'extrait à haute voix, en essayant de donner à votre lecture une intonation authentique (accent rythmique final, à la fin de chaque groupe rythmique). En écoutant attentivement la lecture de votre partenaire, essayez de juger si son intonation est authentique, et de donner des conseils s'il le faut.
>
> **Mise en commun**
> Chacun récite l'extrait à haute voix, en regardant le moins possible le texte.
>
> (Mouret) – Ce que je m'en fiche! Ils sont jeunes, ça les fera grandir . . . Et tant mieux, s'ils se promènent! Ils auront l'air plus nombreux, ils augmenteront la foule. Qu'on s'écrase, tout ira bien!
> (5A13)

5.1.4 Mots longs

Pour l'étudiant anglophone, les mots français à plusieurs syllabes sont souvent difficiles à prononcer avec une intonation authentique, surtout si le mot rappelle immédiatement un mot anglais:

améliorer   *analyser*
commencer   *développer*
encourager   *organiser*
travailler   *utiliser*
la direction   *la religion*
évidemment   *récemment*

La tentation de prononcer ces mots avec une intonation complètement fausse est parfois irrésistible.

exercice oral 5/2

MOTS LONGS: ACCENT RYTHMIQUE

(a) Répétez plusieurs fois, séparément, chacun des mots soulignés dans ces extraits du texte 5B, en accentuant la syllabe **finale**, et sans accentuer aucune autre syllabe.

(b) Ensuite, lisez chaque extrait à haute voix, en accentuant **la dernière syllabe** de chaque **groupe rythmique**.

1 cette **définition saisissante** de la banlieue (5B3)
2 la population **diminue régulièrement** (5B4)
3 dans la plupart des **agglomérations** (5B4)
4 « On sentait **l'organisation** » dit Liliane (5B5)
5 absence **d'équipements** collectifs (5B5)
6 la France a raté sa **transformation** urbaine (5B6)
7 les **cambriolages** sont plus **importants** dans les immeubles que dans les maisons **individuelles** (5B6)
8 face aux dégâts de **l'urbanisme contemporain** (5B8)

5.1.5 L'accent initial (mise en relief)

On peut mettre un accent sur la première syllabe d'un groupe rythmique, quand on veut insister sur (mettre en relief) un mot ou une idée. Cet **accent initial** est **moins fort** que l'accent rythmique final:

5A6 (Mouret) ***Et** le Japon / **est**-il installé / sur le palier cen**tral**?0*

(*Et*: accent assez fort; *est*: accent moins fort; *sur*: pas d'accent.)

Note Pour **mettre en relief** un mot ou un groupe de mots, on peut aussi employer des outils grammaticaux, comme par exemple *c'est* + nom/pronom + *qui/que*: voir 1.4.5.

5.1.6 Ponctuation

A l'oral, on dispose de plusieurs moyens pour exprimer ou renforcer le sens de ce qu'on dit:

- gestes, expression visuelle;
- ton, accent, rythme, intonation;
- des pauses plus ou moins longues entre les groupes de souffle;
- des références implicites à ce qui a déjà été dit.

A l'écrit, la ponctuation remplit certaines de ces fonctions: les signes utilisés dans la ponctuation imitent, jusqu'à un certain point, la langue parlée:

- la **virgule** (,) s'emploie en français comme en anglais; mais on l'emploie aussi en français pour annoncer un élément qui **s'ajoute** au précédent (anglais: "and") ou qui peut le remplacer (anglais: "or"):

5B3 *la banlieue est souvent dix fois, cent fois plus étendue que la ville*

- le **point-virgule** (;) annonce une nouvelle idée, **associée** à la précédente:

5B2 *plus de 500 000 logements sont construits par an; 6 000 architectes déploient leurs troupes*

- les **deux points** (:) annoncent une **explication**, une illustration:

5B2 *les bétonneuses tournent à plein rendement: plus de 500 000 logements sont construits*

- le **point** (.) marque la **fin** non seulement d'une phrase mais d'une idée.

5.2 *Mots connecteurs 1: adverbes*

On appelle **mots connecteurs** certains mots ou groupes de mots employés pour **relier** deux phrases, ou deux parties d'une phrase.

Très souvent, ces mots connecteurs sont:

- des **adverbes** (*puis*, *alors*, *ainsi*, etc: voir 5.2.2)
- ou des **conjonctions** (*et*, *mais*, *quand*, *parce que*, etc: voir 6.2).

On peut aussi relier deux phrases par:

- un participe passé (voir 3.4);
- un participe présent (voir 3.5);
- un pronom relatif (voir 7.4);
- une comparaison (voir 7.5);
- un infinitif (voir 9.3).

5.2.1 Mots connecteurs et niveaux de langue

Au niveau N3, on emploie un mot connecteur entre deux propositions pour:

- situer deux points dans le temps (avant – après);
- marquer une séquence cause – effet;
- indiquer l'importance relative de deux choses;
- accumuler des éléments descriptifs;
- indiquer le lieu, l'appartenance, le moyen, etc.

Au niveau N2, c'est-à-dire dans la communication spontanée, on emploie un nombre réduit de mots connecteurs:

(temps)	*alors*	*et puis*	*quand*
(cause, opinion)	*parce que*	*je crois que* (etc)	
(pronoms relatifs)	*qui*	*que*	
(condition)	*si*		

A l'oral, c'est la succession des éléments, plutôt qu'un mot connecteur, qui indique le rapport entre deux éléments de l'énoncé:

je ne sors pas, il fait trop froid
5A3 *prenez toujours (. . .), vous nous rendrez l'article*

5.2.2 Adverbes employés comme connecteurs

On emploie certains adverbes comme connecteurs, pour situer les éléments de l'énoncé dans le temps ou l'espace, dans une suite d'idées, etc:

- dans le **temps**:

(et) alors	*déjà*
ensuite	*d'ordinaire*
d'abord	*enfin*
maintenant	*puis*

5A2 ***Déjà** (. . .) il avait fait installer deux ascenseurs (. . .) **Puis**, il venait d'ouvrir un buffet*

5A9 ***d'abord**, Mouret haussa les épaules, sans répondre. **Puis** (...) il éclata*

- dans l'**espace**:

en bas/en haut   *ensuite*
ici ... là   *là-bas*
plus loin   *puis*

5A1 ***En bas**, dans la galerie centrale, il y avait les cravates. **Puis**, au premier, se trouvaient les confections*

- dans une **suite d'idées**:

d'abord   *d'ailleurs*
ainsi (N3)   *aussi* (N3)
bref   *en conséquence*
par conséquent   *enfin*
en fin de compte   *ensuite*
de cette façon   *de cette manière*
en outre (N3)   *en plus*
en premier lieu   *et puis* (N2)
du reste (N3)

5A3 *Il professait que la femme est sans force contre la réclame (...) **Du reste**, il lui tendait des pièges plus savants (...) **Ainsi**, il avait découvert (...)*

5A4 *De cette loi, il tirait toutes sortes d'applications. **D'abord**, on devait s'écraser pour entrer (...) **Ensuite**, le long des galeries, il (...)*

- pour **justifier** ou **confirmer** une idée:

en effet (voir 10.1.3)
justement   *de même*
en principe   *en somme*

5A4/5 *S'il en avait découvert le moyen, il aurait fait passer la rue au travers de sa maison.*
***Justement**, Mouret se trouvait en proie à une crise d'inspiration*

- pour annoncer un **contraste**, une **contradiction**:

cependant   *par contre*
en fait (voir 10.1.3)
pourtant (N3)   *en revanche*

5A7 *Il n'osait lui poser des questions. **Pourtant**, il se décida, il demanda doucement (...)*

Peut-être, ainsi, aussi
Inversion, au niveau N3, du verbe et du sujet après ces adverbes employés comme connecteurs: voir 6.5.2.

5.3 *Adverbes: formation et emploi*

- Adjectifs employés comme adverbes: voir 4.3.4
- Adverbes employés comme connecteurs: voir 5.2.2
- Locutions adverbiales formées de préposition + nom: voir 6.1.1, 8.1.4, 9.1.7, 10.1.2

5.3.1 Adverbes: sens et fonction

Un **adverbe** (ou une locution adverbiale) est un mot (ou un groupe de mots) qui qualifie:

- un **verbe**:
  *parler **fort**; parler **doucement**; parler **avec insistance***
- un **adjectif** (ou un autre adverbe):
  ***très** facile; **trop** fort; **bien** sûr; **bien** loin; **plus** loin*
- toute une **phrase**:
  ***Pourquoi** dites-vous cela?*
  ***Comment** faire?*
  *je ne comprends **pas***
  *elle ne lui parle **jamais***

D'autres adverbes servent à **situer** un élément de l'énoncé dans **l'espace** ou dans le **temps**:

ici, là, ailleurs; avant, après; hier, demain; encore, toujours; autrefois, bientôt, déjà; maintenant, à présent, aujourd'hui

5A3 *Puis, il avait pénétré **plus avant encore** dans le cœur de la femme*
5A5 *des marchandises ne se trouvaient **pas encore** en place*
5B1 *le Français **jusque-là** avait été un villageois*
5B2 *6000 architectes repoussent **toujours** plus **loin** les limites de la superficie urbaine*

5.3.2 Adjectifs et adverbes: études de cas

Actuel, réel (adjectifs);
actuellement, réellement, en réalité (adverbes):

*le gouvernement **actuel** ne vaut pas mieux que celui qu'on avait avant*
*le gouvernement n'a aucune influence sur la vie **réelle** des gens*
*10% de la population sont **actuellement** au chômage*
*cette fois-ci, elle est **réellement** furieuse*
*il croyait le problème résolu, mais **en réalité** rien n'avait changé*

Eloigné, lointain (adjectifs);
(pas/plus/si) loin (adverbes):

*cette réforme ne se fera que dans un avenir assez **éloigné** (ou assez **lointain**)*
*cette jeune femme est ambitieuse: elle ira **loin***
*il y a de l'ombre ici; on va se mettre un peu **plus loin**, au soleil*

Proche, rapproché (adjectifs);
plus, si, tout près (adverbes):

*les coups de tonnerre étaient maintenant très **proches*** (proches de nous)
*les coups de tonnerre étaient maintenant très **rapprochés*** (fréquents)
*tiens! je ne savais pas qu'on habitait **si près*** (si près l'un de l'autre)
*c'est **tout près**: on peut y aller à pied, si tu veux*

Près de (préposition): voir 7.1.

Rapide (adjectif);
rapidement, vite (adverbes):

5A3 *fidèle au principe du renouvellement **rapide** des marchandises*
*pouvez-vous me faire cette réparation aussi **rapidement** que possible?*
1B6 *ça va **vite**, ça me plaît*

Vite ne s'emploie **jamais** comme adjectif.

Sûr (adjectif);
sûrement, en sécurité (adverbes):

*les trafiquants avaient découvert un lieu **sûr** pour cacher la drogue*
4C11 *le monde rural ne sera **sûrement** pas le seul perdant*
*le plus important, c'est de pouvoir vivre **en sécurité***

> ## *exercice* 5/3
> **ADVERBES: FAUX AMIS**
>
> En consultant un dictionnaire, vérifiez le sens des adverbes suivants:
>
> 1 actuellement; réellement
> 2 dernièrement; récemment
> 3 éventuellement; à la longue
> 4 finalement; enfin
> 5 tellement; tant

5.3.3 Adverbes se terminant en *-ment*

La majorité des adverbes sont formés, à l'oral et à l'écrit, en ajoutant *-ment* au féminin de l'adjectif:

actif – activement
doux – doucement

Le *e* du féminin est généralement muet.

Pour les adjectifs se terminant en *-i* ou en *-u*, l'adverbe est formé sans ajouter *-e-*:

joli – joliment
résolu – résolument

Pour la plupart des adjectifs se terminant par **une** consonne + *e*, cette voyelle n'est pas prononcée:

fidèlement *nécessairement*
théoriquement

Après **deux** consonnes, on prononce et on écrit *e* + *-ment*:

agréablement *autrement*
brusquement *simplement*

Mais pour certains adjectifs se terminant en *-e*, on prononce et on écrit *é* + *-ment*:

énormément *précisément*
profondément

Pour les adjectifs se terminant en *-ant* ou en *-ent*, l'adverbe est formé différemment:

abondant – abondamment
apparent – apparemment
évident – évidemment
récent – récemment

La **prononciation** de ces adverbes est souvent difficile pour un non-francophone: voir 5.1.4.

> ## *exercice oral* 5/4
> **ADVERBES: PRONONCIATION**
>
> Lisez à haute voix ces extraits adaptés du texte 4A, en ayant soin chaque fois de bien prononcer les **adverbes:**
>
> 1 Les communes de campagne se sont vidées progressivement. (4A1)
> 2 Les migrations intéressent précisément les élites et le prolétariat. (4A3)
> 3 Les attitudes sont étroitement liées à la position de chacun dans ce système. (4A4)
> 4 Comment une société aussi fortement structurée peut-elle faire face à la crise? (4A5)
> 5 Il fait à ce sujet des constatations apparemment contradictoires. (4A5)
> 6 Les Chanzéens résistent instinctivement à toute modification trop brutale. (4A5)
> 7 Le remembrement des terres se fait lentement. (4A5)
> 8 Ce fut le représentant des jeunes agriculteurs qui, finalement, l'emporta. (4A5)
> 9 Les courants novateurs ont modifié profondément l'attitude de l'Eglise. (4A6)
> 10 Son livre est abondamment pourvu de tableaux statistiques. (4A7)

● 5.4 *Verbes modaux et verbes auxiliaires*

Voir aussi ***Livret audio.***

On emploie un **verbe modal**, ou un **verbe auxiliaire**, entre le sujet et le verbe principal, pour situer l'action dans un contexte (temps, probabilité, etc).

Exemple (a): *un accident arrivera*
L'emploi d'un verbe modal ou auxiliaire exprime **l'attitude** du locuteur:

*un accident **va** arriver*
(je pense qu'un accident est certain)
*un accident **peut** arriver*
(je pense qu'un accident est possible)

Exemple (b): *il a plu*
L'emploi d'un verbe modal ou auxiliare **situe** la pluie avec plus de précision:

*il **vient de** pleuvoir*
(il y a eu de la pluie récemment)
*il **a cessé de** pleuvoir*
(il ne pleut plus)

Verbes modaux et verbes auxiliaires: trois catégories, selon leur sens et leur position dans la phrase:

5.4.1
Verbes modaux (employés rarement à l'infinitif)

je dois	*je peux*
je risque de	*je vais*
je viens de	*j'ai failli*
j'ai manqué	

5.4.2
Verbes + infinitif (emploi **non** modal)

devoir	*pouvoir*
risquer de	*ne pas manquer de*
avoir des chances de	*il faut/il s'agit de*
avoir à	*être obligé de*

5.4.3
Verbes auxiliaires (temps, aspect, etc)

venir	*être sur le point de*
commencer à	*continuer à/de*
être en train de	*ne faire que*
cesser de/finir de	*paraître/sembler*
avoir l'air de	

Ordre des mots

Dans une séquence de **trois** verbes (verbe modal + verbe à l'infinitif + verbe à l'infinitif), le verbe **modal** (5.4.1) est toujours en première position:

*Il **devrait pouvoir continuer** à siéger au gouvernement*
(France Inter, 1985)

Les verbes **auxiliaires** (5.4.2, 5.4.3) peuvent être en première ou en deuxième position, selon le sens:

*Je **commence** à **pouvoir** travailler*
*Je **peux commencer** à travailler*

D'autres verbes peuvent s'employer avec un infinitif:

- ***faire***, ***laisser***, ***entendre***, ***voir*** + infinitif: verbes **constructeurs** (voir 8.3);
- ***aimer***, ***réussir à***, ***décider de***, etc + infinitif: de nombreux autres verbes peuvent s'employer comme verbes constructeurs: voir la liste des **Constructions verbales**, page 243.

5.4.1 Verbes modaux
Devoir, pouvoir, risquer, manquer

Le sens de ces verbes est différent, selon leur emploi:
Emploi modal – sens **faible**: (5.4.1) supposition, probabilité, possibilité
Emploi non modal – sens **fort**: (5.4.2) obligation, nécessité, capacité

- ***je dois***, employé comme verbe modal (sens faible), exprime une **probabilité** ou une **intention**:
  *Il **doit** partir demain*
  ("is due to leave")

5A5 *un ordre intelligent qui **devait** permettre aux clientes de se diriger elles-mêmes*
("which would (be likely to) allow")

- ***je peux***, employé comme verbe modal (sens faible), exprime une **possibilité**, une **supposition**:
  *Elle **peut** arriver à tout moment*
  ("may arrive")

4C8 *Les rebuts (. . .) **pourraient** bien s'entreposer dans la friche hexagonale*
("might/could well be dumped")
*Elle **aurait pu** arriver à tout moment*
("might have/could have arrived")

- ***je risque de***, employé comme verbe modal (sens faible: N2), exprime une **possibilité**, une **probabilité**:
  *Le mauvais temps **risque de** durer jusqu'au week-end*

- ***je vais***, employé comme verbe modal, exprime une **conviction**, une **intention** (correspondant au futur: voir 7.3.1, 7.3.3) ou un **ordre** (correspondant à un impératif):

4B12 *les vaches, ça ne paye plus, alors je **vais** prendre des touristes*
*vous n'**allez** pas me dire qu'il a menti!*

- ***je viens de*** (présent); ***je venais de*** (imparfait) s'emploient pour insister sur le fait qu'une chose s'est passé immédiatement avant le moment où/dont on parle. Si le point de référence (voir 7.3.1) est le **présent**, on emploie ***je viens de*** (voir 7.3.3):
  *Tout le monde dit qu'il est fini, mais il **vient d'**ouvrir un nouveau magasin*
  Si le point de référence est le **passé**, on emploie ***je venais de*** (voir 7.3.4):

5A2 *Déjà (. . .) il avait fait installer deux ascenseurs (. . .) Puis, il **venait d'**ouvrir un buffet*

- ***j'ai failli*** (employé au passé seulement); ***j'ai manqué*** (N3): on emploie ces constructions, souvent en exagérant, pour donner l'impression qu'un danger a été évité de justesse, qu'on a échappé à quelque chose de désagréable:
  *En rentrant, elle **a failli** être renversée par un motocycliste*

---

exercice 5/5

VERBES MODAUX

Complétez les phrases suivantes en ajoutant, au temps qui convient, un verbe modal:
Exemple: Ils _ partir à onze heures, mais le vol a été annulé.
Réponse: Ils **devaient** partir . . .

1. Ils faisaient un tel bruit qu'elle __ téléphoner à la police, mais finalement elle ne l'a pas fait.
2. On ne sait jamais ce qui __ arriver.
3. Selon les dernières informations, l'accord __ être signé demain.
4. Nous étions arrivés trop tard: le train __ partir.
5. Mes paroles __ le surprendre, car il resta longtemps sans mot dire.
6. J'ai bien l'impression qu'il __ pleuvoir demain.
7. Bon, maintenant vous __ me dire pourquoi vous avez fait ça:
8. Elle ne __ pas être loin: je __ la voir.
9. Cet exemple __ de ne pas plaire aux puristes!

5.4.2 Verbes + infinitif (emploi non modal)

Devoir

Devoir exprime, dans cet emploi non modal (sens fort), une **nécessité** ou une **obligation**:

5C1 (les TGV) ***doivent*** *rouler dans le sens Paris-Province*
("must")

5C5 (la SNCF) ***devra*** *encore passer par là*
("will have to do the same thing again")

5A4 *pas un coin du Bonheur des Dames ne **devait** rester désert*
("could be allowed to remain")

5A5 *Le personnel, effaré, bousculé, **avait dû** passer les deux nuits (. . .)*
("had been made to spend")

3C1 *cette télévision publique qui **aurait dû** rester le bien de tous les Français*
("should have remained")

Pouvoir

Pouvoir, dans cet emploi non modal (sens fort), exprime une **capacité**:

5C3 *Avec le TGV-Atlantique, on **peut** vivre au Mans en travaillant à Paris*
("one can/is able to")

4A3 *cette continuité apparente n'**a pu** être assurée qu'au prix de mouvements (. . .)*
("it has only been possible to ensure")

5B1 *le Français jusque-là avait été un villageois (. . .) Mais les choses ne **pouvaient** plus durer*
("could not (possibly) last")
*il m'a dit qu'après plusieurs mois, ils **avaient pu** trouver un logement*
("had managed/been able to find")

On emploie *pouvoir* pour demander, accorder ou refuser une **permission**:

4B7 *il reste un paysan, un seul. On **pourrait** me chicaner sur le mot*
("one could challenge/one would be justified in challenging")

exercice oral 5/6

DEVOIR, POUVOIR (EMPLOI **NON** MODAL)

Dilemmes

(Source: P. Ur, *Grammar practice activities*, CUP 1988, pp176–7)
Pour chacune des situations suivantes, proposez des (ré)actions possibles, souhaitables ou nécessaires. Mais **attention!** dans chaque proposition vous devez employer *devoir, falloir ou pouvoir* (au temps qui convient).

Variantes possibles

- *tour à tour* Chaque étudiant formule, tour à tour, une proposition;
- *chacun pour soi* Chacun prend la parole, selon l'inspiration du moment, pour formuler une proposition;
- *travail à deux* Les étudiants se mettent à deux pour discuter et formuler des propositions;
- *débat contradictoire* Le groupe est divisé en deux équipes; quand un membre de l'équipe A propose une action **nécessaire** (*devoir, falloir*), l'équipe B doit objecter en formulant une conséquence **possible** (*pouvoir*).

1 Un soir, vous vous installez à votre bureau pour rédiger, enfin, une dissertation que vous auriez dû remettre il y a quinze jours; mais vos voisins viennent frapper à votre porte: X vient de se fiancer, tout le monde va fêter ça, il faut absolument que vous soyez de la partie.
2 Au mois d'avril, malgré une météo déplorable, vous décidez de faire une excursion en montagne avec un(e) camarade. Glissant sur un terrain enneigé, votre camarade fait une chute de plusieurs mètres et reste immobile.
3 Il y a quelques semaines, votre sœur aînée avait eu un accident de voiture; votre sœur, heureusement, était indemne, mais la voiture n'était plus bonne à rien. En passant devant l'étalage d'un marchand de voitures d'occasion, vous reconnaissez, à sa plaque minéralogique, la voiture de votre sœur.
4 Après plusieurs semaines de travail acharné, vous décidez de vous offrir des vacances: un séjour à forfait à Ibiza. Mais à votre arrivée à l'aéroport d'embarquement, on annonce, d'abord qu'il y a un retard de quatre heures sur votre vol et, longtemps après, que l'organisme de tourisme responsable de votre séjour a fait faillite.
5 A vous, maintenant: avec un partenaire, ou avec la moitié du groupe, imaginez et composez un "dilemme" que vous proposerez aux autres étudiants de résoudre.

Pouvoir, savoir, vouloir

Au passé, le sens de ces verbes varie, selon qu'on emploie l'imparfait ou le passé simple/passé composé:

	imparfait	**passé simple/passé composé**
pouvoir	***je pouvais*** *leur parler* (**possibilité**: on ne dit pas si c'est devenu une réalité)	***je pus/j'ai pu*** *leur parler* (**réalité:** "je réussis/j'ai réussi à leur parler")
savoir	***elle savait*** *garder le silence* (**capacité**: elle le faisait, quand c'était nécessaire)	***elle sut/elle a su*** *garder le silence* (**événement**: "elle ne dit rien"/"elle n'a rien dit")
vouloir	***on voulait*** *m'interroger* (**intention**: l'interrogation n'a pas encore eu lieu)	***on voulut/on a voulu*** *m'interroger* (**action**: "on essaya/on a essayé, mais sans succès")

Risquer de

Risquer de exprime, dans cet emploi non modal (sens fort), une idée de **risque**, de conséquence **négative**:

4A3 *(. . .) dont la présence prolongée* ***risquerait de*** *rompre l'équilibre de la communauté*
4C1 *l'Etat français* ***risque de*** *ne plus contrôler la moitié de son territoire*

Ne pas manquer de

On emploie *ne pas manquer de* pour insister sur le fait que quelque chose est **certain**, ou **prévisible**:

4C5 *L'agriculteur, lui,* ***n'a pas manqué de*** *mentionner qu'une telle disparition aurait été impossible*

Il faut (voir aussi 9.4.2)

On emploie *il faut* + infinitif pour exprimer une **nécessité**, une **obligation**, sans nommer la personne en question:

5B5 *ils s'étaient demandé: qu'est-ce qu'**il faut** mettre pour qu'ils soient bien?* ("what needs to be provided?")
5B5 *les Français pourraient prendre désormais des douches.* ***Il ne faut pas*** *sous-estimer ce droit* ("one should not underestimate")
5A5 *il s'était écrié qu'**il fallait** « lui casser tout ça »* ("it all had to be/he wanted it all changed")
5B1 ***il fallait bien*** *caser tout ce monde-là quelque part* ("all these people had to be put somewhere")
4A5 *lorsqu'en 1965* ***il fallut*** *choisir* ("a choice had to be made")

Il s'agit de (voir aussi 9.4.2)

Il s'agit de exprime une nécessité, une obligation dans le domaine politique, administratif, etc:

5A5 *on avait quarante-huit heures,* ***il s'agissait de*** *déménager une partie des magasins* (N3) ("had to be moved")

Avoir à

Avoir à exprime une obligation moins pressante que celle dénotée par *il faut*:

2C1 *on erre à la recherche d'une place en bord de mer pour ne pas* ***avoir à*** *transporter le parasol*

On emploie aussi ***il y a à***, ***il n'y a qu'à*** (voir 9.4.3).

5.4.3 Verbes auxiliaires

Venir + infinitif

On emploie *venir* + infinitif avec des verbes comme *s'ajouter*, pour en **renforcer** le sens:

5B1 *tous les ans, des travailleurs des bourgs **venaient gonfler** la communauté citadine*

5C8 *l'axe Paris-Strasbourg n'est qu'une épine dorsale sur laquelle doivent **venir se greffer** moult raccordements*

Commencer à, continuer à/de, cesser de, etc

L'emploi d'un de ces verbes + infinitif permet de **situer** une action, un événement, etc, par rapport à un autre:

*il ne travaille plus dans le commerce, mais il **continue de** s'y intéresser*

5A3 *prenez toujours, madame: vous nous rendrez l'article, s'il **cesse de** vous plaire*

Paraître, sembler

Paraître s'emploie surtout quand il s'agit de l'aspect **physique** des personnes ou des choses; *sembler* suppose plus de **réflexion**. Mais cette distinction n'est pas toujours très nette.

(*Il paraît*, *il semble*, verbes impersonnels: voir 9.4.3.)

● 5.5 *Les temps du verbe 1: avec* si

Voir aussi ***Livret audio.***

5.5.1 Le système des propositions conditionnelles avec *si*

La plupart des phrases (proposition principale + proposition avec *si*) où *si* est l'équivalent de "if" en anglais sont composées sur l'un des trois modèles ci-dessous. (Les **temps du verbe** employés dans chaque cas correspondent, le plus souvent, aux temps employés en anglais.)

Modèle 1

Proposition + *si* – **présent**
Proposition principale – **futur**
*Si **j'ai** le temps, je le **ferai***
*Je le **ferai si j'ai** le temps*

Modèle 2

Proposition + *si* – **imparfait**
Proposition principale – **conditionnel**
*Si **j'avais** le temps, je le **ferais***
*Je le **ferais si j'avais** le temps*

Modèle 3

Proposition + *si* – **plus-que-parfait**
Proposition principale – **conditionnel passé**
*Si **j'avais eu** le temps, je l'**aurais fait***
*Je l'**aurais fait si j'avais eu** le temps*

Le **sens** de ces phrases dépend essentiellement du temps du verbe employé avec *si*: **1** est la plus proche du présent (et de la réalité); **3** est la plus éloignée.

---

exercice oral 5/7

AVEC DES *SI* . . .

On vous demandera de répéter et de compléter chacun des débuts de phrase suivants; pour les compléter, vous ferez appel à vos souvenirs, à vos intentions ou à votre imagination.

(a) *Si* + présent, + futur
Exemple:
S'il fait beau demain . . .
Réponses possibles:
. . . j'irai faire une longue promenade.
. . . ça ne changera rien pour moi.

1 Si je ne suis pas trop fatigué(e) ce soir . . .
2 Si j'arrive à finir ma dissertation demain . . .
3 Si je trouve du travail pendant les vacances . . .
4 Si tu trouves une meilleure solution . . .
5 Si tu me le demandes gentiment . . .

(b) *Si* + imparfait, + conditionnel
Exemple:
Si on me demandait mon avis . . .
Réponses possibles:
. . . je dirais que je suis d'accord.
. . . ce serait bien la première fois.

1 Si j'étais riche . . .
2 Si j'habitais plus près de Paris . . .
3 Si on me proposait un travail intéressant . . .
4 Si le gouvernement était raisonnable . . .
5 Si on détruisait toutes les armes nucléaires . . .

(c) *Si* + plus-que-parfait, + conditionnel passé
Exemple:
Si je m'étais levé(e) plus tôt . . .
Réponses possibles:
. . . je serais arrivé(e) à l'heure.
. . . ça n'aurait servi à rien.

1 Si j'avais choisi d'étudier les maths (les sciences) . . .
2 Si on s'était rencontrés cinq ans plus tôt . . .
3 Si je n'avais pas écrit cette lettre . . .
4 Si Napoléon avait été victorieux à Waterloo . . .
5 Si le tunnel sous la Manche avait été construit vingt ans plus tôt . . .

exercice oral 5/8

AVEC DES *SI*...

Mélange
Chaque étudiant invente (individuellement ou avec un(e) partenaire) une proposition commençant par *Si* + présent, imparfait ou plus-que-parfait. Tour à tour, chacun annonce sa proposition au groupe, qui doit formuler aussi vite que possible (peut-être en consultant un(e) partenaire) une proposition principale dont le sens **et le temps du verbe** (futur, conditionnel ou conditionnel passé, selon le cas), s'accordent avec la proposition commençant par *si*.

Exemples (+ réponses possibles):
Si on ne **limite** pas l'utilisation des voitures . . .
(. . . la circulation dans les villes **deviendra** bientôt impossible.)
Si la race des dinosaures n'**avait** pas disparu . . .
(. . . l'évolution des autres espèces **aurait été** différente.)

5.5.2 Exemples et observations

Modèle 1

***si* + présent, + futur**
4C11 ***si** la friche **remplace** les champs, (. . .) le monde rural ne **sera** sûrement pas le seul perdant*
5A3 *vous nous **rendrez** l'article, s'il **cesse** de vous plaire*

***si* + présent, + impératif**
Dans le dernier exemple ci-dessus, le futur (*vous rendrez*) est employé, par politesse, à la place de l'impératif; on peut employer *si* + présent, + impératif:
*   ***si** tu **sais** où c'est, **allons**-y*

***si* + présent, + présent**
On construit des phrases sur ce modèle pour décrire des opinions, des actions habituelles ou des observations:
*   je le **fais si** j'**ai** le temps*
5B4 ***si** l'on **prend** le cas de l'agglomération parisienne, on **s'aperçoit** que la population (. . .) diminue*

***si* + passé composé, + futur**
Dans le système des temps en français, le passé composé a toujours un lien avec le présent (voir 7.3): on peut donc formuler des phrases sur le modèle *si* + passé composé, + futur: *s'il **a fini** son travail, il **pourra** sortir*
4B10 *les retraités **puiseront** dans les sous de leur parcelle, **s'ils sont parvenus** à la vendre*

si = bien que (+ présent, passé composé ou imparfait)
Dans le style journalistique ou littéraire, on emploie souvent *si* avec le sens de *bien que*:
1A8 ***si** chez les animaux c'**est** la mère qui pousse les petits à partir, les hommes eux **sont** possessifs*
4B1 *mais, **si** le voisinage n'**allait** pas sans histoires, il y **avait** une communauté de travaux* (N3)

Modèle 2

***si* + imparfait, + conditionnel**
*   ***si** je **savais** la réponse, je **serais** moins anxieux*
2A5 *le village voisin (. . .) où ça se **remarquerait** moins **si** à chaque pas j'**écrasais** les pieds de ma cavalière*

Pour exprimer une condition au passé, d'autres constructions sont possibles:

- *quand même* + conditionnel, + conditionnel (voir 8.5.1):
  ***quand même** il **posséderait** des millions, elle ne **l'épouserait** pas* (N3)
- conditionnel, + *que* + conditionnel (voir 8.5.1):
  *on me le **dirait** mille fois **que** je ne le **croirais** pas* (N2)
- conditionnel, + *à condition que* + subjonctif (voir 6.3.8):
  *elle a dit qu'elle y **irait à condition qu'**il l'y **accompagne***

Modèle 3

***si* + plus-que-parfait, + conditionnel passé**
On formule des phrases sur ce modèle pour parler, au passé, de quelque chose d'**impossible**, ou qui ne s'est pas passé:
5A4 *s'il en **avait découvert** le moyen, il **aurait fait** passer la rue au travers de sa maison*
*   il se **serait tué**, **s'il avait fait** cela*

***si* + plus-que-parfait, + conditionnel passé**
On formule des phrases sur ce modèle pour insister sur les conséquences **dans le présent** de quelque chose qui s'est passé (ou qui ne s'est pas passé):
4C6 *Des cultivateurs (. . .) **continueraient** à soigner leurs champs, (. . .) **si** leur curieuse plantation **n'avait été repérée*** (N3)

exercice 5/9

PHRASES AVEC *SI*: MÉLANGE

Complétez les phrases suivantes, en mettant les verbes indiqués au temps qui convient.
Exemple: Si on m'avait prévenu(e), j'y __ tout de suite. (aller)
Réponse: . . . serais allé(e) . . .

1 Si tout le monde parlait anglais, est-ce qu'on se __ mieux? (comprendre)
2 Je __ tout de suite, si vous me laissez parler. (répondre)
3 Si j'__ ce qui se passait, j'aurais protesté. (savoir)
4 On aurait mieux compris ce qu'il disait s'il __ plus fort. (parler)
5 Si Mouret n'avait pas eu toutes ces idées, il __ moins d'argent. (gagner)
6 Elle a dit qu'elle __ s'occuper bientôt de l'affaire, si tout allait bien. (pouvoir)
7 Si tu ne travailles pas maintenant, tu __ des difficultés plus tard. (avoir)

5.5.3 Condition exprimée, conséquence non exprimée

On peut exprimer la **condition** (*si* . . .) sans exprimer la **conséquence**, si celle-ci est évidente, ou si on veut que son interlocuteur la trouve ou l'invente lui-même.

Cette construction abrégée est caractéristique de la communication spontanée, des titres, etc:

1 ***si* + présent** (ou + passé composé)
si tu veux . . . (N2)
si vous voulez . . . (N3)
si j'ai bien compris . . .
si vous permettez . . .

2 ***si* + imparfait**
si tu voulais . . .
Français, si vous saviez . . .
s'il/si seulement il pouvait pleuvoir . . .

3 ***si* + plus-que-parfait**
si j'avais su . . .
si on m'avait écouté(e) . . .

Conséquence exprimée, condition non exprimée
Dans une proposition principale, l'emploi du **conditionnel** suppose une proposition subordonnée avec *si*, même si elle n'est pas exprimée (voir 6.3.2).

5.5.4 *Comme si, comme pour, comme*

Comme si

On emploie *comme si* (+ présent, imparfait ou plus-que-parfait) pour faire une comparaison:
*tu parles **comme si** l'argent n'avait aucune importance!*

Comme pour

Avec un infinitif, on emploie *comme pour*:
*il m'a fait un signe de la tête, **comme pour** m'encourager*

Comme

Avec un participe ou une locution adverbiale, on emploie *comme*, tout simplement:
*on peut prendre ces choses-là **comme allant** de soi*
(locution figée)
*il resta là **comme foudroyé** par la surprise*

4A5 *à petits pas, et **comme malgré elle**, Chanzeaux s'aventure dans le XXe siècle*

5.5.5 *Si* ("whether") + conditionnel

Après des verbes comme *savoir* ou *dire*, on emploie *si* (avec le sens de "whether") + futur ou imparfait:
*je ne sais pas **s'il** va venir/**s'il** viendra*
je ne savais pas s'il allait venir/s'il viendrait

2B6 *Georgette m'a demandé **si** je voulais encore danser*

PRATIQUE *orale*

Exposé, 4 à 5 minutes

Une grande ville

Préparation
(voir aussi *Pratique orale*, Chapitre 4)

Rédigez, sous forme de notes, une description d'une grande ville (en Grande-Bretagne, en France, ou ailleurs) où vous avez habité, que vous avez visitée, ou dont on vous a parlé. Notez des mots et des expressions-clés, groupés sous certaines rubriques; par exemple:

- ce qui pour vous la distingue des autres villes, et ce qu'elle a en commun avec les autres villes;
- ses avantages et ses inconvénients, pour différentes catégories de personnes (ceux qui y habitent; ceux qui y travaillent; ceux qui y vont pour les magasins; ceux qui y passent quelques jours chez des parents ou amis; les touristes; etc);
- son passé: ses origines, les périodes de croissance ou de stagnation, d'autres changements;
- son avenir; les perspectives générales, ses atouts et ses handicaps.

Travail en classe
Présentez votre description au groupe; à la fin de votre exposé, les autres membres du groupe pourront intervenir pour vous poser des questions, demander des précisions ou des renseignements supplémentaires, etc.

PRATIQUE *écrite*

1 *Science-fiction*

Au cours d'un voyage dans le temps, Octave Mouret, *ou* un des ses employés, *ou* une cliente du Bonheur des Dames (voir texte 5A) rend visite à une des "cathédrales du commerce moderne" de la fin du XXe siècle (Le Metro Centre à Gateshead, ou un hypermarché français, par exemple). A son retour dans la France du Second Empire, le voyageur raconte ses impressions. Rédigez-les sous la forme qui vous semble convenir le mieux: rapport officiel, conversation, lettre . . . ou roman de science-fiction!

2 *Article*

Rédigez un article pour un journal local, régional ou national (précisez de quel genre de journal il s'agit), pour attirer l'attention des lecteurs sur une question d'actualité – réelle ou imaginaire – ayant rapport au logement, à l'urbanisme, à l'infrastructure (espaces verts, centres commerciaux, équipements collectifs (culturels, sportifs, etc), rénovation des vieux quartiers, transports collectifs, ligne et arrêt TGV, etc). Indiquez les faits matériels avec précision, et exprimez votre opinion avec éloquence et conviction!

3 *Appel*

Rédigez le texte d'un appel, adressé au gouvernement, de la part du maire (ou du député, de la Chambre de Commerce, d'un syndicat, d'un groupe de citoyens, etc), *ou bien* pour la construction d'une ligne TGV (avec arrêt) près de votre ville, *ou bien* pour protester contre un projet de ligne TGV dans votre région. Précisez d'abord la situation de la ville ou de la région, et la personne ou l'organisme qui a lancé l'appel. Vous pourrez, si vous voulez, vous servir des notes que vous avez prises pour l'*Activité 3* (Point de vue) du texte 5C.

4 *Point de vue*

Ecrivez en vrac, sous forme de notes, les impressions que vous avez eues en regardant récemment un film français. A partir de ces notes, rédigez *ou bien* une présentation de ce film à l'intention de quelqu'un qui ne l'aurait pas vu, *ou bien* une discussion, en forme de dialogue, entre deux personnes qui, ayant vu le film, ont des opinions contraires quant à ses mérites.

Sur le vif

Béton vert

Il y en a marre, ras-le-building, de tous ces maires, soupçonnés de s'en mettre plein la caisse en traficotant sur les terrains. Prenez mon amie Christine, on lui a refilé royalement une bouchée de pain en la priant de déguerpir de son vieil appart parisien rue de Charenton. Fallait le démolir, sous prétexte d'y faire passer la fameuse coulée verte, vous vous souvenez? Une coulée de béton, oui, bien grise, bien rentable, des immeubles de neuf étages au lieu de quatre, revendus, eux, 40 000 balles le mètre carré. Par ici, la monnaie !

Ou encore Cassisi, ce copain architecte. Il s'en étranglait hier au téléphone en me racontant l'entourloupette dont il est le témoin combatif et furax à Noisy-le-Sec, en Seine-Saint-Denis. S'agit de quinze hectares de jardins ouvriers, en pleine coulée verte justement, avec des noyers centenaires, les seuls arbres à oser se hausser du col dans tout ce bitume, des lopins de terre cultivés par des agriculteurs du dimanche et des retraités. Site protégé pareil que le bois de Vincennes. Site racheté par la commune, même que ça lui a valu une subvention de 5 millions, pas moins. Site payé trois francs six sous à ses expropriés de proprios. Normal, ça vaut rien, c'est pas constructible.

Et voilà que brusquement, abracadabra, ça le devient. Les prix croissent et se multiplient. Par dix, par cent . . . Ça ira au plus offrant. Ils se les arrachent, ces cabanes à lapins, les promoteurs : Tiens, renifle un peu ce pot de vin, je te le fais passer en dessous de table. Résultat, les tomates, les poireaux, les patates, les haricots seront remplacés par quoi ? Ben, tiens, par des parkings, des HLM, des bureaux, des magasins et des usines. Des usines dites classées, par-dessus le marché. Traduisez, des usines tellement dégueu, tellement polluantes, question fumée, odeur et bruit, que même les zones industrielles n'en veulent ni cru ni cuit.

Affolés, les riverains se sont mobilisés. D'où le coup de fil de Cassisi :

– Allez, secoue-toi ! On peut pas laisser ces petits potentats escroquer les gens en asphyxiant les villes. Qu'est-ce que t'attends pour leur aboyer aux mollets ?

Voilà qui est fait !

CLAUDE SARRAUTE

CHAPITRE 6

CONTINENTS

TEXTES

6A ***Les héros de Tombouctou***

6B ***Descente de police dans un hôtel d'immigrés***

6C ***Immigration: le parler vrai***

POINTS LANGUE

6.1 ***Prépositions 1***
un seul mot, + nom ou + infinitif

6.2 ***Mots connecteurs 2: conjonctions***
conjonctions de coordination et de subordination

6.3 ***Le subjonctif***
indicatif, conditionnel ou subjonctif
formation, temps, sens, emploi

6.4 ***Tout, tous, etc***
adjectif (ou déterminant), adverbe, pronom

6.5 ***Ordre des mots***
inversion, position de l'adverbe, dislocation

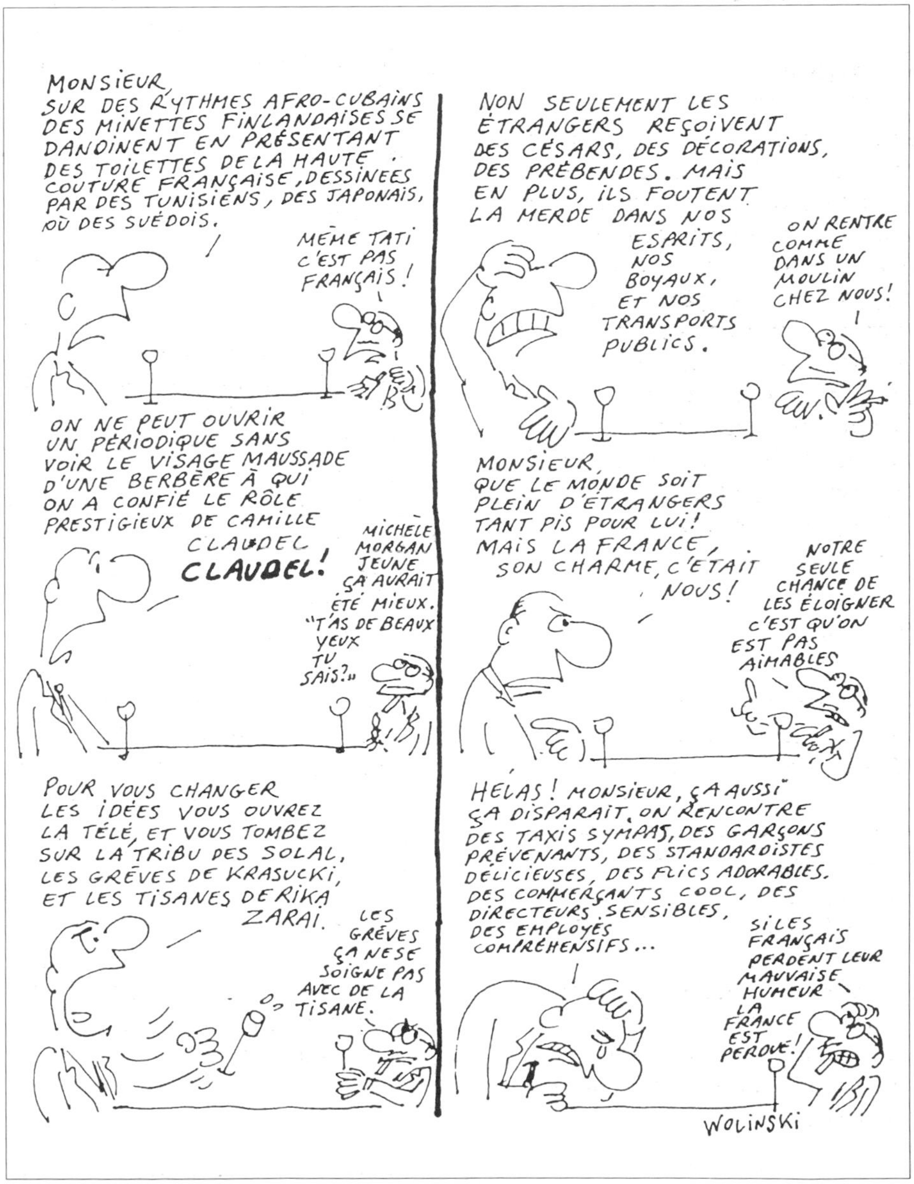

6A

points de repère

● **CONTEXTE**

1830–1900, c'est l'époque **coloniale**: les Européens partent à la conquête de l'Afrique, de l'Asie, du monde entier, pour y accomplir leur "œuvre de civilisation". 1950–2000, c'est l'époque **post**-coloniale: venus des pays d'Afrique, d'Asie, du monde entier, des millions d'immigrés s'installent en Europe, à la recherche d'un emploi, d'une vie meilleure.

● **SUJET**

Dans cet extrait de son livre *Chronique d'une fin de siècle 1889–1900*, paru en 1991, l'historien J. P. Rioux donne un aperçu de l'esprit colonialiste dans la France des années 1890.

● **PERSPECTIVE**

L'auteur, un historien, cherche à rendre compte de la progression de l'idée coloniale, tout en signalant l'opposition qu'elle rencontrait, et les déceptions qui l'attendaient.

● **STYLE**

L'auteur analyse, interroge, évalue; son style n'est pas celui d'un reportage: les phrases sont parfois longues, complexes; il faut, alors, les relire, revenir en arrière, comparer, réfléchir en lisant.

● **CONSEILS**

En somme, ce texte exige une lecture particulièrement attentive, mais au bout de laquelle le lecteur trouvera plus d'un sujet de réflexion qui lui permettront de mieux comprendre le monde des années 1990.

LES HÉROS DE TOMBOUCTOU

(1) « La prise de Tombouctou [. . .] est un événement considérable sur lequel l'attention publique doit être appelée: il n'est pas loin d'avoir la même importance que la prise d'Alger, dont il est la suite heureuse. Il complète l'œuvre de civilisation que la France a accomplie en Afrique en refoulant de plus en plus dans les solitudes sahariennes les hordes de pillards qui ont de tous temps infesté cette partie du monde. [. . .] La prise de Tombouctou assurera l'avenir du continent noir. Une troupe de braves Français, dont les noms resteront obscurs pour la plupart, a accompli ce haut fait d'armes qui donne à notre patrie un bien autre lustre que les discussions stériles des politiciens. Pensons à ces héros. Il ne faut pas que les anarchistes, ces pillards d'Europe, accaparent toute l'attention et nous fassent oublier les valeureux soldats qui combattent ou meurent pour la patrie. »

(2) Ainsi *L'Illustration* morigénait-elle, le 24 février 1894, une opinion métropolitaine distraite par le procès de Vaillant et l'attentat criminel d'Henry au café Terminus de la gare Saint-Lazare. Le chemin de l'honneur et du devoir ne passait-il pas plutôt par ce nouvel appui de « la plus grande France », là-bas, au cœur de tout le commerce nord-ouest de l'Afrique, par cette victoire sur d'autres pillards qui combattaient, eux, à visage découvert et auxquels « nous faisons une guerre sans merci, dans une haute pensée de civilisation »?

(3) Tombouctou évoquait assez de mirages pour fixer l'attention éperdue de Béthune ou de Pamiers. Les hiératiques Touaregs voilés tout autant, qui avaient déjà massacré au couteau la colonne Flatters en 1881: leur « silhouette de bourreaux du Moyen Age » fait la « une » de *L'Illustration* dès le 17 février. Mais la ville du sel et des caravanes était aussi trop symbolique, trop stratégique pour que sa chute ne fît pas l'effet d'une victoire aux conséquences décisives. Enfin la sécurité des convois était assurée par la maîtrise de ce point de rencontre du grand axe de la pénétration française d'ouest en est, du Sénégal au lac Tchad, et de l'axe nord-sud de nos vieilles ambitions: de Tombouctou à In Salah, du continent noir solidement surveillé aux postes avancés de notre civilisation dans le Sud algérien, il n'y a plus guère que 1300 kilomètres de désert où il sera loisible d'assoiffer Maures et Touaregs. Porte sud du Sahara, verrou nord des expéditions tropicales, Tombouctou ne pouvait qu'être française.

(4) Elle l'est donc devenue. Et fut dès lors un des plus glorieux symboles des succès africains de la France. Car c'est bien sur les espaces vierges de ce continent que les appétits convergent dans les années 1890. Les anciennes possessions coloniales, Algérie, Sénégal, Antilles, Guyane, Réunion, comptoirs de l'Inde, Nouvelle-Calédonie, Tahiti ou, tout récemment, Cochinchine, sont tant bien que mal pacifiées, à peu près administrées dès lors que la jeune École coloniale fournit depuis 1889 des administrateurs et des inspecteurs, protégées de la concurrence étrangère par une assimilation douanière renforcée par la loi de janvier 1892,

L'Afrique à l'heure coloniale
« Depuis 1880, Gambetta puis Jules Ferry ont choisi « entre la ligne bleue des Vosges et le vaste monde »

conduites sur la voie du Progrès par une politique assez fluctuante qui hésite entre l'exploitation pure et simple, l'assimilation éclairée et l'association. Depuis 1880, Gambetta puis Jules Ferry ont choisi « entre la ligne bleue des Vosges et le vaste monde » et tranché en faveur d'une relance de l'expansion, « bien entendu sage et modérée », en Tunisie, à Madagascar, au Tonkin, au Siam et dans cette Afrique noire dont la conférence de Berlin, en 1885, a fixé les règles du dépeçage entre les grandes puissances européennes.

(5) L'ambition française, face aux Allemands, aux Belges et surtout aux Anglais? Étirer vers l'est une Afrique occidentale encore trop côtière, contrôler la zone du Tchad et, un jour, faire la jonction avec la côte des Somalis et Djibouti. Puis croiser cette horizontale avec une perpendiculaire, de Tunis à Pointe-Noire, qui rivalisera avec celle que les Britanniques tracent de leur côté du Cap au Caire et joindra l'Afrique du Nord à une Afrique équatoriale.

(6) Le chef vénéré du « parti colonial » est le député de l'Oranie Eugène Étienne, plusieurs fois ministre et homme d'entregent. Il a installé le « parti » au Parlement dès 1892 en constituant un groupe de députés et de sénateurs de tous bords acquis à l'idée qu'une expansion outre-mer était une condition essentielle du retour en force et en richesse, que du Congo en Chine, dira M. de Vogüé, « il y aura un vaste trésor humain d'intelligence, de dévouement, de résolution, où la France pourra puiser pour tous ses besoins ».

(7) Un grand élan associatif d'action et de propagande vivifie le mouvement, des Sociétés de géographie où l'on explore le pittoresque ravageur de la science et où l'on écoute des topographes fourbus rentrés du bled, au Comité de l'Afrique française qui finance des expéditions par souscription publique. Des militaires diserts et décoratifs sont eux aussi de la partie, multipliant les conférences et les propositions hardies: une armée coloniale, au reste, a été mise sur pied en 1893, peuplée exclusivement d'engagés volontaires, mais au sein de laquelle nombre d'officiers de carrière vont gagner plus vite leurs premiers galons. Les hommes d'affaires des grandes maisons de Marseille et de Bordeaux, de leur côté, ont lancé en 1893 une sorte de chambre syndicale du commerce outre-mer, l'Union coloniale française. Fort riche, multipliant banquets, articles de presse grassement commandités et tournées éducatives, faisant donner le « parti » à la Chambre, elle fut un vrai ministère des colonies avant la lettre. Et c'est largement sous sa pression qu'on a installé enfin rue Oudinot ledit ministère, créé par la loi du 20 mars 1894.

(8) Est-ce à dire que les colonies sont déjà une si bonne affaire qu'il faille ainsi fortifier l'ardeur à les multiplier? Les calculs de Jacques Marseille montrent fort bien qu'en ces temps dits d'« impérialisme » le domaine d'outre-mer est encore peu exploité et qu'il coûte plus qu'il ne rapporte. L'ambition est autre: la France vaincue de 1870 pourra, pense-t-on, reconstituer ses forces physiques et morales au-delà des mers, y trouver un jour le secours de vaillants soldats colorés qui vaincront l'Allemand, y affermir sa voix dans le concert mondial. Elle y remplira aussi au passage les devoirs d'humanité de la Grande Nation fille de 1789, en y soignant, éduquant et évangélisant des races inférieures qui attendent d'être paternellement conduites et éclairées sur le chemin du Progrès. C'était déjà l'ambition de Gambetta. C'est elle que les instituteurs signifient aux enfants des écoles en leur apprenant à lire la carte du monde parsemée d'éclatantes taches roses.

(9) Cet argumentaire n'a pas encore tout à fait conquis les Français. Ils n'auront jamais pour ces colonies, que leur paresse démographique leur interdit de vraiment peupler, l'amour ardent des Britanniques. Très tôt, il est vrai, l'anticolonialisme a su parler assez haut, qu'il vienne d'une droite exclusivement soucieuse de Revanche ou des milieux pacifistes et antimilitaristes de la gauche socialiste et syndicale. D'autant aussi qu'à la fin du siècle courent d'étranges rumeurs sur les exactions de la France en brousse.

(10) En juillet 1900 a débarqué à Paris pour une visite de l'Exposition le petit prince Yukanthor, fils du roi du Cambodge. Il fait scandale en exposant au *Figaro*, le 8 septembre 1900, que sa terre natale est livrée à une administration « rongeante », destructrice des valeurs cambodgiennes et passablement raciste: « Tous les empires coloniaux, conclut-il, sont tombés parce que les peuples impériaux ont systématiquement ignoré le caractère et l'âme des peuples soumis, protégés; parce qu'ils ont voulu toujours des esclaves, des sujets, au lieu d'alliés; parce qu'ils ont exploité, au lieu d'associer. » Et la grande presse répand d'autres nouvelles, plus tristes encore, venues du grand large africain. Là-bas, leurs troupes indigènes ont finalement passé par les armes Voulet et Chanoine, deux officiers en mission à travers le Soudan central. Ils n'écoutaient plus les ordres, demi-fous, rêvant de se tailler leur propre empire, et de surcroît ayant tué le colonel venu les relever. Depuis Tombouctou, leur colonne avait laissé une longue traînée de sang, pillant et massacrant sur son passage.

Activités

1 Les dates et les pays

Autrefois, on disait que les Français étaient très conscients de leur histoire, mais peu doués pour la géographie. Quoi qu'il en soit, une bonne compréhension de ce texte exige certaines connaissances dans les deux domaines.

Travail individuel
Cherchez, dans un dictionnaire encyclopédique, quelques détails sur les circonstances ou la situation géographique des références suivantes:

- la prise de Tombouctou (1894) (6A1)
- les anarchistes; le procès de Vaillant et l'attentat au café Terminus (6A1–2)
- les Touaregs; le massacre de la colonne Flatters (1881) (6A3)
- du Sénégal au lac Tchad; de Tombouctou à In-Salah (6A3)
- la conférence de Berlin (1885) (6A4)
- Tchad – Côte des Somalis/Djibouti; Tunis – Pointe-Noire (6A5)
- la France vaincue de 1870 (6A8)
- la Grande Nation fille de 1789 (6A8)
- l'Exposition de 1900 (6A10)

2 Images

Avant de lire ce texte, vous vous faisiez déjà, sans doute, une certaine idée du colonialisme.

Travail individuel
Notez, en vrac, ce que le mot "colonialisme" évoque pour vous, que ce soit une image vue à la télévision ou dans un manuel d'histoire, ou une anecdote racontée par un membre de votre famille ou par quelqu'un d'autre.

Travail à deux
Avec un partenaire, comparez vos "images du colonialisme", en notant les points de convergence et de divergence, et discutez-en.

Tour de table
Avec votre partenaire, présentez au groupe les résultats de votre discussion.

3 Analyse

Travail individuel
En relisant le texte, cherchez un passage (trois à cinq lignes) qui a **confirmé** l'idée que vous vous faisiez du colonialisme (voir *Activité 2*), et un autre passage qui, au contraire, a **modifié** votre image du colonialisme. Ecrivez quelques notes pour vous aider à fixer vos idées sur les deux passages.

Travail à deux
Avec un partenaire, discutez les passages que vous avez choisis, et choisissez chacun un passage que vous pourrez présenter au groupe.

Tour de table
Lisez à haute voix le passage que vous avez choisi, puis présentez brièvement vos observations.

4 Débat

Le colonialisme: phénomène positif ou négatif ?

Travail individuel
Même si vous jugez qu'il y a des arguments des deux côtés, prenez parti pour l'une ou l'autre de ces propositions, et écrivez quelques notes qui vous permettront de participer à un débat sur la question.

Travail en classe
A l'aide des notes que vous avez prises, participez à un débat contradictoire sur le colonialisme et ses conséquences. Si l'on veut, on pourra écrire au tableau, au fur et à mesure des interventions, un résumé des principaux arguments avancés au cours du débat.

6B

points de repère

● CONTEXTE

Vous avez peut-être entendu parler du beau roman de Claire Etcherelli, *Elise ou la vraie vie* (1967). Nous sommes en 1958: en Algérie, l'armée française combat la révolution algérienne; en France, des centaines de milliers d'immigrés algériens subissent le racisme dans leur vie quotidienne. Elise est venue de Bordeaux à Paris, où elle travaille à l'usine Citroën, à la chaîne de montage des 2CV. A l'usine, elle rencontre Arezki, un ouvrier immigré; à travers l'histoire de leur amour, on assiste à l'affrontement de deux mondes différents, à tous les niveaux: personnel, social, industriel, politique.

● SUJET

Le point culminant du roman, c'est la scène capitale racontée dans cet extrait: pour la première fois, Elise vient retrouver Arezki dans la chambre qu'il habite dans un hôtel meublé, rue de la Goutte-d'Or. Ils croient avoir trouvé un havre de paix . . .

● PERSPECTIVE

Ecrit à la première personne, le récit d'Elise est à la fois simple, direct et subtil, nuancé: un montage d'actions, de paroles, de souvenirs et de réactions. Pas de grandes phrases ni de bruyantes dénonciations: l'absence, dans le récit, non seulement de toute attitude raciste, mais aussi de toute condamnation du racisme, fait que les actes, les gestes, les paroles racistes parviennent sans filtrage jusqu'au lecteur qui, du coup, réagit, réfléchit et s'interroge.

● STYLE

La description est parfois minutieuse et les dialogues souvent frappants: Claire Etcherelli a l'œil vif et l'oreille fine.

● CONSEILS

Vous pourrez, si vous voulez, analyser plus tard les qualités d'écriture de cet extrait; à la première lecture, surtout, mettez-vous à la place d'Elise, et laissez-vous guider par ses réactions.

Attentat contre un foyer d'immigrés

A Cagnes-sur-Mer (Alpes-Maritimes), un engin explosif provoque la mort d'une personne dans un foyer de la SONACOTRA

Descente de police dans un hôtel d'immigrés

(1) – Police !

– Police !

Je ne pouvais parler, me détendre. Dans le noir, immobile, j'écoutais et, par les bruits, je suivais le déroulement de la perquisition comme une aveugle. On sifflait maintenant de l'intérieur de l'hôtel. Quelqu'un cria un ordre et les bruits de pas se précipitèrent. Ils avaient atteint notre étage, et couraient aux issues. Les voix prenaient un son étrange, le silence de l'hôtel les amplifiait. Ils avaient de grosses lampes dont le faisceau pénétrait jusqu'à nous par les jointures usées de la porte. L'un, sans doute à la traîne, arriva en courant.

(2) – A la ratonnade, plaisanta-t-il.

Il y eut des rires.

Le plus angoissant était ce silence. Pas de cris, pas de plaintes, aucun éclat de voix, aucun signe de lutte ; des policiers dans une maison vide. Puis soudain, il y eut un roulement, un autre, un bruit sourd de chute, de dégringolade. Et le silence par là-dessus. Dans la rue, quelqu'un criait.

(3) – Allez, allez, allez !

Je fis un effort, je me mis debout et marchai jusqu'à la fenêtre. Des hommes montaient dans les cars cellulaires. A certains on avait passé les menottes. D'autres, dans la file, brossaient leurs coudes, rajustaient leurs pantalons. La nuit était claire, froide, pure. Le réverbère, près du car, éclairait la scène, les hommes en file dont je ne voyais de la vitre que les crânes allongés, la laine noire des cheveux. « Ô race à tête de moutons et comme eux conduits à l'abattoir . . . » Le poème qu'Henri nous avait lu autrefois, lorsque nous attendions la vraie vie. L'un, le dernier de la file, petit, dont les cheveux brillèrent quand il traversa le rond lumineux, ralentit et fouilla dans sa poche. Son nez devait saigner. Il renversait la tête, s'épongeait avec sa manche. Un des policiers l'aperçut, se précipita, saisit aux épaules le petit homme et lui bourrant le dos de coups, le jeta dans la voiture. L'autre manqua la marche, tomba la face sur le pavé. Je me détournai. Je ne bougeai pas tout de suite. Chaque geste me semblait indécent mais je n'en pouvais plus de rester dans ce noir, ce silence, dans cette fumée âcre qui sortait des lèvres d'Arezki, montait, se tordait, se perdait dans les angles. Pourquoi Arezki ne me parlait-il pas ? Il n'avait pas encore bougé. Cette fois, ils frappaient à la porte voisine. Les bizarreries de la construction avaient relégué notre chambre dans un embryon de couloir à droite des cabinets. Il leur fallait les visiter toutes avant d'arriver à notre porte. Mais que faisaient-ils là-dedans ? Et les autres, pourquoi ne se débattaient-ils pas ? ne criaient-ils pas ? J'allais bouger. Je retournerais m'asseoir auprès d'Arezki, je prendrais son bras, je m'y accrocherais. Un cri monta, bref, étouffé. Une galopade vers notre porte. Celui qui se ruait vit-il les issues gardées ? Il sembla piétiner, respirant vite et fort, mais les autres déjà la rattrapaient. J'entendis le choc, les exclamations, les coups, le corps traîné, lancé dans l'escalier, le roulement contre les marches. Une musique éclata. « L'Aïd, l'Aïd ». Des claquements de mains, une voix de femme en délire, un bruit d'objet brisé, le tourne-disque sans doute.

(4) C'est à nous. Cela se fit très vite. Arezki alluma, tourna la clé. Ils entrèrent. Ils étaient trois. Quand ils m'aperçurent, ils sifflotèrent.

– Lève tes bras, Algérien, Marocain, Tunisien ?

– Algérien.

Ils tâtèrent ses poches, ses manches.

– Tes papiers, ta feuille de paye. La dernière.

– C'est là, dit Arezki, montrant son portefeuille.

– Déshabille-toi.

Arezki hésita. Ils me regardèrent.

– Un peu plus tôt, un peu plus tard, ça sera fait pour tout à l'heure. Vite.

Je ne détournai pas la tête. Je m'appliquai à ne pas bouger, les yeux au-dessus d'Arezki, comme une aveugle qui fixe sans voir. Arezki avait baissé les bras et commençait à retirer son veston. Je ne voulais pas rencontrer son regard, il ne fallait pas que mes yeux quittent le mur au-dessus de sa tête.

(5) – Papiers, Mademoiselle ? Madame ?

Si j'avais pu ne pas trembler. Pour leur donner ces papiers il me fallait ramasser mon manteau, me baisser, me lever, me relever, autant de gestes douloureux.

– Vous n'avez pas le droit, dit Arezki, Je suis en règle, je n'ai pas d'arme.

– Pas d'histoire, mon frère, déshabille-toi. C'est avec ta paye d'O.S. que tu t'achètes des chemises comme ça ?

C'était la blanche, filetée, celle du boulevard Saint-Michel, je la reconnaissais. Devant la porte qu'ils avaient laissée ouverte, deux autres policiers passèrent. Ils encadraient un homme, menottes aux poignets, qu'un troisième par-derrière poussait du genou.

(6) – Alors et là-dedans ?

Celui qui venait de parler s'appuya contre la porte.

– Il y a une femme, dit le policier qui se trouvait devant Arezki.

L'autre me regarda durement.

– Tu appelles ça des femmes ! . . .

Ils sortirent dans le couloir. Arezki était toujours encadré par les deux policiers tenant leur arme à l'horizontale.

(7) – Quitte la chemise !

Arezki obéit.

– Allons, continue, le pantalon, que je le fouille !

– Vous l'avez fouillé.

– Lève les bras !

En même temps, celui de gauche rapprocha d'Arezki la bouche de son arme. L'autre défit la boucle qui fermait la ceinture et le pantalon glissa. Arezki n'avait plus rien maintenant qu'un slip blanc. Ils rirent à cette vue.

(8) – Ote-lui ça, il y en a qui planquent des choses dedans !

Tout en parlant il appuyait l'orifice de son arme sur le ventre d'Arezki. L'autre, du bout des doigts tira sur l'élastique et le slip descendit.

(9) – Quand tu es arrivé en France, comment étais-tu habillé ? Tu avais ton turban, non ? Avec des poux dessous ? Tu es bien ici, tu manges, tu te paies de belles chemises, tu plais aux femmes. Tiens, le voilà ton pantalon, et bonne nuit quand même.

Ils sortirent tous ensemble. Je regardai vers la rue où les lumières revenaient peu à peu. La casbah de Paris recommençait à vivre. Je m'attardai à suivre dans le ciel l'écartèlement des nuages. Le plus difficile restait à venir : regarder Arezki. Je me tournai enfin. Il buvait un verre d'eau.

(10) – Tu vas rentrer, dit-il d'une voix neutre.

– Oui, je vais rentrer.

Assis au bord du lit, il finissait de boire.

– J'en voudrais bien un verre, dis-je.

– Sers-toi, elle est fraîche.

J'allais vers lui. Quels mots lui dire ? J'aurais voulu connaître sa langue. Je me mis à genoux. La tête me tournait. Il avait les deux mains à plat sur les fleurs mauves du lit. Deux fleurs aussi. De bronze luisant les feuilles fermées, et les feuilles écartées, de rose mat. Je les pris. Les gestes d'amour m'étaient peu familiers. Gauchement je les tenais ne sachant qu'en faire. Je me penchai vers elles et les embrassai une fois, dans la paume chaude et charnue comme une gorge. Arezki ne les avait pas retirées. Je les embrassai à nouveau, sans retenue, grisée par leur odeur de peau moite et de cigarette, je les mordis, les embrassai, les mordis encore, les caressai de ma langue. Arezki dit un mot que je ne compris pas. Je posai ma tête entre les deux paumes.

– Rentre, répéta-t-il, il faut rentrer.

Activités

1 Le sens des mots

Travail individuel
Avant de lire le texte, vérifiez dans un dictionnaire monolingue le sens des mots suivants:

- la perquisition; le faisceau (6B1)
- la ratonnade; (la) dégringolade (6B2)
- les menottes; (il) fouilla; lui bourrant le dos de coups; les issues; piétiner (6B3)
- ta paye d'O.S. (6B5)
- (ils) planquent (6B8)
- des poux; la casbah (6B9)

2 Témoignage

Avez-vous été témoin, en France, en Grande-Bretagne ou ailleurs, d'un incident à caractère raciste, ou est-ce qu'un incident de ce genre vous a été raconté par un(e) camarade ou un membre de votre famille?

Travail individuel
Ecrivez quelques notes sur les circonstances de cet incident, ses causes et ses conséquences, et vos réactions

(a) sur le moment, et
(b) maintenant. Réfléchissez bien à la manière dont vous allez présenter l'incident aux membres du groupe.

Tour de table
Racontez votre incident aux autres membres du groupe.

Mise en commun
Est-ce qu'il y avait des points communs aux différents incidents?

3 Appréciations

Travail individuel
Choisissez un ou deux passages (trois à cinq lignes) du texte qui vous ont particulièrement frappé par leurs qualités dramatiques ou descriptives.

Travail à deux
Avec un partenaire, comparez les passages que vous avez choisis: si vous avez choisi le(s) même(s) passage(s), est-ce pour les mêmes raisons? Si vous avez choisi des passages différents, essayez de convaincre votre partenaire des raisons de votre choix.

Mise en commun
Pour chaque passage choisi, un des étudiants le lira à haute voix, et chacun pourra exprimer son jugement. Après avoir entendu tout le monde, on pourra conclure par une discussion générale sur les qualités et, éventuellement, les défauts, de l'extrait dans son ensemble.

Une scène du film **Elise ou la vraie vie**
« Quels mots lui dire ? J'aurais voulu connaître sa langue »

6C

points de repère

● **CONTEXTE**

Jean-François Revel est l'auteur de nombreux livres sur la politique française et internationale; il a collaboré successivement à *L'Express*, au *Nouvel Observateur*, et au *Point*; il est marié à Claude Sarraute, bien connue des lecteurs du *Monde* pour son billet humoristique quotidien "Sur le vif" (voir la dernière page de chaque chapitre).

● **SUJET**

Dans ces extraits d'un long article paru dans *Le Point*, où il rend compte d'un livre "clair, succinct et serein" sur l'immigration étrangère en France, Revel adresse deux questions difficiles: la surdélinquance et l'échec scolaire. (Sur l'échec scolaire: voir aussi le texte 8B.)

● **PERSPECTIVE**

Ici comme ailleurs, Revel s'exprime avec vigueur et lucidité sur une question où, trop souvent, les arguments avancés sont dépourvus de l'une ou de l'autre des ces qualités.

● **STYLE**

On peut contraster le style de cet article et celui du texte 4C, également tiré du *Point*: ici, plutôt que d'une série d'exemples, il s'agit d'une analyse, menée avec rigueur.

● **CONSEILS**

La présence de certains mots abstraits ou techniques rend l'emploi d'un dictionnaire presque obligatoire dans certains cas (voir *Activité 1*). En lisant le texte, cherchez surtout à suivre l'argument de Revel sur trois aspects de la question: la situation **sociale** de la population immigrée (paragraphes 4 à 5); les causes de la **surdélinquance** immigrée (paragraphe 6); les moyens de remédier à l'**échec scolaire** des enfants d'immigrés (paragraphes 7 à 9).

un compte rendu.
L'immigration
La surdélinquance
L'échec scolaire

« La question immigrée dans la France d'aujourd'hui », de Jacques Voisard et Christiane Ducastelle (fondation Saint-Simon-Calmann-Lévy, 155 pages).

(1) Comme presque toutes nos grandes querelles nationales, celle de l'immigration possède une caractéristique : on parle beaucoup et on sait peu. Connaissons-nous exactement le nombre des étrangers résidant en France ? Faut-il arrêter l'immigration ? Les départs, forcés ou volontaires, sont-ils plus nombreux aujourd'hui qu'hier ? La France a-t-elle trahi sa mission de « terre d'asile » ? Combien d'étrangers accèdent chaque année à la nationalité française ? Y a-t-il une délinquance étrangère supérieure à la moyenne nationale? Pourquoi les enfants d'immigrés, même nés français, souffrent-ils d'un échec scolaire particulièrement grave ? L'immigration en provenance d'autres continents est-elle vécue en France autrement que dans le reste de l'Europe occidentale ?

(2) Autant de questions à propos desquelles la véhémence des échanges le dispute ordinairement à l'ignorance des données. On a pu entendre récemment un éminent homme d'Etat, tout à fait libéral, déclarer : « *Il faut arrêter l'immigration.* » Or l'immigration est arrêtée depuis 1974, date à laquelle le gouvernement a décidé d'interdire l'entrée en France de nouveaux travailleurs étrangers permanents. Les seules entrées nouvelles autorisées, depuis lors, sont dues au regroupement familial, ou aux demandeurs d'asile politique. Le pourcentage global d'augmentation de la population étrangère, qui était de 4,5 % par an de 1968 à 1974, est tombé à 1 % par an de 1975 à 1982 et à 0,7 % de 1982 à 1985.

(3) Ces précisions, et bien d'autres encore, il faut savoir gré à

Immigration : le parler vrai

Vociférations, ignorance, irresponsabilité . . . la question immigrée est un abcès dans la France d'aujourd'hui. Enfin un livre serein.

par Jean-François Revel

Jacques Voisard et Christiane Ducastelle de nous les apporter dans leur livre clair, succinct et serein, précieux outil d'information, rédigé sur un ton d'une neutralité totale. La lecture devrait en être rendue obligatoire à tous les députés de la nouvelle Assemblée, et plus encore peut-être . . . aux battus, s'ils veulent s'expliquer leur infortune.

(4) Non que l'immigration en France soit exceptionnelle. Avec 7 % d'étrangers dans la population, nous sommes dans la moyenne européenne. Mais plusieurs facteurs additifs aggravent les tensions : la surconcentration dans certains départements et, avant tout, dans les zones urbaines. Songeons que 70 % des étrangers vivent dans des villes de plus de 100 000 habitants, et 40 % seulement des Français. D'où quatre conséquences : logements surpeuplés, chômage aggravé, enseignement insuffisant débouchant sur l'échec, forte délinquance. D'où cette idée clé que le problème immigré en France n'est d'abord que l'amplification des handicaps de la France pauvre en général, auxquels s'ajoutent des handicaps spécifiques, différents selon les pays d'origine.

La véhémence des échanges le dispute à l'ignorance des données

(5) Il faut donc « déracialiser » la question immigrée et la « socialiser », retirer le dossier aux vociférateurs de tous bords, pour le situer enfin sur son terrain propre, celui des réalités humaines, économiques et culturelles.

(6) Deux exemples. La surdélinquance immigrée est un fait. Je me propose de démontrer ici que celui qui nie catégoriquement ce fait est en réalité raciste. En effet, c'est parce qu'il admet implicitement que la surdélinquance peut être due à la race ou à l'ethnie que notre homme préfère la nier, craignant qu'elle n'exacerbe la xénophobie. Au contraire, celui que n'effleure pas l'idée que la surdélinquance s'expliquerait par la race n'éprouve aucun besoin de s'aveugler, parce qu'il sait qu'elle provient des conditions de vie : hyperconcentration dans les villes, entassement dans de mauvais logements, échec scolaire et chômage supérieurs à la moyenne générale, revenu inférieur. Ces conditions sont les mêmes que celles qui poussent à la délinquance la partie sinistrée de la population française. Mais la proportion de la population française qui vit dans ces mauvaises conditions est inférieure à celle des étrangers. Refuser de prendre acte de la surdélinquance étrangère n'est donc pas un comportement antiraciste : c'est le contraire. Ce comportement a des conséquences néfastes, car il paralyse toute action entreprise pour obvier aux causes réelles, sociales, de cette surdélinquance. Pourquoi se pencherait-on sur les causes d'un phénomène dont on nous affirme qu'il n'existe pas ?

(7) De même, remédier à l'échec scolaire en organisant une scolarité spécialement adaptée aux besoins des enfants d'immigrés, y compris la première génération née en France, ce serait, paraît-il, du racisme, parce que ce serait organiser la ségrégation scolaire. Mais c'est cet interdit même qui reflète un racisme subconscient. Car celui qui ne songe pas à attribuer l'échec scolaire à l'ethnie n'éprouve aucune fausse honte à en traiter les vrais générateurs, qui sont socioculturels. Pour lui, un type d'enseignement conçu, à titre provisoire, de manière à pousser rapidement au niveau des autres élèves une catégorie handicapée par son milieu, à en épouser les besoins spécifiques, résulte d'impératifs purement techniques. Le véritable raciste, c'est l'autre.

(8) « *Compte tenu de l'échec scolaire*, écrivent nos auteurs, *du niveau de chômage, de l'absence de qualification professionnelle, on peut estimer entre 300 000 et 500 000 le nombre de jeunes, français ou non, âgés de 15 à 35 ans, qui sont en voie d'exclusion totale.* » Cela ne les console guère de savoir que, quand ils avaient 8 ans, de belles âmes les ont imposés dans des classes qu'ils ne pouvaient pas suivre, sous prétexte de « *refuser l'exclusion* ». Entendons-nous : le but, l'impératif absolu, est que tous les enfants éduqués en France suivent côte à côte le même enseignement dans les mêmes établissements. Mais entre 6 et 9 ans, une pédagogie adaptée aux

Dans la cour de récréation
« Banaliser la situation de l'enfant étranger à l'intérieur du système scolaire »

enfants souffrant de handicaps linguistiques, parce que le français n'est pas la langue maternelle de leurs parents, ce n'est pas de la discrimination : c'est le moyen de la supprimer. Dans ce cas, la ségrégation d'aujourd'hui, c'est l'intégration de demain, et l'intégration d'aujourd'hui, la discrimination de demain.

(9) Voisard et Ducastelle sont, certes, partisans, comme doit l'être tout démocrate, de *« banaliser la situation de l'enfant étranger à l'intérieur du système scolaire »* et d'éviter *« toute solution discriminatoire »*. On les approuve fortement. Mais voilà : dans la situation actuelle, pour prendre l'exemple de la région lyonnaise, 70 % des jeunes immigrés de 16 à 25 ans sont sans travail et sans qualification. Les enfants d'immigrés qui sortent démunis du système scolaire français sont encore plus nombreux que les jeunes Français. Quelle morale abstraite peut justifier ce massacre ?

Activités

1 Le sens des mots

Travail individuel
Cherchez dans un dictionnaire le sens des extraits suivants:

- la France a-t-elle trahi sa mission de "terre d'asile"? (6C1)
- la véhémence des échanges le dispute à l'ignorance des données (6C2)
- la surconcentration dans certains départements (6C4)
- retirer le dossier aux vociférateurs de tous bords (6C5)
- la partie sinistrée de la population française (6C6)
- refuser de prendre acte de la surdélinquance étrangère (6C6)
- celui qui ne songe pas à attribuer l'échec scolaire à l'ethnie (6C7)
- de belles âmes les ont imposés dans des classes qu'ils ne pouvaient pas suivre (6C8)
- quelle morale abstraite peut justifier ce massacre? (6C9)

2 Discussion

L'idée centrale de l'article de Revel est qu'il faut "déracialiser" le débat sur l'immigration et le situer sur le terrain des "réalités humaines, économiques et culturelles".

Travail individuel
Choisissez **un** des extraits suivants, et notez quelques observations sur

(a) le point de vue de Revel,
(b) les raisons et les exemples qu'il donne sur la question, et
(c) votre point de vue:

- le problème immigré en France n'est d'abord que l'amplification des handicaps de la France pauvre en général (6C4)
- la surdélinquance immigrée est un fait. (. . .) celui qui nie catégoriquement ce fait est en réalité raciste (6C6)
- refuser de prendre acte de la surdélinquance étrangère (. . .) paralyse toute action entreprise pou obvier aux causes réelles, sociales, de cette surdélinquance (6C6)
- entre 6 et 9 ans, une pédagogie adaptée aux enfants souffrant de handicaps linguistiques (. . .), ce n'est pas de la discrimination: c'est le moyen de la supprimer (6C8)

Travail à deux
Comparez vos réflexions et celles d'un partenaire (si vous avez choisi le même extrait), ou expliquez-lui vos réflexions (si vous avez choisi un extrait différent).

Tour de table
Lisez à haute voix l'extrait que vous avez choisi, et présentez vos réflexions au groupe.

Mise en commun
Participez à une discussion sur le sens et les implications de ces quatre extraits, et du texte dans son ensemble, quant aux questions posées par l'immigration étrangère à un pays comme la France.

3 Débat

Pour ou contre la ségrégation scolaire d'enfants souffrant de handicaps linguistiques.

Travail individuel
En prenant parti pour ou contre la ségrégation scolaire, notez quelques arguments que vous pourrez défendre dans un débat contradictoire.

Travail en classe
A l'aide des notes que vous avez prises, participez à un débat sur cette question.

Points LANGUE

● 6.1 *Prépositions 1*

Une **préposition** est un mot, ou un groupe de mots, qui indique la **situation** (dans l'espace, le temps, etc) d'un nom ou d'un pronom:

*viens **avec** moi*
*on va arriver **avant** l'heure.*

Une **locution prépositive** est une préposition formée de deux mots ou plus (voir 7.1):

*j'ai trouvé un appartement **au cœur de** la ville.*

Voici les principales prépositions (en un seul mot) en français (***à, de, en***: voir 8.1, 9.1 et 10.1):

*après**	*avant**	*avec*
chez	*contre*	*dans*
*depuis**	*dès*	*devant*
durant	*entre*	*envers*
par	*parmi*	*pendant*
pour	*sans*	*sous*
sur	*vers*	

* Ces mots s'emploient aussi comme **adverbes**: voir 5.3.1.

Prépositions + infinitif (***pour** rire*; ***sans** hésiter*) voir 6.1.5.
Verbes + préposition (*monter **dans** une voiture*; *passer **par** Londres*; *tirer **sur** l'ennemi*): voir la liste des **Constructions verbales**, page 243.

6.1.1 *Avec, par, sans*

Quand le groupe *avec/par/sans* + nom forme une **locution adverbiale** (ou **adjectivale**), il n'y a pas de déterminant:

(boire/manger/s'exprimer) avec modération
(envoyer.../ouvrir...) par erreur
(parler/pleurer/pleuvoir) sans cesse

6A2 *nous (leur) faisons une guerre **sans merci***
(locution adjectivale)
6B10 *je les embrassai à nouveau, **sans retenue***
(locution adverbiale)

On trouve *avec*, *par*, *sans* + nom dans des locutions figées:

avec plaisir *par exemple*
par hasard *par malheur*
sans doute (= peut-être)
sans aucun doute (= certainement)

Mais quand le nom est qualifié par un adjectif ou une proposition relative, on emploie un déterminant:

*avec **sa** modération **habituelle***
*par **un** hasard **singulier***
*sans **ce** doute **qui le tourmentait***

5A2 *une galerie décorée avec **un** luxe **trop riche***
6B1 *j'écoutais et, par **les** bruits, je suivais le déroulement de la perquisition*
(par **les** bruits **que** je pouvais entendre)

6.1.2 *Depuis, dès*
(depuis, pendant, pour: voir 8.5.2)

Les prépositions *depuis* et *dès* s'emploient toutes les deux avec une date, une heure, un nom de lieu, etc, mais chacune avec un sens différent:

Depuis met l'accent sur ce qui s'est passé, **après** le moment (etc) en question, jusqu'au moment où on parle ou dont on écrit ("(ever) since"):

6A4 *la jeune Ecole coloniale fournit **depuis 1889** des administrateurs*
6A10 ***depuis Tombouctou**, leur colonne infernale a laissé une longue traînée de sang*

Dès met l'accent sur la date (etc) elle-même, **le moment où** quelque chose a commencé ("(right) from"):

5A1 ***dès six heures**, Mouret était là, donnant ses derniers ordres*
6A3 (les Touaregs) *leur silhouette fait la « une » de* L'Illustration ***dès le 17 février***

6.1.3 *Entre, parmi*

Les prépositions *entre* et *parmi* s'emploient toutes les deux pour situer une personne, une chose, une idée à l'intérieur d'un groupe; mais chacune a un sens différent.

Entre situe une chose, une idée, très précisément par rapport à deux autres, dans l'espace, le temps, etc:

5B2 *la superficie urbaine qui, **entre 1954** et **1975**, sera passée de 7 à 14%*
6B10 *je posai ma tête **entre** les **deux** paumes*

On l'emploie aussi après un verbe comme *choisir*, *hésiter*:

6A4 *(ils) **ont choisi « entre** la ligne bleue des Vosges et le vaste monde »*
6A4 *une politique qui **hésite entre** l'exploitation, l'assimilation et l'association*

On emploie *entre* dans un contexte plus général, si l'on suppose une série de rapports (contrats, discussions, sentiments, etc) **réciproques**:

4A5 *la **coopération entre** agriculteurs se développe*
6A4 *les règles du **dépeçage*** (de l'Afrique noire) ***entre** les grandes puissances européennes*

Parmi a un sens **global**: on l'emploie dans des contextes où on présente **tous** les éléments d'un groupe, d'un ensemble, sans les différencier et sans se préoccuper de leurs rapports réciproques:

*beaucoup de mécontentement **parmi** les agriculteurs*

4B13 *Ces larges tournants **parmi** les résidences secondaires*

Par (et ***de***) après une construction **passive**: voir 3.3.3.

6.1.4 *Sur*

Sur s'emploie dans un grand nombre de contextes, avec un sens assez varié:

***Sur* + nom**

5C9 *100F par habitant **sur une période** de vingt ans* ("for", "over")
6A8 (des races) *qui attendent d'être conduites **sur le chemin** du progrès* ("on", "along")
6A10 *massacrant **sur son passage*** ("in", "along")

Nom + *sur*

6A9 *d'étranges **rumeurs sur** les exactions de la France en brousse* ("about")

6A2 *cette **victoire sur** d'autres pillards* ("over")

Verbe + *sur*

4B14 *il va **pleuvoir sur** la Cévenne* ("on", "over")

6A1 *un événement **sur** lequel **l'attention** publique doit **être appelée*** ("to")

6A4 *c'est bien **sur** les espaces vierges de ce continent que les appétits **convergent*** ("on")

6.1.5 Emploi + infinitif ou dans une conjonction

Certaines prépositions s'emploient avec un **infinitif**, ou dans une **conjonction** (suivie de l'indicatif (I) ou du subjonctif (S): voir 6.2 et 6.3). Pour les différents emplois des prépositions *à*, *après*, *avant*, *de*, *depuis*, *dès*, *par*, *pendant*, *pour*, *sans*, voir la table ci-dessous.

5A3 *elle **finit** fatalement **par** aller au bruit*
(commencer **par**, finir **par**: "by -ing")

5A2 *il lui avait bâti ce temple, **pour l'y tenir** à sa merci*

5A9 *Mouret haussa les épaules, **sans répondre***

+ nom	+ infinitif	dans une conjonction
à	*à*	*à ce que* (+S)
après	*après avoir/s'être* + participe passé	*après que* (+I/+S)
avant	*avant de*	*avant que* (+S)
de	*de*	*de ce que* (+I)
depuis	—	*depuis que* (+I)
dès	—	*dès que* (+I)
par	*par*	*parce que* (+I)
pendant	—	*pendant que* (+I)
pour	*pour/afin de*	*pour que/afin que* (+S)
sans	*sans*	*sans que* (+S)

6.2 *Mots connecteurs 2: conjonctions*

6.2.1 Conjonctions de coordination

Et, ou, mais, conjonctions de coordination, sont employées dans toutes les situations de communication.

On peut employer ***et*** et ***mais*** au début d'une phrase:

5A3 *« (...) vous nous rendrez l'article, s'il cesse de vous plaire. » **Et** la femme, qui résistait, trouvait là une dernière excuse*

5B1 *le Français jusque-là avait été un villageois. **Mais** les choses ne pouvaient plus durer*

Certains mots connecteurs (conjonctions ou adverbes) s'emploient pour relier deux mots ou deux idées (en anglais "both . . . and", "either . . . or")

- pour inclure les **deux** mots ou idées:
  - *aussi bien . . . que* (N3)
  - *non seulement . . . mais* (N3)
  - *et . . . et . . .* (N3)
  - *à la fois . . . et* (N3)
  - *tant . . . que* (N3)
  - *X comme Y*
  - *depuis . . . jusqu'à*

5B3 *le symbole **à la fois** du déchet **et** de la tentative*

5C4 *les gouvernements (de droite **comme** de gauche) qui ne cèdent pas à ses arguments*

5C8 *ce qui exclut **aussi bien** un financement exclusif par la SNCF **que** le recours au seul privé*

- pour présenter deux **alternatives**:
  - *ni . . . ni* (voir 10.5)
  - *ou bien . . . ou bien*
  - *ou . . . ou*
  - *soit . . . soit*
  - *que ce soit . . . ou*

5B8 *face aux dégâts de l'urbanisme contemporain, **ou** trop sauvage, **ou** trop planifié*

- pour **opposer** deux idées, **choisir** un mot plutôt qu'un autre:
  - *non pas . . . mais* (N3)
  - *pas . . . mais* (N2)

5B3 *fabriquer en série **non pas** des citadins, **mais** des banlieusards* (N3)

Adverbes employés comme connecteurs: voir 5.2.2.

6.2.2 Conjonctions de subordination

De nombreuses conjonctions de subordination sont composées d'un mot (ou d'un groupe de mots) qui en indique le sens, et du mot *que* qui indique la fonction connective. Ces conjonctions servent à situer un événement, une idée, etc, par rapport à un autre:

- dans le **temps** (voir aussi (8.5.1):

après que	*comme*
depuis que	*dès que*
lorsque	*maintenant que*
à mesure que	*pendant que*
quand	*tant que*

5A3 *elle achetait sans besoin, **quand** elle croyait conclure une affaire avantageuse*

6B3 *le poème qu'Henri nous avait lu autrefois, **lorsque** nous attendions la vraie vie*

5A5 *le samedi soir, **comme** il donnait un dernier coup d'œil aux préparatifs, il avait eu la conscience soudaine que (...)*

5A11 ***maintenant que** vous avez tout brouillé, les employés useront leurs jambes (...)*

- pour indiquer une **cause**
  car *parce que*
  comme *puisque*
  étant donné que

  ou une **conséquence**:
  si bien que *et voilà que*

5A4 *il exigeait du bruit, de la foule, de la vie;* ***car*** *la vie, disait-il, attire la vie* (N3)
6A4 (Tombouctou) *fut un des plus glorieux symboles des succès africains de la France.* ***Car*** *c'est bien sur les espaces vierges de ce continent que (. . .)* (N3)
6A10 *tous les empires coloniaux sont tombés* ***parce que*** *les peuples impériaux ont ignoré (. . .)*
5B5 *il ne reste « dans la cité que les femmes, les vieillards et les invalides »,* ***comme*** *le constate Liliane*
5A4 *il obtenait cet écrasement en mettant sous la porte les soldes;* ***si bien que*** *le menu peuple s'amassait*
5A5 *il avait rêvé cet ordre autrefois;* ***et voilà qu'****il se sentait ébranlé, le jour où il le réalisait*

- pour signaler une **opposition**:
  alors que *tandis que*

5B4 ***tandis qu'****autrefois l'homme de la banlieue était pavillonnaire, son successeur se trouve dépossédé*

- pour indiquer une **condition**: *si, même si* (voir 5.5)

Indicatif

Dans tous les exemples ci-dessus, la fonction de la proposition introduite par *que* est **informative** (même si les pensées, les jugements exprimés sont subjectifs): le verbe dans la proposition subordonnée est à **l'indicatif** (voir 6.3.1).

Subjonctif

Dans d'autres propositions introduites par *que*, l'accent est mis sur **l'attitude** du sujet de la proposition principale, ou bien la proposition principale nie ou met en doute la proposition introduite par *que*: on emploie le **subjonctif** dans la proposition subordonnée (voir 6.3.5).

exercice oral 6/1

HISTOIRE À PLUSIEURS VOIX

Après qu'un étudiant a donné la première phrase d'un récit, les autres membres du groupe (seul(e)s ou avec un(e) partenaire) doivent, chacun à son tour, inventer une phrase qui continue l'histoire.

Règle du jeu
Chaque nouvelle phrase doit **obligatoirement** commencer par un mot connecteur (adverbe ou conjonction).

Débuts possibles (mais on peut en inventer d'autres . . .)
Je rentrais à pied du bal du samedi soir . . .
Je n'oublierai jamais le jour de mon dix-huitième anniversaire . . .
Mon chien avait disparu . . .
Jean a enfin décidé d'inviter Marie à danser avec lui . . .
« C'est le 1er janvier 3000 » se dit-elle en se réveillant . . .

exercice 6/2

MOTS CONNECTEURS

Dans cet extrait du roman de Zola (voir texte 5A3), tous les mots connecteurs (adverbes et conjonctions) ont été remplacés par des blancs. Sans regarder le texte complet, essayez de trouver, pour chaque blanc, un connecteur (un ou deux mots) qui convient:

> Il professait __ la femme est sans force contre la réclame, __ elle finit fatalement par aller au bruit. __, il lui tendait des pièges plus savants, il l'analysait en grand moraliste. __, il avait découvert __ elle ne résistait pas au bon marché, __ elle achetait sans besoin, __ elle croyait conclure une affaire avantageuse; __, sur cette observation, il basait son système des diminutions de prix.

exercice 6/3

DISCOURS DIRECT→DISCOURS INDIRECT

Récrivez ces extraits des textes 5A et 5B en discours **indirect** (niveau N3), en changeant s'il le faut le temps des verbes, et surtout en employant des mots connecteurs (adverbes ou conjonctions).

Exemple
(5A10) « Une femme entrait, allait droit où elle voulait aller, passait du jupon à la robe, de la robe au manteau, puis se retirait, sans même s'être un peu perdue! »

Transcription possible
(Mouret dit que) **si** une femme entrait, elle irait droit où elle voulait aller; **ainsi** elle passerait du jupon à la robe, **et ensuite** de la robe au manteau; **quand** elle se retirerait enfin, elle ne se serait même pas perdue dans le magasin!

1 (5A6) « Allons, dépêchons! Voici encore des costumes qu'il faut me porter là-haut . . . Et le Japon est-il installé sur le palier central? . . . Un dernier effort, mes enfants, vous verrez la vente tout à l'heure! »'
2 (5A13) « Ce que je m'en fiche! Ils sont jeunes, ça les fera grandir . . . Et tant mieux, s'ils se promènent! Ils auront l'air plus nombreux, ils augmenteront la foule. Qu'on s'écrase, tout ira bien! »
3 (5B4) « On sentait l'organisation. Ils avaient tout fait pour qu'on soit bien, ils s'étaient demandé: qu'est-ce qu'il faut mettre pour qu'ils soient bien? et ils l'avaient mis. »

6.3 *Le subjonctif*

Voir aussi ***Livret audio.***

Indicatif, conditionnel, subjonctif
Pour bien comprendre – et bien employer – le subjonctif, il est indispensable de l'étudier dans le **système** formé par l'indicatif, le conditionnel et le subjonctif.

6.3.1 L'indicatif

L'emploi de **l'indicatif** signifie "c'est comme ça", ou "ce n'est pas comme ça", ou "(n')est-ce (pas) comme ça?": on présente, **sans la modifier**, l'information dans la proposition subordonnée, et on **assume**, jusqu'à un certain point, **la responsabilité** de l'information.

6.3.2 Le conditionnel

Le conditionnel, **temps** du verbe (voir 7.3.2)

Le conditionnel est employé comme **temps** du verbe pour situer un événement (etc) **après** un point dans le passé:

6B3 *j'allais bouger. Je* ***retournerais*** *m'asseoir auprès d'Arezki, je* ***prendrais*** *son bras, je m'y* ***accrocherais****. Un cri monta, bref, étouffé.*
(Les pensées d'Elise sont brusquement interrompues par les événements: "Un cri **monta**".)

On emploie le **conditionnel** pour exprimer les conséquences d'une condition, exprimée par *si*, ou implicite; voir 5.5:

5C9 (Essig) *estime que l'Etat* ***pourrait*** *mettre 7,3 milliards de francs de sa poche*
(**si** les prévisions/les calculs sont exacts)

On emploie le **conditionnel** à la place du futur dans le discours **indirect**, c'est-à-dire quand on rapporte les paroles ou les pensées de quelqu'un, sans les citer textuellement:

il a dit: « J'y ***irai*** *»*
(**futur:** discours direct);
il a dit qu'il y ***irait***
(**conditionnel**; discours indirect).

Le conditionnel, **mode** du verbe:

Mais on emploie aussi le conditionnel (ou le conditionnel passé) quand le présent ou le passé composé seraient trop directs ou trop brusques. Dans ces cas, le conditionnel fonctionne comme un **mode** du verbe, et non un temps: il s'emploie à la place de l'indicatif.

A la place du **présent**:

Quand, dans un magasin, on dit *Je* ***voudrais*** *deux kilos de pommes* (à la place de *Je* ***veux*** *deux kilos de pommes)*, l'emploi du conditionnel est doublement signe de politesse, puisqu'il sous-entend

(a) *. . . si vous avez des pommes* et
(b) *. . . si vous voulez bien me servir*:

6B9 *Il buvait un verre d'eau (. . .)*
— J'en ***voudrais*** *bien un verre, dis-je.*

A la place du **passé**:

Quand un journaliste donne une information comme probable mais non confirmée, il emploie le **conditionnel passé** à la place du passé composé:

Le Président ***aurait déclaré*** *que . . .*
Selon les premières estimations, il y ***aurait eu*** *des dizaines de morts*

L'emploi du conditionnel signifie que le journaliste **n'assume aucune responsabilité** quant à l'exactitude de l'information.

Après un pronom relatif (*qui*, *que*, etc) on peut employer le conditionnel pour exprimer son incertitude quant à l'existence de la personne (ou de la chose) dont on parle:

je cherche quelqu'un/
connais-tu quelqu'un/
je ne connais personne . . .
. . . qui ***pourrait*** *m'aider/*
qui ***serait capable de*** *m'aider*

Au niveau N2, l'emploi de **l'indicatif** (*peut, est capable de*) est possible dans chaque cas.

6.3.3 Le subjonctif: formation

Au **présent**, le subjonctif des verbes en *-er* est **identique** à l'indicatif pour toutes les personnes sauf *nous* et *vous*; dans le cas des verbes en *-ir* et en *-re*, indicatif et subjonctif sont identiques à la 3e personne du pluriel (*ils*, *elles*) seulement.

Mais la plupart des verbes les plus fréquemment employés (*être, avoir, faire, aller*, etc) ont **deux formes distinctes** pour l'indicatif et le subjonctif.

exercice oral **6/4**

FORMATION DU SUBJONCTIF

Travail à deux

(a) le présent

Récrivez chacun des verbes suivants au présent du subjonctif, puis inventez une phrase (proposition principale + proposition subordonnée) qui contient ce verbe au subjonctif; enfin, lisez à haute voix la phrase que vous venez de composer.
Exemple: tu peux
Subjonctif: tu puisses
Réponse possible: Il n'y a rien que tu puisses faire.

1 je finis	**6** tu prends
2 nous attendons	**7** elle tient
3 elle sait	**8** nous faisons
4 ils peuvent	**9** il doit
5 je vais	**10** je bois

(b) le passé composé

Maintenant, récrivez chacun des verbes au passé composé du subjonctif, inventez une phrase qui contient ce verbe, et lisez à haute voix la phrase que vous venez de composer.
Exemple: vous allez
Subjonctif: vous soyez allé(e)(s)
Réponse possible: C'est incroyable que vous soyez allé(e)(s) le voir, après tout ce temps.

6.3.4 Les temps du subjonctif

Il n'y a aucune forme du subjonctif pour le **futur**, le **conditionnel** ou le **passé simple**: on emploie parfois le futur ou le conditionnel à la place du subjonctif (après *jusqu'à ce que* ou *bien que*, par exemple), pour marquer le sens futur (ou conditionnel) de la proposition subordonnée.

Présent

Le **présent** du subjonctif n'a pas de valeur temporelle: c'est le temps du verbe **dans la proposition principale** qui détermine la valeur temporelle de l'ensemble de la phrase:

*je ne **veux** pas* *je ne **voudrais** pas* *je ne **voulais** pas* *je n'**aurais** pas **voulu***	*qu'il **fasse** ça* *qu'on l'**écoute***

2A7 *la fille qu'il **rattrapait** tant bien que mal avant qu'elle ne **s'affale***

2C5 *il **a exigé** que l'on **détruise** même le bâti existant*

Passé composé

On emploie le **passé composé** du subjonctif pour préciser que l'événement décrit dans la proposition subordonnée est **antérieur** à celui de la proposition principale:

je suis content *j'**étais** content*	*qu'elle **ait réussi***

Imparfait

Au niveau N2, il est très rare qu'on emploie d'autres temps du subjonctif que le **présent** et le **passé**. Au niveau N3, on emploie la 3ᵉ personne de l'**imparfait** des verbes *avoir (eût, eussent)* et *être (fût, fussent)* et la 3ᵉ personne du singulier d'autres verbes: *faire (fît), pouvoir (pût), savoir (sût)*, par exemple.

Note

passé simple (indicatif):
on eut/fut/fit/arriva
(**sans** accent)
imparfait (subjonctif):
on eût/fût/fît/arrivât
(accent **circonflexe**)

On emploie *fût-il/elle, fussent-ils/elles* avec le sens de *même s'il/si elle était, même s'ils/si elles étaient*:

3B8 *il nous faut des images-vérité – **fussent-elles** imparfaites – pas des images préfabriquées* (N4)

Plus-que-parfait

Le **plus-que-parfait** du subjonctif est formé avec le verbe *avoir* (*eût travaillé*, etc) ou *être* (*fût parti*, etc); on l'emploie, au niveau N4, avec *si*:

s'il m'avait écouté, il n'aurait pas fait cela (N3)
*s'il **m'eût écouté**, il **n'eût pas fait** cela* (N4)

6.3.5 Sens et statut du verbe dans la proposition subordonnée

Dans la phrase: *On est partis parce que les autres **n'étaient pas** arrivés*, la deuxième proposition dépend de la première, mais sa valeur **informative** n'est pas modifée (voir 6.3.1).

L'emploi du subjonctif, par contre, signifie que **le sens ou le statut du verbe** dans la proposition subordonnée a été **modifié** par la proposition principale:

Modification de sens

*je préférerais qu'ils **ne fassent pas** de bruit*
Réalité: ils font du bruit
*on va attendre qu'ils **soient** tous là*
Réalité: ils ne sont pas (encore) tous là

La proposition principale **modifie le sens** du second verbe: on n'emploie pas l'indicatif (*ils **ne font pas** de bruit; ils **sont** tous là*) parce que ce serait contraire à la réalité.

Modification de statut

*j'aime qu' ils **fassent** du bruit*
Réalité: ils font du bruit en ce moment
ou: ils font souvent du bruit
ou: ils vont (peut-être) faire du bruit, etc

*je suis parti avant qu'ils **soient** arrivés*
Réalité: ils sont arrivés plus tard
ou: ils ne sont pas arrivés
ou: on ne sait pas s'ils sont arrivés

La proposition principale **modifie le statut** du second verbe: on ne dit pas, par exemple, **quand** ils font du bruit ou **s'ils** sont arrivés.

> ***exercice* 6/5**
>
> **INDICATIF OU SUBJONCTIF?**
>
> Complétez les phrases suivantes:
>
> **1** Je suis sûr qu'elle (n'est/ne soit) pas là.
> **2** Je doute qu'ils (sont/soient) déjà arrivés.
> **3** Je te dis qu'il (est/soit) parti.
> **4** On vient de me dire qu'elle (a/ait) téléphoné.
> **5** Je ne peux pas croire qu'il (a/ait) menti.
> **6** La police a nié que la bombe (a/ait) éte posée à Francfort.

6.3.6 Subjonctif ou infinitif?

La construction *que* + subjonctif (ou indicatif) permet d'indiquer avec précision le **sujet** du verbe dans la proposition subordonnée:

***je** veux qu'**il** s'en aille*
je** sais qu'**il** s'en **va

Quand il n'y a pas d'ambiguïté quant au sujet du second verbe, une construction avec l'infinitif est possible:

je veux m'en aller
(même sujet)
je lui dis de s'en aller
(sujet différent)

Pour l'emploi de l'infinitif à la place d'une construction avec *que* + subjonctif ou indicatif, voir 9.3.2.

exercice 6/6

SUBJONCTIF OU INFINITIF?

Combinez les phrases suivantes en une seule phrase, en employant, selon le cas, **soit** une conjonction + subjonctif, **soit** une proposition infinitive:

1 Ecrivez-leur
Ils ne s'inquiètent pas
2 Elle ne sort pas la nuit
On l'attaque
3 Il est entré
Je ne l'ai pas vu
4 Elle a fermé les yeux
Elle a mieux réfléchi
5 Vous pouvez lire
Il sera prêt
6 J'aime le théâtre
Je n'y vais pas souvent
7 Vous ne pourrez pas sortir
Vous aurez fini ce travail
8 Il est entré
Il n'a pas frappé
9 Je viendrai volontiers
Vous serez raisonnables
10 Attends là un instant
Je vais finir ce rapport

6.3.7 Emploi du subjonctif: fréquence et catégories

Fréquence

A l'**oral**, on dispose de plusieurs moyens supplémentaires (intonation, rythme; gestes, expression) pour communiquer le sens et l'organisation de ce qu'on dit; à l'**écrit**, c'est surtout la syntaxe (mais aussi le style et la ponctuation) qui remplit ces fonctions.

Dans la communication **spontanée**, on emploie un nombre limité de connecteurs (*et, mais, alors*, etc); mais dans la communication **formelle**, on emploie comme connecteurs de nombreuses conjonctions (*que, alors que, bien que*, etc) dont quelques-unes sont suivies du subjonctif dans la proposition subordonnée:

***il pleut, mais** je vais sortir quand même* (N2)
***bien qu'il pleuve**, elle a décidé de sortir* (N3)

C'est pour cette raison que l'emploi du subjonctif est plus fréquent au niveau N3 qu'au niveau N2.

exercice 6/7

EMPLOI DE MOT CONNECTEUR + SUBJONCTIF

Reformulez chacune des phrases suivantes (N2) de façon à employer une construction avec le subjonctif (N3).
Exemple: Il pleut, mais je vais sortir quand même. (N2)
Réponse possible: Bien qu'il pleuve, je vais sortir. (N3)

1 On tolère les immigrés **s'ils ne font pas de bêtises**.
2 **Il me l'a dit**, mais je ne suis pas convaincu.
3 Les manifestants se sont dispersés, **et la police n'a pas eu à intervenir**.
4 **Tant que le délégué ne sera pas revenu**, il n'y a rien à faire.
5 **Il n'y a qu'à faire** un discours, **et la tension devient** insupportable.

Catégories

On peut classer les cas de l'emploi du subjonctif **dans une proposition subordonnée** selon trois catégories:

1 **Emploi automatique**
Dans toutes les situations de communication, on emploie le subjonctif après *il faut que, j'aime que, pas possible que, avant que*, par exemple.

2 **Emploi selon le sens de la proposition principale**
Selon le sens, on emploie l'indicatif ou le subjonctif après *je lui ai dit que, je comprends que, supposons que, le fait que, de sorte que*, par exemple.

3 **Emploi selon le niveau de langue**
Selon le niveau de langue ou la situation de communication, on emploie l'indicatif ou le subjonctif après *j'admets que, je ne crois pas que, bien que*, par exemple.

Dans les catégories **1** et (selon le cas) **2**, l'emploi du subjonctif est pratiquement automatique: il n'est pas, **en soi**, un signe de bonne éducation.

Dans la catégorie **3**, au contraire, le subjonctif ne s'emploie que dans une situation de communication formelle (N3). **Ici**, l'emploi du subjonctif peut être considéré comme un signe de bonne éducation.

6.3.8 Modèles et exemples de l'emploi du subjonctif

Les modèles et les exemples sont regroupés sous quatre rubriques, selon que **la proposition principale** exprime:

(a) une **intention**;
(b) une **réaction**;
(c) une **supposition**, une **opinion**;
(d) une **situation**; le **rang**, la **qualité**, etc.

On n'emploie pas **systématiquement** le subjonctif après une expression d'intention, de réaction, de supposition ou de situation, mais ce sont les quatre portes qui donnent accès à la **zone** du subjonctif.

1 Emploi automatique

1(a) Intention

il (ne) faut (pas) que
il suffit que
il vaut mieux que

il est (N3) } *urgent que*
c'est (N2) } *indispensable que*

je (ne) veux (pas) que
je souhaite que
j'exige que

pour que
trop . . . pour que
assez . . . pour que

Qu'il fasse ce qu'il veut!
(Je veux bien qu'il fasse . . .)

6A1 ***il ne faut pas que** les anarchistes nous **fassent** oublier les valeureux soldats*
2C5 *mais **il a exigé que** l'on **détruise** même le bâti existant*
5B5 *ils avaient tout fait **pour qu'on soit** bien*
6B7 *allons, continue, le pantalon, **que je le fouille*** (N1)
6A3 *mais la ville* (était) ***trop stratégique pour que** sa chute ne **fit** pas l'effet d'une victoire* (N3)

3C11 *mais nous disons:* ***que*** *chacun* ***reprenne*** *sa place et* ***assure*** *sa fonction*

1(b) Réaction

j(e n)'aime (pas) que
je préfère que

je suis content que
je suis fier que

je trouve/c'est normal que
je trouve/c'est ridicule que

X, quel qu'il soit (N3)

qu'il fasse X ou Y . . .
qu'il y aille ou pas . . .

que ce soit X ou Y, . . .

quoi qu'il fasse . . .
quoi qu'il dise . . .
où qu'il aille . . .

quelque + nom + *que* . . . (N4)

1A2 *ils sont plutôt* ***fiers que*** *leur fille* ***décroche*** *des diplômes*
1A8 *les hommes eux sont possessifs:* ***normal*** *donc* ***que*** *les parents* ***veuillent*** *garder leur enfant*
6A9 *l'anticolonialisme a su parler assez haut,* ***qu'il vienne*** *d'une droite (. . .)* ***ou*** *des milieux pacifistes*
4A4 *l'endroit où l'on habite –* ***que ce soit*** *dans le bourg lui-même, dans un hameau (. . .) ou dans un village*

On emploie souvent le subjonctif dans des phrases construites sur le modèle:

qu'elle ait répondu*, ça m'a étonné*
(le fait) ***qu'il soit revenu*** *n'y change rien*

La proposition subordonnée vient **avant** la proposition principale, donc son statut n'est pas encore fixé; l'emploi du subjonctif souligne ce caractère provisoire.

1A3 *mais* ***qu'une*** *fille, et de surcroît la sienne,* ***réussisse*** *une chose pareille, ça l'a épaté!*
1B2 ***que*** *le symbole du gaullisme* ***soit*** *la croix de Lorraine ne peut que le conforter*

1(c) Supposition

il (N3)*/ça* (N2) *se peut que*

j(e n)' ai (pas) peur que
je crains que (N3)

je doute que
ça m'étonnerait que (N2)

on peut ***douter que*** *cela* ***soit*** *possible*

6C6 (il) *préfère la nier,* ***craignant qu'****elle* ***n'****exacerbe la xénophobie* (N3)
(Après *j'ai peur que*, *je crains que*, (etc), on ajoute un *ne* qui s'harmonise avec l'idée négative de la construction.)

1(d) Situation

(pas) avant que
jusqu'à ce que
s'attendre à ce que (N3)

sans que
non que

pourvu que
à condition que (N3)

2A7 *faisant alors chanceler la fille qu'il rattrapait* ***avant qu'elle ne s'affale*** (N3)
(Au niveau N3, on peut employer *ne* après *avant que*.)
1B9 *cette comparaison l'a meurtri* ***jusqu'à ce qu'il apprît*** *que* (N3)
2C5 *un hôtel a donc été rasé* ***en attendant que*** *l'autre le* ***soit*** *à son tour*
3B4 *tout était réuni.* ***Pourvu que*** *l'image* ***fût*** *belle*
3B9 *tout sujet semble désormais le bienvenu* ***sans qu'on se demande*** *si (. . .)*
6C4 ***non que*** *l'immigration en France* ***soit*** *exceptionnelle*

exercice 6/8

LE SUBJONCTIF (EMPLOI **AUTOMATIQUE)**

Complétez les phrases suivantes en mettant au subjonctif le verbe indiqué entre parenthèses, vérifiez vos réponses, et lisez à haute voix les phrases complétées.

1 Il faut que j'y __ tout de suite. (aller)
2 Comment voulez-vous que je le __ maintenant? (finir)
3 Qu'est-ce que tu veux que j'y __, moi? (faire)
4 Je ne veux pas que tu lui __ cette lettre. (écrire)
5 Ce n'est pas possible qu'il se __ trompé. (être)
6 Ce n'est pas croyable qu'il se __ trompé. (être)
7 Attends là un instant que je __ ce rapport. (finir)

2 Emploi de l'indicatif ou du subjonctif selon le sens de la proposition principale

2(a) Intention

je lui ai dit que — + I: information; + S: ordre
de façon/sorte que — + I: conséquence; + S: intention

3A20 *inutile de lui* ***dire que*** *les trente-neuf morts du stade* ***ont*** *encore* ***eu*** *moins de chance* (I)
8C3 *il faut donc être adapté,* ***de telle façon qu'on puisse*** *se remettre en cause* (S)

2(b) Réaction

je comprends que
je conçois que
le fait que
} +I: on annonce ou constate un fait **nouveau**
+S: on exprime une attitude envers un fait **déjà connu**

5A10 ***comprenez*** *donc* ***que*** *je* ***localisais*** *la foule* (I)
je ***comprends (bien) que*** *vous* ***ayez*** *fait cela* (S)

2(c) Supposition

je suppose que
j'imagine que
j'admets que
} +I: une fait, une probabilité
+S: une hypothèse, une chose imaginée

8C7 *on peut* ***supposer que*** *chacun* ***aura*** *quatre ans* (I)
7A7 *il ne peut* ***admettre qu'une*** *conquête* ***soit*** *violée* (S)

2(d) Situation

c'est le premier/seul qui/que
c'est le plus grand qui/que
il n'y a que lui qui/que
} +I: information, constatation
+S: insistance, exagération

6A3 ***il n'y a*** *plus guère* ***que*** *1300 kilomètres de désert* ***où il sera*** *loisible d'assoiffer Maures et Touaregs* (I)
6A8 *est-ce à dire que les colonies sont déjà* ***une si bonne affaire qu'il faille*** *ainsi fortifier (. . .)?* (S)

3 Emploi de l'indicatif ou du subjonctif selon le niveau de langue

3(c) Supposition

je ne crois pas/je ne pense pas que
je ne dis pas que/crois-tu/dirais-tu que . . . ?
il est (N3)/ *c'est* (N2) *possible que*
il me semble que (N2)/*il semblerait que* (N3)
} +I: N2
+S: N3

3B8 ***comment croire que*** *les comportements* ***sont*** *les mêmes?* (I: N2)
je ***ne crois pas que*** *la question* ***ait*** *jamais été débattue* (S: N3)
10C14 ***il me semble qu'il n'y a*** *rien pour moi* (I: N2)
il semblerait qu'ils fassent *tous partie du complot* (S: N3)

3(d) Situation

il y a peu de . . . qui/que
il n'y a pas de . . ./rien/personne qui/que
bien que, encore que, quoique
} +I: N2
+S: N3

c'est vrai, ***quoique . . .*** *tu sais,* ***il faut pas*** *croire tout ce qu'il dit* (I: N2)
9C1 ***bien que*** *la firme géante* ***ait connu*** *une notoriété phénoménale* ***et qu'elle ait*** *même* ***aspiré*** (S: N3)
Exception: *après que* + I (N3); *après que* + S (N2):
4C5 *le corps, découvert* ***après que*** *plus de trois cents militaires* ***eurent*** *participé* (I: N3)
j'y ai pensé ***après qu'elle soit*** *partie* (S: N2)

---

exercice oral 6/9

INDICATIF OU SUBJONCTIF?

Ces phrases ont été prononcées par des francophones.

Travail à deux
Pour chaque phrase, choisissez la forme (indicative ou subjonctive) qui vous semble convenir, et lisez la phrase à votre partenaire;

(a) si vous êtes d'accord sur le choix (de l'indicatif ou du subjonctif), vérifiez que c'est pour les mêmes raisons;
(b) si vous n'êtes pas d'accord, discutez-en.

1. Vous allez peut-être penser que je (veux/veuille) exercer sur vous une sorte de pression.
2. Il est temps qu'on s'en (va/aille).
3. J'ai peur que ça (n'est pas/ne soit pas) facile.
4. On pourrait rappeler qu'en Angleterre bien des policiers ne (sont/soient) pas armés.
5. (journaliste) Il arrive que les deux sources d'une information (sont/soient) fausses.
6. (professeur) Il n'y a pas de salle vraiment accueillante où on (a/ait) envie de rester entre les cours.
7. C'est la première fois que j'en (vois/voie) un.
8. C'est le moins qu'on (peut/puisse) dire.
9. Je pense que les diplômes (sont/soient) utiles.
10. Si certains viennent, il est normal qu'on les (reçoit/reçoive).

6.3.9 Emploi dans une proposition principale

Dans une proposition principale, le subjonctif n'est employé que dans certains contextes précis et quelques locutions figées (proverbes, etc):

(eh bien,) ***soit!*** (N3)
(pour annoncer une décision, donner son accord, etc)
soit *on fait ceci,* ***soit*** *on fait cela*
plût au Ciel que . . . (N3)
(équivalent de *si seulement*)
je ne sache pas que *cela soit autorisé* (N4)
(je suis certain que c'est interdit)
vive le Président!

5B1 *ils se sont débrouillés* ***vaille que vaille***

● 6.4 *Tout, tous, etc*

Voir aussi ***Livret audio.***

Tout est un mot versatile: on l'emploie comme **adjectif, déterminant, adverbe, pronom indéfini** ou **nom**; on le trouve dans plusieurs expressions figées *(en tout cas, de toute façon, à tous égards)*, et dans certains mots courants *(partout, surtout; toujours)*.

Points sensibles:

- **variabilité:** *tout, tous, toute* ou *toutes*?
- **prononciation** de *tous*: **[tu]** ou **[tus]**?
- **sens** respectif de *tout* et de *tous*?
- **emploi** de *tout* ou de *tous* avec un pronom relatif (*qui, que* etc)?

6.4.1 *Tout*: adjectif ou déterminant

C'est la seule catégorie où on trouve les quatre formes:

	Singulier	Pluriel
Masculin	*tout* **[tu]**	*tous* **[tu(z)]**
Féminin	*toute* **[tut]**	*toutes* **[tut]**

Employé comme adjectif, *tous* se prononce **[tu]**: *tous les jours*, ou **[tuz]** devant une voyelle: *de tous âges*.

1 Emploi avec un déterminant

L'adjectif *tout* s'emploie avec un déterminant (*le/la/les, ce/cet/cette/ces, mon/ma/mes* (etc) et, au singulier, avec *un/une*:

6A1 *il ne faut pas que les anarchistes accaparent* ***toute l'attention***
6C3 ***tous les députés*** *de la nouvelle Assemblée*
5B1 *il fallait bien caser* ***tout ce monde****-là quelque part*
6C1 *presque* ***toutes nos*** *grandes* ***querelles*** *nationales*

2 Emploi comme déterminant

Tout, employé comme déterminant, a le sens de *chaque*:

6C6 *il paralyse* ***toute action*** *entreprise*
6C9 *éviter* ***toute solution*** *discriminatoire*
6A6 *un groupe de députés et de sénateurs* ***de tous bords***
4A3 *fidélite à sa foi catholique* ***en toutes circonstances***

On trouve cet emploi de *tout* dans plusieurs expressions figées:

1A7 ***de toute façon*** *elle restait toujours dans sa chambre*
1A8 *vouloir* ***à tout prix*** *s'émanciper*
4A3 *la population de Chanzeaux a* ***de tout temps*** *connu une grande mobilité*

On emploie *tous/toutes* avec un numéral (en anglais: "both/all (of them)"):

1B5 *ses deux filles sont* ***toutes deux*** *médecins*

On emploie aussi *tout* (invariable) avec *cela/ça* ou avec un nom propre:

tout cela *est très important*
5A5 *il fallait « lui casser* ***tout ça*** *»* (N2)
ils ont visité ***tout Paris***
elle a lu ***tout Balzac***

6.4.2 *Tout*: adverbe

Dans cette catégorie, *tout* s'emploie comme **intensif**, devant un adjectif, un adverbe, ou dans une expression adverbiale.

1 Emploi avant un adjectif

Avant un adjectif, *tout* est **invariable** à l'écrit, sauf quand il s'harmonise avec un adjectif au féminin. Devant une voyelle, *tout* se prononce **[tut]**:

Singulier	Pluriel	
Masculin		
tout **[tu]**	*tout* **[tu]**	+ consonne
tout **[tut]**	*tout* **[tut]**	+ voyelle
Féminin		
toute **[tut]**	*toutes* **[tut]**	+ consonne
tout **[tut]**	*tout* **[tut]**	+ voyelle

elle était ***toute*** *surprise* – **[tut]**
elles étaient ***toutes*** *surprises* – **[tut]**
elle était ***tout*** *étonnée* – **[tut]**
elles étaient ***tout*** *étonnées* – **[tut]**

3A18 *il doit assumer sa responsabilité* ***tout seul***
1A2 *patauger* ***toute seule*** *dans ma nouvelle vie*

2 Emploi avec un adverbe

Avec un adverbe, *tout* est invariable à l'écrit, mais il se prononce **[tut]** devant une voyelle:

3B5 *organiser* ***tout exprès*** *pour la télévision plusieurs de ces spectacles*
6A3 *Tombouctou évoquait assez de mirages (. . .) Les hiératiques Touaregs voilés* ***tout autant***

3 Emploi dans une locution adverbiale

Tout s'emploie dans plusieurs locutions adverbiales: *tout de suite, tout à l'heure, tout de même* (N2) etc:

2B4 ***tout à coup****, les projecteurs se sont arrêtés*
6A9 *cet argumentaire n'a pas encore* ***tout à fait*** *conquis les Français*

6.4.3 *Tout:* pronom (ou nom)

Employé comme pronom, *tout* est invariable quand il a un sens **impersonnel**, mais on emploie aussi *tous, toutes avec* un sens **personnel**:

Singulier (impersonnel)	Pluriel (personnel)
tout **[tu(t)]**	*tous* **[tus]** (masculin)
	toutes **[tut]** (féminin)

Employé comme pronom, *tous* se prononce **[tus]**: *ils sont tous là*. Cette différence **[tu]–[tus]** permet de distinguer, à l'oral, entre *tout*, singulier, pronom impersonnel, et *tous*, pluriel, pronom personnel:

une chose reconnue ***partout***
[partu]

mais

une chose reconnue ***par tous***
[partus]

1 ***Tout*, pronom impersonnel**

Au singulier, le pronom indéfini *tout* peut s'employer comme sujet ou objet d'un verbe:

5A13 *qu'on s'écrase,* ***tout ira*** *bien!*
6A10 *pillant et* ***massacrant tout*** *sur son passage*
5A11 *maintenant que vous* ***avez tout brouillé*** *et* ***tout jeté*** *aux quatre coins*
1B7 *il* ***veille à tout***

Pour intensifer une négation, on peut employer *du tout*:

ce n'est ***pas du tout*** *ce que j'ai voulu dire*
1A8 *le désir de vivre indépendant n'est* ***pas*** *malsain* ***du tout***

Tout ce qui/que; tous ceux qui/que
Avec un pronom relatif, on emploie, au **singulier**, le pronom *tout + ce qui/ce que* (sens impersonnel) et, au **pluriel**, le déterminant *tous/toutes + ceux/celles qui/que* (sens personnel):

3A9 *ils frappent sur* ***tout ce qui*** *bouge*
3A17 ***tout ce qu'****il aimait c'était l'équipe de Liverpool*
il faut aider ***tous ceux qui*** *sont nés en France*

2 ***Tous, toutes*: pronom indéfini**

Au pluriel, le pronom indéfini *tous* (prononcé **[tus]**), *toutes* peut s'employer avec un pronom personnel, à la place d'un pronom, ou seul (en anglais: "all **of** them")

3A5 ***les parents*** *sont* ***tous*** *les mêmes et* ***les enfants tous*** *pareils* (**[tus]**, chaque fois)
2A1 ***on*** *se rendait* ***tous*** *ensemble aux fêtes des villages voisins*
5C1 (ils) *veulent* ***tous*** *décrocher un train à grande vitesse*
2B8 *j'ai demandé pourquoi* ***elles*** *riaient* ***toutes***
6B3 *Il leur fallait* ***les*** *visiter* ***toutes*** (les chambres)

exercice oral 6/10

***TOUT, TOUS*: PRONONCIATION**

Travail à deux
Lisez à haute voix, à votre partenaire, les phrases suivantes, en faisant attention à la prononciation de *tout* (1–5) et de *tous* (6–10).

1 Hélas, c'est tout à fait impossible!
2 Mais tu ne vas pas rester là, tout de même!
3 Tout un coin du tableau avait été endommagé.
4 Il voulait à tout prix être le premier à lui parler.
5 Ah, te voilà! Je te cherchais partout.
6 Tous les enfants ne sont pas des anges.
7 Ils sont tous des imbéciles.
8 Je les déteste tous.
9 Elle y va tous les jours.
10 Sa proposition a été acceptée par tous.

Mise en commun
En cas de désaccord ou de difficulté, consultez les autres membres du groupe, et le professeur.

● 6.5 *Ordre des mots*

L'ordre des mots joue un rôle dans plusieurs aspects de la grammaire du français. Voici les autres rubriques de ce manuel où il est question de l'ordre des mots:

1.4.5 *c'est . . . qui/que . . .* (mise en relief)
2.4.1 *moi je . . ., nous on . . .*, etc (insistance)
4.3.1 position de l'adjectif
7.4.3 ordre des mots après *dont*
10.4.1 ordre des mots dans une question directe

6.5.1 Position de l'adverbe

Un adverbe (ou une locution adverbiale) peut occuper, selon le sens et l'équilibre de la phrase, plusieurs positions.

Après le verbe

Sa place habituelle est **après le verbe**:

2B3 *Bou-Bou est parti* ***chercher à tâtons*** *ses copains*
6A8 ***c'était déjà*** *l'ambition de Gambetta*

Et **entre l'auxiliaire et le participe passé**:

6A4 *les anciennes possessions coloniales (. . .)* ***sont tant bien que mal pacifiées***
6A9 *cet argumentaire* ***n'a pas encore tout à fait conquis*** *les Français*

exercice 6/11

TOUT, TOUTE, TOUS **OU** ***TOUTES?***

Complétez les phrases suivantes en ajoutant *tout, toute, tous* ou *toutes*:

1 Je les ai vues __ deux hier.
2 D'avoir couru, elle était __ essoufflée.
3 Elle était __ surprise, car elle ne s'y attendait pas.
4 On peut commencer: ils sont __ là maintenant.
5 Sa maison? C'est __ près: on peut y aller à pied.
6 Les personnes âgées sont __ les mêmes: elles adorent le chocolat.
7 __ ceux qui veulent partir doivent attendre longtemps.
8 Il adorait sa femme: il la voulait __ à lui.
9 Quel homme! il veut s'occuper de __.
10 Elle vivait __ en haut d'une maison immense.

Au début de la phrase

Souvent, pour souligner un adverbe, on le place **au début de la phrase**:

5A1 ***dès six heures**, cependant, Mouret était là*

5A1 ***partout** on avait gagné de l'espace*

6B8 ***tout en parlant** il appuyait l'orifice de son arme sur le ventre d'Arezki*

Entre le sujet et le verbe

Plus rarement, on place l'adverbe **entre le sujet et le verbe**, ou avant un infinitif:

6B3 *il sembla piétiner (...) mais **les autres déjà le rattrapaient***

6.5.2 Inversion du verbe et du sujet (VS) dans une proposition principale

L'ordre habituel des mots, dans une phrase déclarative en français, est: **Sujet – Verbe – Objet (SVO)**, sauf dans le cas des pronoms objets *(me, te, se, le, la, les, lui, leur, y, en)*, qui se placent entre le sujet et le verbe.
Mais il y a des cas où le sujet se place **après** le verbe **(VS)**: certains de ces cas sont typiques du niveau N3 et surtout N4; d'autres sont caractéristiques du niveau N2 et surtout N1.

On peut dramatiser un événement ou une idée en mettant *Arrive...*, *Reste...*, etc, au début de la phrase:

*cela est évident. **Reste** la question du financement*

Cette construction est proche de l'emploi de *il*, pronom sujet impersonnel, dans des phrases comme *il est arrivé un accident* (voir 9.4: Constructions impersonnelles).

Après un adverbe

Plus courante encore est l'inversion du verbe et du sujet après un adverbe (*aussitôt, ensuite, enfin*, etc), surtout si le sujet comporte plusieurs mots, ou est suivi d'une proposition relative, etc:

6A10 ***en juillet 1900 a débarqué** à Paris le petit prince Yukanthor* (N3)

10A5 *elle le rabroue. **Là-dessus arrive** le plagiste, qui les connaît tous les deux* (N3)

Peut-être

Peut-être s'emploie de façon différente, selon le niveau de langue et l'équilibre de la phrase:

• **après le verbe:**	*ils sont **peut-être** arrivés*	
• **+ inversion:**	***peut-être** sont-ils arrivés*	(N3)
• **+ inversion et dislocation:**	***peut-être** les visiteurs sont-ils arrivés*	(N3)
• **+ *que*:**	***peut-être** qu'ils sont arrivés*	

Ainsi, aussi

Après *ainsi, aussi, encore, à peine*, l'inversion du verbe et du sujet est caractéristique du niveau N3:

• **sans inversion** (français courant):

4C2 ***ainsi**, la douceur de vivre en milieu rural ne serait plus qu'un cliché démodé*

• **inversion simple:**

4B3 ***ainsi s'est créée** une sorte d'homme attachant, le mineur-agriculteur*

5A2 *Mouret avait l'unique passion de vaincre la femme. **Aussi**, nuit et jour, **se creusait-il** la tête* (N3)

• inversion avec **dislocation**:

6A2 ***ainsi* L'Illustration *morigénait-elle** une opinion métropolitaine...* (N3)

Sens du mot *aussi*

En début de phrase, *aussi* a **toujours** le sens de *ainsi, donc* (en anglais: "so", "thus") et **jamais** le sens de *en plus, en outre* (en anglais: "also").
Après *et, mais*, un nom, un pronom ou un verbe, *aussi* a le sens de "also", "too":

1B1 *non seulement tenir en main le monde paysan, **mais aussi** y renforcer son assise politique*

4B11 *elle va faire sauter **aussi** l'écurie en pierre*

On emploie *aussi* + adjectif ou adverbe dans les comparaisons (voir 7.5).

> ***exercice* 6/12**
>
> **INVERSION, AU NIVEAU N3, APRÈS CERTAINS ADVERBES**
>
> Récrivez les phrases suivantes en ajoutant, au début de la phrase, l'adverbe entre parenthèses, et en faisant les changements nécessaires:
>
> **1** La situation devenait intolérable. Le gouvernement a décidé d'y mettre fin. (aussi)
> **2** Les Nations Unies devraient s'occuper de la question. (peut-être)
> **3** Je venais de trouver ma place (et) le rideau s'est levé. (à peine)
> **4** Les immigrés se sont installés dans certains quartiers. Des ghettos se sont créés. (ainsi)
> **5** Il ne suffit pas de reconnaître le subjonctif. Il faut savoir l'utiliser. (encore)
> **6** On a tort de rendre la police responsable de tout. (peut-être)

6.5.3 Inversion dans une proposition subordonnée

Au niveau N3, il peut y avoir inversion du verbe et du sujet dans une proposition subordonnée, après *qui/que, comme, lorsque, tandis que*, etc, si le sujet du verbe comporte plusieurs mots:

4A6 *cette évolution est symbolisée par celle **qu'a connue** l'institution de loin la plus importante de Chanzeaux: l'église*

6C4 (les) *handicaps de la France pauvre en général, **auxquels s'ajoutent** des handicaps spécifiques*

6.5.4 Inversion dans une incise

Au niveau N3, il y a inversion du verbe et du sujet, dans une incise, par exemple, quand on indique l'origine des paroles, des pensées, etc, qu'on rapporte:

6A8 *la France vaincue de 1870 pourra, **pense-t-on**, reconstituer ses forces*

6A10 *tous les empires coloniaux, **conclut-il**, sont tombés*
6C7 *remédier à l'échec scolaire, ce serait, **paraît-il**, du racisme*

Aux niveaux N2 et surtout N1, il n'y a pas d'inversion: les incises sont formées de *que* + sujet + verbe:

*et voilà, **qu'il me dit**, on va encore arriver en retard* (N2)

6.5.5 Dislocation

Il y a **dislocation** quand un nom (sujet ou objet du verbe) est présent **deux fois** dans le même énoncé:

- une fois comme **pronom**, pour indiquer la fonction grammaticale (sujet, objet direct, objet indirect du verbe), et
- une fois comme **nom**, pour indiquer de qui/de quoi on parle:

1A5 ***le concours** d'entrée au Conservatoire, c'est comme si je l'avais déjà en poche*
1C1 *je **les** révérais, **ces pierres** levées*

Dislocation à gauche (premier exemple): le nom (*le concours*) vient **avant** le groupe pronom + verbe (*je l'avais en poche*).

Dislocation à droite (deuxième exemple): le nom (*ces pierres*) vient **après** le groupe pronom + verbe (*je les révérais*).

Dans certaines constructions, la dislocation est caractéristique du niveau **N3**:

- après certains adverbes (*ainsi, aussi*, etc) (voir 6.5.2).
- dans des questions avec mot interrogatif (*qui, où, quand, comment, pourquoi*, etc):

10C18 *pourquoi l'inverse ne serait-il pas possible?* (N3) (voir 10.4.2)

Mais la dislocation est surtout caractéristique du niveau **N2**:
(dislocation **à gauche**):
4B7 ***la vallée**, il **la** veut toute à lui*
(dislocation **à droite**):
2A3 *j'ai bien vu comment **il** place les pieds, **mon frère Jacques*** (N2)
2B5 *il **lui** a dit quelque chose, **à Elle**, et elle m'a regardé*
6B9 *tiens, **le** voilà, **ton pantalon*** (N2)

Nom + *c'est*

Cette construction est, elle aussi, une forme de **dislocation**:

2B3 ***le seul endroit** bien éclairé, dans la salle, **c'était** une petite scène circulaire* (N2)
2B7 ***la première phrase** que j'ai entendue d'elle, **c'était** déjà un coup de marteau* (N2)

Dans cette construction, le pronom *ce* est impersonnel; l'adjectif ne s'accorde pas (voir 1.4.1):

4B13 ***c'est pimpant, les crépis** blancs ou roses des fermettes préfabriquées*

Avec un verbe autre que *être*, on emploie *ça* (N2) ou *cela* (N3) (voir 1.4.2):

2A2 *ça nous fascinait **ces pieds** qui virevoltaient en tous sens* (N2)
4B12 ***les vaches, ça** ne paye plus* (N2)

exercice 6/13

ACCORD DE L'ADJECTIF?

Complétez les phrases suivantes en ajoutant la forme qui convient de l'adjectif indiqué entre parenthèses.

1. C'est (formidable) tous ces gens qui chantent ensemble!
2. Paris, c'est la plus (beau) ville du monde.
3. (Conçu) pour des personnes seules, les appartements étaient occupés par des familles.
4. C'est (joli), l'avenue, au printemps.
5. C'est (long), les vacances, quand on s'ennuie.
6. Quant aux comédies musicales, elle les avait toujours trouvées (amusant).

PRATIQUE *orale*

Débat à deux: 6 à 8 minutes

L'immigration

Pour et contre la proposition suivante: "Le meilleur moyen de combattre le racisme en Europe est d'interdire toute immigration extérieure vers les pays de la Communauté européenne."

Préparation
Cette proposition sera débattue entre deux équipes de deux étudiants: les deux membres de la première équipe discuteront et prépareront ensemble un court exposé où ils avanceront des arguments, des exemples, des témoignages, etc, en faveur de la proposition; l'équipe adverse rassemblera des arguments contre cette proposition. Chaque équipe préparera son exposé séparément, c'est-à-dire sans consulter l'équipe adverse ni lui révéler ses arguments.

Travail en classe
Les deux équipes présentent tour à tour leur exposé, qui ne doit durer que deux minutes environ, sans lire un texte rédigé, mais en se servant, s'il le faut, de quelques mots clés notés au préalable. Chaque équipe devra écouter attentivement l'exposé de l'équipe adverse, car à la fin des deux présentations, les deux équipes auront chacune une ou deux minutes pour reprendre, et réfuter, les arguments de la partie adverse.

PRATIQUE *écrite*

1 Interview

Ecrivez le texte d'une interview entre un journaliste et le(s) témoin(s) d'un incident à caractère raciste. Ecrivez d'abord quelques lignes pour situer l'événement (les personnes, les circonstances, etc).

2 Stéréotypés

Composez un récit (ou un dialogue) mettant en scène, de façon caricaturale, des personnages stéréotypés. Ecrivez d'abord quelques lignes pour préciser les circonstances et les personnes; précisez aussi le public à qui le récit est destiné: lecteurs d'un journal ou d'un magazine; quel genre de publication?

3 Manifeste

Rédigez le texte d'un manifeste sur le racisme. Ecrivez d'abord quelques lignes pour indiquer très précisément

(a) les événements, les circonstances, etc, qui vous ont poussé à rédiger ce manifeste;
(b) le pays, la région, la ville, etc, concerné;
(c) l'organisation ou l'individu qui a publié le manifeste;
(d) le public auquel le manifeste est adressé.

4 Résumé

Rédigez, en français ou en anglais, selon ce que le groupe aura décidé, un résumé de l'article "Immigration: le parler vrai" (texte 6C). Relisez attentivement l'article, en notant les points qui vous semblent importants; ensuite, essayez de distinguer entre les points indispensables, auxquels vous consacrerez une à trois phrases, et les points accessoires, dont vous parlerez peu ou pas du tout.

Ecrivez **300 mots au maximum**, sinon l'objet de l'exercice est invalidé. Votre résumé doit prendre la forme d'un éditorial écrit pour une publication comme *Le Point*, mais pour lequel vous ne disposez que de 300 mots.

Sur le vif

Amis

Vous savez ce que je viens d'apprendre ? Les Anglais ne nous aiment pas. Il y en a 13 % pour avouer – c'était marqué dans le « Sun » – qu'ils ne nous détestent pas. Mais les autres, ça en fait pas mal, aiment bien les Hollandais, les Allemands, les Irlandais, et même les Italiens, enfin tous leurs voisins du Marché commun. Sauf nous. C'est pas insensé, ça ? Moi, les Anglais, j'en connais un, c'est mon copain Edward. Copain, si je peux dire. Je lui ai téléphoné ce matin, je l'ai réveillé, je l'ai tiré de son lit. Je l'ai engueulé.

– Qu'est-ce que c'est que cette histoire ? Qu'est-ce que je t'ai fait ?

– Ah ! c'est pas vrai ! T'as vu l'heure qu'il est !

– Je m'en fous. Je veux savoir.

– Tu sais très bien.

– Je sais quoi ?

– Tu es désagréable, de mauvaise humeur. Tu es toujours à râler. Tu fais la gueule. Tu as une façon de me répondre quand je te demande de me conduire ici ou là en taxi ! Personne, nulle part, ne se permet de me parler sur ce ton.

– Oh ! là là, ce que tu peux être susceptible !

– Et il n'y a pas que ça. Tu es radine. Tu n'arrêtes pas de me demander de l'argent. A peine débarqué, je ne peux même pas prendre l'autoroute sans être obligé de casquer, faut que je gagne Paris par des chemins de campagne ! Et ramenarde avec ça. Tu fais tout mieux que tout le monde : les films, les fringues, l'amour, la bouffe !

– Ça, pour la bouffe, moi, à ta place, je m'écraserais.

– Oh ! je t'en prie ! Ce cinéma, il n'y a pas si longtemps à propos de mon gigot, ces scènes, ces menaces ! Moi, c'est pas compliqué, je n'ose plus passer chez toi. J'ai pas d'assurance tous risques. Et puis, autant que tu le saches, je ne suis pas le seul à t'en vouloir. Les Espagnols, c'est pareil, ils en ont marre de toi.

– Ah ! ben ça, c'est bien réciproque. Ils sont toujours à m'emmerder avec leurs ordures, leurs tomates, leurs chalutiers. C'est comme les Hollandais avec leurs saloperies de yaourts et les Allemands avec leur bière pourrie. Non, mais qu'est-ce que vous vous croyez tous ?

– Eh ben, mais tes amis, ma petite chérie.

CLAUDE SARRAUTE

CHAPITRE 7

VIOLENCE

TEXTES

- **7A** ***L'obsession sécuritaire***
- **7B** ***Le train des lâches***
- **7C** ***Le double crime de Jacques Geneau de Lamarlière***

POINTS LANGUE

- **7.1** ***Prépositions 2: locutions prépositives***
- **7.2** ***Locutions verbales 1:*** *mettre*, *prendre*
- **7.3** ***Les temps du verbe 2: le système des temps en français***
- **7.4** ***Pronoms relatifs: formation et emploi*** antécédents, sujet/objet, personne/chose/lieu, etc
- **7.5** ***Comparaison: comparatif et superlatif***

7A

points de repère

● SUJET

La violence, en Europe et dans le reste du monde; aujourd'hui, et dans le passé.

● PERSPECTIVE

En faisant ces comparaisons, l'auteur cherche à convaincre le lecteur que si, en Europe, le sentiment d'insécurité persiste, c'est à cause du mythe selon lequel l'époque actuelle "est plus difficile à vivre que les précédentes" (7A5). Notre époque, affirme-t-il, est "obsédée par la sécurité" (7A6) parce que "l'homme moderne veut tout maîtriser" (7A6).

● STYLE

L'article est composé dans un style formel (niveau N3): phrases longues (voir paragraphe 2, par exemple), figures de rhétorique (7A1: "Qu'y verrions-nous?"; 7A6: "Rationnel (ou plutôt se voulant tel), l'homme (. . .)"), etc. L'auteur développe son argument en rassemblant certains faits dont il tire des conclusions précises, exprimées dans des phrases simples, directes: à la fin de chacun des quatre premiers paragraphes, et au cours de chacun des trois autres paragraphes.

● CONSEILS

L'organisation et l'expression du texte sont très éloignées de celles de la conversation spontanée. Il serait donc utile d'étudier ce texte non seulement pour les idées qui y sont exprimées, mais aussi comme modèle d'une dissertation écrite. Remarquez surtout la manière dont les idées et les phrases sont enchaînées: "en effet" (7A1), "en revanche" (7A2), "en définitive" (7A4), "Pourtant (. . .) donc (. . .) Mais (. . .) Car (. . .)" (7A5).

L'obsession sécuritaire

(1) Imaginons que nous devions dresser un atlas mondial des crimes de sang. Qu'y verrions-nous ? Une grande zone blanche, couvrant l'Europe, continent tout à fait privilégié. A de rares exceptions près, en effet, la violence privée y est partout relativement faible ; seules les sociétés à niveau de développement moins élevé, où la population rurale occupe une plus grande place (Finlande, Yougoslavie, Portugal, Hongrie, etc.) présentent des taux moins bas. Les sociétés industrielles ou tertiaires bureaucratiques (Grande-Bretagne, Allemagne, Suède, France) sont les moins atteintes par les crimes de sang.

(2) Sur les autres continents, en revanche, surtout dans les sociétés traditionnelles, où l'autorité de l'Etat n'est pas encore affirmée, où donc la vengeance privée reste la règle, le risque d'être tué est, couramment, vingt à quarante fois plus élevé qu'en Europe. Dans de nombreuses communautés pauvres, l'existence continue de reposer sur l'usage de la force. La violence est nécessité vitale, énergie salvatrice.

(3) Le vrai danger pour la sécurité physique des Français (ou de leurs voisins) n'est pas l'agression dans la rue, c'est l'accident de la route ou la chute accidentelle : la malveillance tue moins que l'ivresse ou l'imprudence. Nos contemporains meurent moins de cette violence criminelle dont on les effraie chaque jour que d'incendies. Mais ils ne le savent pas et continuent d'entretenir une peur exagérée à l'égard d'un risque dont, d'autre part, on sait qu'il est très sélectif et qu'il frappe préférentiellement certains individus de milieux très spécifiques (pègre, prostitution, police, familles perturbées, etc.). Nos sociétés ont, en réalité, davantage besoin de pompiers que de policiers !

(4) Cette répartition géographique de la violence s'explique, en définitive, par des particularités historiques. L'histoire de la violence contredit l'imaginaire social, nourri de préjugés et de nostalgies millénaires, toujours rebelle à admettre des vérités élémentaires même (et parfois surtout) quand il s'agit de vérités d'évidence : il y a eu, au cours des derniers siècles et des dernières décennies, une régression considérable de la violence criminelle.

(5) Pourtant le « sentiment d'insécurité » persiste. Les statistiques criminelles sont peu connues ; tout bien considéré, on s'aperçoit donc qu'elles sont plus rassurantes qu'inquiétantes. Mais on s'empresse de les oublier ou de les faire oublier, pour conforter le mythe. Car les hommes ont besoin de mythes. Les mythes les aident à vivre. L'un des plus vivaces est celui de la dureté des temps : chaque génération vit avec le sentiment que son époque est plus difficile à vivre que les précédentes. Ce mythe-là s'abreuve à la vanité des hommes, chaque génération s'attribuant plus de mérites que celles qui l'ont précédée. A force de se l'entendre répéter, nos contemporains, même les plus incrédules, finissent par se convaincre que nous vivons au temps de la violence et de l'anarchie.

(6) Notre époque est, en réalité, obsédée par la sécurité. Le moindre fait divers y est détaillé, disséqué, inlassablement commenté. Comme s'il s'agissait d'un événement symbolique ou d'une révélation divine, en signe d'avertissement. Cette obsession de la sécurité conduit à une exploitation de toutes les angoisses, de toutes les frayeurs. Rationnel (ou plutôt se voulant tel), l'homme moderne veut tout maîtriser. Il ne supporte pas que certains dangers ne puissent être prévus, encadrés, canalisés. La violence fait partie de ce fonds archaïque qui échappe à sa volonté de domination.

1891 : échauffourée à Clichy
« Nos sociétés ont, en réalité, davantage besoin de pompiers que de policiers! »

(7) L'homme moderne a vaincu un à un les grands fléaux de l'histoire. Il ne peut admettre qu'une conquête aussi péniblement établie que le contrat social soit violée. On lui serine que ce viol est quotidien, que les hommes retournent à la barbarie, et cela renforce son credo.

JEAN-CLAUDE CHESNAIS
auteur d' Histoire de la violence,
Paris, Laffont, 1981.

Activités

1 Résumé

Travail individuel
Résumez brièvement, sous forme de notes, les points principaux de l'article, sous les rubriques suivantes:

- les crimes de sang
  (a) en Europe
  (b) sur les autres continents (7A1–2)
- le vrai danger pour la sécurité physique des Français (7A3)
- l'histoire de la violence (7A4)
- la persistance du sentiment d'insécurité (7A5)
- l'obsession de la sécurité (7A6–7)

Mise en commun
Le groupe composera ensemble, en suivant les cinq rubriques ci-dessus, un résumé de l'article. Essayez d'intervenir au moins une ou deux fois, aussi spontanément que possible, en regardant peu, ou pas du tout, vos notes; vous pourrez également intervenir pour modifier quelque chose qui vient d'être dit. (*Variante*: voir *Activité 2*.)

2 Résumé oral (variante de l'Activité 1)

(a) paragraphes 1 à 5

Travail en classe
Le premier paragraphe du texte est lu à haute voix par le professeur ou par deux ou trois étudiants.

Travail à deux
Avec un partenaire, notez, sous la forme de deux ou quatre titres ou sous-titres, l'essentiel des idées et des exemples présentés dans ce paragraphe.

Mise en commun
Présentez au groupe les (sous-)titres que vous avez composés, puis essayez de vous mettre d'accord sur deux ou trois titres parmi ceux proposés par les membres du groupe.

Suite
On suivra, pour les paragraphes 2 à 5, le schéma ci-dessus, mais en essayant chaque fois d'accélérer le rythme de composition et de discussion des (sous-) titres.

(b) paragraphes 6 et 7

Travail en classe
Un étudiant lit la première phrase du paragraphe 6; un autre donne, immédiatement, un résumé *en anglais* de cette phrase.

Travail à deux
Avec un partenaire, rédigez rapidement une version anglaise du paragraphe 7, puis discutez-en avec les autres membres du groupe.

3 Discussion

Travail individuel
Notez en vrac tout ce que vous avez entendu dire, par des personnes de plus de quarante ans, sur l'insécurité aujourd'hui, par rapport au passé. Avez-vous, vous-même, l'impression de vivre dans un monde dangereux? Notez quelques observations sur ce point.

Tour de table
Présentez au groupe les remarques que vous avez entendues sur ce sujet. (On pourra noter, et classer au tableau, les remarques à mesure qu'elles sont présentées.)

Mise en commun
Participez à une discussion générale sur l'insécurité telle qu'elle est perçue par vos aînés et par vous-même. Avez-vous l'impression que notre époque est "obsédée par la sécurité"?

7B

points de repère

MISE EN GARDE

Le viol est un sujet pénible, odieux. On ne lira donc ce texte, et on ne l'étudiera en classe, qu'avec l'accord de tous les étudiants dans le groupe. Disons tout de suite qu'il s'agit ici du récit fait, deux mois après le crime, par la victime, interrogée par une journaliste discrète et sensible.

SUJET

Le crime a été perpétré dans un train de banlieue, à midi, en présence de sept voyageurs, dont un seul – un vieil homme – a essayé le moindre geste pour protéger la victime.

PERSPECTIVE

Sans faire aucun commentaire, la journaliste expose les faits, s'effaçant, pour la moitié de son article, derrière les propos de la victime. Son procédé est donc tout à fait à l'opposé de celui de la presse française en général, qui avait consacré une large place au récit du crime, pour condamner les autres voyageurs de ce "train des lâches".

STYLE

La journaliste cherche à rapprocher les propos de la victime, qu'elle a sans doute récrits dans une certaine mesure, et sa propre présentation des faits, qu'elle rédige dans un style simple, direct, proche de celui d'un reportage radiophonique.

CONSEILS

Si vous lisez ce texte, vous pourrez remarquer le sang-froid et la présence d'esprit de la victime, qui ont permis de retrouver la trace d'un des agresseurs. Vous réfléchirez aussi, sans doute, à cette question: dans quelles circonstances pensez-vous que vous interviendriez pour défendre la victime d'une agression comme celle qui est racontée ici?

LE VIOL DANS LE JUVISY-PARIS

Le train des lâches

(1) *« Ils étaient trois »*, dit-elle. « *Blouson bordeaux, Foulard, Crâne rasé.* »

(2) Le train roulait vite. Il y avait du soleil. Et dans le wagon, sept autres voyageurs : *« Un vieux monsieur de l'autre côté de l'allée, tout près, deux jeunes filles, un jeune homme, deux Nord-Africains et une silhouette encore. J'ai crié, mais personne n'est venu m'aider. »* C'était le mercredi 15 mai.

(3) Deux mois ont passé. Le « viol express » du Juvisy-Paris, ce « train des lâches » dont on a tant parlé est devenu un récit de termes, techniques, de jargon juridico-policier, sur lesquels butent les dix-sept ans de Fabienne.

(4) Fabienne est en vacances. Elle a quitté l'Essonne où elle habitait depuis septembre dernier chez son oncle et sa tante et faisait un stage de coiffure agrémenté de cours à Paris, pour retrouver la ville où demeurent ses parents, en Normandie. Une ville de granit gris, volets blancs et hortensias roses. Elle a les mains sur la toile cirée.

(5) Posée, très calme en apparence : *« Je ne me suis pas trompée : celui que la police a arrêté, c'était celui au foulard qui avait la voix grave. J'en suis sûre, je l'ai reconnu. Et quand je l'ai vu la première fois, quand les policiers ont fait un « tapissage », il avait le numéro 8. Je regardais derrière une glace. Mon cœur a battu très fort. C'était bien lui, et j'ai pleuré sur la poitrine d'un policier. »*

(6) Celui à la voix grave, c'est, affirme Fabienne, L.M., vingt-trois ans, manutentionnaire, qui habitait chez ses parents avant d'être inculpé de viol et écroué à la prison de la Santé à Paris. Et c'est grâce à l'étonnante mémoire des chiffres de Fabienne que les policiers d'Evry l'ont arrêté. Trois jours après le viol, le samedi 18 mai, Fabienne a un éclair : par bribes, un numéro de téléphone lui revient.

(7) Montée à Arpajon ce jour-là à 11 h 47 dans le train 8406, elle arrive à 11 h 54 à Brétigny. C'est là que le train en provenance de Bourrey-sur-Juine raccroche ses wagons au 8406. Le convoi prend alors la direction de Paris. *« Les trois jeunes sont arrivés juste après Brétigny. Ils venaient de derrière moi. J'étais assise près de la fenêtre. »* « Blouson bordeaux » s'assied à côté d'elle ; « Crâne rasé » juste en face, à côté de lui, celui qu'elle reconnaîtra ensuite comme étant L.M. Il porte un foulard palestinien autour du cou et lui demande du feu. Il fume des Camel filtre. Elle tend son briquet. Les trois garçons ont envie de bavarder, de draguer sans doute.

(8) Fabienne répond à peine, regarde par la fenêtre. Les trois garçons ne cessent de l'interroger *(« Où tu vas? Qu'est-ce que tu fais ? Comment tu t'appelles ? Où tu habites ?)* et chuchotent entre eux. *« Ils avaient l'air de bien se connaître. »* Fabienne n'entend pas ce qu'ils disent, seulement, affirme-t-elle, un numéro de téléphone que le garçon au foulard répète à plusieurs reprises.

Ils n'étaient pas armés

(9) 12 h 08 : on vient de passer Juvisy. Paris n'est plus qu'à treize minutes. Elle a le cœur qui bat lorsque « Blouson bordeaux » essaie de l'enlacer et de la caresser. Elle se lève aussitôt, ramasse ses deux sacs – l'un est volumineux, toutes ses affaires de coiffure s'y trouvent. « Blouson bordeaux » la force à se rasseoir. *« Alors ils ont été sur moi. Le vieux monsieur s'est bien approché, mais ils ont dit aux gens que s'ils bougeaient, ils les menaceraient. Ils n'étaient pas armés, mais les gens n'ont pas bougé. »*

(10) La jeune fille ne se rappelle pas la phrase exacte qu'auraient prononcée ses agresseurs. Juste avant Paris, le train arrive dans un tunnel, les lumières s'allument. *« Ils m'ont lâchée à ce moment et sont repartis en sens inverse de la marche. A Austerlitz, je pleurais. Des voyageurs m'ont demandé si ça allait. J'ai dit oui. Je suis descendue et j'ai couru vers le métro. »*

(11) Fabienne arrive à son école de coiffure. Les professeurs voient ses yeux rougis. Elle raconte ce qui lui est arrivé. *« On verra ça à la fin du cours », m'a dit mon prof de techno. Puis elle m'a emmenée chez un gynécologue qui m'a prescrit des trucs, je ne sais pas quoi. Une autre prof m'a raccompagnée. Mon oncle et ma tante sont rentrés vers 18 heures. On est allé chez leur médecin. Il a fait un certificat et puis on est allé au commissariat ; on nous a envoyés à la gendarmerie. C'était pas là non plus. Alors on est allé au SRPJ d'Evry. J'ai tout raconté et décrit les trois jeunes. Je suis rentrée à la maison à minuit. J'ai mangé et j'ai dormi parce que j'étais crevée. C'est le samedi que je me suis rappelé le numéro de téléphone. Mon oncle et moi, on a cherché dans l'annuaire. Avec les trois premiers chiffres on a repéré les communes de l'Essonne où ça pouvait être, et on a trouvé. »*

AGATHE LOGEART

Activités

1 *Témoignages*

Avez-vous été témoin d'un accident, d'une scène violente, ou de toute autre situation mettant en danger la sécurité de quelqu'un? Ou avez-vous eu, personnellement, un sentiment d'insécurité?

Travail individuel
En essayant de vous rappeler ce que vous avez ressenti, notez par écrit quelques détails sur les circonstances (Où? Quand? Situation?), vos réactions, et celles des autres personnes présentes (et, le cas échéant, le rôle que vous avez joué). Si vous préférez, vous pouvez, en suivant le même procédé, décrire et commenter une scène que vous avez lue dans un livre ou un journal, ou vue à l'écran.

Travail à deux
Racontez à votre partenaire votre scène (réelle ou fictive), et exprimez-lui spontanément vos réactions à son récit. Ensuite, comparez vos deux récits et discutez-en brièvement (les similarités, les différences, les conclusions qu'on peut en tirer, etc).

Tour de table
Présentez votre récit au reste du groupe. (*Variante:* Présentez au groupe le récit de votre partenaire.)

Mise en commun
Participez à une discussion générale sur les réactions des gens devant le danger, la violence, etc (on pourra, si l'on veut, dresser une liste au tableau, au fur et à mesure des interventions). Qu'est-ce qui nous fait réagir, dans telle ou telle situation, en Pharisien(ne) ou en bon(ne) Samaritain(e)?

2 *Débat*

Selon le code pénal français, la non-assistance à personne en danger est un délit. Faut-il condamner la non-intervention des sept autres voyageurs dans le wagon du train Juvisy-Paris?

Travail individuel
Choisissez votre camp (même si vous trouvez qu'il y a des choses à dire des deux côtés de la question) et notez par écrit quelques arguments dont vous pourrez vous servir pour justifier le point de vue que vous avez choisi ou accepté de défendre.

Travail en classe
A l'aide des notes que vous avez prises, participez à un débat contradictoire sur la question. On écoutera tour à tour l'un de ceux qui condamnent les voyageurs, puis un de ceux qui prennent leur défense, et ainsi de suite. Après chaque intervention (ou, si l'on préfère, après la quatrième ou la sixième intervention), chacun aura la possibilité d'interroger l'intervenant sur ses déclarations.

En guise de conclusion, on pourra chercher à savoir s'il y a des étudiants dont l'opinion s'est trouvée modifiée par ce qu'ils ont entendu au cours du débat.

7C

points de repère

● CONTEXTE

En France, comme en Grande-Bretagne, les procès criminels suscitent beaucoup d'intérêt, et on en publie des comptes rendus dans tous les journaux.

● SUJET

Dans le texte que vous allez lire, il s'agit du procès d'un homme accusé d'un double meurtre. A travers la présentation qu'en fait le journaliste du *Monde*, c'est tout un coin de la société française qui est révélé: un monde que les Parisiens, ou les étrangers, peuvent croire disparu.

● PERSPECTIVE

Le journaliste, "envoyé spécial", n'insiste pas trop sur le côté folklorique de ce qu'il décrit, mais en accumulant les détails frappants et les déclarations des témoins, il parvient à composer un compte rendu vivant, susceptible d'intéresser les lecteurs citadins du *Monde*.

● STYLE

Le journaliste emploie des expressions familières ("En tout cas" (7C6), "Après quoi" (7C10), par exemple) pour attirer l'attention du lecteur et faire avancer son récit, mais il emploie aussi un vocabulaire assez sophistiqué, des phrases presque solennelles, peut-être pour garder une certaine distance ironique.

● CONSEILS

A la première lecture, vous serez peut-être obligé de consulter, plus souvent que d'habitude, non seulement le dictionnaire, mais aussi un dictionnaire encyclopédique, pour élucider des références historiques et géographiques; ensuite, relisez le texte en entier, afin de vous faire une idée des personnages et des événements.

De notre envoyé spécial

(1) Périgueux. – A l'heure de l'audience, les affaires criminelles requièrent toujours un peu d'imagination. Cette fois, il en faut vraiment beaucoup pour se dire que cet homme âgé de trente-sept ans, Jacques Geneau de Lamarlière, si strict dans son costume gris, si égal et courtois dans le propos, a pu comme un forcené tuer, au château de Lamonzie-Saint-Martin (Dordogne), son beau-frère, Jacques Boudet, et sa belle-mère, Jeanne-Marie Boudet, mettant fin par-dessus le marché, en cette nuit du 4 novembre 1981, à la descendance d'une famille d'authentique noblesse d'Empire.

(2) Il en faut encore davantage pour le voir ensuite porter les corps inanimés dans une voiture, s'en aller ainsi sur une route départementale où, après avoir arrosé ses victimes d'essence et d'alcool, il transforma le véhicule en brasier.

(3) Ce fut pourtant ainsi, et Jacques Geneau de Lamarlière l'a dit à l'instruction : « *Pour la famille, il valait mieux qu'on croie à un accident.* » Ces horreurs ont mis le pays de Bergerac dans tous ses états. Il reste à solder les comptes. Rude sujet pour les jurés de la cour d'assises de la Dordogne, réunis depuis le mercredi 4 décembre, et non moins rude pour la famille Boudet, représentée par ses trois filles, partie civile, qui n'en finiront jamais de mesurer la bévue par laquelle ce Jacques Geneau de Lamarlière a pu, un moment, être des leurs.

DEVANT LES ASSISES DE LA DORDOGNE

Le double crime de Jacques Geneau de Lamarlière

Périgueux (Dordogne)
« Ces horreurs ont mis le pays de Bergerac dans tous ses états »

« Vous allez mourir de faim »

(4) Il venait, lui, homme de roture en dépit du nom, d'une famille du Pas-de-Calais s'étant installée sous les cieux plus cléments du Lot-et-Garonne pour cultiver des terres. Sept enfants, dont Jacques était le troisième. Une vocation agricole, une grande piété aussi. On l'éleva dans les bons principes. Il fut même, deux ans, élève au petit séminaire de Marmande. Après de médiocres études, le voici à son tour exploitant rural, installé à Moulon, à 40 kilomètres de Lamonzie. Il travaille dur, connaît des déboires. Un incendie ravage une de ses porcheries. Il a envie *« de tout envoyer balader »*. Cependant, il persévère. Mais cela ne va pas sans des temps de loisirs.

(5) C'est dans ces occasions qu'il rencontre Jacques Boudet. Par lui, il connaît une de ses sœurs, Laurence. Les Boudet ne sont pas n'importe qui. Ils descendent du général d'Empire Jean Boudet. Celui-là, de Marengo à Essling, fut un brave, avec constance, au point d'être anobli par Napoléon et d'avoir son nom gravé parmi d'autres sous les voûtes de l'arc de triomphe de l'Etoile. A quarante ans, il meurt, laissant à ses héritiers cette terre de Lamonzie qu'ils ne quitteront plus. Ils y connaîtront des fortunes diverses au gré des temps.

(6) En tout cas, en 1975, lorsque Jacques Geneau de Lamarlière courtise avec succès, Laurence, le domaine Boudet représente encore 100 bons hectares d'asperges et de maïs. Autrement dit, environ 500 millions de centimes au soleil. Mais, quand on va parler mariage, les Boudet n'apprécieront pas. Le comte, qui va bientôt mourir, ne veut pas de Geneau pour gendre. La comtesse Jeanne-Marie convoque le prétendant.

(7) Lui s'en souvient encore : *« Elle m'a dit que ce n'était pas souhaitable, que Laurence était trop jeune. Elle m'a même fait cette réflexion : « Mais mon pauvre Jacques, vous allez mourir de faim. Elle ne sera même pas capable de vous faire cuire un œuf à la coque. »*

(8) Il ajoute : *« Alors, tout en nous rendant compte qu'on allait leur faire de la peine, on a un peu forcé le destin . . . »* Dans sa bouche, cet aimable euphémisme signifie, tout simplement, que le premier enfant allait naître bientôt.

(9) Sans joie, les Boudet sont forcés de s'incliner. Le couple vivra quelques mois au château de Lamonzie.

« Vous n'avez pas eu l'impression, alors, de vous sentir inférieur ?

– Non, pas du tout. J'étais parfaitement à l'aise. »

(10) Après quoi, Jacques Geneau va partir avec sa femme sur ses propres terres, à Roucheron. Il y appelle même à ses côtés, à la demande de son beau-père, Jacques Boudet, son beau-frère, qui connaissait à l'époque des difficultés.

(11) *« Pendant deux ans, nous avons travaillé ensemble. Il avait mon matériel à sa disposition. Je lui avançais de l'argent, à tel point que ma femme m'a dit un jour : « Il ne faut pas que ce soit toujours toi qui l'aides. » On fit donc établir devant notaire une reconnaissance de dettes de 128 000 francs, que Jacques Boudet s'engageait à rembourser dans l'année. »*

(12) En fait de remboursement, rien ne vint. Un beau jour, Jacques Boudet tira sa révérence, annonçant qu'il retournait auprès de son père malade à Lamonzie. Dès lors, entre les deux beaux-frères, ce fut la fin des sympathies. D'autant plus que Jacques Geneau de Lamarlière allait de difficulté en difficulté. Dépôt de bilan d'une société de transport de produits agricoles qu'il avait créée, soucis de santé à cause d'un asthme chronique qui le tenaillait depuis l'enfance, décès à l'âge de cinq ans de sa première fille, frappée de leucémie.

« J'ai peur dans ce château »

(13) Que venait-il faire à Lamonzie au soir du 3 novembre 1981 ? Est-il vrai, comme il l'a affirmé, qu'il ne nourrissait aucune arrière-pensée, mais que dès que son beau-frère l'a vu il l'envoya bouler dans l'escalier non éclairé, qu'il voulut se défendre, qu'il ne vit même pas sa belle-mère, accourue elle aussi, et la frappa dans le noir, sans même s'en rendre compte. De tout cela, on va maintenant parler en détail.

(14) Tout d'abord, il convient de fixer les portraits des uns et des autres. Vu par Laurence, qui fut sa femme, car aujourd' hui elle a obtenu le divorce, Jacques Geneau de Lamarlière est celui qui *« voulait toujours avoir l'air de faire mieux et plus que les autres »*. En quelques phrases acérées comme des lames de stylet, et prononcées d'une voix glacée, elle en fait un ambitieux, négligeant ses enfants, la négligeant elle-même. Les deux sœurs de Laurence sont moins cruelles, se souvenant du *« garçon charmant »* qu'elles avaient connu naguère mais qui, pour elles aussi, devait ensuite *« beaucoup changer »*. Et puis elles glissent cette phrase : *« Papa nous a dit qu'il avait pris des renseignements sur lui et qu'il savait qu'il était malhonnête. »*

> *L'accusé a tué son beau-frère et sa belle-mère. La partie civile estime, contrairement à l'accusation, qu'il y a eu préméditation.*

(15) Ainsi se dessine la thèse de la partie civile, plus exigeante que l'accusation elle-même puisqu'elle vise à démontrer une préméditation, qui n'avait pas été retenue par la chambre d'accusation, dans le seul dessein de s'assurer l'héritage . . . Pour la conforter, il y a ces mots de la comtesse à des prêtres ou à des religieuses, qui les ont rapportés : *« Madame a dit, deux jours avant le drame : « priez pour nous, priez fort, il va y avoir un drame à la maison. J'ai peur dans ce château. »*

(16) Pour mieux le noircir encore, un autre ajoute : *« Tout lui était bon pour accabler sa belle-famille »*.

(17) Ainsi parlait-on côté château. Côté Geneau, c'est le contraire. Voici la mère, le père qui, évidemment, verront toujours leur enfant doux et paisible comme un berger de fable. Voici ceux avec qui il a travaillé et qui célèbrent avec ferveur son honnêteté, sa fidélité à la parole donnée, son souci du bien des autres.

(18) Il reste l'horreur exposée par le professeur Lepée, médecin légiste, et réaliste : *« J'ai retrouvé de la suie et de la fumée dans les trachées et les poumons des victimes. Elles respiraient encore au moment de l'incendie »* . . . C'est sa seule certitude après une autopsie de corps *« dont les organes étaient cuits et recuits, éclatés, déchirés, comme on retrouverait un morceau de viande oublié dans le four »*.

JEAN-MARC THÉOLLEYRE

d'après Gustave DORÉ / PLANTU

Activités

1 Résumé oral

Note Cette activité, si elle se déroule à un bon rythme, permettra à tous les membres du groupe d'avoir bien en tête les principaux éléments du crime et du procès.

Pour cette activité, on divisera le texte en cinq parties:

- de "Périgueux. – A l'heure de (. . .)" à "(. . .) être des leurs" (7C1–3)
- de "Il venait, lui (. . .)" à "(. . .) au gré des temps" (7C4–5)
- de "En tout cas, en 1975 (. . .)" à "(. . .) parfaitement à l'aise" (7C6–9)
- de "Après quoi, Jacques Geneau (. . .)" à "(. . .) parler en détail" (7C10–13)
- de "Tout d'abord (. . .)" à "(. . .) oublié dans le four" (7C14–18)

Travail individuel
Pour *une* de ces cinq parties du texte, composez deux ou trois questions que vous pourrez poser à d'autres membres du groupe, afin de voir s'ils ont retenu les détails les plus importants du procès.

Relisez aussi les quatre autres parties du texte, en essayant de retenir les détails qui vous semblent les plus importants.

Travail à deux
Avec un partenaire qui a préparé la même partie du texte que vous-même, comparez les questions que vous avez préparées, et mettez-vous d'accord sur une liste commune (deux ou trois questions).

Travail en classe
Ceux qui ont préparé des questions sur la première partie du texte (7C1–3) interrogent les autres membres du groupe, qui doivent essayer de donner des réponses aussi claires et brèves que possible; et ainsi de suite pour les autres parties du texte.

2 Discussion

Travail individuel
Notez par écrit deux ou trois détails du texte (les faits, les personnes, les dépositions, etc) qui vous semblent correspondre, plus ou moins, à ce qu'on trouverait dans un compte rendu de procès dans un journal anglais. Ensuite, notez quelques détails qui vous ont surpris, ou qui vous semblent caractéristiques de la justice et de la société françaises.

Travail à deux
Avec un partenaire, comparez les notes que vous avez prises, et mettez-vous d'accord sur *un* point de ressemblance, et *un* point de différence, parmi ceux que vous aviez notés individuellement.

Tour de table
Présentez au groupe un des deux points que vous venez de choisir, en résumant brièvement la discussion que vous venez d'avoir avec votre partenaire.

Mise en commun
Participez à une discussion sur la justice et la société françaises, telles qu'elles apparaissent dans ce texte.

3 Appréciation

Travail individuel
Notez en vrac ce qui vous a plu, et ce qui vous a déplu, dans ce compte rendu d'un procès, avec les passages qui ont motivé votre réaction.

Mise en commun
Participez à une discussion sur les qualités et les défauts de ce compte rendu du procès de Jacques Geneau de Lamarlière. Au début de votre intervention, lisez à haute voix le (ou les) passage(s) en question.

4 Récit interrompu

Seriez-vous un bon témoin, dans un procès, par exemple? Sauriez-vous suivre la ligne de votre histoire/récit/témoignage, sans vous tromper, sans vous contredire, sans oublier les détails, malgré toutes les interruptions, interjections, observations, questions? Voici une activité qui, moins dramatique ou éprouvante que la situation d'un témoin dans un procès, vous permettra cependant de tester vos capacités de résistance, de persévérance et d'expression.

Travail individuel
Choisissez un incident, plutôt banal, pas très dramatique, dont vous avez été un témoin *ou* un participant. Notez rapidement quelques détails (date, heure, lieu, circonstances, participants, déroulement de l'incident).

Tour de table
Commencez à raconter votre histoire; chaque fois qu'on vous interrompt pour poser une question, demander des renseignements supplémentaires, etc, répondez aussi clairement – et brièvement – que possible, puis reprenez votre récit. (Cette activité exige, on le voit, la participation active de tous les membres du groupe. Si le groupe est très nombreux, on peut diviser la classe en deux ou trois sous-groupes, parmi lesquels le professeur pourra circuler.)

Points LANGUE

● 7.1 *Prépositions 2: locutions prépositives*

Une **locution prépositive** est un groupe de mots qui sont habituellement employés ensemble pour former une préposition.

7.1.1 Formation

La plupart des locutions prépositives sont formées sur le modèle *à*, *au*, *à l'*, *à la*, *en* + nom + *de*:

à cause de   *au cours de*
en cas de

D'autres sont formées de nom/adverbe + *de/à*:

faute de   *près de*
grâce à

Quelques-unes sont formées de *à* + nom/adverbe:

à part   *à* (nom) *près*
à travers

7.1.2 Sens et emploi

On peut grouper ces locutions prépositives en trois catégories, selon leur sens:

- situation dans **l'espace** ou le **temps** (sens littéral)
- situation non matérielle (sens **métaphorique**)
- **cause**, **manière**, etc

Situation dans l'espace ou le temps

au bord de	*au bout de*
au cœur de	*à côté de*
au cours de	*au-delà de*
au-dessous de	*au-dessus de*
à droite de	*en fin de*
à gauche de	*d'ici à*
jusqu'à	*(pas) loin de*
au milieu de	*près de*
en provenance de	*autour de*
à travers	*vis-à-vis de*

4B6 *ces semaines de balancelle* ***au bord de*** *l'onde*
5A2 *des ballons rouges tenus* ***au bout d'****un fil*
5B1 *même si son village était* ***au cœur de*** *la ville*
7A4 *il y a eu,* ***au cours des*** *derniers siècles, une régression de la violence*
6A8 *reconstituer ses forces physiques et morales* ***au-delà des*** *mers*
6B4 *il ne fallait pas que mes yeux quittent le mur* ***au-dessus de*** *sa tête*
4C1 *l'Etat français risque de ne plus contrôler la moitié de son territoire* ***d'ici à*** *quelques décennies*
4B5 *chaque retraité a gardé sa parcelle* ***jusqu'à*** *ces jours-ci*
7B7 *le train* ***en provenance de*** *Bourrey-sur-Juine*
7B7 *il porte un foulard palestinien* ***autour du*** *cou*

Situation non matérielle (sens métaphorique)

La plupart des locutions prépositives ci-dessus s'emploient aussi avec un sens métaphorique. D'autres s'emploient presque toujours avec un sens métaphorique:

à bout de	*en dehors de*
en fait de	*en forme de*
au lieu de	*au niveau de*
à part	*au plan de*
au sein de	*au service de*

4C1 *un livre* ***en forme de*** *mise en garde*
6A10 *ils ont voulu toujours des esclaves,* ***au lieu d'****alliés*
6A7 *une armée coloniale* ***au sein de*** *laquelle tous les officiers (...)*
3C14 *les vraies réformes qui doivent être mises* ***au service de*** *la création (...)*

Certaines locutions prépositives ont une forme différente, selon qu'elles ont un sens **littéral** ou **métaphorique**:

Sens littéral	Sens métaphorique
au bout de	*à bout de*
à côté de	*aux côtés de*
en face de	*face à*
hors de	*en dehors de*
près de	*auprès de*

j'étais assis ***en face de*** *lui*
6A5 *l'ambition française,* ***face aux*** *Allemands?*
il ne supportait pas de vivre ***hors de*** *son pays natal*
4C8 *qui revendique le maintien du cadre de vie* ***en dehors des*** *villes?*
7B7 *j'étais assise* ***près de*** *la fenêtre*
7C12 *il retournait* ***auprès de*** *son père malade*

Cause, manière, etc

en cas de	*à cause de*
en dépit de	*à l'égard de*
faute de	*grâce à*
au gré de	*au nom de*
au prix de	*au profit de*
en proie à	*en raison de*
au risque de	*en signe de*

7C4 *lui, homme de roture* ***en dépit du*** nom
7A3 *une peur exagérée* ***à l'égard d'****un risque (...)*
7C12 ***en fait de*** *remboursement, rien ne vint*
4B10 *l'agriculture conduit au tourisme,* ***grâce à*** *l'Etat*
7C5 *ils y connaîtront des fortunes diverses* ***au gré des*** *temps*
4C9 ***au nom de*** *la rentabilité, le nombre d'exploitations a diminué*
4A3 *cette continuité n'a pu être assurée qu'****au prix de*** *conflits continus*
4B8 *la défiguration d'un paysage* ***au profit d'****exilés citadins*
5A5 *Mouret se trouvait* ***en proie à*** *une crise d'inspiration*
4C8 ***au risque de*** *transformer la France en poubelle de l'Europe*
7A6 *une révélation divine,* ***en signe d'****avertissement*

Locutions figées

Certaines locutions prépositives forment, avec un nom (sans article), une locution figée:

à bout de forces
à bout de souffle
en fin de compte

A peu près, locution figée, est formée sur le modèle *à* + nom + *près*:

6A4 *les anciennes possessions coloniales sont* ***à peu près*** *administrées*
7A1 *à de rares exceptions* ***près****, la violence privée y est relativement faible*

Emploi avec un adjectif possessif

Au lieu d'employer une locution prépositive avec un pronom personnel, on peut employer un adjectif possessif:

du côté de	*de son/leur côté*
à côté de	*à ses/leurs côtés*
à l'égard de	*à son/leur égard*
au gré de	*à son/leur gré*
au nom de	*à son/leur nom*
au sujet de	*à son/leur sujet*

6A7 *les hommes d'affaires de Marseille et de Bordeaux,* ***de leur côté****, ont lancé en 1893 . . .*

7C10 *il y appelle même* ***à ses côtés*** *(. . .) son beau-frère*

7.1.3 Prépositions et adverbes

Plusieurs locutions prépositives sont formées à partir d'adverbes (ou de locutions adverbiales):

Préposition	**Adverbe**
à bout de	*à bout*
au bout de	*au bout*
à côté de	*à côté*
du côté de	*de côté*
en dehors de	*en dehors*
à droite de	*à droite*
à gauche de	*à gauche*
loin de	*loin*
au milieu de	*au milieu*
près de	*(tout) près*
autour de	*(tout) autour*

Dans d'autres cas, les deux formes sont différentes:

Préposition	**Adverbe**
au bord de	*à bord*
à cause de	*en cause*
au cours de	*en cours*
au-dessous de	*(au-)dessous*
au-dessus de	*(au-)dessus*
hors de	*(au) dehors*

7.1.4 Emploi + infinitif

Plusieurs locutions prépositives s'emploient aussi bien avec un infinitif qu'avec un nom. En voici quelques-unes:

à force de	*au lieu de*
au point de	*au risque de*
loin de	*en vue de*

7A5 ***à force de*** *l'entendre répéter, nos contemporains finissent par se convaincre que (. . .)*

6A10 *ils ont exploité,* ***au lieu d'****associer*

7C5 *celui-là fut un brave,* ***au point*** *d'être anobli par Napoléon*

7.2 *Locutions verbales 1: mettre, prendre*

Une **locution verbale** est un groupe de mots (verbe (+ préposition) + nom) qui sont habituellement employés ensemble pour former un verbe.

Certains verbes s'emploient dans plusieurs locutions verbales:

- *mettre, prendre* (7.2)
- *faire* (8.2)
- *avoir* (9.2.5)
- *perdre, prêter, tenir,* etc (10.2.1)

7.2.1 *Mettre, la mise*

Mettre s'emploie dans plusieurs **contextes**: son **sens** ne correspond pas toujours à "put" en anglais.

exercice 7/1

METTRE, SE METTRE, LA MISE, REMETTRE, SE REMETTRE, LA REMISE

Cherchez dans un dictionnaire les six rubriques ci-dessus. En lisant les exemples donnés par le dictionnaire, essayez de vous faire une idée des différents **sens** de ces mots, et des **contextes** dans lesquels ils sont habituellement employés.

Mettre (du temps) à/pour + infinitif

Dans cette construction, on emploie *mettre* en français, et "take" en anglais:

1A3 ***j'ai mis*** *deux ans* ***à*** *décrocher ma première année*

Mais on emploie *prendre* quand la construction est inversée:

ça m'a pris du temps (N2)
ça te prendra cinq minutes (N2)

Mettre en + nom, ***la mise en*** + nom

Plusieurs locutions verbales sont composées sur le modèle *(re)mettre en* + nom; la locution nominale correspondante est formée de *la (re)mise en* + nom:

(re)mettre en marche
la (re)mise en marche

(re)mettre en œuvre
la (re)mise en œuvre

(re)mettre en place
la (re)mise en place

(re)mettre en question
la (re)mise en question

(re)mettre en route
la (re)mise en route

5C5 *le principe du TGV n'****est*** *jamais* ***remis en question***

4C1 *un livre en forme de* ***mise en garde***

3B2 *les* ***mises en scène*** *parfaites*

5A3 *sa* ***mise en vente*** *des nouveautés d'été*

Certaines locutions sont formées de *mettre à* + nom, *la mise à* + nom:

8B7 *j'avais des Transitions (. . .) ceux qu'on* ***met à part***

Se mettre

D'autres locutions verbales sont formées de *se mettre en* + nom:

se mettre en colère

2A6 *pour nous mettre en forme*

2B1 *le temps de me mettre en tenue*

Se mettre à + nom a le sens de *commencer quelque chose*:

2A9 *comme j'étais long à m'y mettre*

8C1 *elle se met à la cartographie*

On emploie *se mettre debout* avec le sens de *se lever*:

6B3 *je me mis debout et marchai jusqu'à la fenêtre*

7.2.2 *Prendre, la prise*

Prendre s'emploie dans plusieurs **contextes**; son **sens** ne correspond pas toujours à "take" en anglais.

> **exercice 7/2**
>
> ***PRENDRE, SE PRENDRE, LA PRISE, REPRENDRE, SE REPRENDRE, LA REPRISE***
>
> Cherchez dans un dictionnaire les six rubriques ci-dessus. En lisant les exemples, essayez de vous faire une idée des différents **sens** de ces mots, et des **contextes** dans lesquels ils sont habituellement employés.

Prendre + nom (sans article)

On forme sur ce modèle certains verbes **intransitifs** et d'autres verbes **transitifs** + objet indirect:

Verbes intransitifs

prendre corps
prendre courage
prendre forme
prendre froid
prendre garde

Verbes transitifs

prendre soin de
prendre connaissance de
5C6 *une opposition de même nature **a pris corps***

Prendre + déterminant + nom

Dans d'autres locutions, il y a un déterminant entre *prendre* et le nom:

prendre l'air
prendre le temps de faire quelque chose
prendre le pas sur
prendre son temps
5B7 *l'Etat, prenant le pas sur les communautés locales*
5C6 *d'autres **ont pris la relève** et réclament (...)*

Prendre en + nom, ***la prise en*** + nom

Comme *mettre en, la mise en* (voir 7.2.1), *prendre en* et *la prise en* sont à la base de plusieurs locutions:

prendre en charge
la prise en charge

prendre en compte
la prise en compte

prendre en considération
la prise en considération

Certaines locutions sont formées de *prendre à* + nom:
8B15 *il me prenait à témoin*

● 7.3 *Les temps du verbe 2: le système des temps en français*

Voir aussi ***Livret audio.***

7.3.1 – 7.3.2 Le point de référence: présent ou passé?

Quand on parle, et quand on écrit, on choisit, comme **point de référence**, le **présent**, ou le **passé**. Le **temps de chaque verbe** est fixé par rapport à l'un ou l'autre de ces deux points:

- avant, pendant ou après le point de référence **présent**
- avant, pendant ou après le point de référence **passé**.

7.3.1 Point de référence: le présent

passé composé	**présent**	**futur**
(avant) ←		→ (après)
on a fait	*on fait*	*on fera*

Le **présent** est le point de référence du discours **direct**, où l'on raconte les événements, les sentiments, etc, **au moment où ils se passent**:

- dans la conversation, au téléphone, etc
- dans une lettre personnelle
- dans un reportage en direct, à la radio/télévision
- dans un exposé, une discussion, un débat, etc

Note On peut employer le **présent** pour exprimer une intention, une proposition, une question etc, qui a trait à **l'avenir**:
2A3 *au bal de dimanche, je m'en **pique** une* (N2)
*qu'est-ce qu'on **fait** maintenant?*
*je vous l'**apporte** tout de suite* (garçon de café)
*je vous **rappelle** tout de suite* (standardiste)
(Dans les deux derniers exemples, le futur en question n'est pas nécessairement immédiat.)

On peut choisir le présent comme point de référence pour raconter des événements **passés**, les présentant **comme s'ils se passaient** au moment où l'on parle ou écrit.

A l'oral, on peut raconter au **présent** un incident récent:

*alors voilà, ce matin je **vais** chez X mais on me **dit** qu'il **est** pas là alors je me **dis** qu'il **faut** aller voir Y (...)* (N2)

A l'écrit – fiction, (auto)biographie, histoire, journalisme, etc – on emploie le **présent** pour dramatiser un incident, un portrait, une série d'événements, etc. Dans le texte 7C, le journaliste emploie souvent le présent comme point de référence pour décrire ce qui s'est passé pendant l'audience. Vers la fin de son article, il écrit:
7C17 *voici la mère, le père qui **verront** toujours leur enfant doux (...) Voici ceux avec qui il **a travaillé** et qui **célèbrent** avec ferveur son honnêteté*

Trois périodes de temps sont évoquées:

- **avant** l'audience (*a travaillé*)
- **pendant** l'audience (*célèbrent*)
- **après** l'audience (*verront*)

7.3.2 Point de référence: le passé

plus-que-parfait	**passé composé** **passé simple** ou **imparfait**	**conditionnel**
(avant)	←— —→	(après)
on avait fait	*on a fait/on fit/on faisait*	*on ferait*

Le **passé** est le point de référence du discours **indirect**, où l'on raconte des événements **passés**:

- conversation, téléphone, etc; lettre personnelle
- reportage (radio, télévision, presse écrite)
- entretien (voir texte 7B, les propos de Fabienne)
- exposé, discussion, débat (voir texte 7C, les déclarations des témoins)
- livre (fiction, (auto)biographie, histoire)

Le roman de D. Sallenave (voir texte 10B), est raconté au **passé**:

10B3 *elle **revoyait** tout; elle **se reprochait** tout; elle **avait** tout **compris**. Elle **avait vu** le visage de Pierre, elle ne l'**oublierait** pas*

Trois périodes de temps sont évoquées:

- **avant** les réflexions de Laure (*avait compris*, *avait vu*)
- **pendant** ses réflexions (*revoyait*, *se reprochait*)
- **après** ces réflexions (*ne l'oublierait pas*)

7.3.3 Le système des temps 1: autour du **présent**

Voici un schéma plus élaboré des temps autour du **présent**:

on a fait	*on vient de faire*	*on fait*	*on va faire*	*on fera*

(avant) ← (point de référence) → (après)

On vient de faire et *on va faire* sont plus rapprochés du point de référence (le présent) que *on fera* et *on a fait*. Cette différence est souvent **subjective**: l'emploi de *on va faire* ou de *on vient de faire* souligne **l'importance** de ce qui vient de se passer, ou va se passer:

10A4 *la revue* Population ***vient de publier** cette seconde enquête (...) les enquêteurs **ont sélectionné** quelque 3 000 personnes* (passé)

7C7 *mais mon pauvre Jacques, vous **allez mourir** de faim. Elle ne **sera** même pas capable de vous faire cuire un œuf à la coque* (futur)

7.3.4 Le système des temps 2: autour du **passé**

Voici un schéma plus élaboré des temps autour du **passé**:

on avait fait	*on venait de faire*	*on a fait* *on fit* *on faisait*	*on allait faire*	*on ferait*

(avant) ←— (point de référence) —→ (après)

On venait de faire et *on allait faire* sont plus rapprochés du point de référence (le passé) que *on avait fait* et *on ferait*:

6B6 *– Alors, et là-dedans?*
*Celui qui **venait de parler s'appuya** contre la porte* (avant)

7C8 *tout en nous rendant compte qu'on **allait** lui **faire** de la peine, on **a** un peu **forcé** le destin* (après)

7.3.5 Passe composé ou passé simple?

Dans une situation de communication **spontanée** (N2), à l'oral ou à l'écrit, on emploie aujourd'hui le **passé composé** plutôt que le passé simple.

Dans une situation plus **formelle** (N3), on peut employer le **passé simple**:

- récit oral (histoire pour enfants, à la radio, etc)
- discours (solennel)
- livre (fiction, (auto)biographie, histoire)
- reportage (presse écrite)

7C4 *on l'**éleva** dans les bons principes. Il **fut** même, deux ans, élève au (...) Il travaille dur* (pour établir des faits biographiques)

7C5 *celui-là, de Marengo à Essling, **fut** un brave. A quarante ans, il meurt*

> ***exercice oral* 7/4**
>
> **EMPLOI DU PASSÉ SIMPLE**
>
> **Travail à deux**
> Cherchez, dans le texte 7C, d'autres exemples de l'emploi du passé simple, et justifiez-les.

On peut employer, dans le même texte, le passé simple et le passé composé: le **passé simple** pour donner à un événement une dimension **historique**, **épique**; le **passé composé** pour présenter les **conséquences** d'un événement, son rapport avec le **présent**:

6A3–4 *Tombouctou ne pouvait qu'être française. Elle l'**est** donc **devenue**. Et **fut** dès lors un des plus glorieux témoignages des succès africains de la France*

7C3 *Ce **fut** ainsi, et Jacques Geneau de Lamarlière l'**a dit** à l'instruction*

7.3.6 Aspect

Aspect perfectif et **aspect imperfectif**

Quand on situe un événement dans le temps, on présente **l'aspect perfectif** des choses. Quand on parle d'une chose **sans** la situer dans une suite d'événements, on présente **l'aspect imperfectif** de la chose.

Au **présent**, la forme du verbe en français est la même, qu'il s'agisse de l'aspect imperfectif ou de l'aspect perfectif:
7B4 *elle **a** les mains sur la toile cirée*
(aspect **imperfectif**: ce détail n'est ni situé dans le temps ni relié à d'autres événements)
7B6 *le samedi 18 mai, Fabienne **a** un éclair: par bribes, un numéro de téléphone lui revient*
(aspect **perfectif**: "l'éclair" est situé dans le temps; il y a un lien direct avec ce qui suit)
Pour souligner l'aspect imperfectif, on peut utiliser *être + en train de*:
*elle est **en train de** travailler*
Au **passé**, on distingue en français entre aspect imperfectif et aspect perfectif par l'emploi de l'un ou l'autre **temps** du verbe:

- aspect **imperfectif**: l'**imparfait**
- aspect **perfectif**: le **passé composé** ou le **passé simple**

7C4 ***il venait**, lui, d'une famille du Pas-de-Calais*
(aspect **imperfectif**: l'origine de Jacques Geneau de Lamarlière n'est pas située dans le temps)
7B2 ***j'ai crié**, mais personne n'**est venu** m'aider*
(aspect **perfectif**: le cri de Fabienne et l'immobilité des voyageurs sont situés dans le temps, l'un après l'autre)
7C11 *« 128 000 francs, que Jacques Boudet s'engageait à rembourser dans l'année. » En fait de remboursement, rien ne **vint**. Un beau jour, Jacques Boudet tira sa révérence*
(aspect **perfectif**: l'absence de remboursement est située dans le temps, **après** la signature de l'engagement par Jacques Boudet, et **avant** son départ)

On emploie le **passe composé** on le **passé simple** pour raconter des événements **dans leur ordre chronologique**. Pour indiquer qu'un événement a eu lieu **avant** la série d'événements qu'on est en train de raconter, on emploie le **plus-que-parfait** (voir 8.4.1). Pour des détails qui ne sont pas situés dans le temps, on emploie l'**imparfait** (voir aussi ***pendant***, ***depuis***, 8.5.2–8.5.4).

exercice 7/4

PASSÉ SIMPLE OU IMPARFAIT?

Complétez, sans regarder le texte 7C, cet extrait du récit du journaliste:

On __ donc établir devant notaire une reconnaissance de dettes que Jacques Boudet __ à rembourser dans l'année. En fait de remboursement, rien ne __. Un beau jour, Jacques Boudet __ sa révérence, annonçant qu'il __ auprès de son père malade. Dès lors, entre les deux beaux-frères, ce __ la fin des sympathies. D'autant plus que Jacques Geneau de Lamarlière __ de difficulté en difficulté.

(faire) (s'engager) (venir) (tirer) (retourner) (être) (aller)

exercice 7/5

QUEL TEMPS DU VERBE?

Complétez, sans regarder le texte 7C, cet extrait du compte rendu du procès:

De tout cela, on va maintenant parler en détail. Tout d'abord, il __ de fixer les portraits des uns et des autres. Vu par Laurence, qui __ sa femme, car aujourd'hui elle __ le divorce, Jacques Geneau de Lamarlière __ celui qui «__ toujours avoir l'air de faire mieux et plus que les autres». En quelques phrases elle en __ un ambitieux. Les deux sœurs de Laurence __ moins cruelles, se souvenant du «garçon charmant» qu'elles __ naguère mais qui, pour elles aussi, __ ensuite «beaucoup changer». Et puis elles __ cette phrase: «Papa nous __ qu'il __ des renseignements sur lui et qu'il __ qu'il __ malhonnête».

(convenir) (être) (obtenir) (être) (vouloir) (faire) (être) (connaître) (devoir) (glisser) (dire) (prendre) (savoir) (être)

7.4 *Pronoms relatifs*

Voir aussi ***Livret audio.***

Ces mots correspondent à "who(m)", "which", "that", etc, en anglais.

En anglais, il y a plusieurs cas où on peut omettre le pronom relatif; **en français**, le pronom relatif est **toujours** employé.

7.4.1 Antécédents et pronoms relatifs

L'antécédent est le mot ou groupe de mots qui vient immédiatement **avant** le pronom relatif. L'antécédent peut être un **nom/pronom** (personne, chose, lieu, idée, ou le mot *tout*) ou un **verbe** (déclaration ou question indirectes).

La forme du pronom relatif dépend de ce qui vient **avant** (c'est-à-dire l'antécédent) et **après** (c'est-à-dire le verbe dans la proposition relative):

voilà la femme	*dont*	*tu m'as parlé*
antécédent (nom) relatif	pronom relative	proposition
je ne sais pas	*ce qui*	*se passe*
antécédent (verbe)	pronom relatif	proposition relative

7.4.2 Le système des pronoms relatifs en français:

	Pronom relatif					
			objet indirect du verbe qui suit			
Antécédent	**sujet** du verbe qui suit	**objet** direct du verbe qui suit	**+ *de***	**+ *à***	+ autre prépos.	+ prépos. + *de*
(1) **Personne** – nom, pronom, *celui*, (*tous*) *ceux*	qui	que/qu'	dont	à qui	pour qui	au nom de qui
(2) **Chose** – nom, pronom,	qui	que/qu'	dont	auquel (N3) à quoi (N2)	avec lequel (N3) avec quoi (N2)	au début duquel (N3) au début de quoi (N2)
(3) **Lieu** – nom, pronom, *celui*, *celle*	qui	que/qu'	d'où	où	où dans lequel	où près duquel
(4) **Idée** – exprimée avant ou après la proposition relative	ce qui	ce que/ce qu'	ce dont (N3)	*	*	*
(5) ***Tout*** – invariable	ce qui	ce que/ce qu'	ce dont (N3)	*	*	*
(6) **Verbe** – déclaration ou question indirectes	ce qui	ce que/ce qu'	ce dont (N3) de quoi (N2)	à quoi	avec quoi	à propos de quoi

(* = formes peu employées)

7.4.3 Emploi des pronoms relatifs (voir tableau 7.4.2)

1 **Avec une personne**
2 **Avec une chose**
3 **Avec un lieu**
4 **Avec une idée** (exprimée avant ou après la proposition relative)
5 **Avec *tout*** (invariable)
6 **Après un verbe** (*je sais*, *dites-moi*, *voilà*, *c'est*, etc)

1 L'antécédent est une **personne**

Pronom relatif: *qui*, *que/qu'*, *dont*, *à qui*, *pour qui*, etc

7C6 ***le comte, qui** va bientôt mourir, ne veut pas de Geneau pour gendre*
6B3 ***celui qui** se ruait vit-il les issues gardées?*
7C14 *se souvenant du « **garçon** charmant » **qu**'elles avaient connu*
6B3 *les **hommes** en file **dont** je ne voyais de la vitre que les crânes allongés*
7C4 *sept **enfants, dont** Jacques était le troisième*
7C17 *voici **ceux avec qui** il a travaillé*

Lequel

Au niveau N3, on peut employer *lequel*, *auquel*, etc, quand l'antécédent est une personne:

- pour éviter l'ambiguïté (singulier/pluriel, masculin/féminin) entre **deux** antécédents:

6A2 *d'autres **pillards qui** combattent, eux, à visage découvert, et **auxquels** « nous faisons une guerre sans merci »* (N3)

Dont + proposition sans verbe

Avec des chiffres, on emploie *dont* comme préposition, avec le sens de "including":

4C9 *4 millions de paysans, **dont** à peine 1 million de vrais actifs*
5A3 *il avait lancé deux cent mille catalogues, **dont** cinquante mille à l'étranger*

exercice 7/6

PERSONNE + PRONOM RELATIF

(a) Combinez les deux phrases, en employant *qui, qu(e), dont, à qui,* etc.
Exemple: La police a arrêté l'homme; (cet homme) avait été accusé du crime.
Réponse: La police a arrêté l'homme **qui** avait été accusé du crime.

1. C'était une femme; les parents (de cette femme) étaient très pauvres.
2. Soudain elle a remarqué un homme; elle avait déjà vu (cet homme).
3. Voilà la personne; tu voulais parler (à cette personne).
4. Je vous présente deux experts; sans (ces experts) rien n'aurait été résolu.
5. Cette femme est venue vous remercier; vous connaissez déjà la fille (de cette femme).

(b) Remplacez le nom entre parenthèses par *celui*, etc.
Exemple: De quel témoin parlez-vous?
– (Du témoin) qu'on a entendu hier.
Réponse: – De **celui** qu'on a entendu hier.

6. Quelle femme a été agressée? – (La femme) qui habite en face
7. Quels hommes veut-on interroger? – Tous (les hommes) dont on sait qu'ils avaient pris ce train-là.
8. Quels témoins ont été convoqués? – Tous (les témoins) qu'on n'avait pas encore entendus.
9. Quel homme soupçonnent-ils maintenant? – (L'homme) avec qui elle avait parlé la veille.
10. Quelles femmes sont les plus exposées au danger? – Toutes (les femmes) qui sortent seules le soir.

2 L'antécédent est une **chose**

Pronom relatif: *qui, que, dont, auquel, avec quoi,* etc:

7A6 *la violence fait partie de ce **fonds** archaïque **qui** échappe à sa volonté de domination*
7A5 *chaque **génération** s'attribuant plus de mérites que **celles qui** l'ont précédée*
7B8 (Fabienne entend) *un **numéro** de téléphone **que** le garçon répète*
6A5 *une **perpendiculaire** qui rivalisera avec **celle que** les Britanniques tracent de leur côté*
7B3 *ce « **train** des lâches » **dont** on a tant parlé*
6A1 *un **événement** considérable **sur lequel** l'attention publique doit être appelée*
7C3 *mesurer la **bévue par laquelle** ce Jacques Geneau de Lamarlière a pu être des leurs*
6A7 *une **armée** coloniale **au sein de laquelle** tous les officiers gagnent leurs galons*

exercice 7/7

CHOSE + PRONOM RELATIF

(a) Combinez les deux phrases, en employant *qui, que, dont, de quoi,* etc.
Exemple: C'est une prison très isolée; on ne s'évade pas souvent (de cette prison).
Réponse: C'est une prison très isolée, **dont** on ne s'évade pas souvent.

1. Elle s'est rappelé un numéro; le garçon avait répété (ce numéro).
2. C'est la fin d'un procès; on se souviendra longtemps (de ce procès).
3. On vient de vivre un siècle; au cours (de ce siècle) le niveau de vie s'est amélioré.
4. Il avait commis un crime; (ce crime) méritait une punition sévère.
5. La police a mené une enquête approfondie; sans (cette enquête) le coupable n'aurait pas été découvert.

(b) Remplacez le nom entre parenthèses par *celui*, etc.
Exemple: De quel procès parlez-vous?
– (Du procès) qui s'est terminé hier.
Réponse: – De **celui** qui s'est terminé hier.

6. Quel siècle est le plus violent?
– Pas (le siècle) où nous vivons.
7. Quels crimes sont les plus répréhensibles?
– (Les crimes) qui s'accompagnent de violence.
8. Dans quelles communautés le risque d'être tué est-il le plus élevé?
– Dans toutes (les communautés) où la vengeance privée reste la règle.
9. Quels investissements sont les plus productifs?
– (Les investissements) pour lesquels on fait des études de marché.
10. Quelles angoisses sont les plus paralysantes?
– (Les angoisses) qu'on ne peut pas prévoir.

3 L'antécédent est **un lieu**

Pronom relatif: *qui*, *que*, *d'où*, *où*, *dans lequel*, etc:

5A4 *des* ***comptoirs où*** *les clientes étaient plus rares*

6A6 *il y aura un vaste* ***trésor*** *humain d'intelligence, de dévouement, de résolution,* ***où*** *la France pourra puiser*

4A5 *une* ***société*** *aussi fortement structurée, et* ***dans laquelle*** *la tradition occupe une place aussi importante*

Où

On peut employer *où* sans antécédent, ou après *là*:

5A10 *une femme entrait, allait droit* ***où*** *elle voulait aller*

4B1 *en bas,* ***là où*** *la vallée s'évase, elles peuvent s'étaler*

On emploie *où* comme pronom relatif pour situer quelque chose **dans le temps**:

4B6 *il est fini* ***le temps où*** *l'on n'aurait jamais construit là* (en anglais: "the time **when**")

5A5 *et voilà qu'il se sentait ébranlé,* ***le jour où*** *il le réalisait* (en anglais: "(on) the day **when**")

On emploie *où*, *auquel*, etc, dans des constructions comme:

6C2 *l'immigration est arrêtée depuis* ***1974, date à laquelle*** *le gouvernement . . .* ("1974, **when** . . .")

4 L'antécédent est **une idée**

Pronom relatif: *ce qui*, *ce que*, etc:

3C6 (les missions de services publics) *passent après l'intérêt des annonceurs,* ***ce qui*** *revient à renoncer à ces missions*

l'accusé ***a été acquitté, ce que*** *je trouve inadmissible* (l'antécédent n'est pas *l'accusé*, mais toute la phrase)

5 L'antécédent est ***tout*** *(invariable)*

Pronom relatif: *tout ce qui*, *tout ce que*, etc: voir 6.4.3.

6 L'antécédent est **un verbe**

Pronom relatif: *ce qui*, *ce que*, *de quoi*, *à quoi*, etc:

7B11 *elle* ***raconte ce qui*** *lui est arrivé*

7B8 *Fabienne* ***n'entend pas ce qu'****ils disent*

5B8 *je* ***vois*** *bien* ***par quoi*** *il faudrait corriger un discours trop pessimiste*

Ce qui, ***ce que***, ***où*** dans des questions indirectes: voir 10.4.6.

Ordre des mots dans une proposition relative: voir 6.5.3.

exercice 7/8

LIEU, IDÉE, VERBE, *TOUT* + PRONOM RELATIF

Reformulez les phrases en employant *(tout) ce qui, ce que, (d')où,* etc.

Exemple: On l'a incarcéré à la Santé; (de là) il a été transféré à Fresnes.

Réponse: On l'a incarcéré à la Santé, **d'où** il a été transféré à Fresnes.

1 On l'a transféré à Fresnes; il (y) est resté cinq ans.

2 Il croit que les hommes retournent à la barbarie; (cette idée) est absurde.

3 Ils avaient déménagé en province; ils (en) sont cependant revenus trois ans plus tard.

4 Tu diras (toutes les choses) que tu voudras, je n'y croirai pas.

5 Je ne suis jamais parvenu à comprendre (la question dont) il s'agit.

exercice 7/9

PRONOMS RELATIFS: MÉLANGE

Complétez:

1 Je n'oublierai jamais la façon __ elle avait dit ça.

2 Elle leur demanda de ramasser tout __ ils avaient jeté par terre.

3 C'est une question __ s'adresse à tous __ ont des enfants.

4 Il n'avait jamais rencontré l'homme pour __ il travaillait.

5 Elle ne lui disait jamais __ elle pensait.

6 C'est une belle maison tout autour __ il y a un immense jardin.

7 Périgueux? C'est une ville __ je ne suis jamais allé.

8 Ils cherchaient la personne au nom __ la maison avait été achetée.

9 On l'a reconnu à la manière __ il roulait des épaules.

10 Il y a un joli parc à travers __ coule un petit ruisseau.

● 7.5 *Comparaison: comparatif et superlatif*

7.5.1 **Le comparatif:** avec **un seul** terme

Faire une **comparaison** suppose qu'il y a *deux* termes à comparer (voir 7.5.2). Mais le second terme est absent quand la référence est **évidente**:

7A1 *seules les sociétés à niveau de développement* ***moins élevé****, où la population rurale occupe une* ***plus grande*** *place, présentent des taux* ***moins bas***

4A5 *comment une société* ***aussi fortement*** *structurée peut-elle faire face à la crise?*

5C9 *1 milliard pour la Lorraine,* ***autant*** *pour l'Ile-de-France*

6B5 *il me fallait ramasser mon manteau, me baisser, me lever, me relever,* ***autant de*** *gestes douloureux*

Les mots comparatifs

	Avant un adjectif *(rapide)*	Avant un adverbe *(vite)*	Avant un verbe intransitif *(parler)*	Avant un verbe transitif *(manger des frites)*
+	*elles sont* ***plus*** *rapides*	*il conduit* ***plus*** *vite*	*je parle* ***plus/ davantage*** (N3)	*on mange* ***plus de*** *frites/* ***davantage de*** *frites* (N3)
–	*elles sont* ***moins*** *rapides*	*il conduit* ***moins*** *vite*	*je parle* ***moins***	*on mange* ***moins de*** *frites*
=	*elles sont* ***aussi*** *rapides*	*il conduit* ***aussi*** *vite*	*je parle* ***autant***	*on mange* ***autant de*** *frites*
≠	*elles ne sont* ***pas si*** *rapides*	*il ne conduit* ***pas si*** *vite*	*je ne parle* ***pas autant***	*on ne mange* ***pas autant de*** *frites*

exercice 7/11

COMPLÉTEZ AVEC ***DE*** OU ***QUE***:

1 Ce projet a encore moins __ chances de réussir.
2 Il y a plus __ statistiques pour l'Europe __ pour les autres pays.
3 Je souhaite autant __ vous qu'ils réussissent.
4 Elle n'a pas réagi si vite __ sa voisine.
5 Il cherchait à acheter plus __ terres.
6 Il gagnait moins __ argent __ son beau-frère.
7 On n'avait jamais vu autant __ policiers.
8 Elle trouve son cas aussi désespéré __ celui de sa sœur.
9 Tout s'est passé moins facilement __ prévu.
10 J'ai entendu cette histoire autant __ fois __ vous.

7.5.2 Le comparatif: avec deux termes

Quand on donne les **deux** termes d'une comparaison, on emploie les constructions du tableau ci-dessus, + *que* (en anglais "than", "as"), + le second terme:

7A2 *le risque d'être tué est vingt à quarante fois* ***plus*** *élevé* ***qu'en Europe***
7A3 *nos sociétés ont* ***davantage*** *besoin de pompiers* ***que de policiers*** (N3)
7A5 *chaque génération s'attribuant* ***plus de*** *mérites* ***que celles*** *qui l'ont précédée*
7A3 *la malveillance tue* ***moins que l'ivresse ou l'imprudence***
4C7 *l'élevage de moutons coûterait* ***moins*** *cher* ***que les Canadair***
3A3 *on s'en prend à la ville. A l'avenir* ***aussi*** *brumeux* ***que les docks*** *de l'aube*
7A7 *une conquête* ***aussi*** *péniblement établie* ***que le contrat social***
4A7 *la connaissance personnelle compte pour lui* ***autant que l'élaboration*** *des questionnaires*

exercice 7/10

MOTS COMPARATIFS

Complétez avec *plus, davantage, moins* (1–5) et avec *aussi, si, autant* (6–10):

1 Il faut trouver un témoignage __ convaincant.
2 Il a fait une déclaration encore __ rassurante.
3 Elle n'a pas voulu lui en donner __.
4 Il y avait __ de voyageurs que d'habitude.
5 Il lui arrivait de manger __ que par le passé.
6 Le juge lui a dit de ne pas parler __ vite.
7 C'était un événement tout __ imprévisible que les autres.
8 C'est vrai qu'il avait souffert, mais son beau-frère avait souffert tout __.
9 Son cauchemar prit fin __ vite qu'il avait commencé.
10 Il ne gagnait pas __ d'argent que sa femme.

On peut exprimer le second terme par une proposition **verbale** (nom + verbe):

2B8 *elles connaissent certainement* ***moins*** *de choses* ***qu'elles en ont l'air***
6A8 *le domaine d'outre-mer coûte* ***plus qu'il ne rapporte*** (N3)

(Au niveau N3, on ajoute *ne* au verbe, dans la seconde partie d'une comparaison après *plus/moins*.)

Comme

On peut employer adjectif + *comme* + déterminant, à la place d'*aussi* + adjectif + *que*:

4B3 *le mineur-agriculteur.* ***Fier comme*** *un propriétaire terrien,* ***révolté comme*** *un exploité*

On emploie verbe ou nom + *comme* + déterminant dans des comparaisons:

10B4 *il avait semblé* ***agir comme un*** *halluciné*
10C8 *elle* ***est comme un*** *aveugle qui entend parler de couleurs*
10C2 ***des mots comme des*** *couteaux dans une plaie fraîche*

Mais quand il n'y a pas de comparaison, on emploie *comme* + nom (sans article):

il a travaillé toute la journée ***comme un*** *homme possédé* (comparaison)

il a travaillé six mois ***comme*** *gardien de nuit*
(fonction: pas de comparaison)

10B8 *c'est drôle, tu ne trouves pas,* ***comme*** *coïncidence?*
(catégorie: pas de comparaison)

Ressemblance: *le, la, les même(s) que, tel(le)(s) que*

6A1 *il n'est pas loin d'avoir* ***la même*** *importance* ***que*** *la prise d'Alger*

6C6 *ces conditions sont* ***les mêmes que*** *celles qui poussent à la délinquance*
un homme ***tel que*** *lui*
des scènes ***telles que*** *je n'en ai jamais vu*

Différence: *autre(s) que*

6A1 *ce haut fait d'armes donne à notre patrie un bien* ***autre*** *lustre* ***que*** *les discussions stériles*

4B5 *ils ont* ***d'autres*** *besoins* ***que*** *nous*

Intensification

Pour intensifier une comparaison, on emploie:

beaucoup / bien / encore / toujours { *plus (de) / davantage / moins (de)* } *(que . . .)*

tout { *aussi / autant (de)* } *(que . . .)*

5B2 *une armée de 6 000 architectes repoussent* ***toujours plus*** *loin les limites de la superficie urbaine*

6A3 *Tombouctou évoquait assez de mirages . . . Les hiératiques Touaregs voilés* ***tout autant***

Quantité: *deux fois plus/moins (de . . .) . . . (que) . . .*

5B3 *la banlieue est souvent* ***dix fois, cent fois plus étendue que*** *la ville*
("10 to 100 times **as** extensive **as**")

5B6 *les vols et les cambriolages sont* ***de trois à sept fois plus importants*** *dans les immeubles de plus de treize étages* ***que*** *dans les maisons individuelles*
("3 to 7 times **as** frequent")

7A2 *le risque d'être tué est* ***vingt à quarante fois plus élevé qu'****en Europe*

7.5.3 Constructions avec *plus, moins, autant*

Plus . . . (et) plus . . .

On emploie *plus, moins, autant* dans des constructions comme

plus *je parle (et)* ***moins*** *je travaille*

pour indiquer un lien entre deux situations **parallèles**:

1A3 ***plus*** *les études paraissent sérieuses, et* ***plus*** *les parents se montrent coopératifs*

4B13 ***plus*** *ça se dépeuple,* ***plus*** *ça construit*

De plus en plus (de), de moins en moins (de)

On emploie cette construction pour décrire un processus qui s'intensifie, ou qui diminue, à un rythme accéléré:

3B9 *Paul Nahon exprime sa méfiance envers des sujets* ***de plus en plus*** *scénarisés*

4B2 *la naissance de besoins nouveaux qui exigeaient* ***de plus en plus d'****argent frais*

D'autant plus/moins que

On emploie cette construction pour **appuyer** un jugement, une observation, etc:

	Référence générale	Référence spécifique
+	*d'autant plus que* *d'autant mieux que* *d'autant que* *surtout que* (N2)	*d'autant plus* { *grand / vite* } *que*
–	*d'autant moins que*	*d'autant moins* { *grand / vite* } *que*

6A9 *l'anti-colonialisme a su parler assez haut (. . .)* ***D'autant****, aussi,* ***qu'****à la fin du siècle courent d'étranges rumeurs*

7C12 *dès lors entre les deux beaux-frères ce fut la fin des sympathies.* ***D'autant plus que*** *Jacques Geneau de Lamarlière allait de difficulté en difficulté*

4B5 *il faut leur plaire (. . .),* ***surtout que*** *les femmes s'ennuient un peu dans notre « bled »* (N2)

exercice 7/12

D'AUTANT PLUS/MOINS QUE

Combinez en employant *d'autant plus/d'autant moins que*:

1. Nous sommes obsédés par la sécurité; nous voulons tout maîtriser.
2. On aurait pu lui venir en aide; il y avait plusieurs voyageurs dans le wagon.
3. Elle ne parlait pas très distinctement; elle était encore sous le coup du choc.
4. Son silence n'était pas très compréhensible; il avait assisté à l'incident.
5. Ils devaient être au courant de l'affaire; ils lisaient le journal local.

7.5.4 Le superlatif: sans point de référence

On emploie le **superlatif** pour indiquer qu'une personne, une chose ou une idée est première (ou dernière) de sa catégorie:

3B11 *des images qui témoignent, avec **le plus de vérité** possible, d'une réalité*

6B1 *je ne pouvais parler, me détendre. **Le plus angoissant** était ce silence*

7A5 *nos contemporains, même **les plus crédules,** finissent par se convaincre*

5B5 *mais, **le plus souvent**, on a bâti tous ces immeubles géants avec des matériaux médiocres*

7A1 *les sociétés industrielles sont **les moins atteintes** par les crimes de sang*

Forme de la construction superlative selon la position de l'adjectif

1 **Avant** le nom:

1B7 *lorsqu'un de ses subordonnés ne répond pas **dans les plus brefs délais***

2C1 *la tôle transformera **la plus confortable limousine** en four*
*ça m'a rendu **le plus grand service***

2 **Après** le nom (on répète *le, la, les*):

4C4 *cette nouvelle race de malfaiteurs trouve son bonheur dans **les régions les plus désertées***

5A2 *mais **son idée la plus profonde** était de conquérir la mère par l'enfant*
*c'est **le service le plus grand** qu'on puisse imaginer*
(emploi du subjonctif: voir 6.3.8.)

Les mots superlatifs

	Avant un adjectif	Avant un adverbe	Avant un verbe intransitif	Avant un verbe transitif
	(rapide)	*(souvent)*	*(évoluer)*	*(faire du bruit)*
	le, la, les . . .	*le . . .*	*le . . .*	*le . . .*
+	*ce sont **les plus** rapides*	*elle gagne **le plus** souvent*	*ils évoluent **le plus***	*ils font **le plus de** bruit*
–	*ce sont **les moins** rapides*	*elle gagne **le moins** souvent*	*ils évoluent **le moins***	*ils font **le moins de** bruit*

7.5.5 Le superlatif: avec point de référence

Quand on indique la **catégorie** dans laquelle se situe le superlatif, on emploie les constructions du tableau ci-dessus, + ***de*** ("in" en anglais) + **la catégorie**:

4A5 *les personnalités les plus actives et les plus lucides **de la commune** ne sont pas suivies*

4B5 *le trésor de la famille, la moins dévaluée **des épargnes** séculaires*

***exercice* 7/13**

LE SUPERLATIF

Complétez en employant *le* (etc) *plus . . .* (1–6) et *le* (etc) *moins . . .* (7–10):

1 __ grands crimes ne sont pas toujours __ dramatiques.
2 C'est ce qu'elle détestait __.
3 C'est en effet son plan qui a __ de chances de réussir.
4 __ grande partie de la maison a brûlé.
5 Les parties __ anciennes de la maison ont été détruites.
6 C'était la révélation __ inattendue du procès.
7 De tous les enfants, c'est lui qui travaillait __.
8 C'est elle qui a __ de choses à se reprocher.
9 Son défaut __ pardonnable, c'est l'intolérance.
10 C'était la famille __ aimée de tout le village.

***(L')un(e) des plus* + adjectif**

6A4 ***un des plus** glorieux témoignages des succès africains de la France*

7A5 *les hommes ont besoin de mythes. **L'un des plus** vivaces est celui de la dureté des temps*

(Le) moindre

On emploie *(le) moindre*, à la place de *(le) plus petit*, avec le sens de *(le) plus insignifiant*:

*c'était un **moindre** mal*

7A6 ***le moindre** fait divers y est détaillé, disséqué (. . .)*

7.5.6 *Bon, bien*: comparatif et superlatif

	Adjectif	Adverbe + participe passé *(adapté)*	Adverbe + verbe *(chanter)*
	bon(ne)(s)	***bien*** *adapté(e)(s)*	*elle chante* ***bien***
Comparatif	***meilleur(e)(s)*** *(que)*	***mieux*** *adapté(e)(s)* *(que)*	*elle chante* ***mieux*** *(que)*
Superlatif	***le, la, les meilleur(e)(s)*** *(de)*	***le, la, les mieux*** *adapté(e)(s)* *(de)*	*elle chante* ***le mieux*** *(de)*

7C4 *sept enfants, dont Jacques était le troisième. On l'éleva dans les* ***bons*** *principes*

7B5 *quand les policiers ont fait un « tapissage », il avait le numéro 8. C'était* ***bien*** *lui*
il s'est prononcé pour une ***meilleure*** *compréhension entre les deux communautés*

7C16 *pour* ***mieux*** *le noircir encore, un autre ajoute (...)*

4B1 *chaque famille en possède un morceau, c'est* ***la meilleure*** *part des héritages*
de tous les remèdes, c'est la patience qui convient ***le mieux***

Note Au niveau N2, on emploie les adverbes *bien*, *mal*, *mieux* et *moins bien* comme **adjectifs**:

recycler le papier, c'est ***bien****;*
recycler le plastique, c'est encore ***mieux*** (N2)
son nouveau CD est ***moins bien*** *que celui d'avant* (N2)

On emploie *bien* avec le sens de *à l'aise:*

5B5 *"ils avaient tout fait pour qu'on soit* ***bien****"* (N2)

exercice 7/14

BON/BIEN, (LE) MEILLEUR, (LE) MIEUX

Complétez, en employant
bon/bien (1–5)
meilleur/mieux (6–10)
le meilleur/le mieux (11–15):

1 J'ai trouvé sa remarque __ bête.
2 C'était une __ surprise.
3 Je te trouve très __ comme tu es.
4 Ça fait un __ moment que je l'attends.
5 Ce n'était pas très __ de sa part.
6 Ton idée était bien __ que la sienne.
7 Une preuve, c'est bien, mais deux c'est encore __.
8 J'aimerais __ ne pas le dire.
9 Demain on pourra enquêter dans de __ conditions qu'aujourd'hui.
10 Autrefois on était __ adapté aux dangers de la vie.
11 C'est la solution __ adaptée de toutes.
12 De tous les témoins, c'est elle qui parle __.
13 La raison du plus fort est toujours __.
14 Il ne buvait que __ vins.
15 Les coureurs __ entraînés ont le plus de chances de gagner.

7.5.7 *Mauvais, mal*: comparatif et superlatif

	Adjectif	Adverbe + participe passé *(adapté)*	+ verbe *(chanter)*
	mauvais(e)(s)	***mal*** *adapté(e)(s)*	*elle chante* ***mal***
Comparatif Sens général:	***plus mauvais(e)(s)*** *(que)*	***plus mal*** *adapté(e)(s) (que)*	*elle chante* ***plus mal*** *(que)*
Sens fort (jugement moral):	***pire*** *(que)*	–	***pis*** *(que)*
Superlatif Sens général:	***le, la, les plus mauvais(e)(s)*** *(de)*	***le, la, les plus mal*** *adapté(e)(s) (de)*	*elle chante* ***le plus mal*** *(de)*
Sens fort (jugement moral):	***le, la, les pire(s)*** *(de)*	–	***le pis*** (rare)

son cas constitue un ***mauvais*** *exemple*
sa nouvelle pièce est encore ***plus mauvaise*** *que la précédente*
4A7 *refusant le progrès et ne s'en portant pas* ***plus mal***
10B6 ***le pire*** *était qu'(. . .) un ciment nécessaire manquait*

Intensification

Pour intensifier *meilleur*, *mieux*, etc, on emploie:

bien encore { *meilleur* / *plus mauvais* / *pire* / *mieux* / *plus mal* } *(que)*

> ## *exercice* 7/15
>
> ***MAUVAIS, MAL, PIRE,*** ETC
>
> Complétez avec *(le) (plus) mauvais, (le) (plus) mal, (le) pire*, etc (+ *que* ou *de*):
>
> 1 Le procès avait très __: commencé pour la défense.
> 2 Le viol, c'est bien __ toutes les agressions contre la femme.
> 3 La veille du procès, elle avait passé une très __ nuit.
> 4 Autrefois, on était encore __ protégé __ aujourd'hui.
> 5 Demain, le temps sera encore __ aujourd'hui.
> 6 Elle est pas __, ta nouvelle voiture!
> 7 Cette nouvelle affaire est encore __ celle de l'année dernière.
> 8 C'est __ tous ses romans: ce n'est pas la peine de le lire.
> 9 La maison avait été très __ restaurée.
> 10 C'était un des quartiers __ fréquentés __ la ville.

Mal, peu + adjectif

Employés avec certains adjectifs ou participes passés, *mal* et *peu* forment un négatif:

mal assortis
mal élevé
mal intentionné
mal payé
mal préparé

maladroit
malheureux
malhonnête

peu important
peu profond

6A8 *le domaine d'outre-mer est encore* ***peu exploité***

Au niveau N2, on emploie *pas mal*, comme adjectif ou adverbe:

pas mal*, son nouveau disque* (N2)
il y avait ***pas mal*** *de monde au match* (N2)

Le bien, le mal, noms abstraits, ont un sens fort ou faible, selon le cas:

l'homme est comme Dieu, connaissant ***le Bien*** *et* ***le Mal***
7C17 *son souci* ***du bien*** *des autres*
je te dis ça pour ***ton bien*** (N2)
il m'a dit tout ***le mal*** *qu'il pensait d'elle* (N2)

PRATIQUE *orale*

Débat à deux: 6 à 8 minutes

Notre époque

Pour et contre la proposition suivante: "Notre époque est la meilleure à vivre de toute l'histoire humaine, surtout du point de vue de la sécurité personnelle".

Préparation
Cette proposition sera débattue entre deux équipes de deux étudiants: les deux membres de la première équipe discuteront et prépareront ensemble un court exposé où ils avanceront des arguments, des exemples, des témoignages, etc, en faveur de la proposition; l'équipe adverse rassemblera des arguments contre cette proposition. Chaque équipe préparera son exposé séparément, c'est-à-dire sans consulter l'équipe adverse ni lui révéler ses arguments.

Travail en classe
Les deux équipes présentent tour à tour leur exposé qui ne doit durer que deux minutes environ, sans lire un texte rédigé, mais en se servant, s'il le faut, de quelques mots clés notés au préalable. Chaque équipe devra écouter attentivement l'exposé de l'équipe adverse, car à la fin des deux présentations, les deux équipes auront chacune une ou deux minutes pour reprendre, et réfuter, les arguments de la partie adverse.

PRATIQUE *écrite*

1 Récit

Racontez, sous la forme et dans le style d'un "fait divers", un incident qui vous est arrivé personnellement, ou à quelqu'un qui vous l'a raconté par la suite. Ou bien, inventez un incident.

Variante: Racontez cet incident sous la forme et dans le style d'une nouvelle ("short story").

2 Résumé

Rédigez un résumé de l'article "L'obsession sécuritaire" (texte 7A). D'abord, lisez attentivement l'article en notant les points les plus importants: décidez quels détails sont indispensables, et lesquels sont accessoires. Simplifiez, quand vous le jugez nécessaire, le vocabulaire de l'article.

Note Le groupe se mettra d'accord pour rédiger ce résumé soit en anglais, soit en français. Dans l'un ou l'autre cas, écrivez *250 mots* au maximum: votre résumé doit prendre la forme d'un article écrit pour une publication comme *Le Monde*, mais pour lequel vous ne disposez que de 250 mots.

3 Appel

Rédigez un article pour une publication lue par vos camarades et vous-même. Dans votre article, vous lancerez un appel pour des volontaires (pour une action de solidarité, par exemple), *ou bien* vous pousserez un cri d'alarme (à propos de l'insécurité sur le campus ou en ville, par exemple). Soyez direct, précis, convaincant.

4 Récit

En vous inspirant, de près ou de loin, du texte 7C, racontez, sous la forme et dans le style d'une nouvelle, une scène de la vie d'un ou de plusieurs membres des deux familles.

Sur le vif

Dites « 22 »

Orange mécanique, suite ! Après les enseignants, les convoyeurs de fonds, les chauffeurs de taxi, les pharmaciens, les conducteurs de bus, les vieilles dames et les commerçants, victimes d'agressions en tous genres et tous lieux, voilà qu'à vouloir sauver des vies les toubibs risquent la mort. Dans les Yvelines, au Val-Fourré, soigner, c'est risqué. Très.

Ils ouvrent la porte de leur cabinet, ils passent la tête dans la salle d'attente : Au suivant ! Le suivant les suit. Ils sortent leur stéthoscope : Dites 33 ! Et avant qu'ils aient le temps de dire 22 le patient pas si patient, lui, a sorti son flingue. Par ici la monnaie ! Remarquez, à 90 balles la consultation, il n'y a pas grand-chose dans la caisse, mais, bon, c'est toujours ça de pris. Ils ne gémissent pas, les grippés, les asthmatiques, les constipés, ils menacent !

D'où ce tract en forme de sonnette d'alarme distribué par les médecins du coin. Ils s'en sont expliqués ce matin au micro de France Info : Ras-le-bol de se faire braquer par des voyous venus se faire ausculter ! Ce qu'on réclame, c'est le permis de détention d'armes. Il nous sera refusé, on le sait et on s'y résigne. N'empêche, c'est le seul moyen d'attirer l'attention des flics. A eux d'assurer notre sécurité.

Les flics ? Ça va pas ! Vous vous prenez pour des ministres, ou quoi ? Ils sont débordés, les pauvres, ils sont en danger. Ils savent plus où donner de la matraque et du bouclier. A force de choper des balles et de prendre des coups, c'est pas votre sécurité qu'ils assurent, c'est votre clientèle !

Alors, moi, là, aujourd'hui, j'en appelle au garde des sceaux : Dites, m'sieur Nallet, vous qui n'arrêtiez pas de vous justifier à la télé rapport au fric pompé par le PS, vous devriez suivre l'exemple de votre collègue italien, en nous encourageant à assurer notre propre défense. Chacun pour soi ! La loi du Far West, oui, c'est ça !

Le malade : Je suis pas bien. J'ai une douleur là, sous l'aisselle . . . Et le docteur : Sortez votre main de votre poche-revolver, ou je vous assomme avec mon marteau à réflexes.

CLAUDE SARRAUTE

CHAPITRE 8

FORMATION

TEXTES

- **8A** ***1937: un apprenti pâtissier et son patron***
- **8B** ***Maud, la classe de 5e et le prof d'anglais***
- **8C** ***L'esprit d'initiative*** **et** ***Les adolescents "polars"***

POINTS LANGUE

- **8.1** ***Prépositions 3:*** **à**
  sens de *à*, *de*, *en*,
  locutions: *à* + nom, *à* + inf.
- **8.2** ***Locutions verbales 2:*** **faire**
  faire + nom, *faire* + article + nom, *faire de*, *ne faire que*, *se faire*
- **8.3** ***L' infinitif 1***
  (se) faire, *(se) laisser*, *(se) voir*, *(s')entendre*
- **8.4** ***Les temps du verbe 3***
  le plus-que-parfait, le passé antérieur
- **8.5** ***Les temps du verbe 4***
  quand, *pendant*, *depuis*

8A

points de repère

● CONTEXTE

La maison des autres (1962), c'est le premier, et le plus autobiographique, d'une série de quatre romans publiés sous le titre "La grande patience". En 1968, leur auteur, Bernard Clavel, a reçu le Prix Goncourt pour le dernier roman de la série.

Voici ce que dit B. Clavel lui-même sur les deux années qu'il a passées comme apprenti pâtissier à Dole, dans le Jura:

> Quittant l'école à quatorze ans [. . .] j'allais passer deux années dans l'enfer d'un laboratoire où régnait un homme d'une exceptionnelle cruauté, salué à sa mort par la presse locale comme un "notable si bon dont la gentillesse était proverbiale". Du 1er octobre 1937 au lundi 30 septembre 1939. Vingt-cinq francs par mois. Plus les insultes, les coups, les crachats. [. . .] Non, rien n'est exagéré. Tout est portrait. Cet homme m'a marqué comme au fer rouge. Petiot, sa hargne, sa brutalité ont fait de moi un révolté. Avec lui, j'ai découvert l'injustice.
>
> *Bernard Clavel, qui êtes-vous?* (Ed. J'ai Lu, 1985)

● SUJET

Dans cet extrait, Julien et son patron, M. Petiot, s'affrontent au laboratoire de la pâtisserie. La veille, M. Petiot, dînant chez des amis, leur avait offert une langouste à la bordelaise, prétendant que c'était lui qui l'avait préparée: en réalité, il l'avait commandée à l'hôtel Central. C'est Julien qui était allé la chercher à la cuisine de l'hôtel, où on l'a obligé ("T'es un homme ou une merde?") à boire plusieurs verres de vin; arrivé avec le plat chez les amis de M. Petiot, Julien, l'esprit brouillé par le vin, demande s'il ne faut pas reporter la gamelle (où on avait mis la langouste) à l'hôtel Central!

Voilà pourquoi M. Petiot, arrivé le lendemain au laboratoire, cherche tout de suite Julien.

● PERSPECTIVE

La scène est racontée à la 3e personne, mais tout est vu par les yeux de Julien; quant à Petiot, il est vu uniquement de l'extérieur, caricaturé: il n'y a donc aucun doute quant au point de vue de l'auteur.

● STYLE

Phrases courtes, directes; absence de connecteurs, sauf ceux de la langue spontanée: *mais*, *puis*, *qui*, etc. Alternance rapide des dialogues et des passages narratifs ou descriptifs.

● CONSEILS

En lisant cet extrait, essayez d'imaginer la scène au laboratoire: le décor, les personnages, leurs gestes, etc: soyez surtout attentif au rythme de la narration, et à la manière dont les événements s'enchaînent.

1937: un apprenti pâtissier et son patron

(1) Julien avait le souffle court. Il se rendait compte que ses mains tremblaient. Les pas sonnèrent sur les dalles de la cour. La porte s'ouvrit et le patron entra. Il grogna et les autres répondirent :

– Bonjour, m'sieur.

(2) Julien ne broncha pas. Il sentait ses jambes faiblir. Il continuait de travailler sans se retourner. Le patron devait être derrière lui. Il sentait comme un poids sur sa nuque.

(3) Julien avança, sa plaque sur la main gauche. Il ouvrit l'étuve, posa la plaque sur l'échelle et referma les portes. Il allait prendre une plaque vide sur la table du four lorsque le patron demanda :

– Alors, tu te sens bien?

(4) Julien s'immobilisa. Le patron avait parlé fort, d'une voix qui vibrait un peu, mais il n'avait pas crié. Le chef et le second se retournèrent aussitôt. Maurice, qui desséchait la pâte à choux sur le fourneau, retira sa casserole et se retourna également. Tous regardèrent Julien qui se tenait debout devant le four.

(5) Il y eut un long silence. Julien baissa un peu la tête, mais sans quitter des yeux le patron.

– Ah, ça, tu peux être fier de toi, lança M. Petiot. Il y a de quoi!

(6) Il attendit encore un instant, décroisa ses bras, posa ses poings sur ses hanches puis, se tournant vers les autres, il demanda :

– Vous n'avez jamais vu un con? . . . Une ordure? . . . Une petite fripouille? . . . Une . . . un . . . voyou? Eh bien, regardez-le. Regardez celui-là! Regardez-le bien!

A mesure qu'il parlait, le ton montait; les mots étaient plus saccadés, arrachés du fond de sa gorge et jetés comme des pierres.

(7) Il injuria encore Julien puis, bondissant d'un coup, il voulut le gifler des deux mains. Mais Julien attendait son geste. Deux mois de boxe l'avaient déjà habitué à voir venir les coups, et les gifles tombèrent sur ses coudes levés. Furieux, M. Petiot serra les poings et se mit à frapper à toute volée. Julien s'abrita derrière sa garde fermée. Les coups pleuvaient sur ses épaules et ses bras. Entre ses mains, il voyait le petit ventre de M. Petiot qui remuait sous la veste blanche.

(8) Le patron cognait toujours, mais ses coups ne faisaient pas mal. Ils étaient trop rapides, trop désordonnés. Julien leva le regard au ras de ses sourcils. Il vit aussi la pointe du menton qui s'offrait.

(9) Un coup de pied atteignit l'apprenti en haut de la cuisse et lui arracha un gémissement. Alors, le patron s'arrêta de cogner et recula d'un pas. Son visage était livide. La sueur perlait à son front. Sa poitrine creuse se soulevait à un rythme accéléré. Un peu de salive luisait au coin de sa bouche. Il répéta encore :

– Une ordure . . . Une ordure . . . que tu es! . . . Pas autre chose!

(10) Il allait peut-être se remettre à frapper, quand le chef demanda :

– Qu'est-ce qu'il a donc fait?

M. Petiot se retourna, s'approcha du chef et se racla la gorge.

– Ce qu'il a fait? dit-il. Demandez-lui donc, ce qu'il a fait. Il vous le racontera peut-être.

Tournant seulement la tête vers Julien, il lança :

– Alors, dis-leur, ce que tu as fait. Explique-leur, puisque tu crânes tant . . . Non, tu ne veux rien dire?

Le patron haussa les épaules, resta silencieux un moment et reprit :

– Un abruti, je vous dis! Un abruti, pas autre chose!

(11) Et il se mit à expliquer ce qui s'était passé la veille. Tout en l'écoutant, le chef avait recommencé de rouler les croissants. Se retournant, il fit signe à Julien de reprendre son travail. Julien avançait déjà lorsque le patron, interrompant son récit, s'écria :

– Non, non, pas question. Il est foutu à la porte. Je ne veux pas de voyou chez moi.

(12) Puis, poursuivant ses explications, il aligna lui-même les croissants sur les plaques. Lorsqu'il eut raconté deux fois la scène de la veille, il fit volte-face et recommença de crier en demandant à Julien :

– Mais qu'est-ce que tu crois, pauvre mec, que je ne suis pas capable de faire une langouste à la bordelaise? C'est ça que tu crois? Pauvre imbécile, tu ne me connais pas. Mais la cuisine, c'est mon premier métier. J'ai fait à bouffer pour des rois, pour des ministres et des présidents de la République. Espèce de merdeux. Je le tuerais, cet avorton, si je ne me retenais pas!

(13) Le patron se tut. Il avait couvert sa plaque : comme il allait l'emporter, le chef lui dit :

– Vous en avez mis un de plus par rangée, monsieur, en levant, ils vont se toucher.

(14) Le patron empoigna la plaque, la porta dans l'étuve où on

1937: un apprenti pâtissier et son patron

l'entendit heurter la cloison de brique puis, revenant au marbre, il leva les bras en hurlant :

– Cet abruti me rendra malade. Ça m'a toujours révolté, moi, de voir des crétins pareils. Je ne veux plus le voir . . . Je ne veux plus le voir . . . plus le voir, vous m'entendez!

(15) Il sortit en claquant la porte. Ils l'écoutèrent traverser la cour et entrer dans la salle à manger. Un instant ils se regardèrent tous, puis le second lança :

– Ben, mon vieux t'as gagné le cocotier en sucre et la belle montre en bois!

(16) Julien se raidit un instant, mais très vite il sentit les larmes brûler ses yeux et couler sur ses joues.

– Viens ici, dit le chef.

Il avança.

– Dépêche-toi de mettre ces croissants sur plaque, sinon on n'en finira jamais. Et surtout ne chiale pas, ça sert à rien.

– Et tu vas saler la pâte, plaisanta Victor. Et c'est encore moi qui me ferai engueuler.

– T'inquiète pas, dit Maurice, il ne te foutra pas à la porte. On ne peut pas vider un arpète qui a un contrat.

– Si, on peut, dit le chef. Mais il faut donner la raison.

(17) Victor se mit à rire. Puis, imitant le patron, il expliqua :

– Il s'est foutu de moi, messieurs, il s'est foutu de moi. La langouste, c'est moi qui l'avais faite. La cuisine, c'est mon métier. C'est même mon premier métier.

(18) Il se tut un instant et, reprenant sa voix normale, il ajouta :

– Mes fesses! S'il est aussi fort en cuisine qu'en pâtisserie, vaut mieux qu'il fasse des nouilles à l'eau, à ses copains. S'il les loupe, ça fera au moins de la colle.

Activités

1 Les mots et les idées

En observant ce qui se fait et se dit au cours de cette scène entre le patron et son apprenti pâtissier, on arrive à une certaine compréhension de la situation et de l'enchaînement des événements. Mais certaines phrases, dans la narration et dans les dialogues, permettent au lecteur d'aller plus loin, et de comprendre les sentiments, les attitudes et ce qui est en jeu.

Travail individuel
Choisissez *un* des extraits suivants, et notez ce qui y est suggéré quant aux sentiments, aux attitudes et aux pensées des personnages:

- Maurice, qui desséchait la pâte à choux sur le fourneau, retira sa casserole et se retourna également. (8A4)
- Julien leva le regard au ras de ses sourcils. Il vit aussi la pointe du menton qui s'offrait. (8A8)
- (Petiot) – J'ai fait à bouffer pour des rois, pour des ministres et des présidents de la République. (8A12)
- (le second) – Ben, mon vieux, t'as gagné le cocotier en sucre et la belle montre en bois! (8A15)
- (Victor, imitant Petiot) – La langouste, c'est moi qui l'avais faite. La cuisine, c'est mon métier. C'est même mon premier métier. (8A17)

Travail à deux
Comparez vos observations et celles d'un partenaire (si vous avez choisi le même extrait), ou expliquez-lui vos observations (si vous avez choisi un extrait différent).

Tour de table
Lisez à haute voix l'extrait que vous avez choisi, et présentez vos observations au groupe.

Mise en commun
Pour chaque extrait, participez à une discussion sur ce que l'auteur a voulu y suggérer; si tout le monde n'est pas d'accord sur un point, soyez prêt à défendre votre point de vue.

2 Récit

Vous avez peut-être été témoin d'une dispute (ou vous en avez vu une à la télévision) qui, pour une raison ou une autre, vous a appris quelque chose sur la psychologie humaine.

Travail individuel
Notez quelques détails sur la dispute: les circonstances, les individus, les témoins, le déroulement de la scène, ainsi que vos réactions et vos réflexions.

Tour de table
Présentez et racontez, dans un style aussi direct et spontané que possible, la dispute que vous avez notée.

Mise en commun
Participez à une discussion sur les éléments que les divers récits avaient en commun, et ce qui les différenciait.

3 Résumé oral

Travail en classe
Le professeur lit à haute voix les quatre ou cinq premières lignes du texte; ensuite, l'étudiant à sa gauche commence à raconter, *sans regarder le texte*, la suite de la scène. Mais à tout moment, les autres étudiants peuvent intervenir pour poser une question sur un détail (nom, geste, paroles, etc) qui figure dans le texte, mais que l'étudiant a oublié; s'il peut répondre à la question, l'étudiant garde la parole; sinon, la parole passe à l'étudiant qui a posé la question, et qui peut y répondre correctement. Et ainsi de suite.

(*Variante* L'étudiant qui répond correctement à une question passe la parole à celui qui l'avait posée.)

4 Appréciation

Travail individuel
En relisant ce texte, choisissez un passage (cinq à dix lignes) qui vous a particulièrement impressionné.

Tour de table
Lisez à haute voix le passage que vous avez choisi, et dites ce qui vous y a frappé, en essayant d'analyser les raisons de votre choix.

Mise en commun
Participez à une discussion sur les points forts – et les points faibles – du texte 8A.

8B

points de repère

● CONTEXTE

Claude Duneton, auteur de nombreux ouvrages (romans, études sur la langue française) raconte, dans *Je suis comme une truie qui doute* (1976), ses expériences comme professeur de français et d'anglais dans un collège.

En France, en Angleterre, dans d'autres pays encore, se pose la question du rapport entre le système scolaire et les conditions sociales et économiques: celles de la famille d'un élève et celles qu'il va retrouver, une fois sa scolarité terminée. Le système éducatif peut-il transformer les individus ou leurs conditions de vie, ou est-il condamné à reproduire ces conditions dans chaque nouvelle génération?

● SUJET

Dans cet extrait, cette question se pose par l'intermédiare de Maud, élève de 5e, et des autres élèves d'une classe de Transition, ceux dont l'expérience de l'école et de la vie se résume en un mot: l'échec.

● PERSPECTIVE

Professeur, Duneton refuse d'abandonner ses élèves à leur sort; auteur, il rend compte au lecteur des limites de son pouvoir: "C'est un métier où il faut être buté, muré dans des certitudes, sinon l'engrenage du doute vous saisit". Il ne conclut pas, il raconte, il explique. Plus de résignation que de colère, dans son attitude?

● STYLE

Le lien entre Duneton et ses élèves, c'est le langage: dans son récit, dans ses réflexions, il emploie le même style que ses élèves quand ils parlent.

● CONSEILS

Le vocabulaire et la construction des phrases sont plutôt caractéristiques du niveau N2, voire N1: à vous de juger dans quelles circonstances vous pourrez les imiter. Quant aux idées, essayez en relisant l'extrait de relever les occasions où Duneton souligne le fait que lui-même et ses élèves (et leurs familles) appartiennent à des classes sociales bien distinctes.

Maud, la classe de 5e et le prof d'anglais

«On les fait venir pour retarder leur entrée dans la vie de tous les jours»

(1) – Je voudrais qu'y ait la guerre . . .

C'est Maud qui a dit ça, d'un air tranquille, du fond de la classe. Elle souriait . . . On parlait tout à fait d'autre chose mais ça la gênait pas beaucoup Maud, elle savait jamais de quoi il était question. Elle venait à l'école comme tous les autres, parce qu'elle n'avait pas l'âge d'aller ailleurs; parce que sa mère l'injuriait; parce que la vie commence comme ça, par de longues heures d'attente assis en face d'un tableau noir . . .

(2) Certains jours elle disait rien du tout. Quatorze ans, déjà mûre, elle n'attendait que le soir, butée dans ses colères à elle. D'autres jours elle était intenable, agaçant tout, insupportable même aux copains . . . Mais sa force de caractère était suffisante, elle n'apprenait jamais une leçon. Elle refusait tout calmement d'ingurgiter quoi que ce soit.

(3) – M'sieur . . .

– Oui Maud?

–J'voudrais qu'y ait la guerre.

Elle a dit ça dans un silence, d'une voix posée. Ça n'avait aucun rapport avec rien, mais pour une fois qu'elle voulait parler j'avais bien le temps.

– Pourquoi tu dis ça?

– J'sais pas . . . On s'amuserait bien. Y aurait des bombes qui éclateraient partout. On entendrait des sirènes . . . On se mettrait à courir dans les rues, ce serait bien!

(4) Elle s'inventait, les yeux aux anges, des sensations façon Viet-Nam. Les autres se sont mis à rêver . . . La guerre! Ça leur faisait des ronds dans la tête, ils avaient des visions. Le silence n'avait jamais été aussi profond.

– Y aurait des soldats partout m'sieur, avec des mitraillettes. Des tanks, tout ça . . . Y faudrait se cacher dans les caves. On aurait peur, ce serait rigolo!

– Qu'est-ce qui te fait penser à ça, là maintenant?

– J'sais pas . . . Comme ça. J'y pensais quoi!

– C'est dangereux tu sais Maud.

– Ça fait rien . . . On viendrait pas à l'école. D'abord y aurait plus d'école! Baoum! . . .

(5) Le geste. La raison. La révolte contre l'intenable, l'éveil des instincts . . . Elle était gentille pourtant Maud, elle effaçait tout le temps le tableau. Elle allait mouiller l'éponge, vider la corbeille à papier . . . Un petit travail de ses mains et elle devenait serviable. Y avait qu'à demander . . .

– Bien sûr, mais si t'étais tuée?

(6) J'imaginais son corps en flaque tout à coup, affalé sur un trottoir la bouche ouverte, comme à la télé.

– Hein? Tu pourrais être tuée?

Elle a eu encore un sourire égal, à décrocher ma philosophie :

– De toute façon, moi, vous savez . . . J'aurai pas une belle vie, alors. . .

(7) C'était l'année où j'avais des Transitions en anglais, classes de cinquième de treize-quatorze ans, ceux qui n'ont pas pu suivre le train des choses normales et qu'on met à part, en transit entre rien et rien, parce que l'école est obligatoire et qu'il faut faire semblant de penser qu'ils font eux aussi des études. On les fait venir pour retarder leur entrée dans la vie de tous les jours, pour réduire le seuil du chômage légal. Pour faire plaisir aux parents. Eux, les mômes, ils ne sont pas dupes, ils attendent d'avoir seize ans, de pouvoir partir, comme les taulards attendent la fin de leur peine. Mais les parents s'accrochent encore. Les mères, ça espère longtemps . . . Elles voudraient tant que leurs enfants prennent du grade, qu'ils leur changent la vie. Puisque l'enseignement est totalement démocratique soi-disant, qu'il n'y a qu'à saisir sa chance au vol . . . Elles ont un sursaut d'énergie au moment où rien ne va plus. Des fois que tout à coup ils mettraient de l'ordre dans leurs méninges, qu'ils finiraient, bonne fée, par rattraper le lancinant retard qui dure depuis le Cours élémentaire!

(8) Sa mère à Maud je la voyais de temps en temps, entre deux cours. Elle balayait l'école du haut, femme de service en blouse bleue. Elle m'accrochait sur sa fille au passage.

– Maud, ça va? . . .

Je prenais un air dubitatif et navré.

– Ah je sais bien qu'elle est feignante. Secouez-la, monsieur, secouez-la! . . .

(9) Je lui avais un peu expliqué. Qu'elle n'aille pas se faire trop d'illusions. J'avais dit lâchement que l'anglais, après tout, ça n'était pas si vital que ça . . . Mais elle faisait semblant d'espérer, avec un reproche dans l'œil, la mère, que j'étais trop doux aussi, pas assez tambour battant :

– Il faut être dur avec elle!

(10) Je promettais. Une vieille habitude que j'ai. J'en ai tellement promis des paires de claques, au fil des ans! Des mères porteuses de torgnoles – « Secouez-le! N'ayez pas peur, monsieur, battez-le! » . . . Des mamans au menton mauvais : « Ne lui passez rien surtout! Quand il aura reçu sa volée, il vous écoutera, y a que comme ça! » . . . Si j'en ai promis des raclées, très poliment, pour faire plaisir! – Au début je les donnais aussi, c'était encore autre chose – à tour de bras.

(11) Là, dans le cas présent, je me voyais mal secouer Maud pour lui apprendre How are you? Nice morning, et tout le reste. Il y avait un tel décalage entre mes cours piteux inspirés de la méthode Assimil et les états d'âme de mes lascars de Transition – leurs perspectives de laveurs de carreaux, de pompistes à la petite semaine, valets de toutes les fabriques . . . Les apprenties cousettes. Des divergences tellement énormes entre ma culture anglo-saxonne et leur avenir bouché que c'était grotesque mes efforts.

(12) Ils avaient tous eu vent de leurs dossiers, ils tâchaient de me faire comprendre :

– Vous vous donnez du mal pour rien avec nous. Vous avez de l'instruction, vous devez bien vous rendre compte! Vous savez vachement bien l'anglais, tout ça, il vous faut des élèves à la hauteur . . . Des classiques, m'sieur, des rupins, des mecs chics quoi, des Troisièmes. . .

(13) Lui, il voulait être cuisinier. Ça l'intéressait. Il avait une place en vue, pour tout de suite, des amis de la famille qui l'attendaient . . . Il était furieux d'avoir encore deux ans d'école, pendant lesquels il ne ferait strictement rien :

– Deux ans à voir la sale gueule des profs, vous vous rendez compte! – Je dis pas ça pour vous, m'sieur . . . – Non mais, sans déconner, c'est pas révoltant?

(14) Il me demandait mon avis. Il était costaud, habile, plein d'humour. Il s'enfuyait aux casseroles dès qu'il avait deux jours de vacances, mais ça ne faisait que réchauffer son indignation.

– Deux ans m'sieur, le cul sur une chaise! Vous croyez qu'ils sont pas complètement cons?

(15) Il riait plus. Il me prenait à témoin. Pour une fois qu'il avait quelqu'un d'en face qui l'écoutait, il voulait voir si on était tous aussi tordus de l'autre côté. Et lucide en plus, terriblement :

– Parce que pour l'instant, bon, j'ai envie de bosser. Mais dans deux ans si ça se trouve j'aurai plus envie de rien foutre . . . Vous voyez ce que je veux dire? . . . Ça se peut que dans deux ans, comme j'aurai pas commencé, j'aie plus envie d'être cuistot ni rien du tout . . . Je me fais trop chier moi! Je vais piquer des bagnoles, j'sais pas . . . Quelque chose! . . . Dans deux ans je serai peut-être en taule!

(16) Je comprenais. C'est bien là le drame d'ailleurs. L'enseignement est un métier où il vaut mieux ne pas comprendre. Dès que l'on commence à admettre que les gosses qui sont en face de vous pourraient à la rigueur se passer de vos services, vous êtes foutu! C'est un métier où il faut être buté, muré dans des certitudes, sinon l'engrenage du doute vous saisit, vous entraîne en des réflexions de plus en plus aiguës, déprimantes. C'est le cauchemar qui commence.

Activités

1 Les mots et les idées

Tout au long de ce texte, c'est le système éducatif qui se trouve mis en question. Mais dans certains passages la pensée de Duneton ne se limite pas à cette critique de l'école.

Travail individuel
Choisissez *un* des extraits suivants, et notez ce qu'il vous semble suggérer sur la psychologie individuelle, la société en général, etc; essayez de décider si vous êtes d'accord ou non avec les pensées de Duneton:

- Quartorze ans, déjà mûre, elle n'attendait que le soir, butée dans ses colères à elle. (8B2)
- (Maud) – Y faudrait se cacher dans les caves. On aurait peur, ce serait rigolo! (8B4)
- Les mères, ça espère longtemps . . . Elles voudraient tant que leurs enfants prennent du grade, qu'ils leur changent la vie. (8B7)
- (La mère de Maud) – Il faut être dur avec elle! (8B9)
- L'enseignement est un métier où il vaut mieux ne pas comprendre. (8B16)

Travail à deux
Comparez vos réflexions et celles d'un partenaire (si vous avez choisi le même extrait), ou expliquez-lui vos réflexions (si vous avez choisi un extrait différent).

Tour de table
Lisez à haute voix l'extrait que vous avez choisi, et présentez vos réflexions au groupe.

Mise en commun
Participez à une discussion sur les sens et les implications de ces cinq extraits, et du texte dans son ensemble, quant au système éducatif, à la psychologie individuelle et à la société en général.

2 Souvenirs

Ce texte a peut-être réveillé en vous le souvenir d'un incident qui vous est arrivé, ou dont vous avez été témoin, quand vous fréquentiez l'école secondaire.

Travail individuel
Notez quelques détails sur cet incident, vos impressions et vos conclusions.

Tour de table
Racontez l'incident au groupe, en ayant soin de donner les détails nécessaires (l'école, les élèves, les circonstances, les conséquences, vos réflexions).

Mise en commun
Participez à une discussion sur les points communs, et les différences, entre les récits que vous venez d'entendre.

3 Comparaison 1

Travail individuel
En relisant le texte, choisissez

(a) un passage (deux à cinq lignes) qui vous semble caractéristique de la vie scolaire en France (le système, les attitudes des élèves, des parents et des professeurs), et
(b) un passage qui vous semble refléter la réalité scolaire de plusieurs pays européens. Rédigez quelques notes qui vous permettront de présenter vos deux exemples au groupe.

Travail à deux
Comparez votre choix de passages, et vos réflexions, avec un partenaire. Si vous êtes d'accord sur certains points, essayez de formuler une déclaration commune; s'il y a désaccord, essayez de convaincre votre partenaire, ou au moins de lui expliquer les raisons de votre choix.

Tour de table
Lisez à haute voix un des passages que vous et/ou votre partenaire avez choisis, et donnez les raisons de votre choix.

Mise en commun
Participez à une discussion générale sur la vie scolaire en France telle qu'elle est représentée dans ce texte.

4 Comparaison 2

Après avoir relu, non seulement le texte 8B, mais aussi le texte 8A, vous aurez remarqué

(a) que les deux personnages principaux, Julien et Maud, ont 14 ans, et
(b) que les conditions dans lesquelles ils font leur apprentissage de la vie sont très différentes.

Travail individuel
Afin de vous faire une idée précise de ces différences, et de les situer par rapport à votre situation personnelle, rédigez quelques notes en suivant le schéma ci-dessous:
Julien (1937)
Maud (1976)
Vous-même (à 14 ans)

(1) *Situation*: lieu de travail; nombre d'heures de présence par semaine; nature du travail.
(2) *Encadrement* (les maîtres: professeur, employeur, patron): action; gestes; paroles; attitudes.
(3) *Comportement* (de Julien, de Maud, de vous-même): attitudes envers la vie, les adultes et eux-mêmes.
(4) *Education* (au sens large: préparation pour la vie): valeur attachée au travail; problèmes matériels; réactions encouragées, tolérées, interdites.

Travail à deux
Avec un partenaire, comparez les notes que vous avez prises sous les quatre rubriques ci-dessus et discutez-en.

Tour de table
Présentez au groupe, individuellement ou avec votre partenaire, vos observations.

Mise en commun
Participez à une discussion générale sur les différences entre les trois cas (Julien; Maud; vous-même), et leurs conséquences possibles ou probables pour l'individu.

8C

points de repère

Pierre Marlin : favoriser l'esprit d'initiative

● CONTEXTE

Rien à voir avec le monde des textes 8A ou 8B: les deux hommes qui parlent ici sont, l'un, directeur technique et l'autre, directeur de société. Loin des classes de transition, ils parlent des Grandes Ecoles: ces établissements d'enseignement supérieur, sélectifs, souvent plus prestigieux que l'université, où sont formés les hauts fonctionnaires et les directeurs d'entreprise de demain:

- l'ENA (l'Ecole nationale d'administration) (8C1)
- une école d'ingénieurs (8C2)
- Centrale (l'Ecole Centrale) (8C6)

● SUJET

Les bons conseils de deux hommes mûrs, à l'intention des jeunes d'aujourd'hui (mais, on l'a vu, des jeunes d'un certain niveau scolaire et social).

● PERSPECTIVE

Publiés dans *Le Monde de l'Education*, ces propos auront été lus plutôt par des spécialistes de l'éducation (professeurs, conseillers, administrateurs) que par des jeunes lycéens.

Ce que messieurs Marlin et Spriet soulignent surtout, c'est la nécessité, pour les jeunes, de tenir compte du poids de la tradition dans les attitudes comme dans les institutions ("Pour entrer dans une entreprise, il faut une bonne carte de visite"), mais aussi des conditions particulières à notre société en cette fin de siècle ("Nos enfants ne seront sûrs de rien, et ils vivront dans un univers de mobilité tous azimuts").

● STYLE

Le texte qu'on lit ici est une version hybride: il ne s'agit ni d'une transcription littérale des propos de Messieurs Marlin et Spriet (niveau N2), ni d'un texte rédigé (niveau N3), mais d'une adaptation de l'un à l'autre.

Ce style de texte est partout présent dans les médias:

- dans la presse écrite: entretiens, interviews, déclarations, etc, adaptés pour être lus;
- à la radio/TV: bulletins d'information, etc, rédigés pour être lus par un présentateur.

● CONSEILS

Pour l'étudiant de français, ce style correspond à peu près à celui qu'on peut adopter pour un exposé oral, par exemple.

(1) « LES voies classiques ont la vie dure, j'y crois. Pour entrer dans une entreprise, il faut une bonne carte de visite. L'entreprise est encore une machine lourde, et, s'il y a des évolutions, elles seront lentes. Ce qui me frappe, chez mes deux grands enfants (le troisième n'a que dix ans), c'est leur indifférence à l'environnement. Ils veulent suivre leur voie, quelle qu'elle soit, même si ça ne débouche sur rien. Ma fille, qui est cartographe, est au chômage depuis six mois ; mon fils est architecte, et la construction en ce moment ne se porte pas vraiment bien . . . J'aurais aimé que ma fille fasse l'ENA, elle avait une bonne formation en histoire-géographie et les qualités pour cela ; mais les voies classiques ne lui disaient rien. Maintenant, pour trouver un job, elle se met à la cartographie informatisée.

(2) « Moi, je voulais être un littéraire, et j'ai fait une école d'ingénieurs, poussé par ma famille. Mes parents ont eu raison : à l'heure actuelle, si j'avais suivi ma voie, je serais prof . . . C'est sûr, on a envie que ses enfants soient créatifs, mais on souhaite aussi qu'ils ne se cassent pas la figure. Personnellement, j'ai essayé qu'ils soient ouverts, adaptables. Ils ont vécu aux États-Unis avec moi, je les ai fait travailler pendant les vacances.

(3) « On ne peut pas programmer quarante ans de vie professionnelle d'un seul coup, à vingt-cinq ans. Et ce sera de moins en moins possible. Mais on ne peut pas non plus apprendre deux ou trois métiers en même temps. Il faut donc être adapté, de telle façon qu'à quarante ans on puisse se remettre en cause. Pour cela, il n'y a qu'un moyen : favoriser l'initiative des jeunes, ne pas les laisser s'enfermer trop tôt dans une spécialité. Les aider aussi à prendre la mesure des choses, à confronter leur rêve avec la réalité. On ne peut pas faire de prévisions à plus de dix ans : c'est de cette incertitude qu'il faut partir pour réfléchir. »

**Pierre Marlin est directeur scientifique dans une grande société de pétrochimie.*

Séance de remue-méninges
« *On ne peut pas programmer quarante ans de vie professionnelle d'un seul coup, à vingt-cinq ans* »

Jean-Luc Spriet : les adolescents « polars » me font peur

(4) « NOS enfants ne seront sûrs de rien, et ils vivront dans un univers de mobilité tous azimuts. Qu'ils aient un bon sens pratique, qu'ils ne se laissent pas enfermer trop vite dans une spécialité, qu'ils soient sûrs de ce qu'ils aiment : voilà les trois qualités dont ils auront impérativement besoin pour affronter l'avenir.

(5) « Mon fils est passionné d'informatique, mais j'essaie de lui faire comprendre que l'informatique ne sera pas, à elle seule, son métier. Ce sera un nouveau langage et pas autre chose. J'essaie de le faire voyager aussi. Il a déjà deux voyages outre-Manche derrière lui. S'il a envie de passer un ou deux ans à l'étranger avant de commencer à travailler, je l'encouragerai. Les adolescents « polars » me font peur. Il faut que les jeunes vivent le nez en l'air. Pour cela, je suis prêt à admettre que mes enfants perdent trois places en classe.

(6) « Il ne suffit plus d'être un fort en thème pour réussir dans la vie, même si cela facilite les démarrages. Personnellement, le fait d'être un fort en thème ne m'a guère facilité l'accès à l'autonomie. J'essaie le moins possible d'avoir un projet pour eux. Si je souhaitais, par exemple, qu'ils fassent Centrale, quels moyens aurais-je de savoir s'ils le font pour moi ou pour eux-mêmes ? J'ai du mal à imaginer dans quelles conditions matérielles ils vont travailler plus tard ; et je ne veux pas leur donner un modèle qu'ils ne pourront pas gérer quand ils auront coupé le cordon.

(7) « J'ai été élevé dans l'idée qu'il fallait travailler dix heures par jour. Combien de temps mes enfants travailleront-ils ? Actuellement, 10 % de la population active est au chômage. C'est une situation qu'on va mettre un temps fou à redresser. On peut supposer, dans ces conditions, que chacun aura quatre ans de temps inactif à remplir durant sa vie professionnelle. D'où la nécessité de ne pas être figé et d'avoir un projet personnel. C'est surtout cela que je dis à mon fils : « *Fais de l'informatique, va le plus loin possible, mais ne te polarise pas là-dessus.* » On apprend toute sa vie, et, dès l'adolescence, il faut se ménager du temps pour autre chose, entretenir sa curiosité. »

**Jean-Luc Spriet est directeur de la société Executive drive, Carrière conseil, spécialisée dans le « décrutement » des cadres (en anglais* out-placement*) : Il s'agit d'une pratique qui vient d'Amérique : une entreprise désireuse de licencier « en douceur » un de ses cadres le place entre les mains d'un cabinet spécialisé qui travaille à sa reconversion et lui trouve un nouvel emploi.*

Activités

1 Locutions figées

Travail individuel
Cherchez, dans un dictionnaire monolingue, le sens des locutions suivantes:

- ont la vie dure (8C1)
- ne se cassent pas la figure (8C2)
- se remettre en cause (8C3)
- mobilité tous azimuts (8C4)
- vivent le nez en l'air (8C5)
- un fort en thème (8C6)
- ne te polarise pas là-dessus (8C7)

Travail à deux
Avec un partenaire, comparez les définitions que vous avez trouvées pour ces locutions.

Mise en commun
Avec le professeur, vérifiez les définitions que vous avez trouvées.

Travail à deux
Avec votre partenaire, composez une nouvelle phrase pour chacune de ces locutions, de façon à en montrer le sens.

Tour de table
Proposez vos phrases au groupe.

2 Traduction

Travail individuel
Relisez le dernier paragraphe des propos de P. Marlin (8C3) et essayez de le traduire en anglais.

Travail à deux
Avec un partenaire, comparez vos versions du paragraphe 8C3, et discutez-en.

Mise en commun
Présentez au groupe les problèmes que vous avez rencontrés en traduisant ce paragraphe, et essayez de vous mettre d'accord sur une version commune.

3 Résumé et commentaire

Travail individuel
Relisez les deux textes et faites deux listes, l'une positive et l'autre négative, des conseils donnés par Messieurs Marlin et Spriet.

Exemple (positif) Confrontez votre rêve avec la réalité.

Exemple (négatif) Ne vous enfermez pas trop tôt dans une spécialité.

Ensuite, reprenez les listes que vous venez de faire et soulignez les *trois* conseils (positifs ou négatifs) qui vous semblent les plus utiles pour vous, personnellement, dans la perspective de votre avenir. Notez aussi les conseils qui vous paraissent moins importants ou même mal conçus.

Tour de table
Citez un des conseils (positifs ou négatifs) et dites les raisons pour lesquelles vous le jugez utile, pas important ou mal conçu.

4 Discussion

Travail en classe
Participez à une discussion générale sur votre avenir et celui de vos camarades (études, formation professionnelle, carrière, etc) tel que vous l'envisagez en ce moment.

Points LANGUE

● 8.1 *Prépositions 3: à*

exercice 8/1

DESCRIPTION: RÉVISION

(a) Révisez le Point langue 2.5 **Description**

(b) Dans ces extraits adaptés du texte 8A, remplacez les blancs par un adjectif possessif, un article défini ou *de* + article défini (*du, des,* etc):

1. Julien avait __ souffle court. Il se rendait compte que __ mains tremblaient. (8A1)
2. Julien ne broncha pas. Il sentait __ jambes faiblir. Il sentait comme un poids sur __ nuque. (8A2)
3. Julien avança, sa plaque sur __ main gauche. (8A3)
4. Julien baissa un peu __ tête, mais sans quitter __ yeux le patron. (8A5)
5. Il attendit encore un instant, décroisa __ bras, posa __ poings sur __ hanches, puis (. . .) (8A6)
6. Il injuria encore Julien puis il voulut le gifler __ deux mains. Mais Julien attendait __ geste, et les gifles tombèrent sur __ coudes levés. (8A7)
7. Les coups pleuvaient sur __ épaules et __ bras. Entre __ mains, il voyait le petit ventre de M. Petiot. (8A7)
8. Julien leva __ regard au ras de __ sourcils. Il vit aussi __ pointe __ menton qui s'offrait. (8A8)
9. Un coup de pied atteignit l'apprenti en haut de __ cuisse. (8A9)
10. Le patron recula d'un pas. __ visage était livide. __ sueur perlait à __ front. __ poitrine creuse se soulevait. (8A9)

8.1.1 Sens de *à*, *de*, *en*

A, *de* et *en*, employés dans des constructions grammaticales ou des expressions figées, ont un sens qui varie selon le contexte.

A: "at", "in", "to", mais aussi:

7A7	*l'homme a vaincu un* ***à*** *un les grands fléaux*	("by")
8A9	*la sueur perlait* ***à*** *son front*	("on")
8B6	*comme* ***à*** *la télé*	("on")
8B12	*il vous faut des élèves* ***à*** *la hauteur*	("up to")
8C1	*leur indifférence* ***à*** *l'environnement*	("towards", "about")
8C3	*on ne peut pas faire de prévisions* ***à*** *plus de dix ans*	("for", ". . . ahead")
8C5	*l'informatique ne sera pas,* ***à*** *elle seule, son métier*	("by", "on")

De: "of ", "from", mais aussi:

8A4	*le patron avait parlé fort,* ***d'une*** *voix qui vibrait un peu*	("in")
8A7	*(. . .) bondissant* ***d'un*** *coup*	("with", "in")
8B1	*on parlait tout à fait* ***d'autre*** *chose*	("about")
8B2	*rien* ***du*** *tout*	("at")

En: "in", "(made) of ", mais aussi:

8A18	*aussi fort* ***en*** *cuisine qu'****en*** *pâtisserie*	("at")
8C1	***en*** *ce moment*	("at")

Malgré cette diversité, on peut associer chacune de ces prépositions à certaines idées, à certaines images:

A + nom ou infinitif (voir 8.1.2 et 8.1.3):

- une **fonction**; l'incomplet ou le **futur**: conséquence, obligation, nécessité, intention.

De + nom ou infinitif (voir 9.1):

- une **catégorie**; le passé ou le **présent**: constatation, observation, ressemblance, appartenance.

En + nom ou participe présent (voir 10.1):

- la **composition**; la situation **relative**, dans le temps ou l'espace.

8.1.2 *A* + nom: locutions adjectivales (voir aussi 2.5.4)

On emploie ***à*** **+ nom (sans article)** dans de nombreuses locutions adjectivales, c'est-à-dire après un nom, pour indiquer un **aspect** ou la **fonction** du nom:

un homme ***à bout de souffle***
le train ***à grande vitesse*** (TGV)
7A1 *les sociétés* ***à niveau de développement*** *élevé*
8A4 *la pâte* ***à choux***
8B5 *la corbeille* ***à papier***

On emploie ***à*** **+ article défini + nom** pour décrire l'aspect physique d'une **personne**:

7B4 *celui* ***au foulard***
7B5 *celui* ***à la voix grave***
8B10 *des mamans* ***au menton mauvais***

On emploie *à* + article défini + nom pour préciser la **composition**, le **style**, la **méthode** de préparation, etc, d'un plat ou d'une recette:

7C7 *un œuf* ***à la coque***
8A18 *des nouilles* ***à l'eau***
8A12 *une langouste* ***à la bordelaise***

On emploie *à* + article défini + nom (ou *à* + pronom) dans d'autres locutions adjectivales pour indiquer la ressemblance, l'appartenance, etc:

8B2 *elle n'attendait que le soir, butée dans des colères* ***à elle***
8B4 *elle s'inventait, les yeux* ***aux anges****, des sensations*

Au niveau N3, l'appartenance est indiquée par ***de***:

la maison ***de*** *mon frère*

mais au niveau N2, on dit:

la maison ***à*** *mon frère*

8.1.3 *A* + infinitif: locutions adjectivales (voir aussi 2.5.4)

On emploie ***à* + infinitif** dans de nombreuses locutions adjectivales:

- pour parler d'une **nécessité** ou d'une possibilité:

8C7 *chacun aura quatre ans de temps inactif* ***à remplir***
le premier ***à répondre***
la dernière question ***à résoudre***
quelque chose ***à faire***
rien ***à faire***

- pour indiquer une **fonction**:

8A15 *entrer dans la salle* ***à manger***

- pour décrire une **conséquence**, souvent en exagérant:

8B6 *elle a eu encore un sourire égal,* ***à décrocher*** *ma philosophie*

8.1.4 *A* + nom: locutions adverbiales

On emploie *à* + nom (sans article) pour préciser la **manière** dont une action est accomplie:

7B8 *un numéro que le garçon répète* ***à plusieurs reprises***
8A7 *M. Petiot se mit à frapper* ***à toute volée***
8B10 *je donnais* (les raclées) ***à tour de bras***

Si le nom est qualifié par un adjectif, on ajoute un article (défini ou indéfini):

rouler ***à une vitesse extraordinaire***
8A9 *sa poitrine se soulevait* ***à un rythme accéléré***

Plusieurs locutions figées sont formées de verbe + *à* + nom:

c'est une idée qui ***me tient à cœur***
j'ai à cœur de *réaliser ce projet*
1A7 *je* ***recommencerais*** *(. . .)* ***à zéro***
2A2 (qui prenaient) ***à bras-le-corps*** *de jolies filles*
2B3 (chercher) ***à tâtons***

On emploie *à* + nom dans plusieurs locutions figées + article défini:

au contraire
au départ
à l'heure
à la limite
au maximum
au restaurant
8B16 *à la rigueur*

sans article:

à nouveau
à présent
à temps

● 8.2 *Locutions verbales 2: faire*

Faire est un verbe passe-partout: on l'emploie dans plusieurs locutions verbales, et dans des locutions figées.

8.2.1 *Faire* + nom (sans article): locutions verbales

Le groupe verbal *faire* + nom forme des verbes **intransitifs** et des verbes **transitifs** + objet **indirect**.

Verbes intransitifs

6A10 *il* ***fait scandale*** *en exposant au* Figaro *que (. . .)*
8A12 *il* ***fit volte-face*** *et recommença de crier*
8B7 *il faut* ***faire semblant*** *de penser qu'ils font (. . .)*

Verbes transitifs (+ objet indirect)

8A8 *ses coups ne* ***faisaient*** *pas* ***mal*** (**à** Julien)
pour ***faire plaisir aux*** *parents*
8C5 *les adolescents « polars »* ***me font peur*** (**à** moi)
7A6 *la violence* ***fait partie de*** *ce fonds archaïque*

8.2.2 *Faire* + article + nom: locutions verbales

6A3 *trop stratégique pour que sa chute ne* ***fit*** *pas* ***l'effet*** *d'une victoire*
6A5 *l'ambition française?* ***Faire la jonction*** *avec la Côte des Somalis*
7C8 *tout en nous rendant compte qu'on allait leur* ***faire de la peine***

Certaines locutions font partie du vocabulaire des médias:

6A3 *leur silhouette* ***fait la « une »*** *de* L'Illustration

D'autres sont employées dans le domaine de l'éducation:

7B4 (elle) ***faisait un stage*** *de coiffure*
8C1 *j'aurais aimé que ma fille* ***fasse l'ENA***
8C2 *j'****ai fait une école*** *d'ingénieurs*
8C7 *je dis à mon fils* ***« Fais de l'informatique »***

exercice 8/2

FAIRE **+ NOM: LOCUTIONS VERBALES**

Complétez les phrases suivantes en ajoutant un des noms choisis dans la liste.

(a) verbes intransitifs

Liste: fortune demi-tour semblant fausse route sensation faillite

1. On oublia l'assassin jusqu'au jour où la nouvelle de son arrestation fit __.
2. En nous voyant, elle a fait __ et a quitté la pièce.
3. Elle avait un oncle qui était parti faire __ en Amérique.
4. Si la banque fait __, ils perdront tout leur argent.
5. Je n'ai rien compris à ce qu'il disait, mais j'ai décidé de faire __.
6. Là, mon vieux, tu fais __: ce n'est pas du tout la bonne carrière pour toi!

(b) verbes transitifs + objet indirect

Liste: plaisir à face à pression sur figure d' signe à partie de

1. Sans rien dire, j'ai fait __ mes camarades qu'il était temps de partir.
2. Le comité veut faire __ les autorités pour qu'elles renoncent au projet.
3. Elle estimait qu'encourager ses élèves faisait __ son travail.
4. Il vous faudra beaucoup de courage pour faire __ toutes ces difficultés.
5. Il s'est inscrit au concours uniquement pour faire __ ses parents.
6. Parmi tous ces grands immeubles, leur petit pavillon faisait __ exception.

8.2.3 *Faire* + *de* + nom

On emploie cette construction quand le nom après *de* est l'instrument d'une action, ou présenté sous un jour différent, etc:

6B10 (les mains d'Arezki) *gauchement je les tenais ne sachant qu'**en faire***
(ne sachant que faire **de ses mains**)

7C14 (Laurence, parlant de Jacques Geneau de Lamarlière) *elle **en fait** un ambitieux*
(dans sa description, elle fait **de Lamarlière** un ambitieux, elle fait le portrait **d'un ambitieux**)
*l'exode rural **a fait de la campagne** un désert*

Mais si le verbe est suivi d'un **adjectif**, on emploie ***rendre*** à la place de ***faire***:
*l'exode rural **a rendu** la campagne **dangereuse***

6C3 (ce livre) *la lecture devrait en être **rendue obligatoire** à tous les députés*

8.2.4 *Ne faire que* + infinitif

On emploie cette construction quand c'est le **verbe** qu'on veut souligner:

8B14 *mais ça **ne faisait que réchauffer** son indignation*
(ça **réchauffait** son indignation)

L'emploi de *ne* + verbe + *que* soulignerait le **nom**, ce qui changerait le **sens** de la phrase:
*mais ça ne réchauffait **que son indignation***
(**d'autres** émotions n'étaient **pas** réchauffées)

8.2.5 *Se faire*: emploi intransitif

*cela ne **se fait** pas*
*ça ne **se fait** pas comme ça*
*un grand silence **se fit***
*il **se fit** un grand silence*

6B4 *cela **se fit** très vite*

***(Se) faire* + infinitif:** voir 8.3.1 et 8.3.2.

● 8.3 *L'infinitif 1: après **faire**, **laisser**, **voir**, etc*

Voir aussi ***Livret audio.***

Certains verbes (*faire*, *laisser*, *voir*, *entendre*, etc), suivis d'un infinitif, forment un ensemble qui fonctionne, selon le cas, comme **un seul verbe** ou comme **deux verbes** distincts.

8.3.1 *Faire* + infinitif

Dans le groupe *faire* + infinitif, le sujet (*la fille*) du second verbe devient l'objet grammatical de *faire*:

2A7 *il pirouettait, **faisant** alors chanceler **la fille***

L'ensemble *faire* + infinitif fonctionne comme **un seul verbe**:

- dans les **temps composés**, le participe passé *fait* est invariable, même s'il est précédé d'un objet direct:

8C2 *je **les ai fait** travailler pendant les vacances*

- un **pronom objet** se place avant *faire*:

7A5 (les statistiques) *on s'empresse de **les** faire oublier*

8B4 *qu'est-ce qui **te** fait penser à ça (. . .)?*

8B7 *on **les** fait venir pour retarder leur entrée*

- il ne peut y avoir qu'un seul **objet direct**:

2B2 *j'ai dit à Verdier de faire éteindre leur cigarette **à** ceux qui arrivaient*

8C5 *j'essaie de **le** faire voyager aussi*
(il n'y a pas d'objet direct du verbe *voyager*)

8C5 *j'essaie de **lui** faire comprendre que l'informatique ne sera pas (. . .) son métier*
(*que l'informatique (. . .)*, etc, est objet direct du verbe *comprendre*; l'objet direct (*lui*) du verbe *faire* prend la forme indirecte: *lui*)

On peut aussi employer la construction *faire que* + proposition subordonnée:

2A2 *ce qui **fait qu**'on se **contentait** de bien regarder*

---

exercice 8/3

FAIRE **+ INFINITIF**

Reformulez les phrases suivantes en employant une construction avec *faire* + infinitif.

Exemple: **Elle** a perdu sa place à cause de **toi**.
Réponse: **Tu lui** as fait perdre sa place.
Exemple: **Le directeur** est venu, appelé par **le professeur.**
Réponse: **Le professeur** a fait venir **le directeur**.

1. Après avoir lu **cet article, j'**ai réfléchi.
2. **Nous** avons attendu à cause de **toi**.
3. Grâce à **ce régime, j'**ai perdu dix kilos.
4. **Il** a souffert pendant six mois, à cause de **son patron**.
5. C'est à cause de **sa mère** qu'**elle** vient à l'école.
6. Sur l'insistance du **directeur, il** a raconté l'incident.
7. **Elle** a beaucoup voyagé, encouragée par **ses parents.**
8. **Les pompiers** sont venus, appelés par **un élève**.
9. Aujourd'hui **les gens** croient n'importe quoi, à cause de **la publicité**.
10. Après avoir écouté **son père, il** a compris qu'il fallait travailler.

8.3.2 *Se faire* + infinitif (voir aussi 8.3.4: *se laisser* + infinitif)

Cette construction peut s'employer à la place du passif: *je me fais/je me suis fait* + infinitif, à la place de *je suis/j'ai été* + participe passé.

1B5 (Guillaume) *il ne **s'est** jamais **fait rémunérer** par cette société qu'au prorata du temps passé*

> ## *exercice oral* 8/4
>
> ***SE FAIRE* + INFINITIF**
>
> Un membre du groupe choisit une des propositions suivantes, et la dit à haute voix à un autre membre du groupe, qui doit formuler, autour de cette proposition, une phrase avec *se faire* + infinitif. S'il arrive à formuler une phrase acceptable aux autres membres du groupe, il peut à son tour choisir une autre proposition, et désigner quelqu'un d'autre, et ainsi de suite.
>
> **Exemple:** couper les cheveux
> **Réponses possibles:**
> Il serait temps que tu **te fasses** couper les cheveux.
> Je n'aime **me faire** couper les cheveux.
> Ma voisine **s'est fait** couper les cheveux mais ça ne plaît pas à son copain.
>
> 1 élire au comité
> 2 envoyer à l'étranger
> 3 mettre à la porte
> 4 renvoyer de l'école
> 5 faire une nouvelle robe
> 6 payer un bon salaire
> 7 dire les choses deux fois
> 8 engueuler par le directeur
> 9 comprendre par ces gens-là
> 10 entendre avec tout ce bruit

8.3.3 *Laisser* + infinitif

Le groupe *laisser* + infinitif fonctionne comme *faire* + infinitif: le sujet du second verbe se place (si c'est un nom) **après** le second verbe:

*ils ont **laissé passer** l'occasion*

Dans les temps composés, le participe passé *laissé*, précédé d'un objet direct, est invariable:

2C6 ***la** municipalité **s'est laissé** convaincre de geler les enclaves de terrain*

Mais l'ensemble *laisser* + infinitif fonctionne comme **deux verbes distincts**:

- avant un verbe pronominal:

8C3 *ne pas les laisser **s'enfermer** trop tôt dans une spécialité*

- avec deux objets directs:

*à ta place, je ne **la** laisserais pas dire **ça***

8.3.4 *Se laisser* + infinitif (voir aussi 8.3.2 *se faire* + infinitif):

2A7 *sa cavalière qui **se laissait surprendre** par cette rupture de rythme*

8C4 *qu'ils ne **se laissent** pas **s'enfermer** trop vite dans une spécialité*

8.3.5 *Voir*, *entendre*, etc + infinitif

Le groupe *voir* (etc) + infinitif fonctionne comme **deux verbes distincts**; l'objet du verbe *voir* (etc), peut se placer après le second verbe:

*je **vois passer** un avion militaire*

ou entre les deux verbes:

*je **vois** un avion **passer** loin au-dessus de moi*

selon la composition de la phrase.

Les verbes les plus fréquemment employés ainsi sont: *voir, entendre, regarder, écouter, sentir, envoyer.*

1C1 *je l'ai **vu** mille fois **se lever** d'un air absent, **faire** le tour de sa table*

8A7 *deux mois de boxe l'avaient déjà habitué à **voir venir** les coups*

8A14 *on l'**entendit heurter** la cloison de brique*

8A15 *ils l'**écoutèrent traverser** la cour et entrer dans la salle à manger*

8A16 *il **sentit** les larmes **brûler** ses yeux et couler sur ses joues*

7C4 *il a envie de tout **envoyer balader*** (N2)

Voir*, *entendre, etc + *qui*

La construction infinitive n'est pas la seule possible:

je l'entends venir

ou *je l'entends qui vient*

Dans le premier cas on insiste un peu plus sur l'action de venir; dans le second, sur la personne qui vient.

Exemples avec *qui*:

8A7 *il **voyait** le petit ventre de M. Petiot **qui** remuait sous la veste blanche*

8A8 *il **vit** aussi la pointe du menton **qui** s'offrait*

8.3.6 *Se voir* (etc) + infinitif (voir aussi 8.3.2 *se faire* + infinitif et 8.3.4 *se laisser* + infinitif)

Dans cette construction, le second verbe a un sens actif **ou** passif, selon le sens général de la phrase:

Sens passif:

3B1 *les chaînes de télévision **se sont vu reprocher** de falsifier leurs reportages*

Sens actif:

8B11 *je **me voyais** mal **secouer** Maud pour lui apprendre How are you?*

> ## *exercice* 8/5
>
> ***FAIRE, LAISSER, VOIR, ENTENDRE, REGARDER, ÉCOUTER, SENTIR* + INFINITIF**
>
> Complétez les phrases suivantes en ajoutant un des verbes ci-dessus, au présent, à l'imparfait, etc, selon le sens.
>
> **Exemple:**
> c'est trop tard maintenant: on _ passer l'occasion.
> **Réponse possible:** a laissé
>
> 1 Je n'__ jamais __ dire une chose pareille.
> 2 Il faisait si chaud qu'elle __ sa robe coller à son corps.
> 3 Impuissants, ils __ approcher la crise.
> 4 On a jugé qu'il était temps de __ venir la police.
> 5 Après avoir entendu les témoins, la police les __ partir.

exercice 8/6

SE FAIRE, SE LAISSER, SE VOIR, S'ENTENDRE, **ETC + INFINITIF**

Complétez les phrases suivantes en ajoutant un pronom réfléchi + un des verbes ci-dessus, au présent, à l'imparfait, etc, selon le sens.

Exemple:
Au début elle était sceptique, mais peu à peu elle __ convaincre.
Réponse possible: s'est laissé

1 La presse populaire __ reprocher quelque chose tous les jours.
2 Pour toutes ces choses-là, il __ guider par ses parents.
3 Son ambition: __ nommer directeur à quarante ans.
4 Franchement, je __ mal lui expliquer tout ça.
5 Devant son insistance, je __ faiblir.

8.4 *Les temps du verbe 3: le plus-que-parfait, le passé antérieur*

8.4.1 Le plus-que-parfait

En étudiant à nouveau le schéma du système des temps en français autour du passé (7.3.2, 7.3.4), retrouvez le **plus-que-parfait** (*on avait fait*): on l'emploie pour situer un événement, un phénomène, etc, qui s'est produit ou qui a existé **avant** le point de référence, quand celui-ci est au **passé**.

On emploie le plus-que-parfait quand la séquence narrative est interrompue par un retour en arrière:

8A4 *Julien s'immobilisa. Le patron* ***avait parlé*** *fort, d'une voix qui vibrait un peu, mais il* ***n'avait pas crié***

8A7 *mais Julien attendait son geste. Deux mois de boxe* ***l'avaient*** *déjà* ***habitué*** *à voir venir les coups, et les gifles tombèrent (. . .)*

8A13 *le patron se tut. Il* ***avait couvert*** *sa plaque*

8B4 *les autres se sont mis à rêver (. . .) Ils avaient des visions. Le silence n'****avait*** *jamais* ***été*** *si profond*

On emploie le plus-que-parfait pour parler de deux événements antérieurs au point de référence, même s'ils se situent à deux périodes différentes:

8A11 *et il se mit à expliquer ce qui* ***s'était passé*** *la veille. Tout en l'écoutant, le chef* ***avait recommencé*** *de rouler les croissants. Se retournant, il fit signe à Julien de (. . .)*

Si le point de référence est le présent, par exemple dans la conversation, on peut employer le plus-que-parfait, le passé composé et le présent pour situer **trois** événements dans le temps:

8A17 (Victor, imitant le patron) *(. . .) il* ***s'est foutu*** *de moi. La langouste, c'est moi qui* ***l'avais faite****. La cuisine,* ***c'est*** *mon métier (. . .)*

Après *parce que*, *puisque*: imparfait ou plus-que-parfait?

Après *parce que*, *puisque*, etc, on emploie l'**imparfait** pour parler de quelque chose qui est simultané avec le point de référence:

puisqu'il ***pleuvait****, je ne suis pas sorti*

et le **plus-que-parfait** pour parler de quelque chose qui est **antérieur** au point de référence:

les routes étaient mouillées parce qu'il ***avait plu***

Emploi après *si*

On emploie le plus-que-parfait dans la 3e catégorie des phrases composées avec *si* (voir 5.5):

8C2 *si j'****avais suivi*** *ma voie, je serais prof*

exercice 8/7

IMPARFAIT OU PLUS-QUE-PARFAIT?

Complétez ces extraits du texte 6B en mettant les verbes (indiqués à l'infinitif) à **l'imparfait** ou au **plus-que-parfait**, selon le sens.

Exemple:
les bruits de pas se précipitèrent. Ils __ notre étage, et __ aux issues (atteindre, courir)
Réponses: avaient atteint, couraient

1 Je me mis debout et marchai jusqu'à la fenêtre. Des hommes __ dans les cars cellulaires. A certains on __ les menottes. D'autres, dans la file, __ leurs coudes, __ leurs pantalons. (monter, passer, brosser, rajuster)
2 '« O race à tête de moutons (. . .) »' Le poème qu'Henri nous __ autrefois, lorsque nous __ la vraie vie. (lire, attendre)
3 Pourquoi Arezki ne me __-il pas? Il n'__ pas encore __. Cette fois, ils __ à la porte voisine. Les bizarreries de la construction __ notre chambre dans un embryon de couloir. (parler, bouger, frapper, reléguer)
4 Je m'appliquai à ne pas bouger. Arezki __ les bras et __ à retirer son veston. Je ne __ pas rencontrer son regard. (baisser, commencer, vouloir)
5 Devant la porte qu'ils __ ouverte, deux autres policiers passèrent. Ils __ un homme, menottes aux poignets. (laisser, encadrer)

8.4.2 Le passé antérieur

Sens

Le sens du passé antérieur (*on eut fait*) est identique à celui du plus-que-parfait (*on avait fait*).

Emploi

On emploie le passé antérieur dans **un seul contexte**: après une conjonction temporelle (*quand*, *lorsque*, *après que* (N3), *aussitôt que*, *dès que*, *à peine que*), quand le temps de la proposition principale est le passé simple:

4A5 *ce fut le premier qui l'**emporta**, après qu'il **eut défini** sa philosophie politique*
8A12 *lorsqu'il **eut raconté** deux fois la scène de la veille, il **fit** volte-face et recommença de (. . .)*

Emploi de *quand* + d'autres temps du verbe: voir 8.5.1.

> ***exercice* 8/8**
>
> **LE PASSÉ ANTÉRIEUR**
>
> Complétez les phrases suivantes en ajoutant un verbe au passé antérieur.
> **Exemple:**
> Quand il __ de parler, on l'applaudit poliment.
> **Réponse possible:** (. . .) eut fini (. . .)
>
> **1** Il ne sortit qu'après que son frère lui __.
> **2** Aussitôt que le professeur __, la classe éclata de rire.
> **3** A peine __-il __ ces mots, que l'orage éclata.
> **4** Dès qu'elle __ ses études, elle oublia tout ce qu'elle avait appris.
> **5** Elle ne se sentit soulagée que quand son livre __ publié.

● 8.5 *Les temps du verbe 4:* avec **quand** (etc) et avec **pendant, depuis** (etc)

Voir aussi ***Livret audio.***

8.5.1 *Quand* (etc)

Les conjonctions temporelles *quand*, *lorsque*, *dès que* (etc) s'emploient avec tous les temps du verbe:

Présent

7A4 *toujours rebelle à admettre des vérités élémentaires, même **quand** il **s'agit** de vérités d'évidence*
8B16 *il vaut mieux ne pas comprendre. **Dès que** l'on **commence** à admettre que (. . .)*

Imparfait

2B8 *elle ne mentait jamais **quand** sa vie n'en **dépendait** pas*

Passé simple, passé composé

8A11 *Julien avançait déjà **lorsque** le patron, interrompant son récit, **s'écria** (. . .)*
7B5 ***quand** je l'**ai vu** la première fois, il avait le numéro 8*

Futur, conditionnel

En anglais standard, on n'emploie pas le futur ou le conditionnel après "when", "as soon as", etc. Mais en français, le temps du verbe après *quand* (etc) correspond **strictement** au temps employé dans la proposition principale:

> ***exercice* 8/9**
>
> **TEMPS DU VERBE + *QUAND***
>
> Dans les phrases suivantes, mettez le verbe (indiqué entre parenthèses) au temps qui convient.
> **Exemple:** Quand il __ à Londres, on allait souvent le voir. (habiter)
> **Réponse:** (. . .) habitait (. . .)
>
> **1** Elle m'a dit qu'elle pourrait sortir quand elle __ son travail. (finir)
> **2** Il était plus agressif quand il __ jeune. (être)
> **3** Quand tout le monde __ le bac, il y aura encore plus de chômage.(avoir)
> **4** Quand on __, il n'y avait plus personne. (arriver)
> **5** Je te répondrai quand je __. (se renseigner)
> **6** Ils ont dit qu'ils lui donneraient le renseignement quand ils __ la voir. (aller)
> **7** C'est quelqu'un qui sait rester calme quand les choses __ difficiles. (devenir)
> **8** Quand elle __ la nouvelle, elle se mit en colère. (apprendre)
> **9** Les parents disent toujours que la vie était plus facile quand ils __ jeunes. (être)
> **10** Ils pourront sortir quand ils __ leurs excuses. (présenter)

Proposition principale	**Proposition subordonnée**
*Elle a dit « Je **sortirai***	***quand** il **fera** moins froid »* ***quand** j'**aurai fini** mon travail »*
*Elle a dit qu'elle **sortirait***	***quand** il ferait moins froid* ***quand** elle **aurait fini** son travail*

1A6 *je lui accorde un prêt qu'elle me **remboursera quand** elle **travaillera***
8B10 ***quand** il **aura reçu** sa volée, il vous **écoutera***
1A1 *les horaires du train qui me **ramènerait** (. . .) **quand** je n'**aurais** pas encore beaucoup de travail*

Quand . . . et que . . .

Quand deux propositions temporelles sont reliées par *et*, *ou*, on emploie ***et que, ou que*** au début de la seconde proposition, à la place de *quand*, etc:

1A2 *ce n'est pas une tare, **quand** on a 18 ans **et que** l'on doit préparer un concours difficile, de ne pas gagner sa vie!*

8.5.2 – 8.5.4 *Pendant, depuis*, etc

Pour l'étudiant, le choix et l'emploi des prépositions temporelles *pendant*, *depuis*, etc, et le temps du verbe qui les accompagne, n'est pas toujours évident:

- quel **mot** choisir (*pendant*, *depuis*, etc)?
- quel **temps** employer (passé composé, imparfait, etc)?
- quand est-ce qu'on emploie *pendant*, *depuis* (prépositions) et *pendant que*, *depuis que* (conjonctions)?

8.5.2 Aspect perfectif et aspect imperfectif

Le choix fondamental est celui de l'**aspect** (voir 7.3.6); pour les temps du passé, on peut distinguer:

1 Aspect **perfectif** (passé composé ou passé simple: 8.5.3)
2 Aspect **imperfectif** (imparfait: 8.5.4)

1 Aspect **perfectif**

L'action est présentée comme **accomplie**, située dans une période **définie**; on emploie ***pendant***:

> ***j'ai travaillé pendant*** *trois heures,* ***et puis*** *j'ai décidé de sortir*

L'emploi du passé composé met une **limite** à l'action de travailler, et la **situe** très précisément par rapport à la décision de sortir: l'une suit l'autre.

2 Aspect **imperfectif**

L'action est présentée comme non accomplie, **interrompue**; on emploie ***depuis***:

> ***je travaillais depuis*** *trois heures,* ***quand*** *le téléphone a sonné*

L'emploi de l'imparfait ne met **pas de limite** à l'action de travailler: **on ne sait pas** si le travail a continué après le coup de téléphone.

Dans les deux cas, il s'agit de **la même action**: trois heures de travail. Ce qui est différent, c'est l'**aspect** sous lequel l'action est présentée.

Certaines prépositions ou constructions sont généralement associées à l'aspect **perfectif**, et d'autres à l'aspect **imperfectif**.

8.5.3 Aspect perfectif: passé simple ou passé composé:

• *pendant*	*pendant longtemps/pendant trois heures*
• *durant*	*trois heures durant/sa vie durant*
• *en l'espace de*	*en l'espace de trois mois*
• *au cours de*	*au cours du spectacle*
• (aucune préposition)	*il a attendu longtemps/un long moment/quelques instants/ plusieurs jours/toute sa vie*
• *il y a*	*il est parti il y a trois heures/il y a longtemps*
• *depuis* + nég.	*je ne l'ai pas vue depuis trois jours*
• *cela/ça fait* (. . .) *que* + nég.	*cela/ça fait trois jours que je ne l'ai pas vu(e)*

7C11 ***pendant*** *deux ans, nous* ***avons travaillé*** *ensemble. Il avait mon matériel à sa disposition*
4B3 ***pendant*** *près d'un siècle, le sous-sol* ***a pallié*** *la carence du sol*
7A4 *il y* ***a eu, au cours des*** *derniers siècles, une régression de la violence*
7C4 *il* ***fut*** *même,* ***deux ans***, *élève au petit séminaire*
8A15 ***un instant*** *ils* ***se regardèrent*** *tous, puis le second lança (. . .)*
8A10 *le patron haussa les épaules,* ***resta*** *silencieux* ***un moment*** *et reprit (. . .)*
5B1 ***longtemps***, *ils* ***se sont débrouillés*** *vaille que vaille*
4A3 *la population de Chanzeaux* ***a de tout temps connu*** *une grande mobilité*
3B1 *une lauréate du prix Pulitzer,* ***il y a*** *quelques années,* ***s'en est mordu*** *les doigts*

Pendant* ou *pour?

Pendant + nom (*pendant deux heures*, *pendant une semaine*, etc) est employé pour situer quelque chose dans le **temps**:
1A1 *les horaires du train qui me ramènerait* ***pendant le week-end*** (description)

Pour + nom (*partir, s'en aller, s'absenter pour*) est employé quand on exprime une **intention**:

> *nous allons partir* ***pour le week-end*** (intention)

8.5.4 Aspect imperfectif: parfait (en anglais: "**had** been –ing")

• *depuis*	*quand je suis arrivé, il attendait depuis une heure*
• *cela/ça fait (. . .) que* } • *il y a (. . .) que* }	*cela/ça faisait/il y avait longtemps déjà que je voulais lui parler*

7B4 *elle* ***a*** *quitté l'Essonne où elle* ***habitait depuis*** *septembre dernier*
7C12 *Jacques Geneau de Lamarlière allait de difficulté en difficulté. Dépôt de bilan, soucis de santé à cause d'un asthme chronique qui le* ***tenaillait depuis*** *l'enfance*

***Depuis* + présent** (en anglais: "**has** been -ing"):

On peut employer *depuis* avec le présent:
8C1 *ma fille, qui* ***est*** *cartographe,* ***est*** *au chômage* ***depuis*** *six mois*
6A4 *les anciennes possessions coloniales* ***sont*** *tant bien que mal pacifiées (. . .) la jeune Ecole coloniale* ***fournit depuis*** *1889 des administrateurs (. . .)*

***Depuis* + passé composé**

Dans certains cas, on peut employer *depuis* avec le passé composé:
4C9 *l'agriculture nationale* ***a perdu*** *250 emplois par jour* ***depuis*** *1945* (on met l'accent sur la **statistique**)
Mais: ***depuis*** *la dernière crise, l'agriculture* ***perd*** *250 emplois par jour* (on met l'accent sur la gravité **actuelle** de la situation)

exercice 8/10

PENDANT* OU *DEPUIS?

Complétez les phrases suivantes en ajoutant *pendant* ou *depuis*, selon le sens.

Exemple: Il a plu __ toute la matinée.
Réponse: pendant
Exemple: Ils attendaient __ deux heures déjà.
Réponse: depuis

1 Je pensais __ longtemps que cela allait arriver.
2 J'ai pensé __ longtemps qu'il n'avait aucune ambition.
3 __ toute son enfance, j'ai été préoccupé par sa santé.
4 Sa conduite m'inquiétait __ un certain temps déjà.
5 __ son arrivée, elle n'a pas cessé d'être désagréable.
6 Nous sommes là __ six heures du matin.
7 __ ce temps-là, ses camarades s'occupaient de leurs affaires.
8 Après l'accident, il est resté allongé __ plusieurs jours.
9 Une dizaine de personnes ont été tuées __ l'attaque aérienne.
10 __ sa dernière maladie, elle ne sort plus.

exercice 8/12

PENDANT* OU *POUR?

Complétez les phrases suivantes en ajoutant *pendant* ou *pour*, selon qu'il s'agit de situer quelque chose dans le **temps**, ou d'exprimer une **intention**.

Exemple: Ce sera chouette de partir comme ça, __ tout un mois.
Réponse: pour
Exemple: __ un mois, il n'a pas donné de ses nouvelles.
Réponse: pendant

1 __ longtemps, je n'écoutais pas quand on me disait ces choses-là.
2 Il est toujours difficile de s'adapter __ la première semaine des vacances.
3 Tu ne pourras pas t'absenter __ tout le mois d'août!
4 Elle avait envie de s'en aller __ une semaine ou deux.
5 Mais qu'est-ce que je vais faire, moi, __ tout ce temps-là?

exercice 8/11

PENDANT* OU *DURANT*, *EN L'ESPACE DE*, *AU COURS DE*, AUCUNE PRÉPOSITION, *DEPUIS* OU *CELA (ÇA) FAIT*, *IL Y A*, *VOILÀ . . . QUE?

Après avoir vérifié vos reponses pour l'exercice 8/10, essayez de reformuler chaque phrase en utilisant une préposition ou une construction différente. Si vous jugez, après réflexion, que c'est *pendant* ou *depuis* qui convient le mieux, ne changez rien! Vous pouvez, si vous voulez, ajouter des commentaires.

Exemple: Il a plu pendant toute la matinée.
Réponses possibles: Il a plu toute la matinée.
(préférable à *pendant*)
Il a plu durant toute la matinée.
(possible, mais un peu forcé)
Il a plu au cours de toute la matinée.
(pas vraiment correct: il y a contradiction entre *au cours de* et *toute*)
Exemple: Ils attendaient depuis deux heures déjà.
Réponses possibles: Cela/ça faisait déjà deux heures qu'ils attendaient.
(préférable à *depuis*, surtout si la phrase s'arrête là)
Voilà deux heures déjà qu'ils attendaient!
(possible, mais un peu exagéré)

À vous maintenant!

PRATIQUE *orale*

Interview, 5 à 8 minutes
L'éducation

Préparation
Avec un partenaire, discutez, préparez et enregistrez une interview entre un journaliste français et un étudiant britannique. Au cours de cette interview, le journaliste cherchera surtout à faire parler l'étudiant sur ses études secondaires, avec peut-être quelques questions sur l'école primaire et les études supérieures.

Avant d'enregistrer l'interview, les deux partenaires se mettront d'accord sur les grandes lignes de l'interview, en tenant compte

(a) de ce que le public français voudra savoir, et
(b) de ce que l'étudiant juge indispensable à dire.

Certaines questions seront donc établies d'avance, mais le journaliste doit être prêt, au cours de l'interview, à formuler des questions supplémentaires, et l'étudiant doit être prêt à y répondre.

Enregistrement
Il sera prudent – et utile – d'enregistrer une ou deux questions, et les réponses, en guise d'essai, et de les écouter, avant de procéder à l'enregistrement proprement dit. S'il le faut, on pourra arrêter la machine en cours de route, mais il ne faut pas abuser de cette facilité, car cela enlèverait beaucoup à la cohérence et à la spontanéité des propos.

PRATIQUE *écrite*

1 Lettre

En vous inspirant des "bons conseils" adressés aux jeunes d'aujourd'hui (voir texte 8C), rédigez, sous la forme d'une lettre adressée à un membre de votre famille qui est plus jeune que vous (frère, sœur, cousin(e), etc) quelques conseils amicaux, touchant la vie personnelle, les loisirs, le sport, les études, la carrière, etc.

2 Réponse

Rédigez une lettre ouverte, destinée à être publiée dans un journal ou un magazine (précisez le genre de publication), mais adressée soit à Bernard Clavel (voir texte 8A), soit à Claude Duneton (voir texte 8B). Dans votre lettre, vous exprimez vos réactions à ce qu'il a écrit sur Julien (ou sur Maud); pour appuyer votre point de vue, vous pouvez, si vous voulez, vous référer aux *deux* textes. Précisez si vous écrivez sous votre propre nom, ou si vous jouez le rôle de quelqu'un d'autre (une personne plus âgée, par exemple).

3 Dialogue

Après de nombreuses années, vous rencontrez un de vos professeurs (du primaire, du secondaire ou du supérieur). Après avoir donné quelques détails indispensables sur les deux personnes, rédigez le texte de leur conversation, ou de quelques extraits de celle-ci.

4 Récit

Rédigez, sous la forme d'un récit avec dialogue, le récit d'une rencontre, quelques mois ou quelques années après la scène décrite dans le texte 8A (ou dans le texte 8B), entre Julien et Petiot *ou* entre Maud et son professeur.

Sur le vif

Le niveau monte

Un groupe de jeunes normaliens grenoblois s'est penché sur les raisons de l'échec scolaire et sur les moyens de le résorber. Voici le cheminement et le résultat de ses réflexions.

Enseignement 1960 : Un paysan vend un sac de pommes de terre pour 100 F. Ses frais de production s'élèvent aux 4/5 du prix de vente. Quel est son bénéfice ?

Enseignement traditionnel 1970 : Un paysan vend un sac de pommes de terre pour 100 F. Ses frais de production s'élèvent aux 4/5 du prix de vente, c'est-à-dire à 80 F. Quel est son bénéfice ?

Enseignement moderne 1970 : Un paysan échange un ensemble P de pommes de terre contre un ensemble M de pièces de monnaie. Le cardinal de l'ensemble M est égal à 100 et chaque élément de PEM vaut 1 F. Dessine 100 gros points représentant les éléments de l'ensemble M. L'ensemble F des frais de production comprend 20 gros points de moins que l'ensemble M. Représente l'ensemble F comme un sous-ensemble M et donne la réponse à la question suivante : Quel est le cardinal de l'ensemble B des bénéfices (à dessiner en rouge) ?

Enseignement rénové 1980 : Un agriculteur vend un sac de pommes de terre pour 100 F. Les frais de production s'élèvent à 80 F et le bénéfice est de 20 F. Devoir : Souligne le mot « pommes de terre » et discutes-en avec ton voisin.

Enseignement réformé 1990 : Un peizan kapitalist privilégié sanrichi injustement de 20 F sur un sac de patat. Analiz le tekst et recherche les fote de contenu, de gramère, d'ortograf, de ponctuassion et ensuite di se que tu pense de set maniaire de sanrichir.

*Je tire cette remarquable analyse de la Lettre hebdomadaire de l'Institut d'études de la désinformation, que m'a fait parvenir un aimable lecteur.

CLAUDE SARRAUTE

CHAPITRE 9

VIE ÉCONOMIQUE

TEXTES

- **9A** ***Le chômage***
- **9B** ***Dans la cabine***
- **9C** ***Une firme géante, multinationale et américaine***

POINTS LANGUE

- **9.1** ***Prépositions 4:* de**
  nom + *de* + nom; locutions adverbiales
- **9.2** ***Locutions verbales 3:* à, de, pour + *infinitif***
  adjectif + *de/à* + infinitif; nom + *de/à/pour* + infinitif
- **9.3** ***L' infinitif 2: fonctions***
  construction + infinitif ou construction + *que* + indicatif/subjonctif
- **9.4** ***Constructions impersonnelles***
  il fait; il vient/manque/se fait; il faut/s'agit/suffit/arrive; il y a/reste/paraît/semble
- **9.5** ***Quantité: quantité approximative ou numérique***
  beaucoup/la plupart/pas de, etc; compter, calculer, rang, temps, distance, dates, âge

9A

points de repère

● CONTEXTE

Avant d'écrire sa grande série de vingt romans, "Les Rougon-Macquart, histoire d'une famille sous le Second Empire", dont vous avez lu un extrait (texte 5A), Zola a écrit d'autres romans, et quelques contes, dont "Le chômage", écrit en 1872.

● PERSPECTIVE

Vous n'aurez aucun mal à suivre les grandes lignes du récit: I – le patron; II – l'ouvrier; III – sa femme; IV – leur petite fille. Aucun nom de patron ni d'ouvrier; aucun commentaire de la part de l'auteur; un récit simple, nu, mais riche en détails descriptifs.

● STYLE

Le ton de la narration est sobre: les seules voix qui s'élèvent sont celles du patron, puis, dans leurs pensées, celles de l'ouvrier et de sa femme; enfin, c'est la petite fille qui observe tout, sans peur, et qui, à la dernière ligne, pose à sa mère la question qui reste sans réponse.

● CONSEILS

Essayez de lire ce conte d'un seul trait, en ne consultant le dictionnaire que si un mot inconnu vous masque le sens de tout un passage.

LE CHÔMAGE

I

(1) Le matin, quand les ouvriers arrivent à l'atelier, ils le trouvent froid, comme noir d'une tristesse de ruine. Au fond de la grande salle, la machine est muette, avec ses bras maigres, ses roues immobiles; et elle met là une mélancolie de plus, elle dont le souffle et le branle animent toute la maison, d'ordinaire, du battement d'un cœur de géant, rude à la besogne.

(2) Le patron descend de son petit cabinet. Il dit d'un air triste aux ouvriers:

– Mes enfants, il n'y a pas de travail aujourd'hui . . . Les commandes n'arrivent plus; de tous les côtés, je reçois des contre-ordres, je vais rester avec de la marchandise sur les bras. Ce mois de décembre, sur lequel je comptais, ce mois de gros travail, les autres années, menace de ruiner les maisons les plus solides . . . Il faut tout suspendre.

(3) Et comme il voit les ouvriers se regarder entre eux avec la peur du retour au logis, la peur de la faim du lendemain, il ajoute d'un ton plus bas:

– Je ne suis pas égoïste, non, je vous le jure . . . Ma situation est aussi terrible, plus terrible peut-être que la vôtre. En huit jours, j'ai perdu cinquante mille francs. J'arrête le travail aujourd'hui, pour ne pas creuser le gouffre davantage; et je n'ai pas le premier sou de mes échéances du 15 . . . Vous voyez, je vous parle en ami, je ne vous cache rien. Demain, peut-être, les huissiers seront ici. Ce n'est pas notre faute, n'est-ce pas? Nous avons lutté jusqu'au bout. J'aurais voulu vous aider à passer ce mauvais moment; mais c'est fini, je suis à terre; je n'ai plus de pain à partager.

(4) Alors, il leur tend la main. Les ouvriers la lui serrent silencieusement. Et, pendant quelques minutes, ils restent là, à regarder leurs outils inutiles, les poings serrés. Les autres matins, dès le jour, les limes chantaient, les marteaux marquaient le rythme; et tout cela semble déjà dormir dans la poussière de la faillite. C'est vingt, c'est trente familles qui ne mangeront pas la semaine suivante. Quelques femmes qui travaillaient dans la fabrique ont des larmes au bord des yeux. Les hommes veulent paraître plus fermes. Ils font les braves, ils disent qu'on ne meurt pas de faim dans Paris.

(5) Puis, quand le patron les quitte, et qu'ils le voient s'en aller, voûté en huit jours, écrasé peut-être par un désastre plus grand encore qu'il ne l'avoue, ils se retirent un à un, étouffant dans la salle, la gorge serrée, le froid au cœur, comme s'ils sortaient de la chambre d'un mort. Le mort, c'est le travail, c'est la grande machine muette, dont le squelette est sinistre dans l'ombre.

II

(6) L'ouvrier est dehors, dans la rue, sur le pavé. Il a battu les trottoirs pendant huit jours, sans pouvoir trouver du travail. Il est allé de porte en porte, offrant ses bras, offrant ses mains, s'offrant tout entier à n'importe quelle besogne, à la plus rebutante, à la plus dure, à la plus mortelle. Toutes les portes se sont refermées.

(7) Alors, l'ouvrier a offert de travailler à moitié prix. Les portes ne se sont pas rouvertes. Il travaillerait pour rien qu'on ne pourrait le garder. C'est le chômage, le terrible chômage qui sonne le glas des mansardes. La panique a arrêté toutes les industries, et l'argent, l'argent lâche s'est caché.

(8) Au bout des huit jours, c'est bien fini. L'ouvrier a fait une suprême tentative, et il revient lentement, les mains vides, éreinté de misère. La pluie tombe; ce soir-là, Paris est funèbre dans la boue. Il marche sous l'averse, sans la sentir, n'entendant que sa faim, s'arrêtant pour arriver moins vite. Il s'est penché sur un parapet de la Seine; les eaux grossies coulent avec un long bruit; des rejaillissements d'écume blanche se déchirent à une pile du pont. Il se penche davantage, la coulée colossale passe sous lui, en lui jetant un appel furieux. Puis, il se dit que ce serait lâche, et il s'en va.

(9) La pluie a cessé. Le gaz flamboie aux vitrines des bijoutiers. S'il crevait une vitre, il prendrait d'une poignée du pain pour des années. Les cuisines des restaurants s'allument; et, derrière les rideaux de mousseline blanche, il aperçoit des gens qui mangent. Il hâte le pas, il remonte au faubourg, le long des rôtisseries, des charcuteries, des pâtisseries, de tout le Paris gourmand qui s'étale aux heures de la faim.

(10) Comme la femme et la petite fille pleuraient, le matin, il leur a promis du pain pour le soir. Il n'a pas osé venir leur dire qu'il avait menti, avant la nuit tombée. Tout en marchant, il se demande comment il entrera, ce qu'il racontera, pour leur faire prendre patience. Ils ne peuvent pourtant rester plus longtemps sans manger. Lui, essayerait bien, mais la femme et la petite sont trop chétives.

(11) Et, un instant, il a l'idée de mendier. Mais quand une dame ou un monsieur passent à côté de lui, et qu'il songe à tendre la main, son bras se raidit, sa gorge se serre. Il reste planté sur le trottoir, tandis que les gens comme il faut se détournent, le croyant ivre, à voir son masque farouche d'affamé.

III

(12) La femme de l'ouvrier est descendue sur le seuil de la porte, laissant en haut la petite endormie. La femme est toute maigre, avec une robe d'indienne. Elle grelotte dans les souffles glacés de la rue.

1890 : la riche et la pauvre
« Elle n'a jamais eu de jouets »

(13) Elle n'a plus rien au logis; elle a tout porté au Mont-de-Piété. Huit jours sans travail suffisent pour vider la maison. La veille, elle a vendu chez un fripier la dernière poignée de laine de son matelas; le matelas s'en est allé ainsi; maintenant, il ne reste que la toile. Elle l'a accrochée devant la fenêtre pour empêcher l'air d'entrer, car la petite tousse beaucoup.

(14) Sans le dire à son mari, elle a cherché de son côté. Mais le chômage a frappé plus rudement les femmes que les hommes. Sur son palier, il y a des malheureuses qu'elle entend sangloter pendant la nuit. Elle en a rencontré une tout debout au coin d'un trottoir; une autre est morte; une autre a disparu.

(15) Elle, heureusement, a un bon homme, un mari qui ne boit pas. Ils seraient à l'aise, si des mortes saisons ne les avaient dépouillés de tout. Elle a épuisé les crédits: elle doit au boulanger, à l'épicier, à la fruitière, et elle n'ose plus même passer devant les boutiques. L'après-midi, elle est allée chez sa sœur pour emprunter vingt sous; mais elle a trouvé, là aussi, une telle misère qu'elle s'est mise à pleurer, sans rien dire, et que toutes deux, sa sœur et elle, ont pleuré longtemps ensemble. Puis, en s'en allant, elle a promis d'apporter un morceau de pain, si son mari rentrait avec quelque chose.

(16) Le mari ne rentre pas. La pluie tombe, elle se réfugie sous la porte; de grosses gouttes clapotent à ses pieds, une poussière d'eau pénètre sa mince robe. Par moments, l'impatience la prend, elle sort, malgré l'averse, elle va jusqu'au bout de la rue, pour voir si elle n'aperçoit pas celui qu'elle attend, au loin, sur la chaussée. Et quand elle revient, elle est trempée; elle passe ses mains sur ses cheveux pour les essuyer; elle patiente encore, secouée par de courts frissons de fièvre.

(17) Le va-et-vient des passants la coudoie. Elle se fait toute petite pour ne gêner personne. Des hommes la regardent en face; elle sent, par moments, des haleines chaudes qui lui effleurent le cou. Tout le Paris suspect, la rue avec sa boue, ses clartés crues, ses roulements de voiture, semble vouloir la prendre et la jeter au ruisseau. Elle a faim, elle est à tout le monde. En face, il y a un boulanger, et elle pense à la petite qui dort, en haut.

Puis, quand le mari se montre enfin, filant comme un misérable le long des maisons, elle se précipite, elle le regarde anxieusement.

– Eh bien! balbutie-t-elle.

Lui, ne répond pas, baisse la tête. Alors, elle monte la première, pâle comme une morte.

IV

(18) En haut, la petite ne dort pas. Elle s'est réveillée, elle songe, en face du bout de chandelle qui agonise sur un coin de la table. Et on ne sait quoi de monstrueux et de navrant passe sur la face de cette gamine de sept ans, aux traits flétris et sérieux de femme faite.

(19) Elle est assise sur le bord du coffre qui lui sert de couche. Ses pieds nus pendent, grelottants; ses mains de poupée maladive ramènent contre sa poitrine les chiffons qui la couvrent. Elle sent là une brûlure, un feu qu'elle voudrait éteindre. Elle songe.

(20) Elle n'a jamais eu de jouets. Elle ne peut aller à l'école, parce qu'elle n'a pas de souliers. Plus petite, elle se rappelle que sa mère la menait au soleil. Mais cela est loin. Il a fallu déménager; et, depuis ce temps, il lui semble qu'un grand froid a soufflé dans la maison. Alors, elle n'a plus été contente; toujours elle a eu faim.

(21) C'est une chose profonde dans laquelle elle descend, sans pouvoir la comprendre. Tout le monde a donc faim? Elle a pourtant tâché de s'habituer à cela, et elle n'a pas pu. Elle pense qu'elle est trop petite, qu'il faut être grande pour savoir. Sa mère sait, sans doute, cette chose qu'on cache aux enfants. Si elle osait, elle lui demanderait qui vous met ainsi au monde pour que vous ayez faim.

(22) Puis, c'est si laid, chez eux! Elle regarde la fenêtre où bat la toile du matelas, les murs nus, les meubles éclopés, toute cette honte du grenier que le chômage salit de son désespoir. Dans son ignorance, elle croit avoir rêvé des chambres tièdes avec de beaux objets qui luisaient; elle ferme les yeux pour revoir cela; et, à travers ses paupières amincies, la lueur de la chandelle devient un grand resplendissement d'or dans lequel elle voudrait entrer. Mais le vent souffle, il vient un tel courant d'air par la fenêtre qu'elle est prise d'un accès de toux. Elle a des larmes plein les yeux.

(23) Autrefois, elle avait peur, lorsqu'on la laissait toute seule; maintenant, elle ne sait plus, ça lui est égal. Comme on n'a pas mangé depuis la veille, elle pense que sa mère est descendue chercher du pain. Alors, cette idée l'amuse. Elle taillera son pain en tout petits morceaux; elle les prendra lentement, un à un. Elle jouera avec son pain.

(24) La mère est rentrée, le père a fermé la porte. La petite leur regarde les mains à tous deux, très surprise. Et, comme ils ne disent rien, au bout d'un bon moment, elle répète sur un ton chantant:

– J'ai faim, j'ai faim.

(25) Le père s'est pris la tête entre les poings, dans un coin d'ombre; il reste là, écrasé, les épaules secouées par de rudes sanglots silencieux. La mère, étouffant les larmes, est venue recoucher la petite. Elle la couvre avec toutes les hardes du logis, elle lui dit d'être sage, de dormir. Mais l'enfant, dont le froid fait claquer les dents, et qui sent le feu de sa poitrine la brûler plus fort, devient très hardie. Elle se pend au cou de sa mère; puis, doucement:

– Dis, maman, demande-t-elle, pourquoi donc avons-nous faim?

Activités

1 Le sens des mots

Travail individuel
Avant de lire le texte, vérifiez dans un dictionnaire monolingue le sens des expressions suivantes:

- creuser le gouffre (9A3)
- mes échéances du 15 (9A3)
- ils font les braves (9A4)
- il a battu les trottoirs (9A6)
- éreinté de misère (9A8)
- les gens comme il faut (9A11)
- une robe d'indienne (9A12)
- au Mont-de-Piété (9A13)
- sur son palier (9A14)
- on ne sait quoi (9A18)
- femme faite (9A18)
- un accès de toux (9A22)

2 Traduction

Travail à deux
Avec un partenaire, relisez les paragraphes six, sept et huit du texte, et traduisez-les en anglais.

Mise en commun
Présentez au groupe les problèmes que vous avez rencontrés en traduisant cet extrait, et essayez de vous mettre d'accord sur une version commune.

3 Comparaison

Travail individuel
Relisez le conte, puis faites une liste de trois points du texte (descriptions physiques, attitudes des personnages, faits socio-économiques, etc) qui vous semblent caractéristiques d'une époque révolue, et de trois autres points qui, selon vous, auraient pu figurer dans le conte si Zola l'avait écrit aujourd'hui, et non en 1872.

Travail à deux
Avec un partenaire, comparez les deux listes que vous avez faites, et choisissez *un* point de différence, et *un* point de ressemblance entre le monde de 1872 tel qu'il est décrit par Zola, et le monde d'aujourd'hui.

Tour de table
Présentez au groupe un des deux points que vous venez de choisir, en résumant brièvement la discussion que vous venez d'avoir avec votre partenaire.

Mise en commun
Participez à une discussion générale sur le chômage en 1872 et le chômage aujourd'hui.

4 Appréciation

Travail individuel
Choisissez *une* des quatre parties (I, II, III, IV) du conte de Zola, et notez deux ou trois passages qui vous semblent particulièrement réussis.

Tour de table
Lisez et présentez au groupe les passages que vous avez choisis, avec vos commentaires.

Mise en commun
On pourra essayer de déterminer quels passages ont été cités le plus souvent, et pour quelles raisons. Au cours de cette discussion, on pourra également essayer d'arriver à une opinion commune quant aux intentions de Zola, sur les points forts et les points faibles de son récit, etc.

9B

points de repère

● CONTEXTE

Tout Anglais, et tout Français, né après 1973 a grandi au milieu d'une société de prospérité toujours accrue pour la majorité avec, pour une minorité toujours plus forte, la crainte, ou la réalité, du chômage.

Le récit que vous allez lire a paru dans *Le Monde* en 1979, à une époque où il y avait, en France comme en Grande-Bretagne, à peu près 1,3 millions de chômeurs. Depuis, le nombre de chômeurs, dans les deux pays, a plus que doublé.

● SUJET

Un chômeur qui, une fois de plus, achète le journal, lit les petites annonces, et téléphone en réponse aux offres d'emploi. Une fois de plus, après tant d'autres; mais "cette fois-ci, il faut que ça marche", et quand, une fois de plus, ça ne marche pas, il reprend l'appareil et fait un autre numéro: celui de S.O.S. Amitié.

● PERSPECTIVE

Dans ce récit, la situation du chômeur est présentée, sinon comme exceptionnelle, du moins comme inadmissible. Aujourd'hui, en France, la cabine téléphonique se trouve sur le trottoir plutôt que dans le bureau de poste, et la télécarte a remplacé les jetons; le désespoir du chômeur est-il aussi fort qu'en 1979, ou a-t-il été remplacé par la résignation?

● STYLE

Comme à l'ordinaire, en français (et assez souvent, en anglais) la scène est racontée au présent. Quant au style, on remarque que les phrases narratives sont courtes, sans mots connecteurs autres que *et, mais,* etc; pour exprimer les pensées du chômeur, cependant, l'auteur emploie parfois une syntaxe plus variée, des phrases plus longues.

● CONSEILS

En lisant ce récit, essayez d'observer les moyens que l'auteur met en œuvre pour permettre au lecteur de comprendre et de participer à l'état d'esprit du chômeur.

COMMUNIQUER

Dans la cabine

(1) *IL serre avec un secret plaisir les cinq jetons dans sa main gelée. Du café à la poste, il y a dix fois le temps d'attraper l'onglée sur le petit vélomoteur bruyant qu'Il utilise. Cinq jetons, c'est cinq espoirs, cinq personnes dont la voix, au moins, lui parlerait, fussent-elles à l'autre bout du monde, limité, il est vrai, par la circonscription de la taxe téléphonique. Il serre dans sa main le journal ouvert à la page des petites annonces, ce monde terrifiant de petits caractères pour de petites carrières. L'abréviation pour abréger la portée de ce qu'on peut en attendre.*

(2) *Cette fois-ci, il faut que ça marche, se dit-il en faisant sauter les petites pièces à rainure dans sa main. L'une d'entre elles s'échappe malicieusement et fait sonner le sol comme dans une cathédrale une cloche lilliputienne éprise de liberté. Un employé lève les yeux de son guichet avec un air de reproche.*

(3) *Il ramasse le jeton et se dirige, en affectant de chantonner, vers les cabines téléphoniques. Presque toutes sont libres. Dans cette banlieue de Paris, on travaille. On n'a pas le temps de venir téléphoner à dix heures du matin.*

(4) *Il a du mal à trouver sa cabine : Le choix est trop grand. L'ombre ou la lumière ? Une cabine cachée dans un coin représente tout à fait l'intimité, la sécurité qu'il cherche. Il ouvre la porte. Elle sent mauvais. Alors il choisit celle qui a juste un rayon de soleil sur le tabouret. Elle sent bon le plastique chaud. La vitre est bien propre, on peut y lire qu'il ne faut faire attendre*

A la recherche d'un emploi
« Cette fois-ci, il faut que ça marche, se dit-il »

personne plus de six minutes. Six minutes ! Il sourit. Comme si ça suffisait pour dépenser cinq jetons ! Il referme la porte sur lui avec la courte joie que donne l'impression de se sentir chez soi quand ce n'est pas vrai. Le plafonnier s'éclaire. Tout fonctionne parfaitement, cela s'annonce bien. Il éteint la lumière pour profiter mieux du soleil orange filtré par les grandes baies vitrées fumées de la poste. Il éparpille ses cinq jetons sur la tablette et défroisse le journal devant lui.

(5) *Il compose un des numéros entouré de rouge. L'encre a traversé la page.*

– Ici le 55, bonjour !, *lance avec une préciosité monotone la standardiste.*

(6) *Une entreprise moderne doit avoir une standardiste précieuse, monotone, et qui ne dit jamais madame ni monsieur.*

– Je téléphone à propos de l'annonce parue. . .

– Quittez pas ! Je vous passe le service.

(7) *De même, on ne passe jamais quelqu'un, un interlocuteur, une voix, non, un service. Peut-être un téléphone avec répondeur automatique.*

– Allô ?

– Bonjour madame, je téléphone au sujet de l'annonce que vous avez fait paraitre . . . Allô, vous m'entendez ?

(8) – Oui . . . Excusez-moi, je parlais à quelqu'un d'autre. Bon ! De toute façon, si c'est pour l'annonce, la place est prise depuis hier.

– *Mais le journal n'a paru que ce matin et. . .*

– Je suis désolée. . .

La voix dans l'écouteur s'est transformée en signe sonore.

(9) *Plusieurs entreprises. Occupées, pas libres, les lignes téléphoniques se moquent de lui et de son angoisse de chômeur qui se débat. Il commence à faire trop chaud dans la cabine, il entrouvre.*

Personne

(10) *Pour se donner du courage, Il pense alors appeler son ami cadre dans une grande entreprise. Il a eu un peu plus de chance, sans doute, il a échappé au « dégraissage ». Il met le jeton dans la fente. Vient la tonalité. Mais il se ravise, le doigt dans le premier chiffre du numéro : déranger quelqu'un qui travaille pour dire qu'on voudrait bien travailler et qu'on ne trouve rien ? De toute façon, il y aura bien une secrétaire pour faire le barrage.*

(11) *Il raccroche et pense aussitôt à un autre ami, un artiste. Chômeur, bien sûr, mais qui semble mieux supporter que lui l'inactivité professionnelle. Il puise des forces là où un salarié n'en trouve pas : dans le travail chez lui, ce qu'il appelle en essayant de rire « son œuvre ». Mais il n'y a personne.*

Le jeton dégouline avec un petit bruit dans la gouttière, où il le récupère.

Pourquoi la matinée tourne-t-elle mal ?

(12) *Il se sent observé. Un homme le regarde à travers la porte vitrée. Il s'aperçoit qu'il est dans une cabine téléphonique et qu'il ne téléphone pas. Il se souvient que, dans une rue, il faut être un passant, dans le métro un voyageur, dans la ville un citadin, dans l'armée un combattant. Un point, c'est tout. Il fait glisser un jeton dans la fente et compose un numéro au hasard. Rassuré, l'homme de l'autre côté de la vitre s'éloigne. Le bruiteur n'en finit pas de résonner.*

Dans la cabine

(13) *Même n'importe qui ne veut pas lui répondre. Il observe un radiateur qui fuit dans le guichet de la téléphoniste. Elle ne semble pas s'en préoccuper plus que cela.*

(14) *Il a alors la sensation écrasante d'être enfermé au téléphone comme sur une île, sans communication aucune avec l'extérieur. La machine qui aurait dû représenter le lien est au contraire l'image de la rupture.*

(15) *Le journal, froissé, se fait tout petit dans un coin, tandis que le carnet d'adresses paraît vide. Peu de noms, peu d'amis, moins encore de frères, un bottin miniaturisé, la solitude en friche, une liste d'absents.*

(16) *Il regarde les jetons encore inutilisés. Il sait qu'on ne les rembourse pas et qu'il sera obligé de les traîner dans ses poches.*

(17) *Il n'avait jamais pensé qu'il pourrait avoir à s'en servir. Il avait noté le numéro comme ça. Il se croyait sans doute trop fort pour appeler au secours. Il fait pourtant le numéro, le cœur battant des grandes occasions.*

– Allô, S.O.S. Amitié ? Allô, S.O.S. Amitié ?

– Bip . . . Bip. . . , lui répond le téléphone.

JEAN CAVÉ

Activités

1 Locutions

Malgré la simplicité grammaticale du texte, l'auteur emploie certaines locutions imagées dont le sens risque d'échapper au lecteur anglophone.

Travail individuel
Cherchez, dans un dictionnaire monolingue, le sens des locutions suivantes:

- petits caractères pour de petites carrières (9B1)
- abréger la portée de ce qu'on peut en attendre (9B1)
- une cloche lilliputienne éprise de liberté (9B2)
- son angoisse de chômeur qui se débat (9B9)
- il a échappé au "dégraissage" (9B10)
- un bottin miniaturisé, la solitude en friche (9B15)

2 Traduction orale

Note
Cette activité, si elle se déroule à un bon rythme, permettra à tous les membres du groupe de participer plusieurs fois, comme lecteur et comme traducteur. On pourra apprécier aussi à quel point un travail de traduction orale est différent de la rédaction d'une version écrite.

Travail en classe
Un étudiant lit la première phrase du texte, que son voisin doit aussitôt traduire en anglais, en donnant la priorité à la promptitude de son intervention et à la structure et au style de sa version. Ce même étudiant, une fois sa version terminée (et approuvée), lit la phrase suivante, que son voisin, à son tour, doit traduire en anglais.

On n'aura pas assez de temps ni d'énergie pour traduire tout le texte: on pourra s'arrêter après un certain nombre de "tours de table", ou après un nombre de minutes fixé à l'avance.

3 Petite annonce radiophonique

Travail à deux
Avec un partenaire, discutez et préparez une annonce (deux, si vous avez le temps) destinée à être diffusée par la radio locale. Jeune chômeur à la recherche d'un emploi, vous vous présentez (capacités, expérience, etc) dans l'espoir d'attirer l'attention d'un éventuel employeur. Ne rédigez pas un texte complet, destiné à être lu mot à mot – cela ne convaincra personne – mais réfléchissez bien aux idées et aux images qui pourraient capter l'attention de votre public.

Tour de table
Chaque présentation doit être très courte (trente secondes? soixante secondes? on chronométrera); s'ils le veulent, les deux partenaires participeront à la présentation de leur annonce.

9C

points de repère

● **CONTEXTE**

Dans son roman *L'imprécateur* (Prix Fémina 1974), R–V Pilhes raconte "l'Histoire de l'effondrement et de la destruction de la filiale française de la compagnie multinationale Rosserys & Mitchell, la plus grande entreprise que le monde ait jamais connue."

Le roman est à la fois une histoire à suspense, un conte fantastique (de "l'entreprise-fiction", comme on dit la "science-fiction"), et une satire impitoyable de ceux qui auraient voulu "faire du monde une seule et immense entreprise".

Au cours du roman, de mystérieux événements (une fêlure dans un mur du sous-sol de l'immeuble parisien de R & M-France, la mort prématurée d'un directeur du marketing, la distribution aux 1 100 collaborateurs de la firme d'un étrange rouleau de papier contenant des dénonciations de certains membres du personnel dirigeant – d'où le titre du roman, "l'imprécateur" – créent la perturbation, puis la panique, dans l'esprit des dirigeants, des principaux cadres, et des membres du personnel.

● **SUJET**

L'extrait que vous allez lire clôt le premier chapitre du roman; il s'agit de situer la firme dont il va être question dans son contexte global: économique et idéologique.

● **PERSPECTIVE**

L'action du roman se situe dans un avenir plus ou moins proche, dans un monde dominé économiquement par quelques immenses entreprises, et idéologiquement par les slogans de la production et de la gestion. Il s'agit, évidemment, d'une satire du monde des affaires tel qu'il pouvait apparaître à l'auteur en 1974, c'est-à-dire au moment où, dans les pays "avancés", une période de trente années de croissance économique et de plein emploi venait de prendre fin. Une autre lecture de la satire devient possible: R–V Pilhes aurait-il composé sa satire sur les mêmes bases, s'il avait écrit son roman aujourd'hui?

● **STYLE**

La technique satirique employée dans cet extrait consiste à reproduire ou à résumer, sans aucun commentaire hostile de la part de l'auteur, les déclarations, les idées et les intentions d'une certaine catégorie de gens. C'est la prétention de ces propos, et l'absence de jugement critique, qui donne l'alerte au lecteur.

● **CONSEILS**

Si vous n'avez jamais lu de textes satiriques, vous trouverez peut-être ce texte, à la première lecture, étrange, voire ennuyeux. En le relisant, donc, essayez de vous faire une idée

1 des intentions de l'auteur, et
2 des moyens satiriques qu'il met en œuvre.

(1) Bien que la firme géante, multinationale et américaine, Rosserys & Mitchell ait connu une notoriété phénoménale et qu'elle ait même, à un moment, sérieusement aspiré au gouvernement des nations, il n'est pas inutile aujourd'hui de la définir brièvement, car elle a perdu sa place dans la mémoire des citoyens et elle n'a creusé aucun sillon dans l'Histoire.

(2) Cette firme fabriquait, emballait et vendait des engins destinés à défricher, labourer, semer, récolter, etc. Son état-major siégeait à Des Moines, dans l'Iowa, splendide Etat d'Amérique du Nord.

(3) La compagnie avait d'abord vendu ses engins à l'intérieur des Etats-Unis : ensuite, elle les avait exportés et, pour finir, elle avait bâti des usines dans les pays étrangers.

(4) Lorsque survinrent les événements relatés ici, Rosserys & Mitchell avait entrepris de construire des usines non point dans les pays assez riches pour acheter eux-mêmes les engins fabriqués et emballés sur leur sol, mais au contraire dans les pays pauvres et démunis de denrées pour la raison que les salaires payés aux ouvriers de ces pays étaient moins élevés qu'ailleurs.

(5) Les gens qui à l'époque se pressaient sur le pavois, tant étaient subtiles leurs réflexions, étendues leurs connaissances, éprouvées leurs techniques, portaient haut leur superbe et leur rengorgement. Et aussi la philosophie que voici :

a) fabriquons et emballons chez nous des engins et vendons-les chez nous ;

b) maintenant, vendons nos engins à ceux de l'extérieur qui ont de l'argent pour les acheter ;

c) fabriquons et emballons sur place, toujours chez ceux qui ont de l'argent pour acheter ;

d) pourquoi ne pas fabriquer et emballer nos engins dans les pays pauvres, de façon à les obtenir moins cher ?

e) à la réflexion, pourquoi ne pas fabriquer les vis de nos engins là où les

Une firme géante, multi-nationale et américaine

vis coûtent le moins cher, les boulons là où ils coûtent le moins cher, assembler le tout, là où ça coûte le moins cher d'assembler, l'emballer là où ça coûte le moins cher d'emballer ?

f) et, finalement, pourquoi se limiter à la fabrication d'engins ? Avec tout l'argent qu'on gagne, pourquoi ne pas acheter tout ce qui est à vendre ? Pourquoi ne pas transformer notre industrie en gigantesque société de placement ?

(6) La sécheresse de ce processus masquait un altruisme remarquable. La construction d'usines et d'immeubles sur toute la surface du globe apportait du travail et de la nourriture aux peuples maigrement pourvus, accélérait leur marche vers le progrès et le bien-être.

(7) Fabriquons et emballons en paix ! criaient-ils, vendons, en liberté, et nous aurons en échange la paix et la liberté !

(8) Une pareille grandeur d'âme ne laissait pas indifférents les peuples et les Etats. Entre tous, les Etats-Unis d'Amérique du Nord apparurent comme le peuple élu. Le monde changea de Judée. Jérusalem fut peu à peu remplacée par Washington. Quant à la politique, elle s'adapta à la religion nouvelle et forma ses grands prêtres. Que serait un dirigeant qui n'aurait ni lu ni compris les Tables de la nouvelle Loi ? Alors surgirent dans les Conseils des hommes d'un type nouveau, compétents, capables de gérer aussi bien une administration qu'une entreprise ou une grande compagnie. Le mot GESTION rompit un carcan multiséculaire, jeta bas ses oripeaux et apparut en cape d'or aux citoyennes et aux citoyens ébahis. Jadis, on cherchait à savoir d'un homme s'il était chrétien ou hérétique, à droite ou à gauche, communiste ou anglican. A l'époque dont je parle, on se demandait : celui-là est-il ou non un bon gestionnaire ?

(9) Rosserys & Mitchell était l'un des joyaux de cette civilisation. Des millions d'écoliers apprenaient que, s'ils travaillaient bien en classe, ils auraient plus tard une chance d'être engagés par une firme semblable à Rosserys & Mitchell-International. Aux jeunes générations, on disait : « Le jour où le monde ne sera plus qu'une seule et immense entreprise, alors, personne n'aura jamais plus faim, personne n'aura jamais plus soif, personne ne sera jamais plus malade. »

(10) Or c'était le temps où les pays riches, hérissés d'industries, touffus de magasins, avaient découvert une foi nouvelle, un projet digne des efforts supportés par l'homme depuis des millénaires : faire du monde une seule et immense entreprise.

La Défense (Hauts-de-Seine) : tours Fiat et Elf

« Des millions d'écoliers apprenaient que, s'ils travaillaient bien en classe, ils auraient plus tard une chance d'être engagés par une firme semblable »

Activités

1 Le sens des mots

Travail individuel
Cherchez dans un dictionnaire le sens des expressions et des mots suivants, dans leur contexte:

- elle n'a creusé aucun sillon (9C1)
- des engins; son état-major siégeait à Des Moines (9C2)
- démunis de denrées (9C4)
- société de placement (9C5)
- aux peuples maigrement pourvus (9C6)
- gérer; gestion; gestionnaire (9C8)
- un carcan multiséculaire (9C8)
- hérissés d'industries; touffus de magasins (9C10)

2 Images

Vous avez déjà sans doute certaines idées, certaines images, peut-être influencées par la télévision, du monde des affaires, de l'ambiance et des attitudes qui règnent dans les entreprises multinationales (ou "transnationales", comme on les appelle souvent).

Travail individuel
En relisant cet extrait, choisissez

(a) un passage de deux à six lignes qui confirme ou renforce vos idées sur le monde des affaires, et
(b) un passage qui, pour une raison ou une autre, semble contredire vos idées. Ecrivez, sur les deux passages, quelques notes.

Travail à deux
Avec un partenaire, comparez les passages que vous avez choisis et les raisons pour lesquelles vous les avez choisis. Mettez-vous d'accord sur deux passages (un passage chacun) que vous présenterez au reste du groupe.

Tour de table
Lisez à haute voix le passage que vous avez choisi, présentez vos idées, et défendez, s'il le faut, votre point de vue en réponse à des questions ou à des objections soulevées par d'autres membres du groupe.

3 Débat

Les grandes entreprises transnationales (General Motors, Exxon, Nestlé, Philips, Unilever, etc): défenseurs ou ennemis de la liberté?

Travail individuel
Même si vous jugez qu'il y a des arguments des deux côtés, prenez parti pour l'une ou l'autre de ces propositions, et écrivez quelques notes qui vous permettront de participer à un débat sur la question.

Travail en classe
A l'aide des notes que vous avez prises, participez à un débat contradictoire sur la question. Si l'on veut, on pourra écrire au tableau, au fur et à mesure des interventions, un résumé des principaux arguments avancés pour ou contre la proposition.

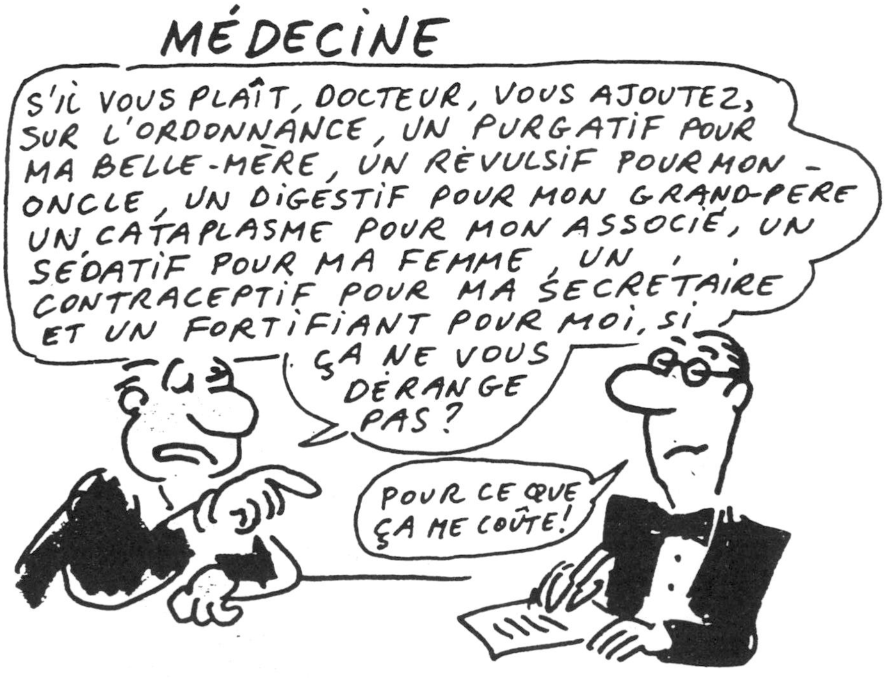

Points LANGUE

● 9.1 *Prépositions 4: de*

9.1.1 Nom + *de* + nom (sans article): locutions adjectivales

Dans le groupe *de* + nom, employé comme **adjectif**, il n'y a pas d'article (voir 4.4.4):

9A17 *la rue avec ses roulements* ***de voiture***
9A22 *elle est prise d'un accès* ***de toux***
9A25 *dans un coin* ***d'ombre***
9B2 *un employé lève les yeux avec un air* ***de reproche***
9B15 *le carnet* ***d'adresses*** *paraît vide*

On emploie *de* + nom (sans article) pour indiquer la **composition** de quelque chose (voir 2.5.5 et 10.1.1):

9A9 *derrière les rideaux* ***de mousseline blanche***
9A12 *avec une robe* ***d'indienne***

On emploie *de* + nom (sans article) dans une **comparaison**:

9A1 (ils) *animent toute la maison du battement d'un cœur* ***de géant***
9A18 *cette gamine aux traits flétris et sérieux* ***de femme faite***
9A19 *ses mains* ***de poupée maladive***
9B9 *son angoisse* ***de chômeur*** *qui se débat*

9.1.2 Nom + *de* + article + nom

Si le second nom est employé de façon adjectivale, pour qualifier le premier nom, il n'y a pas d'article:

un problème ***de*** *travail*
une vente ***de*** *cidre*
(on dit de quel genre de **problème**, de **vente**, il s'agit)

Mais si le second nom est employé avec un sens **général, indéfini, partitif** ou **spécifique**, il est précédé d'un **déterminant**:

le problème ***du*** *travail*
(on dit que le **travail**, en général, est un problème)
la vente ***du*** *cidre*
(on parle du **cidre**, du point de vue de la vente)

Exemples:

une photo ***de*** *jardins*
(on décrit la **photo**)
une photo ***des*** *jardins qu'on avait visités*
(on parle des **jardins** qu'on avait visités)
un kilo ***de*** *fraises*
un kilo ***des*** *fraises qu'on a cueillies ce matin*
l'absence ***d'****espaces verts*
l'absence ***des*** *espaces verts qui embelliraient la ville*

9B4 *un rayon* ***de*** *soleil*
les rayons ***du*** *soleil*

9.1.3 – 9.1.5 *De* + article: combiner, séparer ou remplacer?

La formation du groupe *de* ("of ", "from", etc) + article défini, indéfini ou partitif peut poser certains problèmes à l'étudiant:

de **se combine** avec *le, les*:	***du, des***
de **ne se combine pas** avec *l', la, un, une*:	***de l', de la, d'un, d'une***
de **remplace** *du, de l', de la, des*:	***de***

9.1.3 *De* + article défini
(article défini: voir 10.3.1)

le:	*de + le*	*= du*
la:	*de + la*	*= de la*
les:	*de + les*	*= des*

9B1 *à l'autre bout* ***du*** *monde*
9B10 *le premier chiffre* ***du*** *numéro*
(de + le = DU)
9B14 *la machine est au contraire l'image* ***de la*** *rupture*
9C1 *elle a perdu sa place dans la mémoire* ***des*** *citoyens*
(de + les = DES)

9.1.4 *De* + article indéfini
(article indéfini: voir 10.3.2)

un:	*de + un*	=	*d'un*
une:	*de + une*	=	*d'une*
des:	*de + des*	=	*de*

9A5 *la chambre* ***d'un*** *mort*
(de + un = d'un)
9B15 *peu de noms (. . .) une liste* ***d'****absents*
(de + des = DE)

9.1.5 *De* + article partitif
(article partitif: voir 10.3.3)

du:	*de + du*	=	*de*
de l':	*de + de l'*	=	*d'*
de la:	*de + de la*	=	*de*

9A8 des rejaillissements ***d'****écume blanche*
(de + de l' = DE)
9A16 de courts frissons de fièvre
(de + de la = DE)

> ## *exercice* 9/1
>
> **ENTRE DEUX NOMS: *DE* OU *DU, DE L', DE LA, DES*?**
>
> Complétez chacun des groupes de mots suivants (tirés du texte 10A), en ajoutant *de* ou *d', du, de l', de la, des*. Dans chaque cas, essayez de justifier votre choix.
>
> **1** les concerts __ rock (10A6)
> **2** les sorties __ église (10A6)
> **3** étonnante révélation __ chiffres (10A7)
> **4** les nouvelles occasions __ rencontre (10A7)
> **5** la surveillance __ collègues (10A7)
> **6** la conduite __ opérations (10A8)
> **7** une fille __ officier (10A10)
> **8** directeur __ centre __ sociologie __ Défense nationale (10A10)
> **9** la revue __ anciens élèves __ école (10A10)

9.1.6 *De* + adjectif ou participe passé: locutions adjectivales

On emploie *de* + adjectif ou participe passé après ***quelque chose, rien***, etc:

quelque chose ***d'****intéressant*
rien ***de*** *nouveau*

9A18 *on ne sait quoi* ***de*** *monstrueux et* ***de*** *navrant*

On emploie la même construction après un nom, dans certaines expressions:

un dimanche ***de*** *libre par mois*
voilà une bonne chose ***de*** *faite*
voilà beaucoup de progrès ***de*** *faits*

On emploie ***de plus, de moins*** après un nom:

9A1 (la machine) *met là une mélancolie* ***de plus***

8A13 *vous en avez mis un* ***de plus*** *par rangée*

9.1.7 *De* + article + nom: locutions adverbiales (voir aussi 2.5.6)

On emploie *de* + nom dans une locution adverbiale où le nom est **l'instrument** de l'action:

9A1 (ils) *animent toute la maison* ***du battement*** *d'un cœur de géant*

9A9 *il prendrait* ***d'une poignée*** *du pain pour des années*

On emploie la même construction pour indiquer la **manière** dont une action s'accomplit:

9A2 *il* ***dit d'un air triste*** *aux ouvriers*

9A3 *il* ***ajoute d'un ton plus bas***

On emploie *de* + nom dans certaines locutions figées:

de toute façon; de toute manière

9A2 ***de tous les côtés***, *je reçois des contre-ordres*

9A14 *elle a cherché* ***de son côté***

9B12 ***de l'autre côté*** *de la vitre*

De . . . à; de . . . en

On emploie *de . . . à* avec des déterminants:

9B1 ***du*** *café* ***à la*** *poste*

et *de . . . en* sans déterminant:

9A6 *il est allé* ***de*** *porte* ***en*** *porte*

De plus en plus, etc: voir 7.5.3

Note Plusieurs locutions verbales sont formées de verbe + *de* + nom (sans article):

sauter de *joie;* ***hurler de*** *douleur*

9A4 *on ne* ***meurt*** *pas* ***de*** *faim dans Paris*

9A19 *sur le bord du coffre qui lui* ***sert de*** *couche*

9B2 *une cloche lilliputienne* ***éprise de*** *liberté*

9B5 *il compose un des numéros* ***entouré de*** *rouge*

10A8 *nous* ***nous berçons d'****illusions*

● 9.2 *Locutions verbales 3*

9.2.1 – 9.2.3 *Il est* + adjectif + *de* + infinitif Nom/pronom + *est/sont* + adjectif + *à* + infinitif

Imaginons un agent immobilier qui parle d'une certaine catégorie de maisons; il pourra dire ou écrire:

9.2.1 Infinitif seul:

vendre *ces maisons-là (c')est* ***difficile***

9.2.2 *De* + infinitif:

il est ***difficile*** } ***de vendre*** *ces maisons-là* (N3)
c'est ***difficile*** } (N2)
difficile

(Dans cette construction **impersonnelle**, l'adjectif *difficile* est invariable; il qualifie *il est/c'est* (qui représente l'infinitif *vendre*) et non pas *ces maisons*.)

9.2.3 *A* + infinitif:

ce sont des maisons } ***difficiles à vendre*** (N3)
ces maisons-là sont

elles sont ***difficiles*** } ***à vendre****, ces maisons-là*
difficiles

(Dans cette construction, l'adjectif forme un ensemble avec l'infinitif *(difficiles à vendre)*, et il **s'accorde** avec *maisons*; l'infinitif *vendre* a un sens **passif**.)

Dans chaque cas, le **message** est à peu près le même, mais sa **formulation** varie:

ce sont des idées que ***je trouve utile d'****exprimer*

ce sont des idées que ***je trouve utiles à*** *exprimer*

9.2.1 Infinitif + nom + *(c')est* + adjectif: voir 9.3.1

9.2.2 *C'est/il est* + adjectif + *de* + infinitif (l'adjectif est invariable)

c'est/ il est { *facile, difficile, impossible* / *bon, intéressant, incroyable* / *utile, inutile, indispensable* / *important, urgent, souhaitable* } + *de* + infinitif

4A5 ***il est*** *bien* ***difficile de*** *changer de dirigeants* (N3)

9C1 (la firme) ***il n'est pas inutile de*** *la définir* (N3)

1A5 ***c'est bon de*** *rentrer le week-end* (N2)

3A20 ***inutile de*** *lui dire que les trente-neuf morts du stade ont encore eu moins de chance*

On emploie *de* + infinitif après d'autres constructions impersonnelles:

1A2 ***ce n'est pas*** *une tare* ***de*** *ne pas gagner sa vie*

3B11 ***ce qui*** *importe,* ***c'est de*** *ramener des images qui témoignent*

6C8 ***cela*** *ne les console guère* ***de*** *savoir que (. . .)*

8A14 ***ça*** *m'a toujours révolté, moi,* ***de*** *voir des crétins pareils* (N2)

9C5 *assembler le tout, là où* ***ça coûte*** *le moins cher* ***d'****assembler*

9.2.3 Nom/pronom + *est/sont* + adjectif + *à* + infinitif
(l'adjectif **s'accorde** avec le nom/pronom)

nom/pronom + *est/sont* + { *facile(s)*, *difficile(s)*, *impossible(s)*, *bon(ne)(s)*, *intéressant(e)(s)*, *incroyable(s)*, *beau(x)/belle(s)*, *joli(e)(s)* } + *à* + infinitif

ils sont ***difficiles à*** *convaincre*
7A5 *son époque est plus* ***difficile à*** *vivre que les précédentes*

9.2.4 Adjectif + *de/à* + infinitif

Dans cette construction, certains adjectifs ou participes passés s'emploient avec *de* + infinitif:

sûr, certain, capable, susceptible, obligé
2B1 *le plus* ***étonné de*** *me voir en civil, c'était Verdier*
9B16 *il sera* ***obligé de*** *les traîner dans ses poches*
9C8 *des hommes* ***capables de*** *gérer aussi bien une administration qu'une entreprise*

D'autres s'emploient avec *à* + infinitif:

apte, impuissant, destiné, prêt, occupé, propre
2A9 *comme j'étais* ***long à*** *m'y mettre*
2C4 *la municipalité, bien* ***décidée à*** *sauvegarder*
9C2 *des engins* ***destinés à*** *défricher, labourer*

(Voir liste des **constructions adjectivales**, page 246.)

exercice 9/2

ADJECTIF + *À/DE* + INFINITIF

Complétez les phrases suivantes en ajoutant *à* ou *de*, selon la construction de la phrase:

1 Pour elle, le chômage était difficile __ supporter.
2 Il est difficile __ imaginer combien ils ont souffert.
3 Il serait utile __ savoir combien d'entreprises ont fait faillite.
4 Ses arguments étaient faciles __ réfuter.
5 Le match France-Galles, c'était vraiment beau __ voir.
6 Il était intéressant __ voir comment ils avaient gagné le match.
7 Il est urgent __ faire baisser le taux de chômage.
8 Il a découvert que les responsabilités d'un directeur étaient lourdes __ porter.
9 La vérité sur l'affaire serait impossible __ découvrir.
10 Inutile __ rappeler qu'au XIXe siècle les conditions étaient bien plus dures.

exercice oral 9/3

ADJECTIF + *À/DE* + INFINITIF

Travail à deux
Composez des phrases autour des éléments indiqués; essayez, chaque fois, de composer des phrases selon au moins **deux**, des trois modèles. Ensuite, décidez ensemble, pour chaque cas, quelle forme de phrase convient le mieux, et dans quelle situation de communication.

Exemple:
le prouver (difficile)

Réponses possibles:
le prouver c'est difficile
c'est/il est difficile de le prouver
il/elle/c'est difficile à prouver

1 donner des conseils aux autres (facile)
2 faire des projets pour les vacances (passionnant)
3 voir des fleurs au printemps (joli)
4 réaliser tous ses rêves (impossible)
5 sauvegarder les forêts (urgent)
6 dire la vérité (pas bon)

9.2.5 – 9.2.7 Nom/pronom + *de/pour/à* + infinitif

Imaginons un groupe de skieurs qui parlent d'une randonnée qu'ils pourraient faire; au cours de la discussion, on entendra peut-être l'une ou l'autre des phrases suivantes:

(9.2.5) *on a sûrement le* ***temps d'y aller***
(9.2.6) *il faut beaucoup de* ***temps pour*** *y* ***aller***
(9.2.7) *si on veut y aller, il n'y a pas de* ***temps à perdre***

Dans les trois phrases, le mot *temps* est suivi d'un infinitif, mais chaque fois **avec une préposition différente**.

9.2.5 Nom + *de* + infinitif

Après un nom abstrait, précédé de **l'article défini**, on emploie *de* + infinitif, surtout après des locutions verbales avec *avoir*, *faire* et *prendre*:

avoir le courage, le droit, l'idée, l'intention, le plaisir, le temps de
faire l'effort de
prendre la peine, le risque, le temps de

4C2 *__la douceur de__ vivre en milieu rural*
5A2 *Mouret __avait l'unique passion de__ vaincre la femme*
8B1 *parce qu'elle __n'avait pas l'âge d'__aller ailleurs*
8C7 *d'ou __la nécessité de__ ne pas être figé et __d'__avoir un projet personnel*
9A11 *et, un instant, il __a l'idée de__ mendier*
9B3 *on __n'a pas le temps de__ venir téléphoner*
9B4 *avec la courte joie que donne __l'impression de__ se sentir chez soi* (N3)

Mais on emploie souvent *à* + infinitif après *la difficulté, la capacité, la volonté*, etc:

c'est la __difficulté à__ trouver une place pour se garer qui rebute l'automobiliste

6A8 (les colonies) *fortifier __l'ardeur à__ les multiplier*

On emploie ***avoir* + nom + *de*** dans certaines locutions verbales:

avoir l'air de
avoir besoin de
avoir une chance/ des chances de
avoir à cœur de
avoir envie de
avoir soin de
} + infinitif

2A11 *__j'avais eu soin d'__éviter les rouleaux compresseurs*
7B7 *les trois garçons __ont envie de__ bavarder*
7B8 *ils __avaient l'air de__ bien se connaître*
9C9 *ils __auraient__ plus tard __une chance d'__être engagés*

9.2.6 Nom + *pour* + infinitif

On emploie *pour* + infinitif pour exprimer une intention quand le nom est précédé d'un déterminant autre que *le, la, les*:

il faut __du__ temps pour
avoir __des__ idées pour
faire __des__ efforts pour
} + infinitif

4B5 *il leur faut __du__ gros argent __pour__ s'établir*
4C5 *il a fallu attendre __quatre__ longs mois __pour__ retrouver le corps*

9.2.7 Nom + *à* + infinitif

On emploie nom/pronom + *à* + infinitif après *avoir, il y a* quand le nom est précédé d'un déterminant autre que *le, la, les*:

avoir du temps à perdre
avoir une idée à communiquer
la difficulté qu'il y a à faire (quelque chose)
il y a un effort
il y a quelque chose
il n'y a rien
} *à faire*

4C10 *bientôt __il n'y aura plus__ grand-chose __à__ admirer*
8C7 *chacun __aura__ quatre ans de temps inactif __à__ remplir*
9A3 *je __n'ai plus__ de pain __à__ partager*

On emploie *avoir, mettre, prendre* + nom + *à* dans d'autres locutions verbales:

avoir intérêt à
avoir du mal à
avoir (une) tendance à
mettre du temps à
prendre plaisir à
} + infinitif

9B4 *il __a du mal à__ trouver sa cabine*
8C7 *c'est une situation qu'on va __mettre un temps__ fou __à__ redresser*

On emploie *à* + infinitif après un nom abstrait (précédé d'un déterminant autre que *le, la, les*: *ils proclament leur droit à s'exprimer dans leur langue.*

● 9.3 *L'infinitif 2*

Voici les autres rubriques de ce manuel où il est question de l'infinitif:

- 1.4.4: adjectif + *à/de* + infinitif
- 5.4: *devoir, pouvoir*, etc + infinitif
- 7.3.3: *je vais* + infinitif: temps du verbe
- 8.3: *(se) faire, laisser, voir*, etc + infinitif
- 10.4.7: *pourquoi? comment?* + infinitif

9.3.1 Fonction de l'infinitif

L'**infinitif** est versatile: il peut s'employer après un **nom**:

une tendance à exagérer

après un **adjectif**:

impossible à expliquer

ou après un autre **verbe**:

commencer à comprendre

il peut fonctionner lui-même **comme nom**:

gouverner, c'est prévoir

On a souvent le choix, en français, entre une construction + **infinitif** et une construction + **nom**:

Construction + **infinitif**	Construction + **nom**
pour rire	*pour le plaisir*
sans se gêner	*sans gêne*
il faudrait le prouver	*il faudrait des preuves*
laissez-les passer!	*laissez-leur un passage!*
pourquoi s'inquiéter?	*pourquoi cette inquiétude?*
cela coûte cher de voyager	*cela coûte cher, les voyages*
voyager, cela coûte cher	*les voyages, cela coûte cher*

Le choix de l'une ou de l'autre construction (+ **nom**, ou + **infinitif**) dépend de plusieurs facteurs: préférences du locuteur, vocabulaire disponible, mise en relief d'un élément de l'énoncé, etc.

L'infinitif peut s'employer **en apposition** à un nom ou à un pronom:

3B7 ***que** faire alors? **S'adapter, composer.** Ne jamais **inventer***
3C17 ***deux erreurs** restent à commettre: 1) **croire** (...), 2) **jeter** (...)*
6A5 ***l'ambition** française? **Etirer** vers l'est (...), **contrôler** la zone du Tchad (...)*
6B9 ***le plus difficile** restait à venir: **regarder** Arezki*

On peut relier **deux infinitifs** par *est* ou *c'est*:

3B1 ***« bidonner »**, en jargon journalistique, **c'est tricher***
6C6 ***refuser** de prendre acte de la surdélinquance étrangère **n'est pas** un comportement antiraciste: **c'est** le contraire*
6C7 ***remédier** à l'échec scolaire, **ce serait**, paraît-il, du racisme*

Un infinitif peut s'employer comme **sujet** du verbe:

2A2 ***le mal danser rend** ridicule aux yeux des spectateurs*
3C17 ***laisser filer donnerait** à penser que c'est la solution*
4B8 ***prendre** parti **paraît** simple*

9.3.2 Infinitif ou *que* + indicatif/subjonctif ?

Dans plusieurs contextes on emploie l'infinitif à la place de la construction *que* + indicatif/subjonctif quand il n'y a aucune ambiguïté quant au sujet du second verbe (voir 6.3.6 **subjonctif ou infinitif ?** et exercice 6/6).

Afin de faciliter les comparaisons, ces exemples de l'emploi d'une construction + infinitif sont classés selon les trois catégories de l'emploi du subjonctif (voir 6.3.7).

1 (exemples + subjonctif: voir 6.3.8, catégorie **1**)

1(a)	**Intention + infinitif**	**+ *que* + subjonctif**
	il (me) faut	*il faut que* (voir 9.4.2)
	il (lui) suffit de	*il suffit que* (voir 9.4.2)
	il vaut mieux	*il vaut mieux que* (voir 9.4.2)
	je veux, je souhaite	*je veux, je souhaite que*
	j'exige de	*j'exige que*
	c'est/il est urgent/ indispensable de (voir 9.2.2)	*c'est/il est urgent/ indispensable que*
	pour, afin de (N3)	*pour que, afin que* (N3)
	assez, trop (...) pour	*assez, trop (...) pour que*

9A4 *les hommes **veulent paraître** plus fermes*
9A3 *j'aurais **voulu** vous **aider** à passer ce mauvais moment*

(La construction *je veux* + infinitif n'est possible que si le sujet des deux verbes est le même; sinon, on emploie *je veux que* + subjonctif.)

2B3 *j'ai **insisté pour avoir** mon ticket*
9B4 *comme si **ça suffisait pour dépenser** cinq jetons!*
9C4 *dans les pays **assez riches pour acheter** eux-mêmes les engins fabriqués sur leur sol*

Il faut distinguer entre *trop, (pas) assez (...)* ***pour*** + infinitif et *trop, (pas) assez (...)* ***de*** + infinitif:

9B17 *il se croyait **trop** fort **pour** appeler au secours*
(il **n'a pas** encore appelé au secours)
3B4 *quelques marginaux **trop** flattés **d'**attirer l'attention*
(ils **ont déjà** attiré l'attention)

1(b)	**Réaction + infinitif**	**+ *que* + subjonctif**
	j'aime, je préfère	*j'aime, je préfère que*
	je suis content, fier, etc, *de*	*je suis content, fier,* etc, *que*
	je trouve, c'est normal, ridicule de	*je trouve, c'est normal, ridicule que*

1B9 *il est **fier de parler** au nom de la France*
8B13 *il était **furieux d'avoir** encore deux ans d'école*
2A2 *on **se contentait de** bien **regarder** les autres*

1(c)	**Supposition + infinitif**	**+ *que* + subjonctif**
	cela peut	*il se peut que*
	je doute de	*je doute que*
	c'est/il est impossible de	*c'est/il est impossible que*
	j'ai peur de, je crains de	*j'ai peur que, je crains que*

1(d)	**Situation + infinitif**	**+ *que* + subjonctif**
	avant de	*avant que*
	attendre de	*attendre que*
	s'attendre à	*s'attendre à ce que*
	à condition de	*pourvu que, à condition que* (N3)
	sans	*sans que*

8B7 *ils **attendent d'avoir** seize ans, de pouvoir partir*
1A2 ***à condition** quand même **de ne pas abuser!*** (N2)
9A8 *il marche sous l'averse, **sans la sentir***

2 (exemples + indicatif ou subjonctif: voir 6.3.8, catégorie **2**)

2(a)	**Intention + infinitif**	**+ *que* + indicatif ou subjonctif**
	je lui dis de	*je lui dis que* (information: I; ordre: S)
	de manière à	*de sorte que*
	de façon à	*de (telle) façon que* (conséquence: I; intention: S)

9A25 *elle lui* ***dit d'être*** *sage, de dormir*
9C5 *pourquoi ne pas fabriquer et emballer nos engins dans les pays pauvres,* ***de façon à les obtenir*** *moins cher?*

2(b) Réaction
le fait de — *le fait que* (fait nouveau: I; attitude: S)

2(d) Situation
elle est la première seule, etc, *à* — *c'est le premier, seul,* etc + nom + *qui/que* (information: I; insistance: S)

2C6 ***les premiers à souffrir*** *de la surcharge touristique*

3 (exemples + indicatif ou subjonctif: voir 6.3.8, catégorie 3)

3(c) Supposition + infinitif		**+ *que* + indicatif ou subjonctif.**	
je crois, je pense	(N3)	*je crois que, je pense que*	+I
je ne crois pas	(N3)	*je ne crois pas que*	+I(N2)/+S(N3)
je ne pense pas	(N3)	*je ne pense pas que*	+I(N2)/+S(N3)
elle paraît	(N3)	*il paraît que*	+I
elle semble	(N3)	*il me semble que*	+I
j'ai l'impression de		*j'ai l'impression que*	+I

9A22 *elle* ***croit avoir rêvé*** *des chambres tièdes avec de beaux objets* (N3)
9B13 *il observe un radiateur qui fuit dans le guichet de la téléphoniste. Elle* ***ne semble pas s'en préoccuper*** (N3)
9B4 *avec la courte joie que donne* ***l'impression de se sentir*** *chez soi*

3(d) Situation + infinitif:
rien à (sujet différent)
personne pour (même sujet)

1C2 *sans* ***rien*** *trouver* ***à lui dire***

+ *que* + indicatif ou subjonctif:
il n'y a rien/personne qui/que + I (N2); + S (N3)

Avec *après*, on emploie la forme **passée** de l'infinitif *(avoir fait, être allé)*:

1C2 ***après avoir choisi*** *l'un d'eux,* (elle) *s'installait près de la fenêtre*
7C2 ***après avoir arrosé*** *ses victimes d'essence et d'alcool, il transforma le véhicule en brasier*

● 9.4 *Constructions impersonnelles*

Voir aussi ***Livret audio.***

Le pronom impersonnel *il* s'emploie, au niveau N3, dans les constructions *il est* + adjectif + *de* + infinitif (voir 9.2.2) et *il est* + adjectif + *que* + indicatif ou subjonctif (voir 6.3.8).

On emploie *il* avec certains verbes dans des **constructions impersonnelles**, qu'on peut classer selon trois catégories:

- celles qui peuvent être suivies d'un **nom**: 9.4.1
- celles qui peuvent être suivies d'un **nom**, d'un **infinitif** ou de ***que* + subjonctif**: 9.4.2
- les "présentatifs", qui peuvent être suivis d'un **nom**, d'un **infinitif**, ou de ***que* + indicatif**: 9.4.3

Les principales constructions impersonnelles

		emploi sans *il* ?	*+me, lui,* etc?	+nom?	+inf ?	+*que*? (+S ou +I)
(voir 9.4.1)	il pleut			des trombes, etc		
	il tombe			de la neige, etc		
	il fait	√ (N1)		un temps . . . / du soleil, etc		
	il vient	√ (N3)	√	√		
	il manque		√	√		
	il existe			√		
	il se fait			√		
	il se produit			√		
	il se passe			√		
(voir 9.4.2)	il faut	√ (N2)	√	√	√	+S
	il revient		√		de	+S
	il vaut mieux	√ (N2)			√	+S
	mieux vaut			√	√	
	il s'agit			de	de	+S
	il est question			de	de	+S
	il suffit	√ (N2)	√	de	de	+S
	il arrive	√ (N3)	√	√	de	+S
(voir 9.4.3)	il y a	√ (N2)		√	à	+I (N2)
	voilà			√		+I
	il est			√ (N4)	à	
	c'est			√	à	+I
	il reste	√	√	√	à	+I
	il paraît	√ (N2)	√			+I
	il semble		√		√	+I
	il semblerait					+S (N4)

Il faut distinguer *il*, pronom **impersonnel**, et *il*, pronom **personnel** masculin:

9B9 ***il*** *commence à* ***faire*** *trop chaud*
(il fait: impersonnel)
il *aurait dû* ***y avoir*** *quelqu'un*
(il y a: impersonnel)

On peut employer certaines constructions impersonnelles avec un sens personnel, en ajoutant un objet **indirect** (*me, te, lui*, etc, ou *à* + nom):

il ***me*** *vient une idée*
il manquait ***à cette famille*** *un revenu stable*
il ***me*** *faut de l'argent*
il ***lui*** *a fallu se compromettre*
il a suffi ***à la majorité*** *d'écouter une seule fois pour comprendre*
il ***lui*** *est arrivé un accident*
il arrive ***à tout le monde*** *de se tromper*
il ***me*** *reste très peu de temps*
il ***lui*** *restait (encore) à retrouver le chemin*

L'emploi du pronom impersonnel *il* (mot, qui, en soi, ne signifie strictement rien) permet de placer le **verbe** en première position:

le temps était magnifique
il faisait *un temps magnifique*
un bouton manque
il manque *un bouton*
un grand silence s'est fait
il s'est fait *un grand silence*
quelques problèmes s'étaient manifestés
il y avait eu *quelques problèmes*

Il y a d'autres pronoms impersonnels:

Ce: ***c'est*** + nom ou adjectif (voir 1.4.4)
8B16 ***c'est*** *le cauchemar qui commence*
8B4 ***c'est*** *dangereux tu sais Maud*

Ça (N2), ***cela*** (N3) (voir 1.4.4)
8B14 ***ça*** *ne faisait que réchauffer son indignation* (N2)
8C6 ***même*** *si* ***cela*** *facilite les démarrages* (N3)

On (sens impersonnel) (voir 2.2.4)
8B7 *ceux qui n'ont pas pu suivre et qu'****on*** *met à part*

9.4.1 *Il* + verbe + nom

Expressions impersonnelles qui décrivent le temps qu'il fait:

il pleut, il neige, il gèle
il tombe de la grêle
il fait beau, mauvais
il fait un temps magnifique, du brouillard

Emploi impersonnel de certains verbes personnels:

9A22 ***il vient*** *un tel courant d'air par la fenêtre*
1A8 ***il n'existe*** *sur ce point aucune loi psychologique*
3A8 *n'importe quoi, pourvu qu'****il se passe*** *quelque chose*

On peut employer *vient* et *arrive* **au début** d'un énoncé, sans *il* (voir 6.5.2, ordre des mots):

9B10 *il met le jeton dans la fente.* ***Vient*** *la tonalité*

9.4.2 *Il* + verbe + nom/infinitif/*que* + subjonctif

Exemples + subjonctif: voir 6.3.8

Exemples + nom

8C1 *pour entrer dans une entreprise,* ***il faut*** *une bonne carte de visite*
8B12 ***il vous faut*** *des élèves à la hauteur*
7A4 *même quand* ***il s'agit de*** *vérités d'évidence*
7A6 *comme s'****il s'agissait d'****un événement symbolique*
8B1 *elle savait jamais* ***de quoi il était question*** (N2)

Exemples + infinitif

9A21 ***il faut*** *être grande pour savoir*
3C15 ***il revient*** *au Parlement* ***de*** *l'affranchir*
8B16 ***il vaut mieux*** *ne pas comprendre*
5A5 ***il s'agissait de*** *déménager une partie des magasins*
8C6 ***il ne suffit plus d'****être un fort en thème*
1B5 ***il lui arrive*** *souvent* ***d'****être en retard*

Note Les verbes *il faut, il s'agit (de), il est question (de)* sont **toujours** employés avec un pronom **impersonnel** comme sujet:

dans ce livre ***il s'agit*** *de* ("this book is about . . .")

On peut employer *valoir mieux, suffire, arriver* avec un sens **personnel**, ou avec le pronom *ça/cela*:

9A13 *huit jours sans travail* ***suffisent*** *pour vider la maison*
9B4 *six minutes! Comme si* ***ça suffisait*** *pour dépenser cinq jetons!*

Emploi sans *il*

L'emploi de certaines de ces constructions sans *il* est caractéristique du niveau N2:

4B13 *les notables naviguent là-dedans,* ***faut*** *les voir* (N2)
8A11 *non, non,* ***pas question*** (N2)

9.4.3 *Il y a, il reste, il paraît, il semble*

Ces constructions impersonnelles servent à **présenter** un nom, un infinitif, une proposition introduite par *que*.

Il y a

On emploie *il y a*, dans tous les temps du verbe, pour parler d'un seul événement, d'une seule situation:

8A5 *tu peux être fier de toi.* ***Il y a de quoi!*** (N2)
(expression figée)
7C15 ***il va y avoir*** *un drame à la maison*
9B10 *de toute façon* ***il y aura*** *bien une secrétaire*
8A5 ***il y eut*** *un long silence*

Au niveau N2, *il* est rarement prononcé:

8B3 *on s'amuserait bien.* ***Y aurait*** *des bombes qui éclateraient partout* (N2)
8B10 *quand il aura reçu sa volée, il vous écoutera,* ***y a que*** *comme ça!* (N1)

On emploie *il est* pour parler de l'heure qu'il est:

quelle heure est-il?
il est quelle heure? (N2)   } *–il est 5 heures*
quelle heure il est? (N1)

Et dans certaines expressions figées:

il a enfin compris: ***il était temps!***

9B1 *limité,* ***il est vrai****, par la circonscription de la taxe téléphonique* (N3)

On emploie *il est* avec le sens de *il y a*:

4C6 *drogue? **S'il est** un mal considéré comme essentiellement urbain, c'est bien celui-là* (N3)

Et dans la locution figée *il était une fois*:

il était une fois une belle princesse

***Voilà* ou *voici*?**

Voilà désigne quelque chose qui est déjà là, ou qu'on a déjà mentionné:

8C4 *qu'ils aient (. . .) qu'ils ne se laissent pas (. . .) qu'ils soient (. . .): **voilà** les trois qualités*

1B1 *leader, **voilà** quelques semaines à peine (. . .) de la FNSEA* (plus dramatique que "il y a")

6B9 *tiens, le **voilà** ton pantalon* (N2)

5A5 *il avait rêvé cet ordre autrefois; et **voilà** qu'il se sentait ébranlé, le jour où il le réalisait*

Voici désigne quelque chose de nouveau, ou qu'on va mentionner:

7C17 ***voici** la mère, le père qui verront toujours leur enfant doux et paisible*

7C4 *il fut élève au petit séminaire de Marmande. Après de médiocres études, le **voici** exploitant rural*

9C5 *et aussi la philosophie que **voici**: a) fabriquons (. . .)*

***Il n'y a pas/plus/qu' à* + infinitif**

2A9 ***il n'y avait pas à** douter*

4B11 *c'est cher mais **y aura plus à** ralentir* (N2)

8B7 ***il n'y a qu' à** saisir sa chance au vol* (N2)

8B5 ***y avait qu'à** demander* (N1)

(Il) reste

On emploie *(il) reste* dans plusieurs constructions impersonnelles:

9A13 *maintenant, **il** ne **reste** que la toile*

7C3 *ces horreurs ont mis le pays dans tous ses états. **Il reste à** solder les comptes*

Il paraît, il semble

On emploie ces verbes dans plusieurs constructions impersonnelles; *il paraît* a un sens moins fort que *il me semble*:

*il va neiger, **paraît-il*** (quelqu'un d'autre a donné la nouvelle)

*il va neiger, **me semble-t-il*** (on exprime sa propre opinion)

3A18 *aujourd'hui, **il paraît qu'**il regrette, T.*

9A20 ***il lui semble qu'**un grand froid a soufflé*

***il semblerait qu'**ils aient atteint l'objectif* (N4)

> ***exercice* 9/4**
>
> **CONSTRUCTIONS IMPERSONNELLES**
>
> Complétez ces constructions impersonnelles avec un verbe approprié, au temps qui convient:
>
> **1** Quant à faire ce qu'elle propose, il n'en __ pas __.
> **2** Je voulais construire un garage, mais il me __ le matériel nécessaire.
> **3** Quand elle s'est levée pour parler, il __ un grand silence dans la salle.
> **4** Pour réussir dans la vie, il ne __ pas d'avoir des diplômes.
> **5** Après avoir écouté son discours, il __ venu une idée que j'ai trouvée formidable.
> **6** Dans ce livre, il __ d'un aventurier.
> **7** Maintenant, il me __ urgent d'y aller tout de suite.

● 9.5 *Quantité*

Voir aussi ***Livret audio.***

9.5.1 – 9.5.3 Quantité approximative

Voici les autres rubriques de ce manuel où figurent des expressions de quantité approximative:

- 7.5.2 (comparaison): *plus de, moins de; autant de*
- 10.3.4 (déterminants): *plusieurs, quelques*
- 10.4 (questions): *comment; combien (de)*
- 10.5.3 (négation): *ne . . . que, seul, seulement*

9.5.1 *Beaucoup, (un) peu, assez, trop, tant de*

Employées avec un nom, ces expressions de quantité sont suivies de *de*:

beaucoup	*assez*	*de* + nom
un peu	*bien assez*	
peu	*trop*	
bien peu	*bien trop*	
très peu	*tant*	
trop peu		

Si le nom a un sens **partitif** ou, au pluriel, **indéfini**, l'article partitif ou indéfini est remplacé par *de*:

***de la** peine* – ***beaucoup de** peine*
***des** ennuis* – ***trop d'**ennuis*

> ***exercice oral* 9/5**
>
> **CONSTRUCTIONS IMPERSONNELLES**
>
> **Travail à deux**
> Composez des phrases autour des éléments indiqués; essayez, chaque fois, de composer des phrases (pas toujours au présent) selon au moins **deux** des modèles. Ensuite, décidez ensemble, pour chaque cas, quelle forme de la phrase convient le mieux, et dans quelle situation de communication.
>
> **Exemple:** (rester) plusieurs questions à décider
> **Réponses possibles:** Plusieurs questions **restaient** à décider.
> **Il restait** plusieurs questions à décider.
> **Restait** à décider plusieurs questions.
>
> **1** (manquer) deux pièces au puzzle
> **2** (arriver) un accident
> **3** (tomber) une pluie fine
> **4** (exister) plusieurs remèdes au problème
> **5** (se passer) pas grand-chose en ce moment
> **6** (suffire) trois coups de téléphone

9B15 *le carnet d'adresses paraît vide.* ***Peu de** noms, **peu d'**amis, **moins** encore **de** frères*
8A9 ***un peu de** salive*
8B9 *qu'elle n'aille pas se faire **trop** d'illusions*

Mais si le nom a un sens **général** ou **défini**, l'article défini se combine avec *de*:

les problèmes du monde
– *beaucoup **des** problèmes du monde*
les personnes présentes
– *peu **des** personnes présentes*

> ## exercice 9/6
>
> **EXPRESSIONS DE QUANTITÉ**
>
> Récrivez les phrases suivantes en ajoutant l'expression de quantité indiquée entre parenthèses, et en faisant les autres modifications nécessaires:
>
> **1** Il pense avoir enfin gagné de l'argent. (assez)
> **2** Les conséquences du chômage sont difficiles à évaluer. (beaucoup)
> **3** Il y a des exemples d'une révolution réussie. (peu)
> **4** J'ai pu répondre sans difficulté. (trop)
> **5** Son attitude m'a fait de la peine. (beaucoup)
> **6** Les spectateurs ont approuvé la décision de l'arbitre. (très peu)

Bien, encore ne modifient pas l'article (partitif ou indéfini) qui les suit:

*ils ont **de la** chance*
– *ils ont **bien de la** chance*
*je voudrais **du** vin*
– *je voudrais **encore du** vin*

9.5.2 *La plupart des,* etc; *la plus grande partie du/de la,* etc

La plupart est suivi d'un nom au **pluriel** (sauf dans une seule expression: *la plupart du temps*) 10C10

4B7 *comme **la plupart de ceux** qui survivent*
10A14 ***la plupart des rencontres** ne se produiraient pas*

A la place de *la plupart*, on peut employer, avec un **nom au pluriel**:

la majorité des
bon nombre de (N3)
un grand nombre de
(de) nombreux

Avec article défini + nom **au singulier**, on peut employer:

la majeure partie de
la plus grande partie de
le gros de
l'essentiel de

Beaucoup, peu, la plupart, sans nom, ont le sens de *beaucoup de, peu de, la plupart des **gens***:

1A4 ***beaucoup** n'**ont** pas la chance de rejoindre un oncle ou une amie* (N3)
***la plupart estiment** qu'il a raison* (N3)

9.5.3 *Pas de,* etc

Après une expression **négative**, l'article partitif ou indéfini est remplacé par ***de***, sauf dans certains cas précis (voir ci-dessous):

*(trouver) **une** place*
– *(il n'y a) **pas de** place*
*(avoir) **de la** chance*
– *(elle n'a) **pas de** chance*
*(chercher) **du** pain*
– *(il n'y a) **plus de** pain*
*(avoir) **des** idées*
– *(ils n'ont) **jamais d'**idées*

8C3 *on ne peut **pas** faire **de** prévisions*
9A20 *elle n'a **jamais** eu **de** jouets (...) elle n'a **pas de** souliers*
8B4 *d'abord y aurait **plus d'**école* (N2)

Pas un (seul) ...

On emploie l'article indéfini après *pas un(e) seul(e)* quand *un/une* représente un **numéral**:

5A10 *une femme entrait puis se retirait (...) **Pas une** n'aurait seulement vu nos magasins!*
9C9 *le monde **ne sera plus** qu'**une seule** et immense entreprise*

On emploie ***pas* + article indéfini** quand la négation porte sur le **verbe** et non pas sur l'objet du verbe:

6C6 *refuser de prendre acte de la surdélinquance étrangère **n'est** donc **pas un** comportement antiraciste*
8B2 *elle **n'apprenait jamais une** leçon*

Pas un/des ..., mais un/des ...

Quand une expression négative est suivie immédiatement par une définition, une explication, etc, on emploie l'article partitif ou indéfini dans les **deux** parties de l'énoncé:

3B8 *il nous faut **des images**-vérité, **pas des images** préfabriquées*
*je ne veux **pas des excuses** (, je veux **des explications**)*

Pas le, pas ce, pas mon (etc)

L'article **défini, démonstratif**, ou **possessif**, est **maintenu** au négatif:

*elle aime **les** glaces*
– *elle n'aime **pas les** glaces*
*il voulait voir **le** directeur*
– *il ne voulait **plus** voir **le** directeur*

8B1 *elle n'avait **pas l'**âge d'aller ailleurs*
9B3 *on n'a **pas le** temps de venir téléphoner*

> ## exercice 9/7
>
> **LE DÉTERMINANT APRÈS UN NÉGATIF**
>
> Mettez au négatif, en modifiant le déterminant s'il le faut:
>
> **1** Elle a eu de la chance.
> **2** Ils ont (encore) des chances de gagner.
> **3** Il trouve (toujours) la réponse qu'il faut.
> **4** Ça, c'est du génie!
> **5** Il y a (encore) des gâteaux au magasin.
> **6** Il y a (encore) un gâteau au magasin.
> **7** Ce chiffre est-il une erreur?
> **8** Elle aime les histoires d'amour.
> **9** Je reconnais cette musique.
> **10** Ils ont (toujours) de l'argent.

9.5.4 – 9.5.8 Quantité numérique

9.5.4 Compter

0–99

Entre *70* et *99*, les Français comptent par groupes de vingt:

70 – soixante-dix
71 – soixante et onze
72 – soixante-douze
79 – soixante-dix-neuf
80 – quatre-vingts
81 – quatre-vingt-un
90 – quatre-vingt-dix
91 – quatre-vingt-onze

En Belgique, en Suisse et dans certaines régions de l'Est de la France, les francophones comptent par groupes de dix:

septante, octante (en Suisse: *huitante*), *nonante*, etc.

80 s'écrit *quatre-vingt**s*** quand il s'emploie seul:

*– Il y en a combien? – Quatre-vingt**s** (en tout)*

ou comme adjectif:

*Quatre-vingt**s** hommes*
*quatre-vingt**s** enfants*

Mais avec un autre numéral il s'écrit *quatre-vingt:*

*Quatre-vingt**t** mille personnes*

Au téléphone, on donne un numéro par groupes de deux chiffres, à l'oral et à l'écrit:

45 24 80 79
(quarante-cinq, vingt-quatre, quatre-vingts, soixante-dix-neuf)
47 27 00 06
(quarante-sept, vingt-sept, zéro zéro, zéro six)

> ***exercice oral* 9/8**
>
> **COMPOSEZ DES NUMÉROS!**
>
> **Travail à deux**
> Avec les numéros de téléphone, on peut s'entraîner à maîtriser les numéraux de zéro à 99; inventez des numéros de téléphone (huit chiffres), puis:
>
> - **lisez** à haute voix un numéro en le regardant
> - **répétez** de mémoire le numéro que vous venez de regarder
> - **répétez** à haute voix le numéro que votre partenaire vient de lire
> - **écrivez** le numéro que vous venez d'entendre
>
> **Note** Employez les chiffres arabes (47 27 00 06, etc) pour la forme **écrite** des numéros.

100–999

200, 300, etc, s'écrivent *deux cent**s*** (etc) quand ils s'emploient seuls:

– Combien de morts? – Au moins deux cents

ou comme adjectif:

*huit cent**s** personnes*

Mais avec un autre numéral ils s'écrivent *deux cent* (etc):

huit cent cinquante personnes

Note Le mot *gens* ne s'emploie pas avec un chiffre; à la place, on emploie le mot *personnes* (voir 4.4.3)

1000+

1000, 2000, etc. ***Mille*** est **invariable**:

trois mille personnes
huit mille emplois

4B5 *ces mille à deux mille mètres carrés*

1 000 000 (un million); 1 000 000 000 (un milliard)

sont précédés d'un déterminant et suivis de *de* + nom:

4C9 *la France compte aujourd'hui **4** millions **de** paysans, dont à peine **1** million **de** vrais actifs*
9C9 ***des** millions **d'**écoliers*
5C5 *la SNCF aurait déboursé près d'**un** milliard **de** francs*

Anciens francs et nouveaux francs

En 1959, le franc français a été réévalué: un "nouveau franc" pour cent "anciens francs". Aujourd'hui, le "nouveau franc" est devenu le "franc", dans tous les documents officiels, et pour indiquer les prix des marchandises et des services. Le sens du mot "franc" dépend donc de la date du texte:

9A3 *j'ai perdu cinquante mille francs* (1872)
7C11 (des) *dettes de 128 000 francs* (1985)
3C12 *calculée sur les chiffres de 1989 c'est près de 4 milliards que cette contribution pourrait rapporter* (4 milliards de francs)

Pour les **petites sommes**, les Français comptent en **"nouveaux"** francs; le mot *francs* est toujours inclus:

10F (dix francs);
100F (cent francs), etc.

Pour les **grosses sommes**, certains Français comptent encore en **"anciens"** francs: pour parler du prix d'une voiture, ou de la valeur d'une maison, par exemple. Le mot *francs* n'est pas prononcé:

elle a acheté sa voiture (pour) ***dix millions***
ils ont vendu leur maison (pour) ***cent millions***

S'il y a une possibilité de confusion entre francs anciens ou nouveaux, ou si l'on veut donner un chiffre plus élevé, donc plus impressionnant, on compte en "anciens" francs, en ajoutant *de centimes, d'anciens francs* ou *de francs légers*:

7C6 *autrement dit, environ 500 millions de centimes au soleil* (= 5 000 000 francs)

Quand on compte en "nouveaux" francs, par exemple pour citer un chiffre officiel, on peut ajouter *de francs lourds*, pour éviter la confusion.

> ## *exercice oral* 9/9
>
> **PARLONS FRANCS!**
>
> **Travail à deux**
> Essayez de vous mettre d'accord sur la façon d'exprimer les sommes d'argent dans les phrases suivantes, puis prononcez-les à haute voix:
>
> 1 Pour envoyer ce petit paquet au Québec, j'ai dû payer (100F)!
> **2** Cette voiture m'a coûté (80 000F).
> **3** Aujourd'hui à Paris, un petit appartement coûte au moins (1 200 000F).
> **4** Bravo! Vous venez de gagner (1 000F)!
> **5** Le gouvernement a annoncé que le déficit de la sécurité sociale allait dépasser (10 000 000 000F).
> **6** Le prix d'un journal dépassera bientôt (10F).

9.5.5 Calculer

Pourcentages

A l'oral, on dit *X* ***pour cent***; à l'écrit, on emploie généralement %:

8C7 ***10% de*** *la population active est au chômage*

50% de et ***50% des***

Il faut distinguer entre:

dans la population active, il y a ***40% de femmes***
(et 60% d'hommes)

et: ***60% des femmes*** *travaillent*
(et 40% des femmes ne travaillent pas)

Fractions

On emploie l'article **défini** avec:

la moitié; le tiers, les deux tiers
le quart, les trois quarts
le cinquième (etc), *les deux cinquièmes* (etc)

4C1 *l'Etat français risque de ne plus contrôler* ***la moitié de*** *son territoire*

2C5 (ces terrains) *il* ***en*** *a déjà acquis* ***les deux tiers***

Quand on oppose **deux** fractions, on emploie l'article **indéfini**:

une *moitié . . .* ***l'autre*** *moitié* } *de . . .*
un *tiers . . .* ***un autre*** *tiers* }

Pour exprimer une fraction proportionnelle, on emploie *sur*:

une fois ***sur*** *dix*
neuf femmes ***sur*** *dix*

2A1 ***un*** *dimanche* ***sur*** *deux, on nous donnait quartier libre*

On emploie *à moitié, aux trois quarts*, etc, dans des locutions adverbiales ou adjectivales:

9A7 *l'ouvrier a offert de travailler* ***à moitié prix***

Multiples

Pour les multiples, on emploie *10* (etc) *fois*:

9B1 *du café à la poste, il y a* ***dix fois*** *le temps d'attraper l'onglée*

Comparaisons *(dix fois plus/moins + que)*: voir 7.5.2

> ## *exercice* 9/10
>
> **FRACTIONS**
>
> Ecrivez en toutes lettres les fractions suivantes:
>
> **1** J'ai déjà dépensé (1/2) de mon salaire du mois.
> **2** (1/3) des électeurs ne se sont pas dérangés.
> **3** La situation économique était dramatique: les magasins étaient (1/2) vides.
> **4** Les affaires vont mal: (3/4) de ces appartements neufs sont encore à vendre.
> **5** Une heure avant le match, le stade était déjà (3/4) rempli.
> **6** (2/5) du revenu national vont à l'Etat.

9.5.6 Rang, ordre, classes scolaires

Seul, premier, dernier se placent généralement **avant** le nom:

2B3 ***le seul endroit*** *bien éclairé, c'était une petite scène circulaire*

9A3 *je n'ai pas* ***le premier sou*** *de mes échéances*

5A1 *Mouret était là, donnant* ***ses derniers ordres***
la dernière semaine *des vacances*
son dernier livre
(selon le contexte: sens littéral **ou** "le plus récent")

Placés **après** le nom, ils ont chacun un sens particulier:

la France ***seule***, etc
(insistance) (N3)
lundi ***dernier***
la semaine ***dernière*** ("la plus récente")

7B4 *l'Essonne où elle habitait depuis septembre* ***dernier***

3A12 *à la sortie d'un match de Liverpool l'an* ***dernier***

Deux, trois, etc, se placent avant *seul, premier, dernier*:

7B11 *avec* ***les trois premiers*** *chiffres*

Dans certaines séries, on emploie ***premier***, mais ensuite ***2, 3*** (prononcés *deux, trois*), etc:

le 1er *mai*

6A2 *le 24 février 1894* **(dates)**
François 1er*; Jean-Paul II*
(**monarques**, papes, etc)
Article/Chapitre *premier; Article 2; Article 3 (. . .)*

Deuxième **ou** ***second*?**

Second signifie "pas (encore) premier" et *deuxième* indique la place dans une série; cette distinction n'est pas toujours observée:

5A1 *on avait relégué* ***au second étage*** *la literie*

5A4 *placer* ***au deuxième étage*** *les comptoirs des tapis*

Troisième **ou** ***tiers*?**

On emploie *tiers* dans certains cas:

le tiers monde; le tiers Etat (en 1789)

Autrement, on dit *troisième:*

la 3e *plus grande ville*

4B14 *ils vont pouvoir danser tranquilles au bal du troisième âge*
(ceux qui ont plus de 60 ans)

***1er/1re, 2e, 3e*, etc**

On écrit 1er (au féminin 1re), 2e, 3e, 20e, 100e, etc:

au croisement de la 5e *avenue et*

de la 42e *rue*
la 2e *Division blindée*
elle a été classée 5e *au concours*

Classes scolaires

Dans l'enseignement secondaire, on compte les classes à partir du haut:
(classe de) terminale, première, seconde (au lycée)
(classe de) troisième, quatrième, cinquième, sixième (au collège)

commencer / *quitter* / *redoubler* } ***la** cinquième* / ***la** seconde*

être / *rester* / *entrer* / *passer* } ***en** sixième* / ***en** troisième*

des élèves { ***de** première* / ***de** seconde*

8B7 *j'avais des Transitions,* ***classes de cinquième*** *de treize-quatorze ans*
8B12 *des classiques, m'sieur,* ***des Troisièmes***

9.5.7 Nombres approximatifs

Voici les nombres approximatifs les plus couramment employés:

une dizaine
une douzaine
une quinzaine
une vingtaine
une trentaine } **de** + nom
une quarantaine
une cinquantaine
une soixantaine
une centaine

un millier / *un million* / *un milliard* } **de** + nom

des / *quelques* / *plusieurs* { *dizaines* / *centaines* / *milliers* / *millions* / *milliards* } **de** + nom

2A5 (ils) *me diraient encore* ***des dizaines de*** *fois*
4C7 *ces incendies tuent* ***quelques dizaines de*** *personnes*
1B8 *toutes les lettres qu'il a reçues –* ***des milliers***

On emploie certains de ces mots dans des contextes spécifiques:
une/la quinzaine (période de 15 jours)
atteindre la quarantaine (avoir 40 ans)
dépasser la cinquantaine (avoir plus de 50 ans)

On emploie divers adverbes ou prépositions **avant** ou **après** un numéral, pour indiquer des nombres approximatifs:

près de/pas plus de / *autour de/à peu près* / *plus de/au moins* } 10 / 100 / 1000 { *à peu près* / *au moins*

4C7 *ces incendies anéantissent chaque année* ***près de 35 000*** *hectares de forêts*
5B6 *les immeubles de* ***plus de 13*** *étages*
9B4 *il ne faut faire attendre personne* ***plus de six*** *minutes*

9.5.8 Temps, distance

L'heure

Dans la vie quotidienne, on indique l'heure sur une échelle de douze heures:
à { *huit heures* / *cinq heures et demie* / *trois heures moins vingt*

On peut ajouter *du matin, de l'après-midi, du soir*:
à { *cinq heures du matin,* / *trois heures de l'après-midi,* / *huit heures du soir*

Dans certains contextes (transports publics, comptes rendus, réunions officielles, etc), on indique les heures et les minutes, sur une échelle de 24 heures:
7B7 *elle arrive à 11 h 54 à Brétigny*
7B9 *12 h 08: on vient de passer Juvisy*
7B11 *mon oncle et ma tante sont rentrés vers 18 heures*

Dates

Quand on donne une date, on utilise toujours le mot *cent*. On dit soit: *(en) dix-neuf* ***cent*** *quatre-vingt-douze*, soit: *(en) mil neuf* ***cent*** *quatre-vingt-douze.*

Pour indiquer une période d'à peu près dix ans, on emploie *les années* + une date se terminant par *0*:
6A4 *dans* ***les années 1890***
5B7 *l'Etat décide au cours des* ***années soixante*** *la construction de 9 villes nouvelles*

Une semaine, deux semaines

On dit (ou écrit) souvent
huit jours
quinze jours (ou *une quinzaine*)

Date, jour, mois, année

6A10 *en juillet 1900*
6A10 *le 8 septembre 1900*
6A2 *le 24 février 1894*
6A7 *la loi du 20 mars 1894*
7B2 *c'était le mercredi 15 mai*

Pour abréger, on peut écrire *le 24.viii.(19)92*, etc.

L'âge s'indique en donnant le chiffre + ***ans***:
8B7 *ils attendent d'avoir seize* ***ans***
8C3 *d'un seul coup, à vingt-cinq* ***ans***
7C1 *cet homme âgé de trente-sept* ***ans***
7C12 *décès à l'âge de cinq* ***ans*** *de sa première fille*

An/année; jour/journée; matin/matinée; soir/soirée

On emploie *an, jour, matin, soir*

- quand on précise le **nombre** *(ans, jours)*:
  la guerre a duré ***six ans***
  9A6 *il a battu les trottoirs pendant* ***huit jours***
- quand on oppose *jour, matin, soir* à *nuit, soir, matin*:
  bonjour! (après la nuit); *Bonsoir!*

9A10 *comme la femme et la petite fille pleuraient,* ***le matin****, il leur a promis du pain pour* ***le soir***
9B3 *on n'a pas le temps de venir téléphoner à dix heures* ***du matin***
9B8 *la place est prise depuis hier. – Mais le journal n'a paru que* ***ce matin***

On emploie *année, journée, matinée, soirée* quand on insiste sur **ce qui se passe pendant** la période de temps en question:
(j'espère que tu vas passer une) *bonne journée!*
(je vous souhaite une) *bonne soirée!/bonne année!*
9B11 *pourquoi* ***la matinée*** *tourne-t-elle mal?*

la cérémonie ***a duré dix ans:*** *ce sont ces* ***dix années*** *que je* ***raconte*** *dans ce livre* (S. de Beauvoir)

La distance (dans l'espace et dans le temps) est indiquée par ***à*** + chiffre + km ou minutes (etc), + ***de*** si l'on indique un point de référence:

7B9 *Paris n'est plus qu'**à treize minutes***

2B5 *je me trouvais **à quinze ou vingt pas d'**elle*

7C4 *installé à Moulon, **à 40 kilomètres de** Lamonzie*

PRATIQUE *écrite*

1 *Demande d'emploi*

Vous avez lu, dans un journal on un magazine français, l'annonce d'une offre d'emploi qui vous intéresse: **ou bien** un travail temporaire, saisonnier ou à temps partiel (animateur/animatrice dans un centre de vacances pour les jeunes, adjoint(e) ou responsable dans un camping pour touristes britanniques, jeune homme/jeune fille "au pair", remplaçant(e) dans un bureau, un magasin, etc), **ou bien** un poste permanent dans un secteur où vous espérez faire votre carrière.

Rédigez le texte

1 de l'annonce,
2 de votre lettre,
3 de votre *curriculum vitae*:

1 **L'annonce**: quelques détails, seulement.

2 **Votre lettre** (manuscrite; 250 mots environ): précisez le poste dont il s'agit, les raisons pour lesquelles il vous intéresse, quelques détails pertinents sur votre expérience, vos connaissances et les qualités personnelles que vous estimez pouvoir apporter au travail; enfin, donnez quelques détails matériels (dates où vous serez disponible, etc).

3 **Votre C.V.** (tapé à la machine, si c'est possible): présentez, dans un format net et facile à lire, des renseignements précis (avec les dates) sous les rubriques suivantes:

- nom/date de naissance/nationalité/ domicile
- études secondaires et supérieures; diplômes
- emplois (tout travail payé)
- séjours à l'étranger (sauf tourisme)
- activités de loisirs; volontariat
- autres capacités (permis de conduire, informatique, etc)

Note
Ce travail, une fois corrigé et noté, servira de point de départ d'un exercice de simulation où vous vous présenterez à un entretien de sélection pour le poste que vous avez demandé (voir *Pratique orale*).

2 *Récit*

Inventez un récit dont le personnage principal est **ou bien** chômeur/chômeuse, **ou bien** quelqu'un qui, pour une raison ou une autre, se trouve dans une situation désespérée. Vous pouvez, si vous voulez, vous inspirer du conte de Zola (texte 9A) ou du texte 9B ("Dans la cabine"); essayez, en tout cas, d'imiter le **style** de l'un ou l'autre de ces textes.

3 *Analyse*

Dans une lettre ou un article (précisez à qui la lettre ou l'article est adressé), décrivez la situation de l'activité économique (entreprises, emploi, initiatives publiques et privées, etc) dans une ville ou une région que vous connaissez. Quels sont les principaux atouts, et les principaux handicaps, sur les plans politique, économique et social, de la région? Quelle sera l'évolution probable de la situation dans les prochaines années?

4 *Polémique*

Après avoir lu l'extrait du roman de R–V Pilhes (texte 9C), vous décidez d'écrire à l'auteur lui-même, ou à son éditeur, soit parce que vous approuvez son point de vue ou que vous appréciez son style, soit parce que vous trouvez sa satire choquante, inutile ou mal exprimée.

PRATIQUE *orale*

Entrevue, 5 à 8 minutes
Demande d'emploi

Préparation
Relisez, en étudiant avec soin les corrections qui y auront été faites, la **lettre de demande** et le **C.V.** que vous avez préparés (voir *Pratique écrite 1*).

Imaginez, maintenant, que votre candidature a franchi le premier obstacle, et qu'on vous a invité à vous présenter devant un conseil de sélection, qui jugera s'il convient de vous offrir le poste que vous avez demandé.

Au lieu d'apprendre par cœur votre lettre de demande, préparez quelques notes, pour vous aider à vous exprimer avec conviction et sans trop d'hésitations, sur les points suivants:

- les raisons pour lesquelles le poste vous intéresse
- ce qui vous qualifie pour le poste: capacités, goûts, expérience
- vos projets d'avenir (études, carrière)
- des renseignements supplémentaires que vous aimeriez avoir sur le poste

Travail en classe
Le "conseil de sélection", présidé par le professeur de langue ou le lecteur/la lectrice, sera composé de tous les membres du groupe (ou du sous-groupe).

On vous invitera tour à tour à vous présenter devant le conseil de sélection. Quand vous n'êtes pas vous-même candidat, réfléchissez aux questions que vous pourrez poser aux candidats: car en déterminant la note à donner à chaque étudiant, on tiendra compte du rôle que vous aurez joué en tant que membre du conseil de sélection.

Variante
Le conseil pourra être présidé, tour à tour, par un étudiant.

Sur le vif

Muguet fané

MARRANT, moi d'habitude, le 1er mai, j'adorais. Noël, Pâques, tout ça, fallait bosser. Là, non, grasse matinée, le journal ne sort pas. Quand, en plus, ça tombait en début ou en fin de semaine, on faisait le pont et c'était tout bon. Et cette fois-ci, un mercredi sous la pluie, il sent pas la joie, le muguet. Ni la joie ni le combat. Il est moribond, le syndicalisme naissant et bientôt triomphant qui perdait ses premiers martyrs à Fourmies, sous les balles de la troupe appelée à la rescousse par un patronat, je cite *l'Huma*, exploitant sans vergogne hommes, femmes et enfants.

C'était il y a cent ans. Un siècle ! Maintenant, ça c'est bien arrangé, mais c'est pas encore le pied. Ce matin, au journal d'A2, ils donnaient des chiffres accablants. Vous savez combien il gagne de l'heure, l'ouvrier allemand ? 70 F. Le Français, lui, il se fait péniblement 45 balles, et la Française 25 % de moins ! De quoi aller manifester, non ? Non, tant pis, basta ! On a tellement peur de le perdre, ce malheureux smic, qu'on la boucle.

Parce que, voilà, le boulot, c'est pas tellement qu'on en a trop, c'est qu'on en a pas, c'est qu'on en a plus. Je suis effarée par le nombre de lettres que je reçois : Je suis au chômage, je suis en fin de droits, ça fait des mois, des années que je me débats. Il n'y a pas une porte qui s'ouvre, pas une main qui se tend. Je te joins ma photo et mon CV, je t'en supplie, aide-moi, je suis prêt à faire n'importe quoi.

Alors, je vais vous dire, au train où ça va, on va finir par l'enterrer, cette Fête du travail, vu qu'ils sont déjà entre deux et trois millions à en avoir fait leur deuil. C'est à eux que je m'adresse aujourd'hui : Chômeurs de tous les pays, unissez-vous, sortez dans la rue ! Et vous, les malgré-eux de la pré-retraite, amers et honteux, arrachés à la chaude complicité des ateliers et des bureaux, rayés de la vie active pour être inscrits dans la marge bénéficiaire des sociétés, tellement effacés que vous n'existez plus, reprenez du poil de la bête ! Les Panthères grises ont eu gain de cause, aux Etats-Unis.

La Fête du travail, parlons-en ! C'est la fête des sans-travail qu'il faudrait célébrer le 1er mai. Et là, croyez-moi, on ferait un tabac !

CLAUDE SARRAUTE

CHAPITRE 10

VIE PRIVÉE

TEXTES

- **10A** *Où rencontre-t-on l'amour de sa vie?*
- **10B** *L'éternel triangle, ou la cinquième roue du carrosse*
- **10C** *Miss Solitude*

POINTS LANGUE

- **10.1** *Prépositions 5:* en
- **10.2** *Noms 3: emploi sans déterminant*
- **10.3** *Déterminants* sens spécifique indéfini partitif; *plusieurs/quelques*
- **10.4** *Questions: directes et indirectes*
- **10.5** *Négation: mots, emploi, ordre des mots*

10A

points de repère

● **SUJET**

Les idées que se font les gens sur la formation des couples, et ce que nous apprennent les enquêtes sociologiques sur cette question.

● **PERSPECTIVE**

Dans ces extraits d'un long article publié dans *Le Point*, les auteurs font alterner des observations générales, les résultats d'une enquête, et des histoires individuelles.

● **STYLE**

Le découpage en paragraphes suit un rythme régulier, variant entre dix et vingt-trois lignes. Le vocabulaire est rarement spécialisé, mais les auteurs ont souvent recours à des locutions métaphoriques (voir *Activité 1*).

● **CONSEILS**

Vous pourriez étudier et imiter avec profit certains aspects du style de cet article, mais il vaut sans doute mieux vous concentrer sur les informations que vous y trouverez, et vos réactions à celles-ci.

Où rencontre-t-on l'amour de sa vie?

Dans les universités, les entreprises, pendant les vacances ; jamais l'éventail n'a été aussi ouvert : les lois du hasard devraient dicter les jeux de l'amour. Or, aujourd'hui comme autrefois, ce Loto obéit à des règles.

(1) Les Français ne se sont pas débarrassés des « marieurs », tantes empressées ou curés serviables, pour accepter facilement l'idée qu'aujourd'hui encore leur rencontre amoureuse puisse être « arrangée ». Pourtant, c'est ainsi que, d'une certaine façon, les choses se passent. Mais nous voulons l'ignorer. Nous préférons croire au hasard. Si nous n'avions pas cette religion, des journaux ne publieraient pas une rubrique de petites annonces directes qui permet d'éviter les services d'un intermédiaire.

(2) Nous sommes d'autant plus attachés au hasard que nous avons acquis depuis peu le droit de nous abandonner à ses caprices. L'historienne Michèle Perrot situe le tournant dans la seconde moitié du XIXe siècle, lorsque les femmes d'abord, les hommes ensuite, las des mariages convenus, ont demandé à aimer. *« Une revendication qui apparaît entre 1860 et 1880 »*, précise-t-elle. Entre 1910 et 1914, pour la première fois, des amoureux s'embrassent dans la rue. Les passants, un instant choqués, ne leur prêtent bientôt plus attention. C'était, déjà, autoriser les rencontres dans les endroits publics, là où, pense-t-on, le hasard rôde.

(3) Maintenant, à cause du brassage sexuel et social qu'opèrent l'école et l'entreprise, la ville et les vacances, cette foule est immense. Jamais l'éventail n'a été aussi largement ouvert. Jamais non plus les hommes et les femmes n'ont disposé d'une indépendance aussi grande. Quel parti tirent-ils de ce mélange ? Usent-ils de leur liberté, comme ils le prétendent, en donnant sa chance au hasard? Les démographes, qui se méfient des convictions intimes, ont jugé le moment venu de soumettre leurs certitudes à l'épreuve d'une expertise scientifique.

❤ Pascal Lainé
La dentellière

« C'est alors qu'il remarqua Pomme, assise à la terrasse d'un pâtissier-glacier, les yeux baissés sur les dégoulinements d'une boule de chocolat. »

(4) En 1959, l'un d'eux, Alain Girard, avait analysé le mécanisme de la formation des couples. Il était arrivé à la conclusion que *« n'importe qui n'épouse pas n'importe qui »*. Mais la France de cette époque ne ressemblait pas à la France d'aujourd'hui. Il fallait donc reprendre l'étude. La revue *Population* vient de publier cette seconde enquête, menée en 1984 par Michel Bozon et François Heran, chercheurs à l'Ined (Institut national d'études démographiques). Les enquêteurs ont sélectionné quelque 3 000 personnes, mariées ou cohabitantes, dont l'âge ne dépassait pas 45 ans. Le dépouillement du questionnaire qu'elles ont rempli devait leur apporter des surprises. Ils ne s'attendaient pas à découvrir que ces vingt-cinq dernières années n'avaient pratiquement rien changé.

(5) Les magazines féminins

qualifieraient de « banal » le conte de Gilda, coiffeuse à Paris. Les statistiques montrent qu'au contraire il relève de l'exception. C'était au cours d'un été. Gilda, en vacances à Saint-Raphaël, bronzait sur la plage lorsqu'un garçon est venu s'asseoir près d'elle. « *Vous allez attraper un coup de soleil*, lui dit-il. *La crème est mal répartie.* » Fatiguée, ne songeant, dit-elle, qu'à se reposer et dormir, elle le rabroue. « *D'ailleurs, il était brun*, ajoute-t-elle. *Je ne supportais pas les bruns.* » Là-dessus arrive le plagiste, qui les connaît tous les deux. Il fait les présentations. Le dragueur en profite pour proposer à Gilda une virée à Saint-Tropez. Elle ne refuse pas. Restaurant, boîte de nuit et, trois jours plus tard, location d'un studio pour abriter des amours qu'un mariage scellera l'année suivante.

(6) L'histoire de Gilda sort de l'ordinaire dans la mesure où les vacances, considérées comme propices, ne favorisent pas, en réalité, les unions. Le pourcentage de ceux et de celles qu'elles ont rapprochés n'excède pas 5 %. Même le Club Méditerranée ne parvient pas à provoquer l'étincelle. Avec 0,2 %, il avoisine les agences matrimoniales, les pèlerinages, les concerts de rock, les sorties d'église (0,3 %) et les transports collectifs (0,9 %).

(7) Etonnante révélation des chiffres : nous exploitons peu les nouvelles occasions de rencontre que l'évolution sociale nous offre. Valable pour les vacances, la remarque s'applique aussi aux études, « rentables » dans les années soixante, génératrices, à présent, d'un seul couple sur douze. Elle concerne également l'entreprise, ses bureaux hiérarchisés et leurs parages, soumis à la surveillance des collègues.

(8) Il ne faut donc pas se leurrer. Quand nous prétendons laisser au destin la conduite des opérations, nous nous berçons d'illusions. En fait, nous veillons à ce qu'il prenne la bonne direction. Voilà la vérité, telle qu'elle ressort de l'enquête de l'Ined. Observation numéro un : généralement, l'amour ne naît pas au sein d'une foule disparate. Il trouve plus facilement son chemin dans une assemblée homogène, réduite à des dimensions rassurantes : un séminaire, par exemple, ou un stage des PTT.

Madeleine Lemaire : Idylle (aquarelle)
« *Les femmes d'abord, les hommes ensuite, las des mariages convenus, ont demandé à aimer* »

Interview de John Lennon à « Rolling Stone » (1971)

« Elle (Yoko) m'a simplement tendu une carte avec écrit dessus : Respirez ! . . . Alors, moi, j'ai fait comme ça : hmmufff . . . Et voilà, comment s'est passée notre rencontre. »

(9) Observation numéro deux : l'amour n'est pas aveugle. « *Je l'ai immédiatement reconnue* », dira Didier de sa femme, rencontrée à Sciences po. Ses cheveux étaient noués en chignon. Elle portait un chemisier blanc, un gilet bleu marine, un kilt, des escarpins – « *des chaussures plates* », insiste-t-il. Bref, sur cette jeune fille qui distribuait des tracts dans le hall, il avait repéré les insignes de sa tribu bourgeoise.

(10) Qui se ressemble s'assemble, affirmait-on autrefois. Cette vieille loi fonctionne toujours, même si elle ne va pas jusqu'à obliger les saint-cyriens à épouser une fille d'officier. Jean-Pierre Thomas, directeur du centre de sociologie de la Défense nationale, a épluché le carnet mondain du *Casoar*, la revue des anciens élèves de l'école. « *On y relève encore*, a-t-il noté, *la mention de quatre, six, voire huit saint-cyriens dans les faire-part des deux familles. Mais il s'agit d'une minorité, que la baisse constante de l'autorecrutement contribue d'ailleurs à rapetisser.* »

(11) Si elle admet des écarts, la loi de la ressemblance n'est donc pas démodée. En démontrant que « *les couples ne se forment pas au hasard* », le document de l'Ined administre la preuve qu'elle a résisté aux mutations des dernières décennies. « *La foudre, quand elle tombe, ne tombe pas n'importe où* », écrivent Michel Bozon et François Heran.

♥ Milan Kundera
L'insoutenable légèreté de l'être

« Elle se faufilait entre les ivrognes dans le restaurant . . . A ce moment, elle entendit Thomas l'appeler . . . Un livre ouvert était posé sur sa table . . . Pour Tereza, le livre était le signe de reconnaissance d'une fraternité secrète. »

(12) Il s'est donc créé une hiérarchie des lieux de rencontre qui explique comment « n'importe qui » se débrouille pour ne pas épouser « n'importe qui ». Michel Bozon et François Heran ont dégagé les préférences des uns et des autres. En bas, dans les couches populaires, les lieux publics : fêtes, foires, bals, rue, cafés, centres commerciaux, cinéma, moyens de transport . . . En haut, les lieux privés ou réservés : clubs, associations, écoles ou facultés, lieux de travail, restaurants, salles de concert, salles de sport et réceptions en petit comité, une médiation fort appréciée des ingénieurs, des cadres et des professions libérales.

(13) Cette classification représente une aubaine pour les stratèges du placement matrimonial, telle mère encourageant sa fille à participer au gala de Polytechnique, après l'avoir inscrite au Racing-Club de France et (si elle peut) au golf de Morfontaine, telle autre fondant ses espérances sur les « rallyes », un rituel inventé par la bourgeoisie pour empêcher les adolescents de basculer du « mauvais côté ». Ces manœuvres délibérées n'abusent pas les enfants, qui les jugent stériles. Ils en sourient, mais sans deviner qu'ils se servent, inconsciemment, de stratagèmes similaires.

(14) Ensuite, l'incident sans l'aide duquel la plupart des rencontres ne se produiraient pas. Dehors, dans la rue, dans un parc, un accident de voiture, une panne de mobylette, un chien qui vous mordille le mollet . . . Dedans, au restaurant, dans un cocktail : un parapluie emporté par mégarde, une coupe renversée sur une robe, des paquets lâchés dans une bousculade et qu'on aide à ramasser. Ou encore, s'agissant de Sophie, hôtesse dans un bureau de poste, la soudaine colère d'un usager.

♥ Aragon
Aurélien

« La première fois qu'Aurélien vit Bérénice, il la trouva franchement laide. »

(15) Cet homme exaspéré voulait téléphoner. Impossible d'obtenir la communication. « *De sa poche,* raconte Sophie, *il avait extirpé des cartes de crédit américaines. Il les brandissait en clamant qu'il avait vécu aux Etats-Unis pendant dix ans et que là-bas le téléphone marchait.* » Poussée à bout, Sophie finit par exploser : « *Si vous étiez si bien aux Etats-Unis, vous n'aviez qu'à y rester.* » Son coup de gueule décontenance l'excité. Il se retire, mais pour reparaître le lendemain, la mine désolée, se confondant en excuses. Tous deux ont maintenant une petite fille de 10 ans.

CLAUDE BONJEAN
(Avec Eric Bezou)

Activités

1 Locutions

Dans le journalisme, on a constamment recours à des locutions métaphoriques, souvent imagées, pour créer un style plus vivant, plus varié. En voici quelques-unes, tirées du texte 10A: certaines vous seront peut-être utiles pour un travail écrit; y en a-t-il d'autres que vous n'aimeriez pas utiliser?

Travail individuel
Cherchez, dans un dictionnaire monolingue, le sens des locutions suivantes:

- le hasard rôde (10A2)
- en donnant sa chance au hasard (10A3)
- il relève de l'exception (10A5)
- provoquer l'étincelle (10A6)
- nous nous berçons d'illusions (10A8)
- les insignes de sa tribu bourgeoise (10A9)
- qui se ressemble s'assemble (10A10)
- réceptions en petit comité (10A12)
- son coup de gueule (10A15)

2 Les mots et les idées

Cet article contient de nombreuses observations quant aux conditions dans lesquelles les couples se forment, et aux idées que les gens se font sur la formation des couples.

Travail individuel
Choisissez **une** des phrases suivantes, extraites du texte, et notez quelques observations sur la question; la lecture de l'article a-t-elle modifié vos idées à ce sujet?

- nous préférons croire au hasard (10A1)
- (1860–1880) les femmes d'abord, les hommes ensuite, ont demandé à aimer (10A2)
- (le) brassage sexuel et social qu'opèrent l'école et l'entreprise (10A3)
- (1959) n'importe qui n'épouse pas n'importe qui (10A4)

- (1984) les couples ne se forment pas au hasard (10A11)
- l'amour ne naît pas au sein d'une foule disparate (10A8)
- empêcher les adolescents de basculer du « mauvais côté » (10A13)

Travail à deux
Comparez vos idées et celles d'un partenaire (si vous avez choisi la même phrase), ou décrivez-les-lui (si vous avez choisi une phrase différente).

Mise en commun
Pour chacune des sept phrases, participez à une discussion sur ces différentes questions.

3 Récit

Chaque jour de notre vie, dans la réalité ou dans notre imagination, il nous arrive quelque chose, et chaque jour nous sommes le témoin, dans la réalité ou dans la fiction, de choses qui arrivent à d'autres personnes. Souvent, nous préférons – et nous avons raison – ne raconter ces choses à personne. Mais quelquefois nous avons envie de partager un incident (vécu, rêvé, vu ou lu) avec quelqu'un: un(e) ami(e), un groupe de camarades, etc.

Travail individuel
Choisissez un incident (réel ou imaginaire), raconté à la première ou à la troisième personne, qui concerne la première rencontre de deux personnes. Rédigez quelques notes pour vous aider à retracer les principaux points de votre récit.

Tour de table
Après avoir précisé s'il s'agit d'un récit réel ou imaginaire, faites votre récit aux autres membres du groupe; l'essentiel, c'est que tout le monde puisse suivre sans difficulté votre récit, grâce à l'ordre, la clarté, la précision avec lesquels vous présentez les circonstances, les détails, les personnes, etc.

10B

points de repère

● CONTEXTE

Le roman *La vie fantôme* (1986), de Danièle Sallenave, met en scène des habitants d'une ville de province: Pierre, professeur, sa femme Annie, employée de banque, leurs deux enfants, et Laure, bibliothécaire, la "cinquième roue du carrosse".

● SUJET

Au moment où se déroule l'extrait que vous allez lire, la liaison de Laure et de Pierre dure depuis quelques années; il l'a persuadée de venir passer quelques jours avec lui dans la maison, au bord de la mer, où, à un autre moment de l'année, il a l'habitude de passer les vacances avec sa femme et leurs enfants. Mais Annie arrive, à l'improviste: Laure doit partir en catastrophe. Quelques heures après avoir fait le voyage de retour, Laure fait le point de sa situation.

● PERSPECTIVE

Dans cet extrait, ce qu'on lit, c'est le monologue intérieur de Laure (10B2–7), encadré par une question que lui pose Pierre (10B1) et une remarque faite par Annie à son mari (10B8).

● STYLE

C'est peut-être le plus "littéraire" de tous les textes dans ce manuel; les phrases sont souvent longues, parfois tortueuses; on suit de près les mouvements douloureux des pensées de Laure.

● CONSEILS

Rendre compte, fidèlement, des sentiments d'un être humain est une entreprise périlleuse, et qui exige de la part du lecteur une attention plus soutenue qu'à l'ordinaire. Après avoir lu cet extrait, n'ayez pas peur de vous poser la question: "Mon effort et mon attention ont-ils été récompensés?"

(1) (Ils en parlèrent une fois, beaucoup plus tard. Pierre dit simplement : « Est-ce que tu m'as pardonné cela ? » « Est-ce que je pouvais faire autrement ? » dit Laure.)

(2) Laure fit le voyage de retour dans un état de vide et d'abattement, la tête brumeuse, sans pensée. Chez elle, d'abord, elle ressentit une très grande fatigue ; elle se coucha tôt, s'endormit sur-le-champ. Elle se réveilla au bout de quelques heures ; la nuit était très noire, elle étouffait. Quelque chose avait eu lieu, quelque chose de monstrueux, qu'il aurait mieux valu oublier. Soudain elle se rappela tout : et elle se sentit vaincue, écrasée, humiliée, bafouée ; elle avait les yeux secs, grands ouverts dans le noir, et la honte montait en elle avec la colère. Elle alluma sa lampe de chevet et resta de nouveau un long moment sans bouger. Puis ses larmes se mirent à couler.

(3) Elle revoyait tout ; elle se reprochait tout ; elle avait tout compris ; la vraie nature, abominable, de leur ''entente'', lui était, d'un coup, révélée : non pas abominable – misérable. Elle avait vu le visage de Pierre, elle ne l'oublierait pas : un visage contrarié, crispé, et sur ce visage étaient passés successivement, fugitivement, la honte, la peur et (surtout, surtout !) la soumission, un air d'importance et de gravité, plus qu'une résolution ou une détermination farouches : elle devait partir ; il n'y avait pas dans l'attitude de Pierre l'ombre d'une pitié pour elle (''ma douce'', ''ma belle maîtresse'', ''tu es ce que j'ai de meilleur''. . .). Ou plutôt, en admettant que Pierre eût souffert pour elle, éprouvé de la pitié pour elle – cette souffrance, cette pitié ne pouvaient rien changer, ne pesaient d'aucun poids face à *cela*. Cela ?

L'éternel triangle, ou la cinquième roue du carrosse

« Pierre dit simplement : —Est-ce que tu m'as pardonné cela? —Est-ce que je pouvais faire autrement? dit Laure »

Qu'était-ce donc que ''cela'' devant quoi Pierre s'inclinait sans murmure ?

(4) Il y avait là quelque chose de tout à fait incompréhensible, un mystère. Et Laure voyait bien qu'on n'avait rien résolu si, pour l'expliquer, on invoquait, chez Pierre, le sens du devoir, ou la nature même de ce devoir, la gravité des engagements pris et la conscience que Pierre en avait, car dans le même temps, Pierre ne lui était pas apparu comme l'incarnation intransigeante de la loi. Il n'avait pas l'air torturé non plus : on voyait clairement de quel côté il penchait. Il avait semblé agir comme un halluciné en proie à une influence qu'il ne maîtrisait pas, et ses gestes paraissaient dictés par une suggestion, une hypnose. En agissant ainsi, il avait, aux yeux de Laure, plutôt affirmé la faiblesse de son caractère que la force de ses attachements aux liens familiaux. Ce devant quoi il s'effaçait (entraînant avec lui, dans cette abdication forcée, Laure et toute la matière précieuse de leur ''entente''), on sentait bien que, même en n'y croyant plus, il l'aurait tout de même respecté. Comme on continue d'aller à la messe longtemps après avoir perdu la foi.

(5) Telle était peut-être, alors, la nature même de cette ''foi'' conjugale dont les hommes comme Pierre continuaient d'honorer la forme vide. Mais n'était-ce pas justement quand (et parce qu') elle était devenue une forme vide qu'on ne pouvait plus éviter de l'honorer ? Que serait-il resté d'elle sans cela ? Rien. Laure, elle aussi, aurait voulu mourir, tant elle se découvrait misérable et fragile, exposée. Ou plutôt : être morte ; ou encore : n'avoir jamais été, ne pas être mêlée à tout cela qui lui faisait horreur. Voici donc ce qu'il lui avait fallu découvrir : l'existence d'une fidélité paradoxale, qui ne reposait plus sur un amour qui l'eût justifiée, mais s'accommodait de toutes les trahisons (car aux yeux de Laure, Pierre, indubitablement, en l'aimant, ''trahissait'' sa femme, ses enfants, sa famille). Et la nature insaisissable d'un lien qui subsistait, même après la mort du sentiment, ou l'apparition d'un autre (le leur ! si fort !) – en admettant qu'entre Pierre et Annie le ''sentiment'' fût mort. Elle entrevit un monde qui l'étonna : celui de la dépendance des hommes à l'égard des femmes, le singulier pouvoir que celles-ci acquièrent sur eux (à côté duquel le ''pouvoir'' sensuel de Ghislaine sur ''les hommes'' n'était qu'une plaisanterie) ; l'incapacité où les femmes les mettent (où les hommes se mettent ? elle ne savait plus) d'assumer seuls leur subsistance quotidienne : de se nourrir, de se vêtir, de vivre ; la (fausse) liberté dont c'était en apparence le prix : une liberté de mâle, celle de courir renifler tout le jour, comme font les chiens, les traces alléchantes sur des murs. Mais, le soir, ils rentraient tous à la maison.

(6) Des images tournaient dans sa tête ; elle s'épuisait, pleurait ; séchait ses larmes ; se rendormit par à-coups. Elle pensait à la répartition des tâches, des rôles, dont tant de couples donnent l'image admirable et parfois étouffante : le plus uni des mariages (ceux-là surtout) n'était-il pas une tromperie, qui consistait à séparer définitivement ceux qu'il avait charge d'unir et dont il faisait non des êtres complémentaires, comme on le dit faussement, mais des êtres incomplets, dépendants ainsi à jamais l'un de l'autre ? Finalement, le pire était tout de même que, dans le cas de Pierre, un ciment nécessaire manquait, une foi qui eût expliqué, justifié tout le reste : la fidélité. Mais qu'on voulût avoir les deux : la loi et l'entorse à la loi, voilà ce qu'elle ne lui pardonnait pas.

(7) Alors elle comprit qu'elle se condamnait elle-même en condamnant Pierre, puisque de cette trahison elle était la complice et même la bénéficiaire. De quel droit en faisait-elle reproche à Pierre ? N'arrivait-il pas qu'on pût changer ? Était-on maître de ce qu'on désirait ? Comme Lautier, et sans le savoir, Laure en vint à penser qu'il aurait fallu avoir non seulement plusieurs âmes mais plusieurs corps, si l'on voulait continuer de vivre à la fois ses engagements et leur contraire. Que faire? Que pouvait-on faire ? Fermer les yeux sur le monde, s'enfermer ? Ou accepter un compromis, comme le faisait Pierre ? Ou, à chaque fois qu'un nouvel amour se présentait, abandonner tout, repartir à zéro, ''refaire sa vie'' ? De quelque côté qu'elle tournât le regard, Laure n'entrevit que désastre : des sujétions monotones, des asservissements consentis, des révoltes sans lendemain, et surtout l'infortune de la loi, partout respectée et partout bafouée, puisqu'en fin de compte, tout le monde se mariait mais dédaignait de respecter l'engagement pris. Et Laure en se rendormant eut l'image d'un monde peuplé d'êtres attachés deux à deux aux mêmes tâches par les mêmes devoirs, attablés ensemble pendant une succession indéfinie de repas, dormant dans le même lit, et qui se cachaient mutuellement (ou s'avouaient, ce qui ne valait guère mieux) la répétition d'aventures qui ne leur apportaient pas de joie mais leur ôtaient à tout jamais la paix du cœur.

(8) « C'est drôle, dit Annie, plusieurs jours après leur retour de Normandie. Je ne t'avais rien dit sur le coup, mais devant la maison il y avait une voiture immatriculée dans notre département. C'est drôle, tu ne trouves pas, comme coïncidence. »

Activités

1 Les mots et les idées

Au cours du son monologue intérieur, Laure fait, sur les rapports entre hommes et femmes, plusieurs réflexions qui sont pénibles à lire peut-être justement parce qu'elles touchent de très près à la vérité.

Travail individuel

Choisissez **un** des passages suivants, et notez en vrac les idées qu'elle évoque pour vous, en pensant à ce que vous observez autour de vous et, peut-être, en vous-même:

- (Pierre) « Est-ce que tu m'as pardonné cela? »
  (Laure) « Est-ce que je pouvais faire autrement? » (10B1)
- la honte montait en elle avec la colère (10B2)
- (sur le visage de Pierre) étaient passés la honte, la peur et la soumission, un air d'importance et de gravité (10B3)
- elle entrevit un monde qui l'étonna: celui de la dépendance des hommes à l'égard des femmes (10B5)
- une liberté de mâle, celle de courir renifler tout le jour, comme font les chiens, les traces alléchantes sur des murs (10B5)
- le plus uni des mariages (ceux-là surtout) n'était-il pas une tromperie? (10B6)
- tout le monde se mariait mais dédaignait de respecter l'engagement pris (10B7)

2 Appréciation

Travail individuel

Choisissez un passage (deux à six lignes) de cet extrait qui vous a fait une impression particulière, par la justesse de l'analyse psychologique, ou par la qualité de l'écriture. Vous pouvez, si vous voulez, noter quelques observations sur le passage que vous avez choisi.

Tour de table
Lisez à haute voix le passage que vous avez choisi, et présentez brièvement vos réactions et vos observations, en encourageant vos camarades à engager la discussion sur ce passage.

3 Débat
Le couple

On entend dire, aujourd'hui, que "le mariage, c'est fini" ou que "le couple est impossible à vivre".

Travail individuel
Même si vous trouvez qu'il y a des choses à dire des deux côtés, prenez parti sur cette question, et notez quelques arguments que vous pourrez défendre dans un débat contradictoire.

Travail en classe
A l'aide des notes que vous avez prises, participez à un débat contradictoire sur la question. (Le groupe pourra choisir, au préalable, la formulation exacte de la proposition qu'on va débattre.)

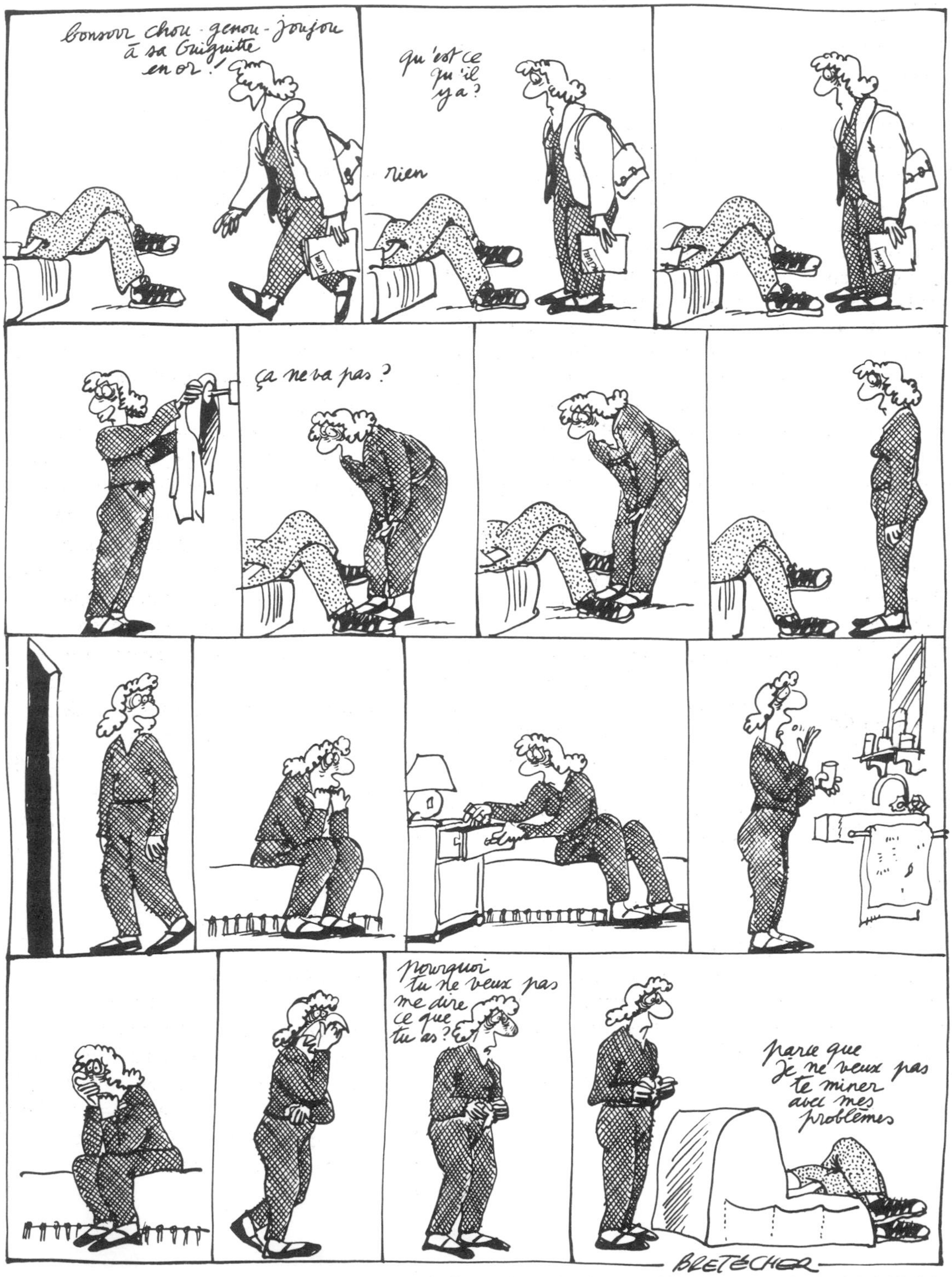

10C

préparation

Exceptionnellement, vous êtes prié de *ne pas lire* le texte avant de venir au cours, mais de faire le petit travail préparatoire indiqué ci-dessous (1 et 2).

1 *Le sens des mots 1*

Travail individuel
Sans lire le texte, cherchez dans un dictionnaire le sens des mots suivants, et notez-les si vous ne les connaissiez pas déjà:

- un moineau; frileusement (10C1)
- célibataire; une plaie (10C2)
- le studio (10C3)
- un salaud (10C4)
- étouffer; (un visage) ingrat (10C5)
- sa sensibilité (10C6)
- malencontreusement; l'écorce (10C9)
- le ressort; une recette; poseuse; une pudeur; du dédain (10C10)
- (qui) tient lieu de; son âme (10C13)
- j'ai failli (devenir) (10C15)
- les araignées (10C16)
- portée sur (10C17)
- (se perd) en néant; quadrillée; fané; (son visage) s'altère; elle (le) lisse (10C19)

2 *Le sens des mots 2*

Travail individuel
Sans regarder le texte, lisez ces explications de quelques mots et références qui s'y trouvent:

- (les) Buttes-Chaumont (10C1): un des rares espaces verts des quartiers populaires du nord-est de Paris (voir photo, page 217)
- un C.E.T. (10C2): un collège d'enseignement technique; aujourd'hui L.E.P. (lycée d'enseignement professionnel)
- non sans circonlocutions (10C3): avec beaucoup de détails, mais sans en parler directement
- mal dans sa peau (10C4): malheureux, insatisfait, plein de conflits intérieurs
- récréative (10C4): amusante
- pour autant (10C5): cependant, malgré cela
- il n'y a pas que (10C8): il n'y a pas seulement
- elle n'y peut rien (10C8): elle ne peut rien changer à la situation
- *rallye-papers* (10C9): en anglais, "paper chase"
- il me déplaît que (10C9): je ne suis pas content que
- si . . . elle ne s'aime pas (10C10): bien qu'elle ne s'aime pas
- encore que (10C11): bien que, quoique
- bonne (10C12): douce, gentille
- elle m'avouera lutter (10C15): par la suite, elle m'a dit qu'elle lutte
- enténébré (10C15): sombre, obscur
- godiche (10C16): maladroit, sans grâce
- mal attifée (10C16): mal habillée
- Valéry (10C17): Paul Valéry, poète et essayiste (1871–1945)
- l'homme d'Assise (. . .) le Poverello (10C17): Saint François d'Assise (vers 1182–1226), réformateur de l'Eglise catholique
- fixé (10C17): décidé (pour soi-même); renseigné (sur quelqu'un d'autre)
- c'est dire si (10C19): ce qui fait que, par conséquent

points de repère

● CONTEXTE

Pendant quelques années, l'édition du week-end du journal *Le Monde* comporta un supplément, *Le Monde Aujourd'hui*; sous cette rubrique, on pouvait lire des articles sur des sujets variés, bien éloignés de la politique, de l'économie, etc: "Miss Solitude" était un de ces articles-là.

● SUJET

"Miss" Solitude, cela veut dire la championne dans cette catégorie, la femme la plus seule du monde (comme Miss France, Miss Monde, etc, dans les concours de beauté).

● PERSPECTIVE

Bien qu'il s'agisse d'un "portrait", ce beau texte tire toute sa force de la présence, dès la première ligne, du narrateur lui-même: "Elle ne me voit pas. Je l'observe." Sans le narrateur, ce portrait d'une femme seule risquerait d'être impitoyable, froid, cruel même; avec lui, le lecteur retrouve sa liberté de jugement, l'équilibre est rétabli: Mlle S . . ., ce n'est qu'une femme parmi d'autres, le narrateur, ce n'est qu'un homme parmi d'autres. Le point de vue de l'auteur n'est pas privilégié: le lecteur peut même se poser des questions sur cet homme qui, lui aussi, passe ses après-midis dans le jardin des Buttes-Chaumont.

● STYLE

Dans ce manuel, il a souvent été question des niveaux de langue (N2, N3, etc), et de l'importance, pour l'étudiant du français langue étrangère, de s'exprimer dans un style qui convient à la situation de communication. Un texte comme "Miss Solitude" montre combien, une fois les règles élémentaires assimilées et maîtrisées, il peut être utile, voire nécessaire, de **varier** son style en mélangeant mots, expressions et structures grammaticales appartenant à des genres **différents**. Avant d'avoir vécu et travaillé dans un pays francophone, il vous sera sans doute difficile de manier avec assurance, à l'oral ou à l'écrit, les différentes ressources stylistiques du français. Mais cela pourra vous être utile d'observer, dans ce texte, quelques exemples de variation stylistique, et d'évaluer leur effet sur vous, le lecteur:

- elle époussette, enfin, une chaise de fer, s'assied. Frileusement. Sort un livre. (10C1)
- je regarde son petit visage, pâle et contracté par la haine de cette vie. (10C2)
- elle m'a expliqué, non sans circonlocutions, le sentiment de solitude presque insoutenable qui l'accable. (10C3)
- c'est une curiosité, Mlle S . . . J'ai rarement vu quelqu'un d'aussi mal dans sa peau. (10C4)
- et y a-t-il solitude plus profonde qu'une certaine laideur? (10C5)
- les Buttes-Chaumont c'est plein d'amoureux (10C6)
- ivre, aussi, de ressentir jusqu'à la douleur le désir d'être prise dans des bras. (10C7)
- contre qui? Contre quoi? C'est comme ça. Elle n'y peut rien (10C8)
- ce qui m'inquiète aujourd'hui est que l'arbre contre lequel elle s'est malencontreusement assise est celui-même où (. . .) (10C9)
- ce message, il me déplaît beacoup qu'elle en prenne connaissance (. . .) (10C9)

● CONSEILS

Un texte de ce genre, c'est parfois dommage d'avoir à l'analyser, à l'étudier du point de vue du vocabulaire, de la grammaire, du style, de la psychologie, de la sociologie, etc. Après tout, le lecteur du numéro du *Monde* de ce week-end-là du mois d'août 1977 aura, sa lecture terminée, passé à autre chose – mais en rêvant, peut-être, un petit peu. Alors, si vous voulez, faites comme lui: lisez – et rêvez!

PORTRAIT

Miss Solitude

(1) ELLE ne me voit pas. Je l'observe. La nature est très moqueuse. Dans le jardin des Buttes-Chaumont, elle est aussi perdue qu'un moineau égaré dans une chambre. Elle époussette enfin, une chaise de fer, s'assied. Frileusement. Sort un livre. Son après-midi commence.

(2) Mlle S . . . est si triste qu'on ne voit même plus qu'elle est laide. Mais elle ne s'aime pas assez pour oublier qu'elle n'est pas belle. Je regarde son petit visage, pâle et contracté par la haine de cette vie. Je connais bien le thème de son histoire, le synopsis, comme on dit maintenant. Professeur dans un C.E.T. de banlieue lointaine, elle est, à trente-cinq ans, la femme la plus célibataire de Paris. Nous avons échangé quelques mots, quelquefois – des mots comme des couteaux dans une plaie fraîche.

Une certaine laideur

(3) Parce qu'il n'y a que les vieux à pouvoir vivre comme les vieux, elle m'a expliqué, non sans circonlocutions, le sentiment de solitude presque insoutenable qui l'accable. Autant qu'elle peut, elle fuit le studio que l'administration lui concède dans le périmètre du C.E.T. « *Vous comprenez, ces logements, c'est conçu pour une vie de famille, avec un mari et des enfants. Autrement, ce n'est pas tolérable.* »

(4) C'est une curiosité, Mlle S . . . J'ai rarement vu quelqu'un d'aussi mal dans sa peau. Mais après tout, quelqu'un qui est bien dans sa peau n'est peut-être qu'un inconscient. Ou un salaud ? Elle n'est pas récréative, Mais elle est étrange. Ce qui est une manière d'être étrangère partout. Je l'aime bien. Une des raisons qui font que je l'aime, c'est que personne ne l'aime.

(5) « *Ils ont ri de ma solitude.* » Elle m'a dit vivre entourée d'ennemis sans pour autant cesser d'être seule. Les gens ne peuvent comprendre combien une femme se sent seule quand, pendant des années, elle a dû étouffer en elle tous ses sentiments. Ils ne lui pardonnent pas non plus un visage si ingrat. Et y a-t-il solitude plus profonde qu'une certaine laideur ? Qu'une certaine désolation de la laideur ?

(6) Les Buttes-Chaumont c'est plein d'amoureux. Quand ils passent, son cœur crève. Pour se protéger, il lui faudrait tuer délibérément sa sensibilité, tenter de se délivrer de la douleur par le non-désir. Facile à dire ! Je la verrai un soir pleurer presque après les avoir regardés s'embrasser.

(7) « *Personne ne m'a jamais dit : « Mon chéri* », l'entendrai-je murmurer, pleine de la nostalgie d'un passé qui n'a jamais existé et peut-être ivre, aussi, de ressentir jusqu'à la douleur le désir d'être prise dans des bras.

(8) C'est tout le drame de sa vie : elle n'a jamais été amoureuse. En amour, elle est comme un aveugle qui entend parler de couleurs et n'en a jamais vu. Et son malheur n'est pas qu'elle en souffre. Mais qu'elle souffre en vain. Il n'y a pas que les amoureux à être seuls au monde. Je ne crois pas qu'elle ait jamais tenté de se révolter. Contre qui ? Contre quoi ? C'est comme ça. Elle n'y peut rien.

La fierté

(9) Ce qui m'inquiète aujourd'hui est que l'arbre contre lequel elle s'est malencontreusement assise est celui-même où, quelques jours plus tôt, des enfants ont oublié un « message », comme disent les joueurs de *rallye-papers*. Ce message, il me déplaît beaucoup qu'elle en prenne connaissance, l'ayant moi-même lu avant de le remettre bêtement à sa place une heure avant qu'elle n'arrive. Qu'elle se tourne, fatalement le papier blanc coincé sous l'écorce entrera dans son champ visuel. Et alors. . .

(10) Pour l'instant, elle feuillette son livre d'un air las. Parce que pas grand-chose suffit à vous faire plaisir lorsqu'on est bien résigné, lire lui permet, la plupart du temps, d'au moins oublier la dure et triste réalité. Cela endort son ennui total, c'est-à-dire son impossibillité de communiquer avec les êtres et les choses. Car si, enfermée dans sa peau, elle ne s'aime pas, elle n'aime guère non plus les gens. Le ressort est bloqué. Elle ne peut se détendre. Elle n'est pas du même peuple. Pour échapper à sa détresse, elle n'a qu'une recette : la fierté. Ce qui la perd. On la croit poseuse alors qu'elle a une pudeur atroce qu'on prend pour du dédain.

L'idée fixe

(11) Encore que plus immergée de caractère qu'un iceberg, elle m'a exposé, un autre soir, sa « philosophie ».

(12) « *Plus je suis solitaire, plus je suis dépourvue d'amis et de défenseurs, plus je me dois de respect. Vous comprenez, on ne m'a pas accordé le droit d'être bonne.* »

(13) Quand – Dieu sait pourquoi ! – elle éprouve en ma présence l'exceptionnel sentiment de confiance qui, chez les êtres apeurés, tient lieu d'amour, c'est toute son âme souterraine qu'elle dévoile, peut-être sans s'en apercevoir.

(14) « *Il me semble qu'Il n'y a rien pour moi sur la terre. Non, je ne connaîtrai jamais le bonheur. Je suis bien trop bête !* »

(15) Elle m'avouera, une autre fois, lutter depuis plusieurs années contre l'idée fixe de son cerveau enténébré. « *A quoi bon continuer de vivre ? On est si seul . . . tout seul ! Pourquoi ne pas finir tout de suite ? Je n'ennuierais plus personne, même pas moi ! Dans la solitude, j'ai failli devenir folle.* »

(16) Quand ses yeux gris sont sur moi, c'est le désespoir qui me regarde. On peut voir dans son cœur désert les araignées tisser leur toile. C'est le regard d'une âme inapte à vivre. Et c'est d'autant plus désolant que, godiche et mal attifée, il n'y en a pas moins sûrement de belles et bonnes choses en elle. Et finalement, le plus difficile n'est pas pour elle de vivre seule. C'est de souffrir seule.

(17) Paraphrasant Valéry, j'ai failli lui dire un jour : les uns sont assez bêtes pour s'aimer. Les autres pour se haïr. Deux manières de se tromper. Peut-être avez-vous la meilleure part ? Mais je savais ce qu'elle aurait préféré : aimer – et – se tromper. La sachant également assez portée sur les choses de Dieu (le Christ n'est-il pas, dans bien des cas, le mari des femmes qui n'en ont pas ?), j'ai pensé lui parler de l'homme d'Assise. L'essentiel n'est pas qu'on me comprenne, mais que moi, je comprenne les autres. Et non qu'on m'aime, mais que j'aime les autres, disait le Poverello. Mais à quoi bon les mots quand on est fixé ?

(18) Sans cesse, elle interrompt sa lecture pour laisser errer ses yeux. Alors, à travers les branches, son visage glacé m'apparaît. Si la beauté peut servir de masque à la laideur, pourquoi l'inverse ne serait-il pas possible ? Comment peut-on être assez imbécile pour n'attacher de beaux sentiments qu'aux beaux visages ? J'essaie de l'imaginer avec d'autres traits. C'est très difficile. Tout son corps n'est qu'une grosse misère. Et quelle physionomie ! Tout crie en elle : mon âme et mon corps sont en peine.

Le message

(19) Mais elle a fini par se tourner vers l'arbre. Et c'est alors que survient la chose inévitable. Elle tire, de sous l'écorce, le papier plié. Un message ! Depuis vingt ans, elle vit sans raison aucune. Sa vie s'écoule et se perd en néant. C'est dire si dans son existence tragiquement banale, tout fait événement ! Je la vois, anxieux, déplier la feuille quadrillée. Avec lenteur. Son visage prématurément fané – mais mieux vaut être fané que pourri ! – s'altère, s'éclaire, vire au rose. Tout cela très vite. Elle relit le message. Le relit encore. Elle le lisse. Elle le range avec beaucoup de soin dans son porte-cartes. Alors, enfin, elle sort de son sac à main un mouchoir petit, très fin, et le porte à ses yeux.

(20) Ce que dit le message ? Peu de chose. De simples mots : « *Pour celui qui me lit : je vous aime.* »

PIERRE LEULLIETTE

Activités

1 Lecture

Travail en classe

Le professeur, ou le lecteur/la lectrice, ou un ou plusieurs étudiants, lira à haute voix le texte en entier.

(Il sera préférable de marquer une pause entre cette lecture et *l'Activité* 2.)

2 Expression

Pour réussir son portrait de Mlle S . . ., P. Leulliette a choisi ses mots et composé ses phrases avec soin.

Travail à deux

Avec un partenaire, notez quelques exemples (un ou deux pour chacune des rubriques suivantes), surtout ceux qui vous semblent particulièrement réussis:

- (narration) exemple: "Elle s'assied. Frileusement. Sort un livre . . ." (10C1)
- (description) exemple: "Mlle S . . . est si triste qu'on ne voit même plus qu'elle est laide." (10C2)
- (attitudes, sentiments) exemple: "des mots comme des couteaux dans une plaie fraîche" (10C2)

Mise en commun

Présentez au reste du groupe les exemples que vous avez choisis, et discutez-en.

3 Portraits

Travail à deux

Composez, avec un partenaire, le portrait d'une "Miss . . ." (ou d'un "Monsieur . . .") imaginaire. Essayez d'inventer, non seulement des descriptions physiques, mais aussi des situations, des gestes, des actions, des paroles. Sujets possibles (mais vous préférerez sûrement en inventer un autre vous-même): Miss/Monsieur Conformiste, Libéré(e), Branché(e), Mode, Fric, Standing, Bavard(e) . . .

Vous aurez une dizaine de minutes pour discuter et préparer quelques notes sur le sujet que vous avez choisi. Essayez de faire en sorte que chaque élément de votre description corresponde à un aspect en particulier du personnage.

Travail en classe

Avec votre partenaire, présentez votre sujet au reste du groupe, mais **sans révéler** le nom que vous lui avez donné. Votre description terminée, ce sera aux autres membres du groupe de proposer des noms qui correspondent à votre description. (Voir aussi ci-dessous, *Pratique écrite 3*.)

Points LANGUE

● 10.1 *Prépositions 5: en*

10.1.1 *En* + nom: locutions adjectivales
(voir aussi 2.5.5)

On emploie *en* + nom pour indiquer comment quelqu'un est **habillé**:

un homme ***en*** *uniforme*
une femme ***en*** *robe noire*

Quand on insiste sur les détails eux-mêmes, on emploie *habillé* ***de****, vêtu* ***de****, coiffé* ***de****, chaussé* ***de***.

Pour indiquer la **composition** de quelque chose, on emploie *de* + nom:

une veste ***de*** *tweed*
des bas ***de*** *soie*

On emploie *en* + nom quand on insiste sur les détails eux-mêmes:

des bas ***en*** *laine bleu marine*

10.1.2 *En* + nom: locutions adverbiales
(voir aussi 2.5.5)

Pour indiquer la **situation** physique d'une personne ou d'une chose ("in" en anglais), on emploie généralement *dans* ou *à* (+ article):

dans *la rue*
dans *la foule*
dans *une foule de gens*
au *coin de la rue*
au *bureau*
au *sommet*

Quand il s'agit d'une **catégorie** (situation, style, manière, statut, etc), plutôt que d'une simple description, on emploie souvent une locution avec *en*:

10A12 *réceptions* ***en*** *petit comité*
10A9 *ses cheveux étaient noués* ***en*** *chignon*
10C8 ***en*** *amour, elle est comme un aveugle*

En une heure ou ***dans une heure?***
En, limite **dans** laquelle une action se passe:

je pourrais le faire ***en*** *une heure*
(cela me prendrait une heure en tout)
en *deux jours*
(au cours de/**en l'espace de** deux jours)

2A11 ***en*** *quelques années, je devins un passable danseur*
9A5 *ils le voient s'en aller, voûté* ***en*** *huit jours*

Dans, limite **après** laquelle une action se passera:

je pourrai le faire ***dans*** *une heure*
(je commencerai à le faire à une heure de maintenant)
dans *deux jours*
(**après**/au bout de deux jours)

9A8 ***au bout des*** *huit jours, c'est bien fini*
4C1 *l'Etat français risque de ne plus contrôler la moitié de son territoire* ***d'ici à*** *quelques décennies*

En **+ nom** (féminin) **de pays, de région,** etc (voir 4.5.1)

On emploie *en* + pronom personnel quand on décrit les **sentiments** (etc) de quelqu'un:

10B2 *la honte montait* ***en*** *elle avec la colère*
10C5 *elle a dû étouffer* ***en*** *elle tous ses sentiments*
10C16 *il n'y en a pas moins de belles et bonnes choses* ***en*** *elle*

Pour décrire le **caractère** de quelqu'un, on peut employer *chez*:

chez *lui, j'ai toujours remarqué une certaine indécision*

10.1.3 *En* + nom: locutions figées

On emploie *en* + nom dans plusieurs locutions figées:

en prison
en vacances

10C8 *elle souffre en vain*
10B5 *en apparence*
10A6 *en réalité*
10C18 *mon âme et mon corps sont en peine*

Plusieurs locutions verbales sont formées de verbe + *en* + nom (*mettre/prendre* + *en* + nom: voir 7.2):

ils sont ***partis en catastrophe****, sans laisser d'adresse*
les nouvelles locomotives vont ***entrer en service*** *l'année prochaine*

10A15 *se confondant en excuses*
10C19 *sa vie s'écoule et* ***se perd en néant***

En effet **ou** ***en fait?***

En effet annonce une **confirmation** de ce qu'on vient de dire:

on les croyait très attachés l'un et l'autre, et ***en effet*** *ils se sont mariés l'année suivante*

En fait annonce une **contradiction** de ce qu'on vient de dire:

on les croyait très attachés l'un et l'autre, mais ***en fait*** *ils se détestaient depuis longtemps*

Dans certaines locutions, on emploie *en* + déterminant + nom:

en l'absence de (. . .)
en l'air
en aucune façon
en ce sens que
en son honneur

10C13 *en ma présence*

● 10.2 *Noms 3:* emploi *sans déterminant*

Au 16ᵉ siècle, on employait souvent un nom sans déterminant:

Car notez que c'est ***viande*** *céleste manger à* ***desjeuner raisins*** *avec* ***fouace*** *fraîche*
(Rabelais, *Gargantua*, 1534, ch. xxv)

Aujourd'hui, chacun des quatre mots soulignés s'emploierait avec un déterminant:

16ᵉ siècle	**Aujourd'hui**
c'est viande céleste	*c'est* ***un*** *repas céleste*
manger à desjeuner	*manger* ***au*** *déjeuner*
manger (. . .) raisins	*manger* ***des*** *raisins/****du*** *raisin*
avec fouace fraîche	*avec* ***de la*** *fouace fraîche*

Préposition + nom, avcc ou sans déterminant (voir 6.1)
***A* + nom**, avec ou sans déterminant (voir 8.1)
***De* + nom**, avec ou sans déterminant (voir 9.1)
***En* + nom**, avec ou sans déterminant (voir 10.1)

Il y a encore, dans le français d'aujourd'hui, plusieurs cas où un nom peut s'employer sans déterminant:

- dans des **locutions verbales** (10.2.1)
- dans des **expressions figées** (10.2.2)
- dans des **phrases nominales** (10.2.3)
- dans des **énumérations** (10.2.4)
- en **apposition** (pour indiquer le **rang**, la profession, etc) (10.2.5)

10.2.1 Locutions verbales

On emploie un nom sans déterminant dans plusieurs **locutions verbales**:

- après *mettre, prendre* (voir 7.2)
- après *faire* (voir 8.2)
- après d'autres verbes:

avoir lieu	*avoir vent de* + nom
perdre pied	*prêter attention à* + nom
tenir lieu de + nom	*tenir tête à* + nom

10B2 *quelque chose avait eu lieu*
10A2 *les passants ne leur prêtent bientôt plus attention*
10C13 (le) *sentiment de confiance qui tient lieu d'amour*

Dans d'autres expressions, ces verbes s'emploient avec déterminant + nom:
10B4 *après avoir perdu la foi*

10.2.2 Expressions figées

On emploie souvent des noms sans déterminant dans les **proverbes**, ou dans d'autres expressions figées:

Pierre qui roule n'amasse pas mousse
chat échaudé craint l'eau froide
on ne voyait âme qui vive
c'est bonnet blanc et blanc bonnet

Au niveau N4, on emploie un nom sans déterminant dans certaines expressions **interrogatives** ou **négatives**:
10C5 *et **y a-t-il solitude** plus profonde qu'une certaine laideur?* (N4)
10B7 *de quelque côté qu'elle tournât le regard, Laure **n'entrevit que désastre*** (N4)
***jamais bataille ne fut** plus âprement contestée* (N4)

10.2.3 Phrases nominales

On emploie un nom sans déterminant au début d'une **lettre** personnelle, d'un **discours**, etc:

Cher ami, . . . Chère Collègue, . . . camarades! citoyens!

Dans le journalisme, on emploie souvent un nom sans déterminant pour les **titres**:

Nouvel attentat en Irlande du Nord
Tremblement de terre en Iran

On peut distinguer entre la **première** annonce d'une nouvelle (nom sans déterminant) et l'annonce de nouveaux détails sur un incident **déjà connu** (déterminant + nom):

catastrophe ferroviaire à Melun (titre, *Le Monde*, 18.10.1991)
la catastrophe de Melun (titre, *Le Monde*, 19.10.1991)

Le même style est employé pour annoncer une nouvelle idée:
10A7 ***Etonnante révélation** des chiffres: nous exploitons peu (. . .)*
10A8 ***Observation** numéro un (. . .)*
10A9 ***Observation** numéro deux (. . .)*

Et pour relier deux phrases:
4C3 (ils se cachaient) *dans une ferme du Loiret. **Une stratégie** de dissimulation inimaginable il y a encore peu*
7C3 *il reste à solder les comptes. **Rude sujet** pour les jurés*
*elle croyait être tranquille pour le reste de la soirée. **Surprise!** Le téléphone a sonné (. . .)*

Les phrases nominales, sans déterminant, sont fréquentes dans la publicité, et sur les étiquettes des produits de consommation:

huile d'olive extra vierge
pâté de campagne pur porc
cadeau!
nouvelle lessive X!

> ## exercice oral 10/1
> **COMPOSEZ DES TITRES!**
>
> **Travail à deux**
> Composez des titres (de presse ou de radio/TV) à partir des informations suivantes:
>
> **Exemple:** Une enquête révèle que 5% seulement des couples se sont rencontrés pendant les vacances.
> **Réponses possibles:**
> **RÉVÉLATION!** les vacances ne favorisent pas l'amour.
> **ENQUÊTE** sur l'amour: ne comptez pas sur les vacances!
>
> **1** Deux automobilistes sont hospitalisés après une dispute dans la rue.
> **2** Une actrice célèbre raconte tous les détails sur son cinquième mariage.
> **3** Des médecins lancent une campagne de solidarité contre la solitude dans les grandes villes.
> **4** Un homme qui avait emmené son fils de 5 ans est retrouvé dans le Midi.
> **5** Un journaliste est arrêté après avoir publié de fausses informations.

10.2.4 Séries, énumérations

On peut employer sans déterminant chaque nom dans une liste, une série, etc:
10A1 *des « marieurs », tantes empressées ou curés serviables*
10A12 *les lieux publics: fêtes, foires, bals, rue, cafés, centres commerciaux, cinéma*

Mais si l'on veut insister sur chaque élément, séparément, on emploie des déterminants:
10A9 *elle portait un chemisier blanc, un gilet bleu marine, un kilt, des escarpins*

10.2.5 Nom en apposition: le rang, la profession, etc

Un nom de profession (etc) s'emploie sans déterminant quand la personne en question est nommée dans la même phrase, ou représentée par un pronom:
10A4 *Michel Bozon et François Heran, **chercheurs** à l'Ined*
10A5 *Gilda, **coiffeuse** à Paris*

10C2 ***professeur** dans un CET, elle est (...)*

Mais si le nom de profession est lui-même qualifié par un adjectif ou une locution adjectivale, on emploie un déterminant:

*Connaissez-vous X, **le** médecin célèbre?*
*Tiens! mais voilà X, **le** médecin que nous avions rencontré (...)*

On emploie un nom de profession (etc) sans déterminant dans des constructions comme celles-ci:

être, cesser d'être *être nommé, être élu* *devenir, se faire* *agir, fonctionner comme* *parler, travailler comme* *faire, nommer* + nom *prendre* + nom *pour* *choisir* + nom *comme*	*président* *député* *médecin* *notaire* *professeur*

Mais si le nom est qualifié par un adjectif ou une locution adjectivale, on emploie un déterminant:

*il est devenu **un** président exemplaire*
*il est devenu **un** président dont on se souviendra*
*il reste **le** président le plus aimé du siècle*

S'il ne s'agit pas d'une profession (etc), on emploie un déterminant:

10A10 *le carnet mondain du Casoar, **la** revue des anciens élèves de l'école*
10A12 *salles de sport et réceptions en petit comité, **une** médiation fort appréciée des ingénieurs*
10A13 *les « rallyes », **un** rituel inventé par la bourgeoisie*

● 10.3 *Déterminants*

Un nom, en français, s'accompagne le plus souvent d'un **déterminant** (article ou adjectif) qui sert à indiquer:

- le **genre**: masculin ou féminin
- le **nombre**: singulier ou pluriel
- le **sens**: général, spécifique, partitif ou indéfini

Le genre

Le déterminant permet de distinguer entre masculin et féminin dans des paires comme:

le livre – la livre
un enfant – une enfant

A l'oral, de telles paires sont encore plus fréquentes:

le foie – la foi, la fois
un ami – une amie

Le nombre

Le déterminant permet de distinguer entre singulier et pluriel dans des paires comme:

la fois – les fois
une voix – des voix

A l'oral, le déterminant constitue très souvent **la seule marque phonétique** du singulier ou du pluriel:

10C3 ***ces** logements, c'est conçu pour **une** vie de famille, avec **un** mari et **des** enfants*

Le contexte, et le sens général de la phrase, ajoutent des indications supplémentaires.

Le sens

Le déterminant sert surtout à indiquer si le nom en question est employé dans un sens **spécifique** (10.3.1), **indéfini** (10.3.2) ou **partitif** (10.3.3).

10.3.1 Sens spécifique

le, l', la, les

Comme son nom l'indique, l'article **défini** s'emploie souvent pour désigner un nom **spécifique**:

10B2 *Laure fit **le** voyage de retour dans un état de vide*
(Comparez: elle fit **un** voyage inoubliable)
10A5 *là-dessus arrive **le** plagiste, qui les connaît tous les deux*
(Comparez: là-dessus arrive **un** plagiste, qui leur demande ...

On emploie l'article défini avec un titre + nom de personne:

le général de Gaulle
la présidente Weil

Mais l'article **défini** s'emploie aussi pour donner au nom un sens **général, universel**:

10A8 *généralement, **l'amour** ne naît pas au sein d'une foule disparate*
10A3 *jamais **les hommes** et **les femmes** n'ont disposé d'une indépendance aussi grande*

Ce, cet, cette, ces (voir aussi 1.5.1)

En français, on emploie souvent un démonstratif *(ce, cet, cette, ces)* à la place de l'article défini; on peut aussi distinguer entre sens général et sens spécifique:

le soir – ce soir
les chiffres – ces chiffres

On emploie aussi le démonstratif:

1 pour **résumer** une idée, ou pour éviter la répétition du même nom:
10A1 *nous préférons croire au hasard. Si nous n'avions pas **cette religion** ...*

2 quand on **répète**, avec un démonstratif, le même nom:
10B4 *le sens du devoir, ou la nature même de **ce devoir***

3 pour **insister** sur quelque chose dont on parle pour la première fois:
10C2 *contracté par la haine de **cette vie***

exercice oral 10/2

EMPLOI DU DÉMONSTRATIF

Voici, tirés du texte 10A, des exemples de l'emploi du démonstratif. En les situant dans leur contexte, essayez de justifier, dans chaque cas, l'emploi du démonstratif à la place de l'article défini. Y a-t-il, parmi ces phrases, des cas où, en anglais, on emploierait l'article défini, plutôt que le démonstratif ? Lesquels?

1 si nous n'avions pas **cette** religion (10A1)
2 **cette** foule est immense (10A3)
3 quel parti tirent-ils de **ce** mélange? (10A3)
4 la France de **cette** époque (10A4)
5 **cette** seconde enquête (10A4)
6 **ces** vingt-cinq dernières années (10A4)
7 **cette** jeune fille qui distribuait des tracts (10A9)
8 **cette** classification représente une aubaine (10A13)
9 **ces** manœuvres délibérées (10A13)
10 **cet** homme exaspéré voulait téléphoner (10A15)

Quel (etc), ***lequel*** (etc)

Dans une question **directe**, on emploie l'adjectif *quel* (etc) avant le nom sur lequel on cherche des renseignements:

10A3 ***quel parti*** *tirent-ils de ce mélange?* (voir 10.4.2)

On emploie aussi *quel* (etc) + nom dans les questions **indirectes** (voir 10.4.6):

10B4 *on voyait clairement de quel côté il penchait*

On emploie *quel* (etc) dans des exclamations:

quel homme!
quelle chance!
quelle idée!

Dans une question, on emploie *lequel* (etc) à la place de *quel* + nom:

On a vu trois maisons: ***laquelle*** *est-ce que tu préfères?*

N'importe

On emploie *n'importe* + *qui, quoi, quel* + nom, *lequel*, etc, pour insister qu'on ne fait **aucune différence** entre les personnes, les choses, les idées, les alternatives, etc, dont on parle:

9A6 *il est allé de porte en porte, s'offrant à* ***n'importe quelle*** *besogne, à la plus rebutante, à la plus dure, à la plus mortelle*

9B12/13 (il) *compose un numéro au hasard. Même* ***n'importe qui*** *ne veut pas lui répondre*

S'il n'y a pas cette idée d'**indifférence**, on emploie *tout, toute, tous, toutes* (voir 6.4), ou *chaque* + nom/*chacun(e)* (voir ci-dessous).

Chaque, chacun(e)

Pour désigner séparément tous les cas dans une même catégorie, on emploie, au singulier, l'adjectif invariable *chaque* + nom, ou le pronom *chacun(e)* à la place de *chaque* + nom:

10B7 *à* ***chaque fois*** *qu'un nouvel amour se présentait (...)*
le village comptait une vingtaine de maisons: ***chacune*** *avait été touchée dans le bombardement*

Pour **exclure** tous les cas dans une même catégorie, on emploie ***aucun(e)*** ou ***nul(le)*** (voir 10.5.2)

10.3.2 Sens indéfini

L'article indéfini *(un(e), des)* sert à désigner un ou plusieurs exemplaires d'une même catégorie, **sans spécifier** lequel ou lesquels:

10A1 *qui permet d'éviter les services* ***d'un intermédiaire***

10A8 *dans une assemblée homogène, réduite à* ***des dimensions*** *rassurantes*

10C2 *des mots comme* ***des couteaux*** *dans* ***une plaie*** *fraîche*

Mais l'article indéfini sert aussi à désigner **spécifiquement** quelqu'un ou quelque chose dont on parle pour la première fois:

10B2 *elle ressentit* ***une très grande fatigue***

10A15 *de sa poche il avait extirpé* ***des cartes de crédit américaines***

10B6 ***des images*** *tournaient dans sa tête*

De ou des?

Avant un adjectif au pluriel, on emploie *de* à la place de *des* au niveau N3:

10C18	*de beaux sentiments*	(N3)
10C20	*de simples mots*	(N3)

Au niveau N2, on emploie *des* + adjectif (exception: *d'autres*; voir ci-dessous: ***Autre***):

des beaux sentiments	(N2)
des simples mots	(N2)

***Un, une*, sens numérique**

Quand on emploie *un(e)* avec le sens de "un, et non plusieurs", on ajoute souvent *seul(e), ne ... que*, etc, pour insister, ou pour éviter l'ambiguïté:

10A7 ***un seul*** *couple sur douze*

10C10 *elle* ***n'a qu'une*** *recette*

10C18 *tout son corps* ***n'est qu'une*** *grosse misère*

Pour distinguer une personne, une chose dans un groupe, une catégorie, on emploie *(l')un(e) de*:

10A4 *les démographes (...) En 1959,* ***l'un d'eux****, Alain Girard, avait (...)*

10C4 *je l'aime bien.* ***Une des raisons*** *qui font que je l'aime, c'est que (...)*

Un conseil, etc

On emploie l'article indéfini, en français, avec certains noms qui, en anglais, s'emploient avec le partitif ("some", "any"), ou sans article:

(donner) *un conseil, des conseils*
(manger) *un fruit, des fruits*
(faire) *des progrès*

> ***exercice* 10/3**
>
> **ARTICLE DÉFINI OU INDÉFINI?**
>
> Complétez, sans regarder le texte 10A, cet extrait de l'article du Point.
>
> **Note:** l'article peut se combiner avec de.
>
> L'historienne Michèle Perrot situe le tournant dans __ seconde moitié __ XIXe siècle, lorsque __ femmes d'abord, __ hommes ensuite, las __ mariages convenus, ont demandé à aimer. «__ revendication qui apparaît entre 1860 et 1880», précise-t-elle. Entre 1910 et 1914, pour _ première fois, __ amoureux s'embrassent dans __ rue. __ passants, __ instant choqués, ne leur prêtent bientôt plus attention.

Autre

On emploie *(d')autre* sans déterminant, dans des locutions figées:

autre chose, autre part,
de part et d'autre, d'autre part

9B8 *excusez-moi, je parlais à* ***quelqu'un d'autre***

Avant *autres*, on emploie *de* à la place de l'article indéfini *(des)*:

d'autres possibilités

10C18 *avec d'autres traits*

Certain

Au singulier, on emploie *un(e)* + *certain(e)*:

10A1 ***d'une certaine*** *façon*

10C5 ***une certaine*** *désolation de la laideur*

Au pluriel, on emploie *certain(e)s* sans déterminant:

certains *jours, il se sent triste*
certaines *choses la font sourire*

Tel
Avec un nom, on emploie *un(e) tel(le), de tel(le)s:*

une telle chose
de telles choses

Mais on emploie parfois *tel* sans déterminant:

10A13 ***telle mère*** *encourageant sa fille (. . .)* ***telle autre*** *fondant ses espérances (. . .)* (N3)

On emploie aussi *tel (que)* dans des énoncés comme:

10A8 *voilà la vérité,* ***telle qu'****elle ressort de l'enquête*
10B5 ***telle était****, peut-être, alors, la nature même de cette « foi »* (N3)

> ## *exercice* 10/4
>
> **AUTRE, ETC**
>
> **(a)** Mettez au pluriel:
> **1** un telle enquête
> **2** un autre exemple
> **3** d'une certaine façon
>
> **(b)** Mettez au singulier:
> **4** certaines idées
> **5** les choses telles qu'elles sont
> **6** les uns et les autres

10.3.3 Sens partitif

L'article partitif *(du, de l', de la)* s'emploie pour désigner la partie d'un tout (matériel ou abstrait):

Article défini (sens général)	**Article partitif** (sens partitif)
l'*argent* (en général)	*gagner* ***de l'****argent*
le *courage* (en général)	*avoir* ***du*** *courage*
(aimer) ***le*** *fromage*	*prendre* ***du*** *fromage*

10B3 *en admettant que Pierre eût éprouvé* ***de la*** *pitié pour elle*
10C10 *une pudeur atroce qu'on prend pour* ***du*** *dédain*

On emploie l'article partitif avant un adjectif:

on va boire ***du bon vin***
il y met ***de la mauvaise volonté***

On n'emploie *de* (*de bon vin*, etc) qu'au niveau N4.

10.3.4 *Plusieurs* et *quelques*

Les adjectifs *quelques* et *plusieurs* désignent une quantité non-spécifiée.

Plusieurs (mot **invariable**) est employé pour insister (peut-être en exagérant) sur le fait que la quantité est **plus élevée** que ce qu'on pourrait imaginer:

10B7 *non seulement* ***plusieurs âmes*** *mais* ***plusieurs corps***
10B8 ***plusieurs jours*** *après leur retour de Normandie*
10C15 *elle m'avouera lutter depuis* ***plusieurs années*** *contre l'idée fixe (. . .)*

Quelques est employé (peut-être en exagérant) pour souligner que la quantité est **peu élevée**:

10B2 *elle se réveilla au bout de* ***quelques heures***
10C2 *nous avons échangé* ***quelques mots****, quelquefois*
10C9 ***quelques jours*** *plus tôt*

Au singulier, *quelque* s'emploie surtout dans des expressions figées:

quelqu'un
quelque chose
quelque part
quelque temps (après . . .)

Au niveau N3, on emploie *quelque* avec d'autres noms:

quelque inquiétude (N3)
(une certaine inquiétude)

Quelquefois s'écrit en un seul mot; au niveau N2, on dit *des fois*.

Quelque Avec un chiffre, on emploie *quelque*, sans *s*, pour indiquer que ce chiffre est une approximation:

10A4 ***quelque 3 000*** *personnes*

● 10.4 *Questions*

Voir aussi ***Livret audio.***

Interrogation totale et interrogation partielle

1 L'interrogation est **totale** quand on peut y répondre par *oui* ou *non* (catégorie 1, dans le tableau page 235: voir 10.4.4).
2 L'interrogation est **partielle** quand on emploie un **mot interrogatif**, ce qui exclut la réponse *oui* ou *non* (catégories 2 à 5, dans le tableau page 235).

Mots interrogatifs

- **pronoms:** *qui, que, quoi, lequel* (etc); *à qui, avec quoi, dans lequel* (etc);
- **adjectifs:** *quel* (etc) + nom; *à quel, de quel* + nom;
- **adverbes:** *où, pourquoi, quand, comment, combien (de).*

> ## *exercice* 10/5
>
> **EXPRESSIONS DE QUANTITÉ**
>
> Reformulez les phrases suivantes en incorporant l'expression de quantité indiquée entre parenthèses:
>
> **Exemple:** Il y avait **des possibilités** de rencontres. (peu)
> **Réponse:** Il y avait **peu de possibilités** de rencontres.
>
> **1** On a interrogé **des étudiants**. (plusieurs)
> **2** Elle travaille **avec soin**. (beaucoup)
> **3** **Les employés** ont vu l'accident. (beaucoup)
> **4** Le voyage s'est terminé **sans problèmes**. (trop)
> **5** **Les habitudes** ont changé. (la plupart)
> **6** Cela lui a créé **des ennuis**. (bien)
> **7** **L'immeuble** a été détruit. (la plus grande partie)
> **8** Il bavardait avec **des amis**. (quelques)
> **9** Son caractère a déjà causé **des difficultés**. (assez)
> **10** **Les rencontres** se font pendant les vacances. (très peu)

10.4.1 – 10.4.3 Questions directes: formes interrogatives

Il y a trois formes de **question directe** en français.

10.4.1 *Est-ce que* (ou *Pourquoi/ Comment (etc) est-ce que*)

Cette forme est employée dans **toutes** les situations de communication:

10B1 *est-ce que tu m'as pardonné cela?* (N3)
8B4 *qu'est-ce qui te fait penser à ça?*
8A10 *qu'est-ce qu'il a donc fait?*
8A12 *mais qu'est-ce que tu crois?* (N2)

10.4.2 Inversion du verbe et du sujet
(avec "dislocation" si le sujet du verbe est un nom)

C'est la plus complexe des trois formes, et on l'emploie surtout **au niveau N3**.

Inversion verbe-sujet:

10A3 *usent-ils de leur liberté en donnant sa chance au hasard?* (N3)
10B7 *n'arrivait-il pas qu'on pût changer?* (N4)
10B5 *que serait-il resté d'elle sans cela?* (N3)
10A3 *quel parti tirent-ils de ce mélange?* (N3)

Inversion verbe-sujet + dislocation (N3):

Dislocation à gauche

***votre mère**, qui va-t-**elle** voir?*
*qui **votre mère** va-t-**elle** voir?*
***votre mère**, où va-t-**elle** aller?*
*où **votre mère** va-t-**elle** aller?*
***votre mère**, pourquoi y va-t-**elle**?*
*pourquoi **votre mère** y va-t-**elle**?*

8C7 *combien de temps mes enfants **travailleront-ils**?*
10B6 *le plus uni des mariages **n'était-il pas** une tromperie?* (N3)
10C18 *pourquoi l'inverse **ne serait-il pas** possible?* (N3)

Dislocation à droite

*qui va-t-**elle** voir, **votre mère**?*
*où va-t-**elle** aller, **votre mère**?*
*pourquoi y va-t-**elle**, **votre mère**?*

10.4.3 Intonation sans inversion
(ordre des mots: **sujet-verbe**, comme dans une phrase déclarative)

A l'oral, on marque l'interrogation par **l'intonation; à l'écrit**, il y a un point d'interrogation à la fin de la phrase. C'est la plus simple des trois formes: on l'emploie pour poser des questions sur la vie quotidienne:

7C9 ***vous n'avez pas eu** l'impression de (...)?*
8B15 ***vous voyez** ce que je veux dire?*
9B7 *allô, **vous m'entendez**?*
8B3 ***pourquoi tu dis** ça?* (N1)

10.4.4 Comment formuler une question directe?

		Est-ce que	**Inversion** (N3)	**Intonation** (N2)
1) **oui/non**				
	+ nom	***Est-ce que** ta/ votre mère y va?*	—	*Ta mère y va?*
	+ pronom	***Est-ce** qu'elle y va?*	*Y va-t-elle?*	*Elle y va?*
2) ***qui (sujet)*** ("who")				
	+ nom	***Qui est-ce qui** parle à ta/votre mère?*	***Qui** parle à votre mère?*	—
	+ pronom	***Qui** est-ce qui lui parle?*	***Qui** lui parle?*	
qui **(objet)** ("whom")				
	+ nom	***Qui est-ce que** ta/votre mère va voir?*	—	*Ta mère va voir **qui**?*
	+ pronom	***Qui est-ce qu'**elle va voir?*	***Qui** va-t-elle voir?*	*Elle va voir **qui**?*
3) ***qu'est-ce qui*** **(sujet)** ("what")				
	+ nom	***Qu'est-ce qui** préoccupe ta/votre mère?*	—	—
	+ pronom	***Qu'est-ce qui** la préoccupe?*	—	—
que, quoi **(objet)** ("what?")				
	+ nom	***Qu'est-ce que** ta/votre mère va faire?*	***Que** va faire votre mère?*	*Ta mère va faire **quoi**?*
	+ pronom	***Qu'est-ce qu'**elle va faire?*	***Que** va-t-elle faire?*	*Elle va faire **quoi**?*
4) ***où*** ("where")				
	+ nom	***Où est-ce que** ta/votre mère va aller?*	***Où** va aller votre mère?*	*Ta mère va aller **où**?*
	+ pronom	***Où est-ce qu'**elle va aller?*	***Où** va-t-elle aller?*	*Elle va aller **où**?*
5) ***pourquoi***, etc ("why?" etc)				
	+ nom	***Pourquoi est-ce que** ta/votre mère y va?*	—	*Ta mère y va **pourquoi**?*
	+ pronom	***Pourquoi est-ce qu'**elle y va?*	***Pourquoi** y va-t-elle?*	*Elle y va **pourquoi**? **Pourquoi** elle y va?* (N1)

Note Ce tableau ne présente que quelques-unes des formes interrogatives employées en français.

N'est-ce pas? et ***Hein?***

Quand on cherche l'assentiment de son interlocuteur, on ajoute *N'est-ce pas?* (N3) ou *Hein?* (N2):

9A3 *ce n'est pas notre faute,* ***n'est-ce pas?*** (N3)
8B6 *si t'étais tuée?* ***Hein?*** *Tu pourrais être tuée* (N2)

exercice oral 10/6

QUESTIONS DIRECTES: FORMULATION

Travail individuel, à deux ou en classe

(a) Lisez à haute voix les phrases modèles du tableau 10.4.4 **(Comment formuler une question directe?)**, en suivant une ligne horizontale (a) Est-ce que; (b) **Inversion;** (c) **Intonation.** Essayez de juger vous-même, dans chaque cas, de l'effet des différentes formulations.

(b) Inventez, puis lisez à haute voix, des phrases nouvelles, composées selon les mêmes modèles. (Pour les questions avec pourquoi, inventez aussi des phrases avec comment, quand, à quelle heure, de quelle manière, dans quel siècle, etc.)

exercice oral 10/7

QUESTIONS DIRECTES: REFORMULATION

Travail à deux

(a) Reformulez les questions suivantes en marquant l'interrogation par **l'intonation** (ordre des mots: sujet – verbe); dans chaque cas, décidez quelle formulation vous semble préférable, et dans quelle situation de communication:

1 Pourquoi cet homme est-il là?
2 Comment le savez-vous?
3 Où votre mère habite-t-elle?
4 Est-ce vrai qu'ils ne se parlent pas?
5 Qu'en disent les experts?

(b) Reformulez les questions suivantes en marquant l'interrogation par **l'inversion** du sujet et du verbe (avec **dislocation** s'il le faut). Dans chaque cas, décidez quelle formulation vous semble préférable, et dans quelle situation de communication:

6 Et toi, comment ça va?
7 A quoi ça sert de pleurer?
8 Tu viens danser samedi?
9 Le dîner est prêt?
10 Cette histoire va nous mener où?

(c) Reformulez chacune des dix questions ci-dessus en employant est-ce que. Y a-t-il des cas où cette construction vous semble préférable?

exercice oral 10/8

QUESTIONS DIRECTES

Travail à deux

Formulez les questions auxquelles ces phrases constituent des réponses possibles.

Exemple: (Je l'ai vue) samedi dernier.
Questions possibles: Quand est-ce que tu l'as/vous l'avez vue?
Quand l'avez-vous vue? (N3)
Tu l'as vue quand? (N2)

1 (Mlle S. m'a raconté son histoire) parce qu'elle se sentait seule.
2 Je ne sais pas (si je pourrai y aller).
3 (Les mariés se sont rencontrés) au bal.
4 Je n'ai aucune idée (comment mon mari a appris ça).
5 (Ce qu'elle lui reproche) c'est facile à dire.

10.4.5 – 10.4.6 Questions indirectes

Les formes interrogatives qu'on vient d'étudier (10.4.1–10.4.3) correspondent à des questions **directes**, prononcées, **à l'oral**, avec une intonation interrogative, et suivies, **à l'écrit**, d'un point d'interrogation.

10.4.5 Interrogation totale

La forme **indirecte** qui correspond à l'interrogation totale (réponse *oui* ou *non*) commence par *que* ou par *si*. Voici quelques constructions verbales qui peuvent être suivies d'une question indirecte + *que* ou *si*:

+ que	*je sais que . . .*	*savez-vous que . . . ?*
	je crois que . . .	*croyez-vous que . . . ?*
	on dirait que . . .	*on m'a dit que . . .*

8A12 *mais* ***qu'est-ce que tu crois? que*** *je ne suis pas capable de faire une langouste à la bordelaise?*

+ si	*je ne sais pas si . . .*	*savez-vous si . . . ?*
	je n'ai pas compris si . . .	*on m'a demandé si . . .*

7B10 *des voyageurs* ***m'ont demandé si*** *ça allait*

10.4.6 Interrogation partielle

Pour l'interrogation **partielle**, on emploie le même mot interrogatif (*qui, où, pourquoi, quel*, etc) dans les questions indirectes que dans les questions directes, **sauf** dans les cas suivants:

Forme directe	Forme indirecte
qu'est-ce qui . . . ?	*ce qui*
qu'est-ce qui . . . ? Que . . . ?	*ce que*
"où est-il?"*, a-t-elle demandé*	*elle a demandé* ***où il était***
"que vas-tu faire?"	*"je ne sais pas* ***ce que je vais faire****"*

Une question indirecte peut être formulée en réponse à une question **imaginaire**:

8A10 ***ce qu'il a fait?*** *Demandez-lui donc*
10C20 ***ce que dit*** *le message? Peu de chose*

Note Au niveau N2 on emploie souvent la forme **directe** dans des questions **indirectes**:

je voudrais ***vous demander, qu'est-ce que*** *ça a été pour vous, la littérature*
(S. de Beauvoir)

exercice oral 10/9

QUESTIONS INDIRECTES fi QUESTIONS DIRECTES

Travail à deux
Remplacez la question indirecte par une question directe; essayez de trouver trois formulations différentes pour chaque question, et indiquez, s'il le faut, le niveau de langue (N3, N2 etc).

Exemple: On m'a demandé ce que je comptais faire.
Réponses possibles: Qu'est ce que vous comptez faire?
Que comptez-vous faire? (N3)
Tu comptes faire quoi? (N1)

1 Elle lui a demandé comment il pouvait dire une chose pareille.
2 J'ai demandé si les autres étaient déjà partis.
3 Elle a demandé pourquoi la voiture n'était plus là.
4 J'ai voulu savoir quelle heure il était.
5 Je lui ai demandé s'il m'aimait.
6 Elle a cherché à savoir où Jean et Marie avaient passé leurs vacances.
7 Il m'a demandé ce que mon frère était devenu.
8 Ils ont voulu savoir à qui cet homme avait parlé.
9 Il a voulu savoir s'il pouvait y aller tout de suite.
10 On lui a demandé pourquoi il n'avait pas répondu.

Mise en commun
Comparez et discutez vos questions avec le reste du groupe.

10.4.7 Questions + infinitif; questions sans verbe

On peut formuler des questions (avec ou sans mot interrogatif) avec un **infinitif**:

6B10 ***quels mots lui dire?*** *J'aurais voulu connaître sa langue*
10B7 ***que faire?*** *Que pouvait-on faire?* ***Fermer les yeux*** *sur le monde,* ***s'enfermer****? Ou* ***accepter un compromis****?*
10C15 ***à quoi bon continuer*** *de vivre?* ***Pourquoi ne pas finir*** *tout de suite?*

A partir d'autres groupes de mots, on peut formuler des questions dont le sens est donné par le contexte:

9B4 *le choix est trop grand.* ***L'ombre ou la lumière?***
10C8 *je ne crois pas qu'elle ait jamais tenté de se révolter.* ***Contre qui? Contre quoi?***
10C17 *mais* ***à quoi bon les mots*** *quand on est fixé?*

● 10.5 *Négation*

Voir aussi ***Livret audio.***

10.5.1 *Ne* et *pas*

Au niveau N3, il faut **deux mots** pour exprimer la négation:

10C4 ***personne ne*** *l'aime*
10B6 *le plus uni des mariages* ***n'était-il pas*** *une tromperie?* (N3)

Au niveau N2, on exprime la négation sans *ne*, dans la majorité des cas, par exemple, dans les locutions suivantes:

c'est pas	*c'était pas*
(il) y a pas	*(il) y avait pas*
(il) faut pas	*(il) fallait pas*
j'aime pas	*je crois pas*
je dis pas	*je sais pas*
je vais pas	*je veux pas*

8A16 *et surtout, ne chiale pas,* ***ça sert à rien*** (N2)
8B4 *d'abord* ***y aurait plus*** *d'école* (N2)
8B13 ***je dis pas*** *ça pour vous, m'sieur* (N2)
9B6 ***quittez pas!*** *Je vous passe le service* (N2)

Au niveau N3, on peut employer ***cesser, oser, pouvoir, savoir*** avec le seul mot *ne* pour marquer la négation:

7B8 *les trois garçons* ***ne cessent*** *de l'interroger* (N3)
5A7 *il* ***n'osait*** *lui poser des questions* (N3)
10C5 *les gens* ***ne peuvent*** *comprendre combien une femme se sent seule* (N3)
9A18 *et on* ***ne sait*** *quoi de monstrueux et de navrant passe sur la face de cette gamine* (N4)

10.5.2 Emploi des mots négatifs

Pas, point, etc

Autrefois, *pas* coexistait avec d'autres mots négatifs qu'on ne trouve plus aujourd'hui que dans certaines expressions figées: *je n'y vois* ***goutte****; ne le croyez* ***mie***. Au niveau N3, on emploie encore *point* pour marquer une négation un peu plus catégorique que *pas*.
(***Pas de, pas le, pas un***: voir 9.5.3.)

Plus

Dans un contexte négatif, on emploie *plus* pour indiquer que quelque chose a cessé d'être le cas: on souligne la référence au présent, au moment dont on parle:

10B5 *on* ***ne*** *pouvait* ***plus*** *éviter de l'honorer*
10B5 *l'incapacité où les femmes les mettent (où les hommes se mettent? elle* ***ne*** *savait* ***plus****)*
je ***ne*** *trouve* ***plus*** *mon stylo*

Ne . . . plus situe une chose par rapport au **passé, *ne . . . pas encore*** situe le présent par rapport à **l'avenir**:

7A2 *les sociétés traditionnelles, où l'autorité de l'Etat* ***n'****est* ***pas encore*** *affirmée*

Jamais

On peut employer *jamais* au début de la phrase:

10A3 ***jamais*** *l'éventail* ***n'****a été aussi largement ouvert*

Jamais (sans *ne*), a un sens **positif**, dans un énoncé dont le sens global est négatif ou interrogatif:

10C8 ***je ne crois pas*** *qu'elle ait* ***jamais*** *tenté de se révolter*

On emploie aussi *à (tout) jamais* avec un sens positif:

10B6 *dépendants ainsi* ***à jamais*** *l'un de l'autre*
10B7 *qui leur ôtaient* ***à tout jamais*** *la paix du cœur*

Guère

On emploie *ne . . . guère* avec le sens de *pas vraiment*:

8C6 *le fait d'être un fort en thème* ***ne*** *m'a* ***guère*** *facilité l'accès à l'autonomie*
10B7 *qui se cachaient (ou s'avouaient, ce qui* ***ne*** *valait* ***guère*** *mieux)*

Note ***Ne . . . guère*** marque une différence **qualitative; *à peine*** marque une différence **quantitative**, dans le temps ou dans l'espace.

Rien

Rien s'emploie comme **sujet** ou comme **objet** de verbe:

8B7 *au moment où* ***rien ne*** *va plus*
8C4 *nos enfants* ***ne*** *seront sûrs de* ***rien***

Rien (sans *ne*) a un sens **positif**, dans une question qui suppose une réponse négative:

Y a-t-il ***rien*** *de plus ennuyeux que les jeux télévisés?*

Personne

Personne s'emploie comme **sujet** ou comme **objet** du verbe:

7B2 ***personne n'****est venu m'aider*
il ***n'****y a eu* ***personne*** *pour l'aider*

Note *Personne* s'emploie aussi comme **nom** (voir 4.4.3):

je ne connais pas ***la personne*** *que vous cherchez*

Aucun(e), nul(le)

Aucun(e), nul(le), **adjectifs** ou **pronoms**, ne s'emploient qu'au singulier, avec le sujet ou l'objet du verbe:

aucune réponse n'*est venue*
10B3 *cette souffrance, cette pitié* ***ne*** *pesaient d'****aucun poids***
8B3 *ça* ***n'****avait* ***aucun rapport*** *avec rien*
elle n'avait ***nulle envie*** *d'y aller* (N3)

Ni . . . ni

On emploie *ni . . . ni* avec des noms, des pronoms, des adjectifs, des adverbes, des participes passés:

3A14 *même son avocat dit qu'il n'a aucune chance.* ***Ni lui ni les autres***
9C8 *que serait un dirigeant qui* ***n'****aurait* ***ni lu ni compris*** *les Tables de la nouvelle Loi?*

On peut employer un seul *ni*:

3C12 ***pas*** *un franc* ***ne*** *sera pris dans la poche du téléspectateur* ***ni*** *dans les caisses du budget*

Sans . . . ni:

4B1 *droits et servitudes se sont transmis, non* ***sans*** *procès* ***ni*** *querelles, jusqu'à nos jours* (N3)

Pas . . . non plus

On emploie *pas* (etc) . . . *non plus* quand une construction avec *ni . . . ni* serait trop compliquée:

10A3 ***jamais*** *l'éventail* ***n'****a été aussi largement ouvert.* ***Jamais non plus*** *les hommes et les femmes* ***n'****ont disposé (. . .)*
10B4 *Pierre ne lui était* ***pas*** *apparu comme l'incarnation de la loi. Il* ***n'****avait* ***pas*** *l'air torturé* ***non plus***
10C10 *si elle ne s'aime* ***pas****, elle n'aime* ***guère non plus*** *les gens*

> ***exercice* 10/10**
>
> **EMPLOI DES MOTS NÉGATIFS**
>
> Répondez aux questions en employant une expression négative.
>
> **Exemple:** Vous y pensez quelquefois? – Non, je . . .
> **Réponse:** Non, je **n**'y pense **jamais**.
>
> **1** A qui avez-vous donné la recette? – Je . . .
> **2** Est-ce qu'il a quelques chances de réussir? – Non, il . . .
> **3** Qu'est-ce qui t'empêche de le faire?
> **4** Est-ce qu'on parle encore de lui? – Non, on . . .
> **5** Tu vas la voir quelquefois? – Non, je . . .
> **6** Qui vous a dit cela? –
> **7** Est-ce que ton frère a téléphoné? Ou ta mère? – Non . . .
> **8** Combien de ses copines ont pensé à elle?
> **9** Son nouveau livre est-il supérieur aux autres? – Non, il . . .
> **10** Tu y comprends quelque chose, toi? – Non, je . . .

10.5.3 *Ne . . . que, seul/seulement, ne . . . pas que*

Ne . . . que

Le sens de *ne . . . que* est **restrictif** plutôt que négatif:

10C10 *elle* ***n'a qu'une recette:*** *la fierté*

Dans cette construction, *que* se place **immédiatement avant** le mot ou le groupe de mots qu'il limite:

6B3 *les hommes en file dont je* ***ne*** *voyais de la vitre* ***que les crânes allongés***
10C4 *quelqu'un qui est bien dans sa peau* ***n'est*** *peut-être* ***qu'un inconscient***

Seul, seulement

La phrase *elle n'a qu'une recette* (voir ci-dessus) peut se formuler autrement:

elle a ***une seule*** *recette*
elle a ***une*** *recette* ***seulement***

On emploie *seul* + nom **sujet** du verbe:

seul *le Premier Ministre était au courant*
(il n'y a que le Premier Ministre qui . . .)

(Si c'est le **verbe** lui-même qui est limité par *ne . . . que*, on ajoute l'auxiliaire *faire*: voir 8.2.4.)

Au niveau N2, on emploie *(il n')y a qu'à, t(u n)'as qu'à* (etc) + infinitif:

8B5 ***y avait qu'à*** *demander* (N2)
10A15 *si vous étiez si bien aux Etats-Unis, vous* ***n'aviez qu'à*** *y rester*

Au niveau N3, on emploie *il suffit de* + infinitif, ou *il suffit que* + subjonctif (voir 9.4.2 et 6.3.8)

Ne . . . pas que

Il faut distinguer *ne . . . que* et *ne . . .* ***pas*** *que*:

Ne . . . que a un sens **restrictif** (voir ci-dessus):

il n'y a que lui qui chante bien
(lui seul chante bien)
elle n'a fait que répéter ce qu'on lui avait dit
(elle a seulement répété . . .)

Ne . . . pas que, au contraire, annonce un **supplément** d'information:

il n'y a ***pas que*** *lui qui chante bien*
(il y a **d'autres** personnes aussi qui chantent bien)

10C8 *il n'y a* ***pas que*** *les amoureux à être seuls au monde*
(il n'y a **pas seulement** . . .)

> ***exercice* 10/11**
>
> NE . . . QUE **OU** NE . . . PAS QUE?
>
> Reformulez les phrases suivantes en employant ne . . . que ou ne . . . pas que, selon le sens:
>
> **1** Tout ce qu'elle voit, c'est le mauvais côté de l'affaire. (Elle ne voit . . .)
> **2** La seule personne à qui j'en ai parlé, c'est ma femme. (Je n'en ai parlé . . .)
> **3** Elle n'est pas la seule à souffrir. (Il n'y a . . .)
> **4** Tout ce qu'il fait c'est de critiquer tout le temps. (Il ne fait . . .)
> **5** Le malheur n'arrive pas seulement aux autres. (Le malheur n'arrive . . .)
> **6** C'est seulement après les examens qu'il pensera aux vacances. (Ce n'est . . .)

Employé avec **un autre** mot négatif (*plus, jamais*, etc), *ne . . . que* a toujours un sens **restrictif**:

1B5 *il* ***ne*** *s'est* ***jamais*** *fait rémunérer par cette société* ***qu'****au prorata du temps passé*
6B7 *Arezki* ***n'****avait* ***plus rien*** *maintenant* ***qu'****un slip blanc*
9C9 *le monde* ***ne*** *sera* ***plus qu'****une seule et immense entreprise*

Il faut donc distinguer ***ne . . . plus que*** (sens restrictif) et ***plus que*** (comparatif):

10B3 *un air d'importance et de gravité,* ***plus qu'****une résolution ou une détermination*

10.5.4 Ordre des mots négatifs

Avec un participe passé ou un infinitif

Certains mots négatifs se placent **avant** le participe passé ou l'infinitif; d'autres se placent **après**:

Avant le participe passé
(pas, point, plus, jamais, guère, rien):

9A20 *alors, elle n'a* ***plus été*** *contente*
10C7 *un passé qui n'a* ***jamais existé***
10B5 *être morte; ou encore: n'avoir* ***jamais été***
10B3 *on n'avait* ***rien résolu***

Avant l'infinitif:

10B3 *cette souffrance, cette pitié, ne pouvaient* ***rien changer***
10A12 *pour* ***ne pas épouser*** *n'importe qui*
10C15 *pourquoi* ***ne pas finir*** *tout de suite?*

Après le participe passé *(personne, aucun, nul, ni . . . ni . . ., que):*

9B8 *mais le journal* ***n'a*** *paru* ***que ce matin***

Après l'infinitif:

elle ***ne*** *voulait en* ***parler à personne***
9A17 *elle se fait toute petite pour* ***ne gêner personne***
10C18 *pour* ***n'attacher*** *de beaux sentiments* ***qu'aux beaux visages***

Avec un participe présent, l'ordre des mots est toujours *ne* + participe présent + mot négatif:

9A8 *il marche sous l'averse,* ***n'entendant que*** *sa faim*
10B4 *même en* ***n'y croyant plus***

exercice 10/12

ORDRE DES MOTS

Reformulez les phrases suivantes en employant, à la bonne place, l'expression négative indiquée entre parenthèses.

Exemple: Il y avait **vu** quelqu'un. (personne)
Réponse: Il n'y avait **vu personne**.

1. Après ce jour, je l'**ai revu** plusieurs fois. (plus)
2. Son but c'était d'**embêter** quelqu'un. (personne)
3. Le mieux, c'est de l'écrire en **oubliant** tout. (rien)
4. Elle **pouvait** encore le supporter. (plus)
5. On y **est allé** plusieurs fois. (jamais)
6. Elle **avait préparé** chacun des examens. (aucun)
7. Je lui ai dit de **lire** l'article. (pas)
8. Il **a** tout **perdu** de son charme d'autrefois. (rien)
9. Il croit arranger l'affaire en en parlant constamment. (jamais)
10. Elle l'a fait pour **entendre** encore ce qu'il disait. (plus)

10.5.5 Deux (ou trois) mots négatifs

On peut employer deux (ou trois) mots négatifs avec le même verbe; l'ordre des mots est généralement le suivant:

plus *jamais* *rien* *aucun/nul* *personne* *(ni . . .) ni*	verbe principal ou auxiliaire	*plus* *jamais* *guère* *rien*	participe passé ou infinitif	*personne* *aucun/nul* *(ni . . .) ni* *que*

8B7 *elles ont un sursaut d'énergie au moment où* ***rien ne va plus***
9C9 ***personne n'aura jamais plus*** *faim*
10C7 ***personne ne m'a jamais*** *dit: « Mon chéri »*
9A13 *elle* ***n'a plus rien*** *au logis*
8B15 *ça se peut que j'aie* **plus** *envie d'être cuistot* **ni rien** *du tout*
10C15 *je* ***n'ennuierais plus personne****, même pas moi!*

exercice 10/13

DEUX MOTS NÉGATIFS

Ajoutez, à la place qui convient, une **deuxième** expression négative à chacune des phrases suivantes.

Exemple: Personne ne lui avait dit cela.
Réponse possible: Personne ne lui avait **jamais** dit cela.

1. Rien n'a pu le faire changer d'avis.
2. Désormais, personne ne croira ce qu'il dit.
3. Il n'y a aucun espoir.
4. C'est entendu: on n'en parlera plus.
5. Cette époque n'est qu'un mauvais souvenir.

10.5.6 Adverbe (*même, donc*, etc) + mot négatif

L'adverbe se place généralement **avant** le mot négatif:

10A4 *ces vingt-cinq dernières années n'avaient* ***pratiquement rien*** *changé*
10A8 *il ne faut* ***donc pas*** *se leurrer*
10C2 *on ne voit* ***même plus*** *qu'elle est laide*

Mais une locution adverbiale (**deux mots** ou plus) se place généralement **après** le mot négatif:

pas du tout; jamais de la vie

exercice 10/14

ADVERBE + MOT NÉGATIF

Ajoutez un adverbe (mot ou locution) à la place qui convient.

Exemple: Je ne sais **plus** ce que je lui ai dit.
Réponse possible: Je ne sais **même plus** ce que je lui ai dit.

1. L'enquête n'a **rien** révélé de nouveau.
2. Une fois la surprise passée, on n'y prête **plus** attention.
3. Je ne suis **pas** d'accord.
4. Vous n'allez **pas** croire ce qu'il dit, voyons!
5. Le rapport n'a **pas** été publié; on ne peut **rien** conclure pour le moment.

10.5.7 **Mots négatifs** employés sans verbe

Employés **seuls**, ces mots ont un sens **négatif** (sauf *jamais* et *rien* dans une question; voir 10.5.2):

3C9 *l'analyse ne prend en compte que la quantité, et* ***jamais*** *la qualité*
8B7 *ceux qu'on met à part, en transit entre* ***rien*** *et* ***rien***
10B5 *que serait-il resté d'elle sans cela?* ***Rien***
6B2 *pas de cris, pas de plaintes,* ***aucun*** *éclat de voix,* ***aucun*** *signe de lutte*
10C19 *depuis vingt ans, elle vit sans raison* ***aucune***
que *Maille qui m'aille* (slogan publicitaire: "**il n'y a que** Maille . . .")

Non (N3), ***non pas*** (N3), ***pas*** + (pro)nom, adjectif, adverbe ou préposition

10B3 *la vraie nature de leur « entente »:* ***non pas*** *abominable – misérable* (N3)
10B6 *il faisait* ***non*** *des êtres complémentaires, mais des êtres incomplets* (N3)
10C10 *parce que* ***pas*** *grand-chose suffit à vous faire plaisir lorsqu'on est bien résigné*
9C4 *construire des usines* ***non point*** *dans les pays (. . .) mais au contraire dans (. . .)* (N4)
8A11 *non, non,* ***pas*** *question. Il est foutu à la porte* (N1)

Et/ou non (N3)***; et/ou pas***

3C7 *répondre aux nécessités de l'enjeu commercial* ***et non*** *à celui des programmes* (N3)
6C8 *le nombre de jeunes, français* ***ou non****, âgés de 15 à 35 ans*
9C8 *celui-là est-il* ***ou non*** *un bon gestionnaire?* (N3)
8C5 *ce sera un nouveau langage* ***et pas*** *autre chose* (N2)

PRATIQUE *orale*

Dialogue, 3 à 5 minutes
Rencontre

Deux personnes se rencontrent pour la première fois: il s'agit d'inventer et d'enregistrer un extrait de leur conversation.

Préparation
Avec un partenaire, décidez les principaux éléments du dialogue que vous allez enregistrer:

- les deux personnages: âge, sexe, caractère, goût, situation, etc;
- les circonstances de leur rencontre: vacances, soirée, travail; hasard, rendez-vous, malentendu;
- la nature du rapport qui s'est établi, ou qui s'établira, entre eux: collaboration, camaraderie, amitié, amour;
- les deux ou trois points principaux de cet extrait de leur conversation.

Avant d'enregistrer votre dialogue, vous pourrez "répéter" certains passages, mais sans avoir appris par cœur un texte entièrement rédigé.

Enregistrement
Si c'est possible, essayez de ne pas arrêter la machine au cours de l'enregistrement.
(*Variante* Le dialogue n'est pas enregistré, mais joué directement devant les autres membres du groupe.)

PRATIQUE *écrite*

1 Résumé

Rédigez un résumé de l'article "Où rencontre-t-on l'amour de sa vie?" (texte 10A). Relisez l'article, puis faites une liste des points les plus importants; simplifiez, quand vous le jugez nécessaire, le vocabulaire et l'expression de l'article.

Ecrivez **300 mots** au maximum, en anglais ou en français, selon ce qui sera décidé pour l'ensemble du groupe. Votre résumé doit prendre la forme d'un article pour un magazine ou un journal: précisez, au début, pour quel genre de publication votre résumé est écrit.

2 Version

Traduisez en anglais les paragraphes 3 et 4 (de "Elle revoyait tout . . ." à ". . . après avoir perdu la foi") du texte 10B. Il s'agit d'un texte difficile à traduire: n'essayez pas de composer une version anglaise complète avant d'avoir longuement réfléchi sur le sens de chaque phrase. (*Variante* Traduisez les paragraphes 2 et 3.)

3 Portrait

En vous inspirant de l'article "Miss Solitude" (texte 10C), rédigez le portrait d'une Miss ou d'un Monsieur – imaginaire, bien entendu. Essayez de rendre votre portrait vivant en faisant une narration, avec un observateur (vous-même, ou un autre personnage réel ou imaginaire).

Sur le vif

Heureuse, chérie ?

On n'arrête pas de me parler d'amour, en ce moment, dans la presse. Enfin, d'amour, n'exagérons pas, de sexe. Because *sun, sand, sea and sex.* Soleil, c'est fait. On m'a expliqué qu'il faut jamais s'y mettre sous aucun prétexte. Et qu'il faut toujours s'y coller sous une couche de crème X ou Y. Alors, maintenant, c'est au sexe. Le sexe et vous. Votre sexualité et la sienne. Faites le test ci-dessous.

Vous me verriez, je suis sans arrêt en train de fourrager dans mon sac de gym, au vestiaire, dans le métro, chez le coiffeur, à la recherche d'un crayon-gomme, pour arriver enfin à savoir si je suis heureuse au pageot ou pas. Je m'interroge pendant des heures sur la question 10 : Vous vous laissez facilement emporter par un coup : A : de tête ; B : de génie ; C : de foudre ; D : de semonce ; E : de gueule. Ou encore la 34 : L'orgasme : pour vous, c'est, A : un coucher de soleil ; B : le 14 juillet ; C : un bœuf bourguignon ; D : un attrape-nigaud ; E : la grosse Bertha.

Je mets des croix dans des cases. Je me reporte à la page 212. Je me perds dans des losanges et des cercles. Je me prends les pieds dans des grilles et des colonnes. Je totalise tout un tas de signes clairs ou foncés. J'additionne, je soustrais, je paume des points, j'en retiens, et qu'est-ce que j'obtiens ? Des résultats catastrophiques. Nuls. Zéro. La Berezina.

Conclusion : profitez des rencontres de l'été pour changer de partenaire. Choisissez un modèle mieux assorti à votre libido. Moi, je veux bien, mais comment je m'y prends ? Je croise un mec. Le moyen de savoir s'il est 4 B ou 12 A, si c'est un rectangle ou un carré ? Faut découper l'article dans le journal, le mettre dans son sac de plage avec un Bic et lui fourrer sous le nez avant même qu'il ait le temps de m'inviter à boire un verre de pastis, d'ouzo, de sangria, de valpolicella, d'arak. Vous êtes gentil, vous cochez les bonnes réponses, et je vous dirai si c'est oui ou non. Attention, je vais pas courir le risque de me retrouver avec un 3 C qui, au moment critique, compte ses points de retraite. Remarquez, même s'il passe l'écrit, reste l'oral.

CLAUDE SARRAUTE

POINTS DE RÉFÉRENCE

constructions verbales

avec ou sans préposition

Voici une liste de quelques verbes courants, avec une indication des constructions où ils sont le plus couramment employées avec un **nom** ou un **infinitif**:

N = nom ou pronom (personne **ou** chose, selon le sens, et sauf indication contraire)
Inf = infinitif (entre parenthèses = la construction + nom est possible **sans** la construction + infinitif)
PL = construction expliquée et illustrée dans une section des **Points langue**
* = verbe + **que** + indicatif ou subjonctif: voir PL 6.3.8.

abuser	**de** N
***accepter**	N
	de Inf
accorder	N **à** N
	à N **de** Inf
accuser	N **de** N
	N (**de** Inf)
acheter	N (chose) **à** N (personne qui fournit **ou** qui reçoit la chose)
achever	N
	de Inf
admirer	N (**de** Inf)
s'adresser	**à** N
il s'agit	**de** N: PL 9.4.2
	de Inf: PL 5.4.2, 9.4.2
aider	N (**à** Inf)
***aimer**	N (**de** Inf)
	Inf
aller	**à** N (ville): PL 4.5.2
	au/en N (pays): PL 4.5.1
	Inf (action future): PL 7.3.3
	pour Inf (intention)
apercevoir	N
***s'apercevoir**	**de** N
appartenir	**à** N (**de** Inf)
***apprendre**	N (chose) **à** N (personne)
	à Inf
	à N **à** Inf
s'approcher	**de** N
***approuver**	N (**de** Inf)
arracher	N **de** N (chose)
	N **à** N (personne)
arrêter	N
	de Inf
arriver	**à** N
	à Inf
***en arriver**	**à** N
	à Inf
***il arrive**	N **à** N: PL 9.4.2
	à N **de** Inf: PL 9.4.2
assister	N (personne)
	à N (chose)
***attendre**	N
	de Inf
***s'attendre**	**à** N
	à Inf
autoriser	N (chose)
	N (personne) **à** Inf
avoir	**à** Inf: PL 5.4.2
	N **à/de** Inf: PL 5.4.2., 5.4.3, 9.2.5
il y a	N **à** Inf: PL 9.4.3
cacher	N **à** N
se cacher	**de** N
cesser	N
	de Inf: PL 5.4.3
changer	N (**en** N) (modifier)
	de N (remplacer)
chercher	N
	à Inf
choisir	N
	de Inf
commencer	N
	à/de Inf: voir PL 5.4.3
commenter	N
comparer	N **et** N (juger des similitudes et des différences)
	N **à** N (placer dans la même catégorie)
se conformer	**à** N
conseiller	N (personne)
	N (chose) **à** N
	à N **de** Inf
consentir	**à** N
	à Inf
consister	**en** N
	à Inf
continuer	N
	à/de Inf: PL 5.4.3
contredire	N

***convaincre**	N **de** N
	N **de** Inf
convenir	**à** N (être acceptable)
***convenir**	**de** N (être d'accord sur)
	de Inf (être d'accord pour)
coûter	N (prix) **à** N
***croire**	N
	à N (chose)
	en N (personne)
	Inf
***décider**	N (**à** Inf)
	de Inf
se décider	**à** Inf
décourager	N (**de** Inf)
***défendre**	N **à** N
	à N **de** Inf
dégoûter	N **de** N
***demander**	N (chose ou personne)
	N (chose) **à** N (personne)
	à N **de** Inf
	à Inf
se demander	N
se dépêcher	**de** Inf
dépendre	**de** N
***désapprouver**	N
détester	N
	Inf
devoir	N **à** N
	Inf: PL 5.4.1, 5.4.2
diminuer	**de** N (quantité)
	N (réduire)
***dire**	N **à** N
	à N **de** Inf
discuter	N (un prix)
	de N (un sujet)
distinguer	N **de** N
donner	N **à** N
	N (chose) **à** Inf
	à N (personne) **à** Inf
***douter**	**de** N
***se douter**	**de** N
échanger	N (des mots) **avec** N (personne)
	N **contre** N (deux choses)
échapper	**à** N
s´échapper	**de** N
économiser	N
écouter	N
	N Inf/Inf N: PL 8.3.5
***écrire**	N **à** N
	à N **de** Inf
éloigner	N **de** N
***empêcher**	N (chose)
	N (personne) **de** Inf
s´empresser	**de** Inf
emprunter	N **à** N
encourager	N (**à** Inf)
enlever	N **à** N
entendre	N
	N Inf/Inf N: PL 8.3.5
entendre parler	**de** N
envoyer	N **à** N
	N Inf/Inf N; PL 8.3.5
***espérer**	N
	Inf
essayer	N
	de Inf
***estimer**	N
	Inf
être sur le point	**de** Inf
être en train	**de** Inf
en être	N
	à Inf
***éviter**	N
	N **à** N (personne)
	à N **de** Inf
excuser	N (**de** Inf)
j'ai failli	Inf: PL 5.4.1
***faire**	N **à** N (action sur)
	N **de** N: PL 8.2.3
	Inf **(à)** N: PL 8.3.1
ne faire que	Inf: PL 8.2.4
se faire	**à** N
	Inf: PL 8.3.2
il faut	N **à** N: PL 9.4.2
	à N Inf: PL 5.4.2, 9.4.2
féliciter	N **de** N
	N (**de** Inf)
finir	N
	de Inf (terminer): PL 5.4.3
	par Inf (dernière action)
forcer	N **à** Inf
fournir	N (chose) **à** N (personne)
***imaginer**	N
	de Inf
s'inquiéter	**de** N
	de Inf
insister	**sur** N
	pour Inf
***interdire**	N **à** N
	à N **de** Inf
intéresser	N **à** N
s'intéresser	**à** N
inviter	N **à** N
	N **à** Inf
jouer	**à** N (jeu)
	de N (instrument)
laisser	N **à** N
	N Inf/Inf N: PL 8.3.3
se laisser	Inf: PL 8.3.4
louer	N **à** N
manquer	N (train, rendez-vous)
	à N (personne)
	de N (soleil, courage, argent, etc)
j'ai manqué	Inf: PL 5.4.1
ne pas manquer	**de** Inf: PL 5.4.2
il manque	N **à** N: PL 9.4
***mériter**	N
	de Inf
nourrir	N **de** N
nuire	**à** N
obéir	**à** N
obliger	N **à** Inf
être obligé	**de** Inf: PL 5.4, 9.2.4
s'occuper	**de** N
	de Inf
oser	N
	Inf
***oublier**	N
	de Inf
paraître	N
	Inf: PL 5.4.3
***il paraît**	**à** N: PL 9.4.3
pardonner	N (chose) **à** N (personne)
	à N **de** Inf
parler	N (langue)
	à N (personne) **de** N (chose)
	de Inf
participer	**à** N
se passer	**de** N (se priver)
payer	N (personne) **pour** (chose)
	N (somme) **à** N (personne)
***penser**	**à** N (imaginer, réflèchir)
	de N (avoir une opinion)
***permettre**	N (chose) **à** N (personne)
	à N **de** Inf
persuader	N **de** N
	N **de** Inf
pousser	N (**à** Inf)
pouvoir	Inf: PL 5.4.1, 5.4.2
***préférer**	N **à** N
	Inf
présenter	N **à** N
***prétendre**	Inf

***prévoir**	N
	de Inf
***promettre**	N **à** N
	à N **de** Inf
***proposer**	N **à** N
	à N **de** Inf
se proposer	**de** Inf
rappeler	N **à** N
	à N **de** Inf
***refuser**	N **à** N
	à N **de** Inf
regarder	N
	N Inf/Inf N: PL 8.3.5
remédier	**à** N
remercier	N **de** N
	N **de** Inf
rendre	N **à** N
se rendre	**à** N (aller à)
renoncer	**à** N
	à Inf
reprocher	N (chose) **à** N (personne)
	à N **de** Inf
résister	**à** N
en rester	**à** N
***il reste**	N **à** N
	à N **à** Inf: PL 9.4.3
réussir	N (un plat, un exploit, etc)
	à N (un examen)
	à Inf
risquer	N
	de Inf: PL 5.4.1, 5.4.2
***savoir**	N
	Inf: PL 5.4.2
sembler	(**à** N) (personne)
	Inf: PL 5.4.3
***sentir**	N
	N Inf/Inf N: PL 8.3.5
se sentir	Inf (impression)
	de Inf (volonté)
servir	N (personne, chose)
	à N (personne ou objectif)
	de N **à** N
se servir	**de** N
***souhaiter**	N **à** N
	à N **de** Inf
***se souvenir**	**de** N
	de Inf
suffire	**à** N
	à/pour Inf
***il suffit**	(**à** N) **de** Inf: PL 9.4.2
	à N (personne) **de** N (chose) **pour** Inf
***suggérer**	N **à** N
	à N **de** Inf
tenir	N **de** N (personne)
	à N (être attaché)
	à Inf
s'en tenir	**à** N
transformer	N **en** N
***il vaut mieux**	Inf: PL 9.4.2
venir	**de** N (pays, ville): PL 4.5.1, 4.5.2
	de Inf: PL 5.4.1, 7.3.3, 7.3.4
	Inf: PL 5.4.3
en venir	**à** N
	à Inf
il vient	N: PL 9.4.1
***voir**	N
	N Inf/Inf N: PL 8.3.5
se voir	Inf: PL 8.3.6
vouloir	N
	Inf: PL 5.4.2
en vouloir	**à** N (personne) **de** N (chose)

constructions adjectivales

avec préposition

Voici une liste de quelques adjectifs courants, avec une indication des constructions où ils sont le plus couramment employés avec un **nom** ou un **infinitif**.

Constructions **personnelles**:
je suis, elle est, ils sont (etc) + adjectif + construction;
Constructions **impersonnelles**:
il est, c'est, cela (ça) me paraît (etc) + adjectif + construction.

N = nom ou pronom (personne **ou** chose, selon le sens, et sauf indication contraire)
Inf = infinitif
PL = construction expliquée et illustrée dans une section des **Points langue**
* = Adjectif + **que** + Indicatif ou Subjonctif: voir PL 6.3.8 (dans des constructions impersonnelles: voir PL 9.2.2)

absurde	**de** Inf: PL 9.2.4
***amusant**	**de** Inf: PL 9.2.4
apte	**à** N **à** Inf: PL 9.2.4
assez + adj	**de** Inf (réalité): PL 9.3.2
assez + adj	**pour** Inf (possibilité): PL 9.3.2
atteint	**de** N
bon	**à** Inf: PL 9.2.3 **de** Inf: PL 9.2.2
capable	**de** Inf: PL 9.2.4
***certain**	**de** Inf: PL 9.2.4
confus	**de** N **de** Inf
***content**	**de** N (mais: content **à** l'idée que) **de** Inf: PL 9.3.2
décidé	**à** Inf: PL 9.2.4
le dernier	**à** Inf: PL 9.3.2
***désolé**	**de** N **de** Inf: PL 9.2.4
destiné	**à** Inf: PL 9.2.4
déterminé	**à** Inf
difficile	**à** Inf: PL 9.2.3 **de** Inf: PL 9.2.2
disposé	**à** Inf
doué	**pour** N
égal	**à** N
***cela/ça m'est égal**	**de** Inf
***enchanté**	**de** N **de** Inf
***étonné**	**de** N **de** Inf: PL 9.2.4
***fâché**	**contre** N (personne) **de** N (chose)
facile	**à** Inf: PL 9.2.3 **de** Inf: PL 9.2.2
fatigué	**de** N **de** Inf
***fier**	**de** N **de** Inf: PL 9.3.2
forcé	**de** Inf
fou	**de** N
***furieux**	**de** N **de** Inf: PL 9.3.2
habitué	**à** N **à** Inf
***heureux**	**de** N **de** Inf
impatient	**de** Inf
***impossible**	**à** Inf: PL 9.2.3 **de** Inf: PL 9.2.2, 9.3.2
impuissant	**à** Inf: PL 9.2.4
incapable	**de** N **de** Inf
***indispensable**	**de** Inf: PL 9.2.2
inférieur	**à** N
***inquiet**	**de** N **de** Inf
***intéressant**	**à** Inf: PL 9.2.3 **de** Inf: PL 9.2.2
inutile	**de** Inf: PL 9.2.2
lié	**avec** N (personne) **à** N (chose)
long	**à** Inf: PL 9.2.4
obligé	**de** Inf: PL 9.2.4
occupé	**à** Inf
***possible**	**de** Inf: PL 9.3.2
le premier	**à** Inf: PL 9.3.2
prêt	**à** Inf
propre	**à** Inf: PL 9.2.4
rebelle	**à** Inf
reconnaissant	**à** N (personne) **de** N (chose) **à** N **de** Inf
résolu	**à** Inf
***ridicule**	**de** Inf: PL 9.3.2
satisfait	**de** N
semblable	**à** N
le seul	**à** Inf: PL 9.3.2
***souhaitable**	**de** Inf: PL 9.2.2
supérieur	**à** N
***sûr**	**de** Inf: PL 9.2.4
***surpris**	**de** N **de** Inf
susceptible	**de** Inf: PL 9.2.4
tenté	**par** N **de** Inf
triste	**de** Inf: PL 9.2.4
trop + adj	**de** Inf (réalité): PL 9.3.2
trop + adj	**pour** Inf (impossibilité): PL 9.3.2
urgent	**de** Inf: PL 9.2.2
***utile**	**à** N **de** Inf: PL 9.2.2

grammatical terminology

Note The grammatical terminology used in this book is based on the official *Nomenclature grammaticale pour l'enseignement du français dans le second degré* (Paris, Ministère de l'Education, 1975) and on the *Code du français courant* (Grammaire Seconde, Première, Terminale) by H. Bonnard (Paris, Magnard, 2ᵉ édition, 1990).

accent rythmique – rhythm-group stress

In an **English** word, the stress (sometimes called the accent) generally falls on the same **syllable(s)** of a word, wherever the word comes in the sentence. **French** words, on the other hand, have no fixed stress: it is the place of the word in the **breath group** which determines stress. In everyday conversation, and in readings, lectures, etc, the main stress falls on the **last** syllable of the group, and you should try to imitate this stress pattern when speaking French. On radio/TV, however, the stress on the **first** syllable tends to be the most important, but you should not try to imitate this. (See also ***syllabe accentuée***.)

adjectif – adjective

A word used to describe a noun; for example: *grand, excellent, incroyable*. A noun may be used as an adjective to describe another noun: *un embouteillage **monstre**; une pause-**café***.

adverbe – adverb

A word or phrase used to describe or modify a verb, for example: *(répondre) **rapidement**, (aller) **vite**, (être) **tout à fait** (d'accord)*, or to modify a clause, noun, phrase, adjective or another adverb.

article – article: see ***déterminant***

aspect:
aspect perfectif – perfective (or perfect) aspect
aspect imperfectif – imperfective (or progressive) aspect

The **passé composé** (and the **passé simple**) and the **imparfait** are listed, in grammar books, as **tenses** of the verb: *on est arrivé(s) (on arriva), on arrivait*. In practice, these different forms of the verb distinguish, not between different actions, but between different ways of viewing the **same** action. Compare, in English, "she ran", "she did run", "she has run", "she was running": these represent differences of **aspect**; each is used only in some circumstances, and not in others, and people in the early stages of learning English often confuse them.

In French, a clear distinction is made when referring to **past** time, between:

- ***aspect perfectif***, expressed by the ***passé composé*** (and the ***passé simple***) presenting the action as ***one completed event***, and
- ***aspect imperfectif***, expressed by the ***imparfait***, presenting the action as incomplete, without stating its limits (beginning, end, frequency, etc).

For **present** time, the ***présent*** *(on parle)* can refer to both aspects; to make clear that one is expressing the **aspect imperfectif**, one can use such constructions as *on est **en train de** parler*.

conjonction – conjunction: see ***mot connecteur***

consonne – consonant

A sound which, singly, or in combination, accompanies a vowel in spoken French. The "natural" syllable in French consists of consonant + vowel (CV): *ré/pé/ter, vi/si/ter*, but a syllable may contain several consonants, or none (see ***syllabe, voyelle***).

connecteur – connective, connector: see ***mot connecteur***

contexte – context

Used as an abbreviation for ***contexte linguistique***, or ***contexte grammatical***; refers to the place of a word or phrase in the sentence, grammatically speaking. Examples of grammatical context:
in a **main** clause – or in a **subordinate** clause;
before a noun – or **after** a noun;
in a passage set in the **present** – or in a passage set in the past. (See also ***situation***.)

déterminant – determiner

A word which is placed in front of a noun to put the noun in a particular category. A determiner can be an article, an adjective or a numeral:

- ***article défini*** *(le, la, les)*
- ***article indéfini*** *(un, une, des)*
- ***article partitif*** *(du, de la)*
- ***adjectif possessif*** *(mon, ma, mes)*
- ***adjectif démonstratif*** *(ce, cette, ces)*
- ***adjectif interrogatif*** *(quel, quelle . . . ?)*
- ***adjectif exclamatif*** *(quel, quelle . . . !)*
- ***adjectif indéfini*** *(chaque, quelques, plusieurs)*
- ***numéral cardinal*** *(trois, cent, mille)*

dislocation à droite – right dislocation
dislocation à gauche – left dislocation

In conversational French (N2), a noun is detached from the sentence, and repeated, in the sentence itself, as a pronoun: *Londres, j'y vais pas souvent* (**left** dislocation: the noun comes first); *J'y vais pas souvent, à Londres* (**right** dislocation: the noun comes last). Note that in left dislocation the noun is unmarked grammatically *(Londres)*, but in right dislocation it is marked *(à Londres)*.

l'écrit – written language, written communication
à l'écrit – when writing, in writing

un énoncé – an utterance

A word, phrase, sentence or longer sequence which, taken on its own, conveys a particular meaning. Here are six examples of **énoncés**:

1 *Oui.*
2 *Tout de suite.*
3 *Pas pour moi, merci.*
4 *Je ne crois pas.*
5 *On est partis parce qu'il pleuvait.*
6 *Je n'aime pas ce genre de film. C'est déprimant.*

The term ***énoncé*** is useful in so far as it avoids having to distinguish unnecessarily between ***phrase, proposition, groupe de mots***, etc.

expression figée – set phrase, set expression: see *locution figée*

expression toute faite – cliché

Any group of words which has been so frequently used in a particular situation that it has lost most of its meaning and all of its force.

faux ami – deceptive cognate

A word or phrase with similar form, but different meaning, in two languages. Examples (between French and English): *actuel* ("current") and **actual**; *une grappe* ("a bunch") and **a grape**.

formel, informel:
situation formelle – formal situation
situation informelle – informal situation

A formal situation is one in which the form of address to one person would normally be *vous* in French; an informal situation is one in which *tu* would normally be used. It is advisable for you to use Standard French (N3) in preference to conversational French (N2) when addressing strangers, or hierarchical superiors, in speech or writing. (See ***niveau(x) de langue***.)

français ordinaire – conversational French

The French that is used for everyday communication in **informal** situations. In the **Points langue**, this includes all examples labelled N2, together with those not labelled at all.

français standard – standard French

The French that is usually taught in schools and textbooks, and used in **formal** situations. In the **Points langue**, this includes all examples labelled N3, together with those not labelled at all.

groupe rythmique – rhythm group

A group of words spoken without a pause. Awareness of this feature is particularly important in the case of spoken French, where stress patterns are determined by the place of each syllable in the rhythm group. (See ***syllabe accentuée***.)

impersonnel:
construction impersonnelle – impersonal construction

An impersonal construction in French is one where a verb is used with the neuter subject pronouns *il, cela* or *ça*. In some cases the word *il* is omitted: *(il) reste* ***(N3)***, *(il) y a* ***(N2)***.

Verbs used in such constructions are sometimes called **impersonal verbs**. Strictly speaking, however, there are only two such verbs: *il faut* and *il s'agit (de)* – all other verbs used in impersonal constructions can also be used with a noun or personal pronoun as subject.

incise:
proposition incise – interpolated clause

A group of words that is inserted, at some point or other, in a main clause. Examples:
"C'est ça, ***dit-elle****, on va faire un tour."*
Il est temps, ***me semble-t-il****, de parler sérieusement.*
Son style, ***il est vrai****, ne plaît pas à tout le monde.*

interjection – interjection

A word or group of words used to express, briefly, a feeling, an order, etc: *Non! Chut! Tiens! Mais oui!*

locuteur – speaker
interlocuteur – listener, interlocutor

These terms are used in connection with spoken communication.

locution – phrase, expression

A group of words habitually used together with a particular grammatical function. Examples:

- ***locution adjectivale:*** *(une planche) à voile*
- ***locution adverbiale:*** *tout à fait*
- ***locution prépositive:*** *à côté de*
- ***locution verbale:*** *faire partie de*

locution figée – set phrase, set expression

A group of words habitually used together with a particular meaning: *prendre les devants, avoir le vent en poupe*.

marqué, non marqué 1:
forme marquée – marked form
forme non marquée – unmarked form

In French grammar the masculine singular form *(petit)* of adjectives (and some nouns) is the **unmarked** form, because it is the form used when the word is listed or referred to in dictionaries, grammar books, etc. The feminine and/or plural forms *(petite, petits, petites)* are the **marked** forms, because they are used **only** for the feminine and/or plural category. Some adjectives do not have a marked form for the feminine singular *(rouge)* or the masculine plural *(gros)*. Similarly, *il* is the **unmarked** form of the 3rd person singular subject pronoun, because it is used for masculine, mixed and impersonal subjects; *elle* is the **marked** form, because it is used **only** for feminine subjects.

marqué, non marqué 2: *emploi marqué* – marked use *emploi non marqué* – unmarked use

Varieties of pronunciation, vocabulary, grammar, etc, which are habitually used in a given situation, and so do not draw attention to themselves (except to convey meaning) are **unmarked**. In the **Points langue** (grammar) sections of this book, examples labelled *N3* are unmarked in **formal** situations, and those labelled *N2* are unmarked in **informal** situations; examples not labelled at all are unmarked in **any** situation.

Varieties which **do** draw attention to themselves (e.g. as being particularly literary or particularly slangy) are **marked**. In the **Points langue** sections of this book, examples labelled N4 are marked, even in formal situations; examples labelled *N3* become marked when used in informal situations, and examples labelled *N2* become marked when used in formal situations, and examples labelled *N1* are marked, even in informal situations.

mot connecteur – connective, connector

A word or phrase used to link one sentence, or a group of words, to another. A connector can be:

- a coordinating conjunction ***(conjonction de coordination)***: *et, ou, mais*; or
- a subordinating conjunction ***(conjonction de subordination)***: *quand, parce que, pour que*; or
- an adverb ***(adverbe)***: *d'abord, par conséquent, ensuite, enfin*

niveau(x) de langue – level of language

Variations in pronunciation, vocabulary, grammar, etc, according to the **degree of formality/informality of the situation** in which communication takes place.

People's perception of how formal/informal a particular situation is, and of the style of language they expect (a) to hear and (b) to use in that situation, is, of course, subjective. It is also influenced by:

- **local, regional** and **national** factors: which part of a country they come from; urban/rural differences; whether they are (speaking to) a foreigner, etc
- **social** factors: the social class of speaker and listener; their respective ages; how well they know each other, etc
- **situational** factors: the circumstances in which communication takes place; the attitude of speaker and listener to the situation and to each other; the purpose of communication, etc

N1, N2, N3, N4 – levels 1, 2, 3, 4

For the purposes of the **Points langue** sections of this book, French words, structures and expressions are placed in one of **five** categories, according to the kind of situation in which they would normally be used:

N1 covers slang, vulgar terms and phrases, **all** of which you will hear if you listen to a spontaneous conversation among French-speaking people, but which they would be surprised to hear from **you**, a foreigner, and which they themselves may make some effort not to use when speaking directly to you. *N1*, therefore, stands for "Caution!"

N2 represents everyday conversational French ***(le français ordinaire)*** which you can use when you are sure that those you are speaking to regard the situation as informal (see ***situation informelle***).

Remember that *N2* means "and not *N3*", i.e. **not** used in a formal situation.

N3 represents standard French, the French that is taught in schools and in textbooks (both overseas and in France). The reason for this is obvious: if all native speakers and foreign learners of French are able to understand and use the **standard** variety of the language, they can all communicate with each other and understand material published and broadcast in French. As a student of French in higher education, however, you need to know that this standard variety of French is actually used **only** in formal situations (see ***situation formelle***), so remember that *N3* means "and not *N2*", i.e. unlikely to be used in spontaneous conversation.

N4 represents the words and forms of phrase beloved of certain groups, e.g. government departments *(l'administration)*, lawyers, doctors, accountants, intellectuals, etc. One could say that *N4* and *N1* both indicate **private** forms of the French language, accessible only to those (allowed to be) in the know, whereas *N3* and *N2* together represent the **public** domain of the French language.

Category 5 is, fortunately, by far the largest category of the five: it covers all the words, phrases or sentences which are **not** marked "N1/N2/N3/N4" in the **Points langue**: all of these can be used in **any** situation, whether formal or informal.

nom – noun

A noun (or pronoun) and a verb are the two basic elements in a sentence *(le train arrive)*.
There are two classes of noun:

- ***nom commun***, spelt with a small letter: *mon ami*;
- ***nom propre***, spelt with a capital letter: *Georges*.

objet direct – direct object *objet indirect* – indirect object

The **subject** of a verb is the person, thing or idea (noun, pronoun or infinitive) which carries out the action described by the verb (the **agent** of the action): ***l'homme*** *travaille;* ***je*** *reste;* ***fumer*** *tue*.

The **object** of a verb is a person, thing, idea, etc, to whom the action is done, which is affected by the action, which is linked to the action, etc.

A **direct** object is one that is not preceded by a preposition; an **indirect** object is preceded by a preposition (*à, de, pour*, etc).

Note In most French grammars, the term ***complément d'objet (direct/ indirect)*** is used instead of ***objet***. ***Objet*** is used in this book for the sake of brevity.

l'oral – spoken language, spoken communication *à l'oral* – when speaking, in speech

phrase – sentence

A group of words which, in the written language, begins with a capital letter and ends with a full stop. In French, many sentences have no main verb; these can be

- ***phrases nominales:***
  Tremblement de terre au Chili.
  Quel temps splendide!
  Résultat: un accroissement du chômage.
- ***phrases adjectivales:***
  Impossible de dormir avec tout ce bruit.
- ***phrases adverbiales:***
  Vivement les vacances!

préposition – preposition

A word or group of words used to **situate** (in time or space, for example) a noun, pronoun or infinitive: ***en face du*** *magasin;* ***pour*** *moi;* ***sans*** *travailler*.

The group preposition + noun, pronoun, infinitive is often linked to a preceding word, phrase or idea: *un* ***homme sans*** *qualités;* ***chacun pour*** *soi;* ***il parlait pour*** *ne rien dire; – Où est la* ***boulangerie? – A côté de*** *la banque.*

A verb followed by a **direct** object is used **without** a preposition: *ils ont pris le train*; a verb followed by an **indirect** object is used **with** a preposition: *elle a téléphoné* ***à*** *la police; il a douté* ***de*** *sa sincérité*.

pronom – pronoun

A pronoun has the same functions in a sentence as a noun. A pronoun generally represents a particular noun, which it either replaces, or repeats, in the sentence.

There are seven classes of pronoun:

- ***pronom personnel:*** *je, tu, on,* etc, ***pronom personnel sujet;*** *me, te, le, lui,* etc, ***pronom personnel objet;*** *me, te, se,* etc, ***pronom personnel réfléchi;*** *moi, toi, lui,* etc, ***pronom personnel disjonctif***
- ***pronom démonstratif:*** *ceci, cela, ça; celui-ci, celle-ci,* etc
- ***pronom possessif:*** *le mien, le vôtre,* etc
- ***pronom relatif:*** *qui, que, dont, avec lequel,* etc
- ***pronom interrogatif:*** *qui? qu'est-ce que?* etc
- ***pronom exclamatif:*** *qui!* etc
- ***pronom indéfini:*** *chacun,* etc

pronominal:
verbe pronominal – pronominal verb

A pronominal verb is a verb used with an object pronoun which refers to the same person, thing or idea as the **subject** of the verb; the pronoun in such cases is called a ***pronom réfléchi***. Pronominal verbs are far more common in French than in English: think of the various English equivalents, not involving a pronominal verb, for *je me lave* or *ils s'habillent*, for example.

Pronominal verbs often describe a **reflexive** action (il ***se*** *reproche . . .* or *elle* ***se*** *dit . . .)*, but they also describe **reciprocal** action *(ils* ***se*** *parlent)*, and are the form used when certain verbs are used **intransitively**, i.e. without an object: *la ville* ***se*** *développe*.

proposition principale – main clause
proposition coordonneé – coordinate clause
proposition subordonnée – subordinate clause

A ***proposition*** is a group of words considered in relation to (an)other group(s) of words. A ***proposition principale*** (main clause) is one that makes sense on its own; a ***proposition coordonnée*** (coordinate clause) is one that is linked to a main clause by *et, ou, mais*, etc; a ***proposition subordonnée*** (subordinate clause) is one that is linked to a main clause by some other ***mot connecteur***, e.g. *que, qui/que/dont, quand, parce que.* (See also ***incise***.)

réfléchi – reflexive: see *pronominal*

semi-voyelle – semi-vowel, glide

There are three of these in spoken French: **[j]**, **[y]**, **[w]**, corresponding to the letters *i, u* and *ou*. They are always pronounced with a vowel, **and form part of the same syllable** (see ***voyelle***); thus *copier* is a two-syllable word, and *tuer* and *jouer* are one-syllable words. They are all found **before** a vowel; only **[j]** is found **after** a vowel: *œil, rail*, etc.

situation – situation

Used as an abbreviation for ***contexte situationnel*** or ***situation sociolinguistique***, this refers to the situation in which communication takes place. (See ***niveau(x) de langue***.)

sujet – subject: see *objet*

syllabe – syllable

A unit of spoken French consisting of a single vowel, together with one or more consonants, or no consonant at all. 55.5% of all syllables in spoken French consist of consonant + vowel (CV), followed by CCV (14%), CVC (13.5%) and V (10%) (source: F. Wioland, *Prononcer les mots du français*, Hachette 1991, p. 55).

syllabe accentuée – stressed syllable

In spoken French, the natural rhythm is for stress to fall on the **last** syllable in a rhythm group: *on ne m'a rien dit*; this stress is generally achieved not by making the final syllable louder, but by making it **longer** than each of the other syllables in the rhythm group. This **final** syllable is thus the ***syllabe accentuée*** (the stressed syllable). An **initial** (i.e. the first) syllable in a rhythm group can be stressed for purposes of emphasis: this is a ***syllabe accentuable***. An **internal** syllable (i.e. neither the first nor the last in a rhythm group) does not normally receive any stress in spoken French: it is called a ***syllabe non accentuée***.

synonyme – synonym

Two (or more) words with similar meanings are called synonyms. Examples: *la figure/le visage; deuxième/second; briser/casser/rompre*. In some contexts, two synonyms can be completely interchangeable; in other cases, synonyms express different nuances of meaning, and/or tend to be used with certain other words, or in certain phrases – another reason why you should always try to remember individual words **in context**!

système – *system*

"Une langue est un système de signes": this definition, made nearly a hundred years ago by the great Swiss linguist F. de Saussure, can be taken in two stages:

1 A language is a **system**: this means that **all** the different parts of a language interlock, interconnect, interact. Each part is defined in terms of its opposite; these **oppositions** are often, in the case of French, binary:

- singular/plural (some languages have a third term: **dual**)
- masculine/feminine (some languages have almost lost this distinction, others have a third gender: **neuter**)
- consonant/vowel (the two basic building-blocks of syllables, and thus of words)
- noun/verb (the two main building-blocks of sentences, and thus of verbal communication)
- present/past (the two basic reference points in time around which discourse is organised)

Here are some of the **systems**, within the French language, which you need to understand and use correctly in order to make yourself understood:

- subject/object (of a verb)
- direct/indirect object (of a verb)
- active/passive meaning (of a verb)
- indicative/conditional/subjunctive mood (of a verb);
- the system of tenses in French
- definite/indefinite/partitive/demonstrative/possessive articles and adjectives

2 (. . .) a system of **signs**. This means that all language is **symbolic**, though some language can be imitative; meaning is a matter of **convention**, and therefore can, over a period of time, change (think of the change in meaning of the phrase *sans doute* between the seventeenth and the twentieth centuries); words are **arbitrary** representations of what they stand for: there is, for example, nothing particularly cheese-like in the words cheese or *fromage*.

temps (du verbe) – tense, tenses

These are the various forms of a verb which are used to indicate both **absolute** time (present, past) and **relative** time:

- past tenses: *passé composé, passé simple, imparfait, plus-que-parfait, passé antérieur, conditionnel passé*
- present tense: *présent*
- future tenses: *futur, futur antérieur, conditionnel*
  (See also: ***aspect***.)

transitif, intransitif – transitive, intransitive

A **transitive** construction is one where the verb is followed by a **direct** object, (i.e. without a preposition: *il préparait le repas*) or an **indirect** object (i.e. with a preposition: *il pensait **à** sa mère; Que penses-tu **de** sa robe?*).

An **intransitive** construction is one where the verb is **not** followed by an object *(il sursauta; elle est partie)*.

Many verbs are used transitively **or** intransitively, depending on the meaning, the circumstances, etc.

verbe – verb

A word or group of words used to express an action or describe a state or process. A verb has different **tenses**, but also different **forms** (e.g. active, passive) and **moods** (e.g. indicative, subjunctive, infinitive, participle). A sentence can be built around a string of verbs, e.g. *En **rentrant**, elle **pourra commencer** à **être** moins **harassée**.*

When learning French vocabulary, always include several **verbs** each time, and not just a list of nouns.

voyelle – vowel

The basic unit of the syllable in spoken French: a syllable can include as many as **five** pronounced consonants *(strict)*, or **none** *(hein?)*, but there can be only **one** vowel in each syllable. Thus, *créé, pays* contain **two** syllables.

In spoken English, on the other hand, two vowels are often pronounced together, in one syllable, as a **diphthong**: "day", "boy". (**But** see also ***semi-voyelle***.)

liste des points langue

corrigé des exercices

Note Au cas où d'autres réponses sont possibles, celles-ci sont données entre parenthèses; suivies d'un point d'interrogation, elles sont laissées à l'interprétation personnelle.

Numéro de l'exercice	Réponses (possibles)	
1/9	1 c'	6 ce
	2 elle	7 c'
	3 ça (cela?)	8 elle
	4 il	9 ça (cela?)
	5 cela	10 il
1/12	1 -là	6 -là (—?)
	2 -ci	7 —
	3 —	8 — (-là?)
	4 —	9 -ci
	5 — (-là?)	10 -là
1/13	1 celle de	5 celle où
	2 ceux qui	6 celui-ci celui-là
	3 celles-là	7 celui qu' celui dont
	4 celles du	
1/14	1 celui-là	5 celui-ci, celui-là
	2 ça (cela)	6 ça, ceci (celui-là, celui-ci?)
	3 ça (cela)	7 cela (ça)
	4 celle-là, celle-ci	
2/7	1 Nous . . .	4 Nous . . .
	2 Ils (Il/Elle)	5 Ils . . .
	3 Nous . . .	6 Nous . . .

2/8 (a)
1 Elle nous a invités . . .
2 Nous leur avons demandé . . .
3 J'aimerais bien l'inviter . . .
4 . . . sans rien leur dire
5 Ils nous ont présenté leurs excuses

(b)
6 Je la lui ai prêtée . . .
7 Je vais te le présenter
8 . . . qu'il nous les montre
9 Il l'y a invitée
10 Je vous en parlerai . . .

2/9
1 Elle y est entrée . . .
2 Je le lui avais dit . . .
3 Je n'en pose jamais
4 Personne n'y croyait
5 J'en bois un verre . . .
6 Mais tu n'y comprends rien!
7 Ils ne me l'ont jamais dit
8 Il faut en choisir une
9 . . . si les autres le sont aussi
10 Je n'y arrive pas

2/11	1 sa	4 la, son
	2 ses	5 ses, sa
	3 les, le	6 les, le
2/12	1 la	6 des
	2 les	7 la
	3 des	8 son
	4 ses	9 les
	5 le	10 les
2/13	1 lui ont	4 lui a
	2 se sont	5 leur ont
	3 s'est	6 s'est
2/14	1 les	4 la
	2 les	5 au
	3 aux	6 aux
2/15	1 à	6 à
	2 en	7 en
	3 en	8 en
	4 à	9 à
	5 à	10 en
2/17	1 à	6 d'
	2 à	7 de
	3 de	8 d'
	4 à	9 à
	5 à	10 d', d'

3/5
1 ils savent . . .
2 elles peuvent . . .
3 vous devez . . .
4 ils vont . . .
5 elles sortent . . .
6 nous partons . . .
7 elles promettent . . .
8 vous connaissez . . .
9 ils prennent . . .
10 nous recevons . . .

3/6
1 il fera . . .
2 vous viendrez . . .
3 tu pourras . . .
4 j'aurai . . .
5 tu seras . . .
6 elle saura . . .
7 j'enverrai . . .
8 il faudra . . .
9 ils en mourront . . .
10 il s'agira . . .

3/7
1 elle a vécu . . .
2 je suis resté(e) . . .
3 il est devenu . . .
4 j'ai reçu . . .
5 on a ouvert . . .
6 ils sont nés . . .
7 nous leur avons fourni . . .
8 vous avez commis . . .
9 ils ont repeint . . .
10 on lui a permis . . .

3/11	1 on	5 se faire
	2 se	6 se, se
	3 on	7 (Actif)
	4 (Actif)	8 on
3/13	1 -s	5 —
	2 —	6 -e
	3 —	7 —, -s
	4 -e	8 —, -s
3/15	1 en	6 —
	2 (tout) en	7 —
	3 —	8 en
	4 —	9 tout en
	5 tout en	10 en

4/1 Liaison entre:
1 dans une
2 tout à quelques années
3 un avion
4 les élections
5 vrais actifs les années

4/6 (a)

1 la campagne	6 l'équilibre
2 le bourg	7 l'école
3 la province	8 la crise
4 le symbole	9 l'économie
5 la fidélité	10 la curiosité

(b)

1 vif	6 isolé
2 triste	7 contradictoire
3 immobile	8 lucide
4 éternel	9 sensible
5 progressiste	10 séculaire

4/9

1 (a)	7 (b)
2 (c)	8 (a)
3 (b)	9 (c)
4 (a)	10 (a)
5 (c)	11 (b)
6 (b)	12 (c)

4/10

1 m	11 m
2 f	12 m/f
3 m	13 m
4 m	14 f
5 f	15 f
6 f	16 f
7 f	17 m
8 m	18 m
9 m/f	19 m
10 m	20 f

4/11

1 m	7 m
2 f	8 m
3 f	9 m
4 m	10 m
5 f	11 m
6 f	12 f

4/14

1 de la	6 du, de, des
2 de	7 du
3 des	8 de la
4 des, du	9 de
5 de la, de	10 de

4/17
1 Fontainebleau
2 Besançon
3 Bordeaux
4 Châteauroux
5 Clermont-Ferrand
6 Evreux
7 Le Mans
8 Metz
9 Monte-Carlo, Monaco
10 Poitiers

5/5

1 a failli	6 pourrait
2 peut	7 allez
3 doit	8 doit, viens de
4 venait de	9 risque
5 avaient dû	

5/9
1 comprendrait
2 répondrais
3 avais su
4 avait parlé
5 aurait gagné
6 pourrait
7 auras

6/3
1 (Mouret dit) qu'il fallait se dépêcher, car il y avait encore des costumes qu'il fallait porter au premier étage. Il demanda si le Japon était installé sur le palier central, et il dit aux employés qu'il fallait faire un dernier effort, après quoi la vente serait magnifique.
2 (Mouret dit) que cela lui était égal, car ils étaient jeunes, et cela les ferait grandir. Il était content de les voir aller à droite et à gauche, parce que de cette façon ils donneraient l'impression d'être plus nombreux et ainsi d'augmenter la foule. Il voulait que tout le monde s'entasse dans le magasin, car ce serait très bien ainsi.
3 (Liliane dit) qu'on appréciait l'efficacité de l'organisation. On voyait qu'ils avaient tout fait pour le bien-être des habitants, et qu'après s'être demandé ce qu'il fallait installer pour atteindre cet objectif, ils l'avaient fait.

6/4

	(a)	(b)
1	je finisse	j'aie fini
2	nous attendions	nous ayons attendu
3	elle sache	elle ait su
4	ils puissent	ils aient pu
5	j'aille	je sois allé(e)
6	tu prennes	tu aies pris
7	elle tienne	elle ait tenu
8	nous fassions	nous ayons fait
9	il doive	il ait dû
10	je boive	j'aie bu

6/5

1 n'est pas	4 a
2 soient	5 ait
3 est	6 ait

6/6
1 pour qu'/afin qu'ils ne s'inquiètent pas.
2 de peur qu'on (ne) l'attaque/de peur d'être attaquée.
3 sans que je le voie/l'aie vu.
4 pour/afin de mieux réfléchir.
5 en attendant qu'/jusqu'à ce qu'il soit prêt.
6 bien que je n'y aille pas souvent.
7 avant d'avoir fini ce travail.
8 sans frapper/sans avoir frappé.
9 à condition que/pourvu que vous soyez raisonnables.
10 que je finisse/que j'aie fini ce rapport.

6/7
1 pourvu que/à condition qu'ils ne fassent pas . . .
2 Bien qu'il me l'ait dit, je . . .
3 sans que la police ait eu à . . .
4 Jusqu'à ce que/En attendant que le délégué soit revenu . . .
5 Il suffit qu'on fasse un discours pour que la tension devienne . . .

6/8

1 aille	5 soit
2 finisse	6 soit
3 fasse	7 finisse
4 écrives	

6/9

1 veux	6 ait
2 aille	7 vois
3 ne soit pas	8 puisse
4 sont	9 sont
5 soient	10 reçoive

6/11

1 toutes	6 toutes
2 tout	7 tous
3 toute	8 toute
4 tous	9 tout
5 tout	10 tout

6/12
1 Aussi le gouvernement a-t-il décidé . . .
2 Peut-être les Nations Unies devraient-elles . . .
3 A peine venais-je de . . ./Je venais à peine de . . .
4 Ainsi se sont créés des ghettos/Ainsi des ghettos se sont-ils créés.
5 Encore faut-il savoir . . .
6 Peut-être a-t-on tort de . . .

6/13
1 formidable
2 belle
3 conçus
4 joli
5 long
6 amusantes

7/4 Voir texte 7B, paragraphe 5.

7/5 Voir texte 7C, paragraphes 11–12.

7/6
(a) 1 dont les parents étaient
2 qu'elle avait
3 à qui tu voulais
4 sans qui rien
5 cette femme dont vous connaissez déjà la fille
(b) 6 celle qui
7 tous ceux dont
8 tous ceux qu'
9 celui avec qui
10 toutes celles qui

7/7
(a) 1 que le garçon avait
2 dont on se souviendra
3 au cours duquel le niveau
4 qui méritait
5 sans laquelle le coupable
(b) 6 pas celui où nous
7 ceux qui s'accompagnent
8 dans toutes celles où la
9 ceux pour lesquels
10 celles qu'on

7/8
1 où il est resté
2 ce qui est absurde
3 d'où ils sont cependant revenus
4 tout ce que tu voudras
5 de quoi il s'agit (ce dont il s'agit?)

7/9
1 dont
2 ce qu'
3 qui; ceux qui
4 qui
5 à quoi
6 de laquelle
7 où
8 de qui
9 dont
10 lequel

7/10
1 plus
2 moins
3 davantage (plus?)
4 moins/plus
5 plus/moins
6 si (aussi?)
7 aussi
8 autant
9 aussi
10 autant

7/11
1 de
2 de; que
3 que
4 que
5 de
6 d'; que
7 de
8 que
9 que
10 de; que

7/12
1 d'autant plus obsédés . . . que nous voulons . . . (nous sommes obsédés . . . d'autant que nous voulons . . . ?)
2 d'autant/d'autant plus qu'il avait . . .
3 elle parlait d'autant moins distinctement qu'elle était . . . (pas très distinctement, d'autant plus qu'elle était . . . ?)
4 son silence était d'autant moins compréhensible qu'il avait . . . (pas très compréhensible, d'autant (plus) qu'il avait . . . ?)
5 ils devaient être d'autant plus au courant . . . qu'ils lisaient . . . (être au courant . . ., d'autant (plus) qu'ils lisaient . . . ?)

7/13
1 les plus . . . les plus
2 le plus
3 le plus
4 la plus
5 les plus
6 la plus
7 le moins
8 le moins
9 le moins
10 la moins

7/14
1 bien
2 bonne
3 bien
4 bon
5 bien
6 meilleure
7 mieux
8 mieux
9 meilleures
10 mieux
11 la mieux
12 le mieux
13 la meilleure
14 les meilleurs
15 les mieux

7/15
1 mal
2 la pire de
3 mauvaise
4 plus mal . . . qu'
5 plus mauvais qu'
6 mal
7 pire que
8 le plus mauvais de
9 mal
10 les plus mal . . . de

8/1
1 le; ses
2 ses; sa
3 la
4 la; des
5 ses; ses; ses
6 des; son; ses
7 ses; ses
8 le; ses; la; du
9 la
10 son; la; son; sa

8/2
(a) 1 sensation
2 demi-tour
3 fortune
4 faillite
5 semblant
6 fausse route
(b) 1 signe à
2 pression sur
3 partie de
4 face à
5 plaisir à
6 figure d'

8/3
1 Cet article m'a fait réfléchir.
2 Tu nous as fait attendre.
3 Ce régime m'a fait perdre deux kilos.
4 Son patron l'a fait souffrir pendant six mois.
5 (C'est) sa mère (qui) la fait venir à l'école.
6 Le directeur lui a fait raconter l'incident.
7 Ses parents l'ont fait voyager beaucoup (*ou* beaucoup voyager).
8 Un élève a fait venir les pompiers.
9 La publicité fait croire n'importe quoi aux gens.
10 Son père lui a fait comprendre qu'il fallait travailler.

8/5
1 ai . . . entendu
2 sentait
3 voyaient
4 faire
5 a laissé

8/6
1 se voit
2 se laisse
3 se faire
4 me vois
5 me suis senti(e)

8/8
1 eut téléphoné
2 fut sorti
3 eut prononcé
4 eut terminé
5 eut été

8/9
1 aurait fini
2 était
3 aura
4 est arrivé(s)
5 me serai renseigné
6 iraient
7 deviennent
8 apprit
9 étaient
10 auront présenté

8/10
1 depuis
2 pendant
3 pendant
4 depuis
5 depuis
6 depuis
7 pendant
8 pendant
9 pendant
10 depuis

8/12
1 pendant
2 pendant
3 pour
4 pour
5 pendant

9/1
1 de
2 d'
3 des
4 de
5 des
6 des
7 d'
8 du; de; de la
9 des; de l'

9/2
1 à
2 d'
3 de
4 à
5 à
6 de
7 de
8 à
9 à
10 de

9/4
1 il n'en est pas question
2 manquait
3 s'est fait
4 suffit
5 m'est venu
6 s'agit
7 paraît/semble

9/6
1 assez d'argent
2 beaucoup des conséquences
3 peu d'exemples
4 sans trop de difficulté
5 beaucoup de peine
6 très peu des spectateurs

9/7
1 n'a pas . . . de
2 n'ont plus . . . dc
3 ne trouve jamais la
4 c(e n)'est pas du
5 n'y a plus de
6 n'y a plus un
7 n'est-il pas une
8 n'aime pas les
9 ne reconnais pas cette
10 n'ont jamais d'

9/9
1 cent francs
2 huit millions (anciens)
3 cent vingt millions
4 mille francs (cent mille centimes?)
5 dix milliards de francs (lourds)
6 dix francs

9/10
1 la moitié
2 le tiers
3 à moitié
4 les trois quarts
5 aux trois quarts
6 les deux cinquièmes

10/2
2 *the* crowd (?)
5 *the* second survey (?)
6 *the* last 25 years
7 *the* young woman (?)
10 *the* man (in question) (?)

10/4
(a) 1 de telles enquêtes
2 d'autres exemples
3 de certaines façons
(b) 4 une certaine idée
5 la chose telle qu'elle est
6 l'un et l'autre

10/5
1 plusieurs étudiants
2 avec beaucoup de soin
3 beaucoup des employés
4 sans trop de problèmes
5 la plupart des habitudes
6 bien des ennuis
7 la plus grande partie de l'immeuble
8 quelques amis
9 assez de difficultés
10 très peu des rencontres

10/10
1 Je ne l'ai donnée à personne.
2 Non, il n'a aucune chance de réussir.
3 Rien (ne m'empêche de le faire).
4 Non, on ne parle plus de lui.
5 Non, je ne vais jamais la voir.
6 Personne (ne me l'a dit).
7 Non, ni l'un ni l'autre n'a/n'ont téléphoné.
Non, ils n'ont téléphoné ni l'un ni l'autre.
8 Aucune de/Pas une (seule) de ses copines n'a pensé à elle.
9 Non, il n'est guère supérieur aux autres.
10 Non, je n'y comprends rien.

10/11
1 Elle ne voit que le mauvais côté de l'affaire.
2 Je n'en ai parlé qu'à ma femme.
3 Il n'y a pas qu'elle à souffrir/qui souffre.
4 Il ne fait que critiquer tout le temps.
5 Le malheur n'arrive pas qu'aux autres.
6 Ce n'est qu'après les examens qu'il pensera aux vacances.

10/12
1 Après ce jour, je ne l'ai plus revu.
2 Son but c'était de n'embêter personne.
3 Le mieux, c'est de l'écrire en n'oubliant rien.
4 Elle ne pouvait plus le supporter.
5 On n'y est jamais allé.
6 Elle n'avait préparé aucun des examens.
7 Je lui ai dit de ne pas lire l'article.
8 Il n'a rien perdu de son charme.
9 Il croit arranger l'affaire en n'en parlant jamais.
10 Elle l'a fait pour ne plus entendre ce qu'il disait.

10/13
1 Rien n'a jamais pu le faire chan d'avis.
2 Désormais, personne ne croira pl ce qu'il dit.
3 Il n'y a plus aucun espoir.
4 C'est entendu: on n'en parlera plus jamais.
("jamais plus" est possible)
5 Cette époque n'est plus qu'un mauvais souvenir.

10/14
1 L'enquête n'a pratiquement rien révélé de nouveau.
2 Une fois la surprise passée, on n'y prête bientôt plus attention.
3 Je ne suis pas du tout d'accord.
(Je ne suis pas d'accord du tout.)
4 Vous n'allez quand même pas croire ce qu'il dit, voyons! (Vous n'allez pas croire ce qu'il dit, quand même, voyons!)
5 Le rapport n'a pas encore été publié; on ne peut donc rien conclure pour le moment.
(donc on ne peut rien conclure)